明史

一個多重性格的時代

三民書局

自序

應臺灣三民書局的邀請，要我寫一部明朝史。盛情之下，只有允諾。但是當我寫了數萬字之後，就感到力不從心，於是請學弟高壽仙教授幫助，不是高教授的加盟，不知這部《明史》會拖到何時與讀者見面。

我自幼生活在北京，這裡是明清兩朝的國都，特別是故宮、長城、十三陵等等明朝遺存，給我深刻的影響。一九六三年我進入北京大學歷史系學習。當時歷史系名師薈萃，大師雲集，在他們的薰陶下，我喜歡上了史學，這也就決定了我終生將與史學為伴，即使在「文革」的災難時期，那時我被安置在甘肅祁連山的深處，身邊僅有的幾部史書依然給我生活帶來愉悅。「文革」後，我又有幸重回北京大學歷史系，師從許大齡先生，研究明史，先是讀研究生，後來留校任教。高壽仙小我十八歲，也是許門弟子，年富力強。由於同一師門，平常接觸較多，合作起來，得心應手，書稿內容自然也難分彼此，不過書中如有重大過失，當然學長承其責。

在《明史》寫作過程中，我們常常有力不從心的感覺。第一，明朝歷時二百七十七年，從傳統皇朝來說，統治時間僅次於唐朝。這二百七十七年，實在是錯綜複雜，既有各種傳統發展的極致，又有社會轉型帶來的各種變化，相互交錯，撲朔迷離，形成了明朝歷史多重性格的特點。要寫出明朝歷史的多重性格，對於我們確實有很大的難度。第二，有關明朝歷史的資料相當豐富，有官方記載，也有大量的私人著述，可以說當年清朝官修《明史》時所依據的資料，今天都可以看到。全面掌握資料，去粗取精，辨別真偽，尤其重要。寫史就是這樣，史料少難，史料多也難。第三，明史研究受時政影響很大。這在清朝官修《明史》時就有反映。近代以來，一些政治家們經常用歷史說話，明朝歷史被他們利用的最多，許多人對明朝的認識，就是從這些時政化的研究而來。明史研究要擺脫時政影響，也並非易事。因此書稿完成之後，我們心情並不輕鬆，甚至憂過於喜，以上三點我們是否解決了，有待讀者鑑定，我們真誠地希望讀者給予指教。

書稿即將付梓，首先要感謝我們的導師許大齡教授，是他當年孜孜教誨，把我們引上明史研究之路。本書的明史分期就是受先生研究成果的影響，實際上他為我們這本書提供了一個基本框架。其次要感謝明史學界的同仁，是大家共同的努力開創了近年來明史學術研究的繁榮，沒有這樣的基礎，我們不可能完成這部《明史》。參閱同仁書目，附於書後，這裡就不一一道謝了。第三，三民書局編輯部非常敬業，認真負責的工作作風使本書避免了不少錯誤。我對其表示由衷地感謝。

王天有

二〇〇八年三月二〇日

明史

一個多重性格的時代

目次

目次

前言

明王朝是從一三六八年至一六四四年，即從十四世紀中期至十七世紀中期的一個統一王朝。這時，中國傳統王朝社會歷經近一千六百年的周流演變，進入了它的後期。明初種種傳統發展的極致和中後期社會轉型帶來的新氣象，相互交錯，撲朔迷離，使明朝的歷史呈現出錯綜複雜的多面性格，以至於人物的評價、事件的釐清、歷史發展的態勢，都很難用簡單的否定與肯定來標誌。

清朝修纂《明史》，自順治迄乾隆，歷四朝，凡九十五年，是中國歷史上設館修史時間最久的一次。原因很多，其中有一點也是不爭的事實，那就是明朝史事頗有不同於前代的內容，加上後世對明朝朝政的抑揚、人物的臧否多意見不一，所以無論在大局或細節上，均需詳細的斟酌與探討。儘管如此，清修《明史》依然錯誤百出，貽人口實。近代以來，一些所謂的政治家和思想家們，往往借助於明朝史事進行說教，使明朝歷史更被層層雲霧圍繞，陷入迷濛。可見撰寫一部明朝歷史具有相當的難度。好在斗轉星移，世人企盼已久的思想解放的霞光正光照大地，明史研究的新材料、新成果不斷湧現，這為撰寫《明史》創造了極為有利的條件。所以筆者不揣學識淺薄，敷衍成文，願以此就教於學林。

談到明朝歷史，首先要談王朝的核心——皇帝。在明朝二百七十七年的歷史中，共有十六個皇帝，他們是：明太祖朱元璋、建文帝朱允炆、明太宗（成祖）朱棣、明仁宗朱高熾、明宣宗朱瞻基、明英宗朱祁鎮、明代宗（景帝）朱祁鈺、明憲宗朱見深、明孝宗朱祐樘、明武宗朱厚照、明世宗朱厚熜、明穆宗朱載垕、明神宗朱翊鈞、明光宗朱常洛、明熹宗朱由校、明思宗（莊烈帝）朱由檢。這十六個皇帝中，有雄才大略、開基創業的一代英主；也有穩定時局，或從某一方面對鞏固明朝基業有所作為的守成之君；然而更多的是平庸之輩，甚至不乏極其腐朽的皇帝。但是明朝畢竟維繫了二百七十七年，無權臣專政，無後宮外戚之患，更無武臣跋扈、地方割據，王朝一統局面基本穩固。清代一些史家在研討明朝歷史時，對有的皇帝長期不上朝而王朝權力照舊運作，感到「誠不可解也」，其實這一切都依賴於皇權支配下的政制。為此，本書寫作中在注意皇權運作的同時，給予這種政制較多的關注。這是明朝政治上的一個特點。

歷史是有生命的東西，是活的東西，是不斷發展變化的東西。明朝歷史變化之大，是明前各王朝無法比擬的。這種變化有政治方面的，有經濟方面的，也有社會思潮方面的；推動變化的主因有的源於自上而下的力量，有的源於下層湧動。上下合力，變化加快；上下背反，曲折迂迴。總的來說，明朝政治的變化滯後於經濟的變化，社會思潮的靈敏性比政治家對改革的認知更是先知先覺。明朝的帝王，幾乎無一例外，在他們即位時頒佈的《登極詔》中表示「除舊佈新」或「革故鼎新」的願望，但是真正意義上的政治改革終明之世都沒有出現。經濟上則不同，明朝創立之初，統治者通過復興農村經濟，建立了牢固的自然經濟體系。它既保證了明朝前期經濟的穩態發展，又為隨之而來的商品經濟發展奠定了基礎。十六世紀以後，明朝商品經濟發展程度有了顯著的提高，民營作坊增多，國內外市場繁榮，商業資本活躍，以白銀為本位的貨幣在市場上更廣泛行用，這一切都昭示著明朝中後期的社會變遷，中國近代化之路開始起步。明朝的社會思潮前後期有很大變化，前期被官方肯定的傳統思想支配著整個社會思潮的動向；中後期傳統思想的異化，民間文化的勃發，以及晚明異質文化的傳入，中西文化交流在知識精英的推動下空前的進展，社會思潮出現了多元化的走向，在排斥與接受的碰撞中，新思想的火花時有迸發，明代文化更是異彩紛呈，婀娜多姿。故而經濟轉型與社會新思潮是本書寫作中另兩個關注較多的問題。這兩個問題也是明朝歷史上極具特色的問題。

十五世紀是足以讓明朝和世界引為自豪與振奮的一個世紀。在這個世紀中，人類從東西兩個方向發起了對海洋的挑戰，鄭和下西洋始於世紀之初，哥倫布發現新大陸完成於世紀之末，此後世界文明開始了從區域發展向整體發展的轉換，中國與世界密不可分。研究明史必須要有世界的眼光。鄭和下西洋是中國傳統對外關係，即朝貢關係的繼承與發展，國與國關係的基調是和平的，貿易的原則是平等的。但是鄭和下西洋也有侷限性，即明初開放僅限於官方層面，對私人海外貿易活動則實行「海禁」。這種局面一直到隆慶元年（一五六七年）明穆宗允准私人遠販東、西二洋，才有了根本的轉變。從此明朝基本拋棄了不現實的朝貢體制，把對外貿易落向中外民間層面。用當時世界眼光看，明朝總體上是開放的，無論是前期還是後期，明朝在當時世界上的地位不可低估。這也是明朝歷史上的重要問題。

明史分期是撰寫明朝歷史不可迴避的問題，見仁見智，可以有兩分法、三分法、四分法、或更多的分法。兩分法大多以成化、弘治或正德為界分明朝為前後期。三分法則以正統十四年（一四四九年）和萬曆中期為界分明朝為前中後三期。這兩種分法時限過大，不易反映明朝繁雜的社會變化。顧炎武是四分法，他在《天下郡國利病書》中引〈歙縣風土論〉分明朝為春夏秋冬四期：弘治以前，「詐偽未萌，訐爭未起，紛華未染，靡汰未臻」，「此正冬至以後春分以前之時也」；到正德末嘉靖初，則「商賈既多，土田不重」，「詐爭起矣，紛華染矣」，「此正春分以後夏至以前之時也」；至於嘉靖末隆慶間，「末富居多，本富益少，富者愈富，貧者愈貧」，「此正夏至以後秋分以前之時也」；及萬曆中，「富者百人而一，貧者十人而九」，以至「戈矛則連兵矣，波流則襄陵矣，丘壑則陸沉矣」，「此正秋分以後冬至以前之時也」。顧氏的分期是源於兩分法，只是根據弘治以後社會變化加快的現實在分期上更細化了。以上這些分期法都富有啟發性，然而卻不全面。

許師大齡先生在為筆者所著《晚明東林黨議》一書寫的〈序〉中也分明朝歷史為四期，立論較為全面，本書基本採用，細節上略有調整。具體如下：

第一期為開創期，從明太祖洪武元年（一三六八年）到英宗正統六年（一四四一年）。這一時期，明朝完成了國土的開發，首都的遷移，省區的劃分，中央輔政形式從宰相制到內閣制的轉變，各種制度和法規的建設，從而一個統一的和比較安定的政治局面出現了。經濟上從鼓勵農民歸耕，到獎勵墾荒，勸課農桑，大量自耕農的存在和無糧白地（即不納稅的土地）的出現，為此時農村經濟發展增添了活力。《明史．食貨志》云：「是時宇內富庶，賦入盈羨，米粟自輸京師數百萬石外，府縣倉廩蓄積甚豐，至紅腐不可食。」這一評論並非虛妄之言。正是有了經濟做後盾，才可能有鄭和下西洋這樣的驚世偉業。此外，思想控制比前代加強，程朱理學成為官方正統思想，並為有明一代的主流文化。

第二期為腐化期，從明英宗正統七年（一四四二年）至武宗正德十六年（一五二一年）。這一時期，皇族腐化趨向日益嚴重，在經濟上皇族地主大肆侵田占土，皇莊不斷發展，在政治上出現宦官專權的局面。皇族地主腐化於前，縉紳地主緊隨其後。加上國家賦稅龐雜，差役繁多，新添有金花銀、均徭、加派等名目，社會矛盾激化。土木之變，反映出國家軍事實力的下降，對邊區的管理削弱。統治集團內部矛盾加深，前有南宮復辟、曹石之變，後有朱宸濠叛亂。此時思想領域也發生變化，長期處於統治地位的程朱理學趨於保守，在學術上喪失了創新精神，心學隨之興起。

第三期為整頓期，從明武宗正德十六年（一五二一年）至神宗萬曆十年（一五八二年）。這一時期，商品貨幣經濟有了顯著的發展，社會轉型加快，各種制度和風俗也都有了相應的變化。當時北方少數民族韃靼首領俺答汗日益強大，不時率兵南下騷擾，在東南沿海，倭寇也不斷入侵，所謂「南倭北虜」的局面形成。統治集團內部要求改革的呼聲越來越高。首先是整頓邊防，嘉靖末擊敗倭寇，隆慶時俺答封貢。其次是整頓賦役，從局部到普遍施行一條鞭法。再次是整頓工商業，徵收輪班銀，准販東西二洋，設水餉、陸餉、加徵餉、船引銀。明朝是當時世界白銀行用的最大市場。這些整頓在一定程度上順應了歷史發展的要求。還有整頓吏治，至張居正當政時較有成效。

第四期為衰敝期，從明神宗萬曆十年（一五八二年）至思宗崇禎十七年（一六四四年）。這一時期商品貨幣經濟繼續發展，社會轉型與王朝的腐敗俱加快了速度。在農村，大土地所有制惡性發展，農民起事、佃農抗租、奴婢索契以及各種祕密結社活動，已形成一股股的潛流。在城鎮，商人罷市、手工業工人齊行叫歇，也並非罕見，特別是萬曆中期發生在全國的新興市民階層反對礦監稅使的風潮，在以往的歷史上是不曾有過的。萬曆三大征雖然令明神宗陶醉，但是王朝的肢體已被掏空，皇族的腐敗，猶如一個大染缸，再也培育不出中興之主。東林黨議是統治者已無法維持正常統治的標誌，明朝的滅亡不可避免。但是思想界卻在這「天崩地坼」的時代煥發出勃然生機，與傳統相違的新思想不斷湧現。西學東漸與晚明幾大科學家的貢獻，在中國歷史上也占有重要的地位。

明朝對我國東北地區的開發遠邁漢唐，同時也為滿族的興起培育了土壤。努爾哈赤年長明神宗朱翊鈞四歲，早死神宗一年有餘，可以說二人是同時代的人。未來王朝的更迭，從二人的對比中似可見端倪，故史家有「明亡實亡於神宗」的慨歎。但是明朝在民心上並未輸給後金（清），歷史告訴我們史事並非總是按照「得民心者得天下」的軌跡運行。這在以後的南明史中會得到印證。李自成為明朝劃上了句號，國家權力卻被清朝所接替。明朝留下的最大遺產，就是二百七十七年的歷史任後人評說。

第一篇

明朝的開創期

一三六八—一四四一年

導言

從明太祖洪武元年（一三六八年）到英宗正統六年（一四四一年），是明朝的開創期。

淮右布衣朱元璋迫於生計，投身於農民軍之中，最終攻滅群雄，統一中國，創建了大明王朝。他對中央和地方官制都按照有利於皇權的原則進行了大刀闊斧的改革，從而奠定了朱明一朝的基本政治框架。為了鞏固統治地位，肅清貪污腐敗，他以猛治國，迭興大獄。太祖去世後，繼位的建文皇帝推行了一系列改制措施，試圖緩和太祖過於嚴厲的統治風格，但很快就因削藩導致靖難之變，燕王朱棣奪取了皇位。朱棣即位後，在經營邊疆、開展對外交往方面下了很大力氣，取得輝煌成就，同時也給國庫帶來沉重的財政負擔。朱棣之後相繼登上皇位的明仁宗朱高熾和明宣宗朱瞻基，成功地實現了治國方針從開拓向守成的轉變，出現了「仁宣致治」的安定局面。開創期的幾位皇帝，都比較重視民生，社會經濟很快從元末戰亂所造成的殘破局面中恢復過來。在社會和文化方面，明初控制很嚴，因此社會風俗比較淳樸，但學術思想和詩文創作卻乏善可陳，缺乏創新性。不過，明初的小說創作卻取得很高成就，出現了《三國演義》和《水滸傳》這樣優秀的作品。

第一章 朱元璋其人與明朝的建立

第一節 從和尚到農民軍領袖

明王朝的創建者是朱元璋，在中國歷代王朝的開國君主中，他出身最為貧賤。朱元璋祖籍沛國相縣（今江蘇沛縣），從祖父的時候起由於家貧多次遷徙，到父親朱五四時，最後定居在濠州（今安徽鳳陽）鍾離太平鄉孤莊村。朱元璋出生於元天曆元年（一三二八年）九月十八日，幼時叫重八，至於名元璋、字國瑞，都是後來起的。他從小給地主放牛，僅在私塾中讀過幾個月的書。至正四年（一三四四年），濠州一帶發生嚴重的自然災害，乾旱、蝗災、瘟疫接踵而來。朱元璋父母長兄相繼死去。為了生存，他到於皇寺（後稱皇覺寺）做了和尚。不久「以歲饑罷僧飯食」，他只得離寺遊方化緣。朱元璋走遍了淮西、豫南一帶，一路風餐露宿，飽嘗人世艱難。這段辛酸的經歷，在他後來親自撰寫的〈皇陵碑〉碑文中留下了生動的記錄：

朝望突煙而急進，暮投古寺以趨蹌。仰穹崖崔嵬而倚碧，聽猿啼夜月而淒涼。魂悠悠而覓父母無有，志落魄而佒佯。西風鶴唳，俄淅瀝以飛霜。身如蓬逐風而不止，心滚滚乎沸湯。①

近似乞討的漂泊生活，也使朱元璋磨礪了意志，開闊了眼界，積累了社會經驗。淮西一帶是元末白蓮教流行的地區，白蓮教頭目彭瑩玉曾在這裡傳教和散佈反元思想，這些都對朱元璋產生影響。三年以後的至正七年（一三四七年），朱元璋才又回到於皇寺。

至正十一年（一三五一年），元末紅巾軍發動反元暴動。五月，劉福通起事於潁州；八月，徐壽輝回應於蘄州（今湖北蘄春），各地紛起響應，席捲大半個中國。第二年，朱元璋加入濠州紅巾軍郭子興部為兵，漸漸顯露出他的才能，從親兵九夫長進而成為郭子興的快婿。在濠州紅巾軍內部的權力鬥爭中，朱元璋處亂不驚，成為郭子興的心腹將領，由此也開始他的創業歷程。

至正十四年（一三五四年）五月，朱元璋看到各路紅巾軍大多沉寂，認識到侷促於濠州一隅，不可能有大的作為，於是把手下七百人交給他將統率，自己率領徐達、湯和、吳良、吳禎、花雲、陳德、顧時、費聚、耿再成、耿炳文、唐勝宗、陸仲亨、華雲龍、鄭遇春、郭興、郭英、胡海、張龍、陳桓、謝成、李新、張赫、張銓、周德興二十四人離開濠州，南向定遠發展。這二十四人都是朱元璋同鄉，也是此後幫助朱元璋打天下的重要將領。自紅巾軍起事後，元朝無力控制局面，地方上往往組織民兵或義兵結寨自保。朱元璋南略定遠的第一步，就是收編張家堡驢牌寨的「民兵」，一舉而得三千人。接著移兵向東，攻打盤踞橫澗山的「民兵」主帥繆大亨。繆大亨戰敗投降，兩萬精兵盡歸朱元璋麾下。

① 佚名，《天潢玉牒》附〈御製皇陵碑〉。

此後定遠其他一些結寨自保的地方武裝馮國用、馮國勝（後名勝）、丁德興、毛麒等也相繼歸附。馮國用兄弟自幼讀書，熟悉兵法。朱元璋問以天下大計，馮國用以取金陵（今江蘇南京）對。他說：「金陵龍蟠虎踞，帝王之都，先拔之以為根本。然後四出征伐，倡仁義，收人心，勿貪子女玉帛，天下不足定也。」②這一建議對朱元璋以後的戰略決策起了重要影響。也正是此時，定遠人李善長加入朱元璋的隊伍。李善長是後來明朝位列文臣之首的重要人物，他一見朱元璋就勸其效法漢高祖劉邦，以取天下為己任。於是朱元璋「遂有一漢高在胸中，而行事多仿之」③。七月，朱元璋又南向攻下滁州。第二年正月再克和州。這一時期又有虹縣人鄧愈、胡大海、常遇春先後率部來歸，使朱元璋力量更加雄厚。

至正十五年（一三五五年）是反元戰事轉入高潮的一年，也是朱元璋創業史上的關鍵時期。這一年劉福通在亳州（今安徽亳縣）擁立韓山童之子韓林兒為帝，稱「小明王」，國號宋，建元「龍鳳」。徐壽輝早在起事後就已稱帝，國號「天完」，此時占領區由今湖北擴大到湖南、江西、浙江、安徽等地。三月，郭子興去世。朱元璋等接受龍鳳政權的封號，在和州建立都元帥府。郭子興子郭天敘為都元帥，妻弟張天佑為右副元帥，朱元璋為左副元帥。由於和州的部隊大多是朱元璋召募來的，由他指揮，加上他身邊有徐達等能征善戰的將領聽候調遣，有李善長、馮國用、毛麒等儒士為他出謀畫策，所以朱元璋成為實際的主帥。不過和州地域有限，加上軍糧無法保證，朱元璋要想發展壯大，必須突

②張廷玉等，《明史》卷一二九〈馮勝附馮國用傳〉。
③趙翼，《廿二史箚記》卷三二〈明祖行事多仿漢高〉。

破浩蕩長江，向江南開拓。為此朱元璋把目光投向巢湖水軍。他親自聯絡，曉以利害，終使巢湖水軍大部來歸。其將領俞廷玉、俞通海、俞通源、俞通淵、廖永安、廖永忠等在渡江攻占采石、太平等戰役中起了重要作用，從此朱元璋也有了水師。六月，朱元璋兵分兩路從南北方向向集慶（今江蘇南京）進軍。九月，北路軍郭天敘、張天佑兵臨集慶城下。不料元「義兵」元帥陳埜先設下鴻門宴，郭、張

韓山童、韓林兒

韓山童（？—一三五一年），欒城（今屬河北）人。其祖父因傳授白蓮教，被謫徙永年（今屬河北）。韓山童繼續宣傳白蓮教，伺機發動反元起事。至正十一年（一三五一年），黃河決口，元朝徵發大批民夫治河，民怨鼎沸。韓山童與徒弟劉福通等聚眾起事，因起義軍以紅巾裹頭，故稱「紅巾軍」。不久，韓山童被捕身亡，其子韓林兒（？—一三六六年）隨母逃至武安（今屬河北）山中。至正十五年（一三五五年），劉福通再次起事，迎韓林兒至亳州（今安徽亳縣），立為帝，號小明王，國號宋，建元龍鳳。龍鳳五年（一三五九年），移都汴梁。次年，兵敗退據安豐。龍鳳九年，張士誠部將呂珍攻安豐，一直奉龍鳳正朔的朱元璋往救，徙居滁州（今安徽滁縣）。龍鳳十年，朱元璋即吳王位，命廖永忠往迎小明王、劉福通，舟至瓜步（今江蘇六合南），小明王、劉福通被溺死。

二人先後被殺。至此，朱元璋作為名副其實的都元帥，正式成為一支獨立的力量。翌年（一三五六年）三月，朱元璋攻占集慶，改元集慶路為應天府。七月，龍鳳政權提陞朱元璋為樞密院同僉，不久又陞為江南等處行中書省平章政事。

第二節　攻滅群雄

攻占集慶後，朱元璋開始了創業的第二階段即統一戰爭。首先要鞏固江南，確保應天安定。所以朱元璋攻下集慶後，即命將四出征戰，先後攻占鎮江、廣德、長興、常州、寧國、江陰、常熟、徽州、池州、揚州等地，應天周圍的戰略據點基本上被占領，應天的安全有了保證。在攻打徽州時，他親自登門拜訪徽州大儒朱升，向他請教奪取天下大計。朱升提出：「高築牆，廣積糧，緩稱王。」朱元璋「大悅，命預帷幄密議」④。接著朱元璋向浙東發展，主要進攻目標是與元朝中央政府隔絕、孤立無援的浙東元軍。至正十八年（一三五八年）十二月攻下婺源，第二年再克諸暨、衢州、處州等地。此時又有一批浙東名士加盟朱元璋隊伍，其中劉基、宋濂、章溢、葉琛被朱元璋稱為「四先生」，待之優厚。第二年，龍鳳政權提陞朱元璋為儀同三司江南等處行中書省左丞相。

正當朱元璋在浙東步步推進，陳友諒（一三二〇—一三六三年）和張士誠（一三二一—一三六七年）在應天附近的拓展成為他的後顧之憂，因此朱元璋決定返回應天，先對付陳友諒和張士誠兩股力

④朱升，《朱楓林集》卷九〈學士朱升傳〉、〈翼運績略〉。

量。張士誠，泰州白駒場（今江蘇東臺）人，以販賣私鹽為業，起事後占有淮水下游及今江蘇東部和浙江北部。張士誠不屬於白蓮教紅巾軍系統，後建國號大周，都平江（今江蘇蘇州），對元朝時附時叛，反覆無常；與朱元璋則處於敵對狀態。陳友諒，沔陽（今湖北沔陽）人，出身漁民。在徐壽輝所部紅巾軍中因武藝精強，作戰有功，陞到領兵元帥，後自稱漢王。至正二十年（一三六〇年）陳友諒挾持徐壽輝東下，攻占太平，進駐采石。他沒有把朱元璋放在眼裡，以為應天垂手可得，急於稱帝，於是派人殺害徐壽輝，以采石五通廟為行殿，即皇帝位，國號大漢。接著派人聯絡張士誠共同進攻應天。當時朱元璋在應天剛剛立足，「論兵強莫如友諒，論財富莫如士誠」⑤，兩個強敵聯手，猶如晴天霹靂，震驚了應天。不過朱元璋早有準備，此前與劉基就分析了當下形勢，認為：「士誠自守虜，不足慮。友諒劫主脅下，名號不正，地據上流，其心無日忘我，宜先圖之。陳氏滅，張氏勢孤，一舉可定。然後北向中原，王業可成也。」⑥具體對策是利用康茂才與陳友諒的舊友情，讓康茂才聯絡陳友諒，約為內應，使陳友諒不待與張士誠會合，急速東下。陳友諒果然中計，損兵折將。朱元璋受降陳部兩萬餘人，應天轉危為安。

至正二十三年（一三六三年），陳友諒乘朱元璋率部援救安豐（今安徽壽縣）被困的小明王，率部攻打洪都（今江西南昌）。洪都守將是朱元璋侄子朱文正，浴血奮戰，堅守八十五天。朱元璋聞訊回師，與陳友諒在鄱陽湖展開了一場大戰。漢軍號稱六十萬，朱元璋部僅二十萬。朱元璋利用漢軍大船

⑤劉辰，《國初事蹟》。
⑥張廷玉等，《明史》卷一二八〈劉基傳〉。

聯陣運轉不靈的弱點，發揮自身小船操縱自如的特點，採用火攻，切斷漢軍歸路。經過三十六天的激戰，朱元璋以少勝多，以弱勝強，陳友諒本人也中箭身亡。第二年二月，朱元璋攻克武昌，陳友諒之子陳理出降，漢亡。同年，朱元璋自稱吳王。

解決陳友諒的問題之後，朱元璋把下一個進攻目標確定為張士誠。戰役分三步進行。第一步：從至正二十五年（一三六五年）十月起，派徐達、常遇春、馮國勝、胡美等統軍進攻東吳北部淮水下游地區。半年之內，泰州、高郵、徐州、淮安、宿州（今安徽宿縣）等地悉歸朱元璋所屬。第二步：從至正二十六年八月起，以徐達為大將軍、常遇春為副將軍，統軍進攻浙西，十一月湖州、杭州相繼攻下，紹興、嘉興不戰而降。第三步：從至正二十六年十一月底起，朱元璋部各將從北、西、南三面包圍平江，第二年（即吳元年，一三六七年）九月，攻占平江，張士誠被執，後死於亂棍之下，周亡。

值得注意的是至正二十六年（一三六六年）五月，朱元璋發佈了一篇討伐張士誠的檄文——〈平周榜〉。檄文歷數張士誠八條罪狀。其中有兩條指責張士誠與自己敵對，而另外六條都是斥責張士誠背叛元朝的罪狀，看來更像替元朝寫的檄文。同時檄文中還說到紅巾軍「妖言既行，凶謀遂逞，焚蕩城郭，殺戮士夫，荼毒生靈，無端萬狀。」⑦張士誠不屬於紅巾軍系統，朱元璋在〈平周榜〉中如此攻擊紅巾軍，無非是公開傳遞一種資訊：他與紅巾軍要拉開距離，成為新王朝的創建者。就在這年十二月，朱元璋派廖永忠去滁州，迎接小明王，行至瓜洲渡口，派人把船鑿沉，小明王葬身江底，宋亡。從此朱元璋不再用龍鳳年號，改明年為吳元年。

---

⑦祝允明，《前聞記》〈平吳仁言〉。

張士誠敗亡後，朱元璋繼續派兵消滅其他殘存割據勢力。吳元年（一三六七年）九月，命湯和、廖永忠進攻浙東方國珍，僅用三個月便凱旋而歸。同時，李文忠等率軍進入福建；楊璟、周德興、陸仲亨等率軍南下兩廣。經過數十年的戰亂和割據，中國中部和南部地區終於復歸統一，朱元璋稱帝的時機也趨於成熟。至正二十八年（一三六八年）元月初四，朱元璋在應天即皇帝位，國號大明，建元洪武。一個新的王朝誕生了。

第三節　統一中國

朱元璋攻滅群雄之後，迅即把戰略重點轉向滅元。吳元年（一三六七年）十月，任命徐達為征虜大將軍，常遇春為副將軍，率軍二十五萬北伐中原。為此，特命宋濂起草了討元檄文——〈諭中原檄〉。檄文中說：「當此之時，天運循環，中原氣盛，億兆之中，當降生聖人，驅除胡虜，恢復中華，立綱陳紀，救濟斯民。」這是用儒家的天命說來解釋眼下的元朝形勢：當初蒙古貴族入主中原「實乃天授」，今天元朝衰敗也是「天厭其德而棄之」，朱元璋是應運而生的「聖人」，現在出兵北伐，就是要推翻元朝的政權，建立新的王朝。新的王朝將「復漢官之威儀」，「拯生民於塗炭」。同時也申明蒙古、色目人「同生天地之間」，「願為臣民者，與中夏之人撫養無異」⑧。這個檄文激發了廣大漢族民眾支援北伐的熱情，也有助於分化、爭取蒙古貴族和部眾，減少北伐的阻力。北伐確定的戰略，是先取山

⑧姚廣孝等，《明太祖實錄》卷二六〈吳元年十月〉。

東，次及河洛，接著控扼潼關，待將周邊肅清、元朝勢孤援絕之時，再攻取大都，直搗元朝統治的心臟。

明朝建立後，北伐隨即全面展開，而且進展十分順利。洪武元年（一三六八年）八月，北伐明軍攻入大都，元朝滅亡，明改大都路為北平府。雖然元朝滅亡，但全國並未完全統一，元順帝北奔上都（今內蒙古正藍旗東），形成北元政權。元朝軍閥、宗王尚據山西、陝西、甘肅、東北和雲南，明氏大夏政權控制四川。明朝的統一戰爭又斷斷續續進行了二十餘年。

占領北平後，明軍很快進占山西、陝西。洪武二年（一三六九年），攻占元上都，元順帝退至應昌（今內蒙古克什克騰旗西），次年病卒，其子愛猷識里達臘嗣位，是為北元昭宗。洪武五年（一三七二年）朱元璋命將北伐，由徐達統主力為中路，出雁門關，李文忠統東路軍出應昌，兩路並伐漠北，馮勝統西路軍取甘肅。結果中路、東路無功而返，僅西路獲較大戰果，基本平定甘肅之境。此後明朝在北邊採取守勢，十餘年間再未發生大的戰事。

明太祖朱元璋

洪武四年（一三七一年）正月，明朝對四川明夏政權發起進攻。夏政權為明玉珍創建。他原是徐壽輝部下將領，至正十七年（一三五七年）奉命入川，次第消滅了四川境內的元軍。陳友諒弒主稱帝後，明玉珍也在重慶稱帝，國號大夏。六月，明軍兵臨重慶，夏主明昇（明玉珍之子）出降，夏亡。此後貴州土司也相繼歸附，西南地區僅雲南未下。其時元朝宗室、梁王把匝剌瓦爾密鎮守昆明，仍奉北元正朔。前大理國王室後裔段氏據有大理，處於半獨立狀態。洪武十四年（一三八一年），傅友德、藍玉、沐英奉命率師征雲南。明軍很快攻占昆明，梁王兵敗自殺。第二年閏二月，明軍又下大理，雲南悉平。

洪武前期，明朝雖據有遼東，但蒙古貴族納哈出仍盤踞在自遼河上、中游至松花江流域的廣大地區，受北元太尉官號，擁兵割據。洪武二十年（一三八七年），明將馮勝、傅友德、藍玉統軍深入東北，納哈出進退失據，被迫投降。同年年底，朱元璋又以藍玉為大將軍，遠征漠北，大敗北元軍隊於捕魚兒海（今內蒙古貝爾湖），元主脫古思帖木兒（北元昭宗之子）走和林（今蒙古哈爾和林），途中為部下所殺。此後北元內部矛盾重重，相互傾軋，幾任君主都死於非命，已是名存實亡。至此，經過長期征戰，明朝最終完成了統一大業。

第四節　朱元璋成功的原因

朱元璋出身低微，在元末社會大動盪和群雄激烈的角逐中，出類拔萃，推翻元朝，實現一統，原因如下：

第一，朱元璋初起之時，先活動於淮西一帶，進而渡江以應天為中心，西有陳友諒，東有張士誠，北有韓林兒，避開了元朝的主力。當時承擔與元朝主力作戰的是韓林兒。韓林兒雖然最終失敗，但他耗盡了元朝的元氣，以致朱元璋後來北伐勢如破竹。查繼佐曾論：「嗟乎！當日孤壁太平，以宋呼吸故堅，人知之矣。乃宋之疲元力，而預為明地者，人未之知也。不然，以毛貴、田豐、關先生、李武等大小數百戰，一一而明身試之，即太祖自饒勝略，顧寧不百難且後時哉！」⑨可見朱元璋在羽毛未豐滿時依附於龍鳳政權實為明智之舉。另外依附韓林兒，也有韜光晦跡的作用。在群雄中，朱元璋稱帝最晚，從而縮小了自己的目標，避免成為眾矢之的。結果最晚稱帝者恰恰是最終成就帝業的人。

第二，注重軍隊建設。朱元璋從南略定遠開始，不斷收編地方武裝，以後隨著勢力的壯大，軍隊成員也趨複雜。他每收編一支隊伍後，總要認真整頓，嚴加訓練。他曾對收編入伍的將士說：「爾眾初非不多，一旦為我所有，何也？蓋將無紀律，士不素練故爾。今練習爾等，欲令知紀律也。宜共戮力，以建功業。」⑩因此朱元璋的軍隊不是烏合之眾，與元朝軍隊和各割據武裝相比較，是一支守紀律、有戰鬥力的隊伍。胡大海曾說：「吾武人不知書，惟知三事而已：不殺人，不掠婦女，不焚毀廬舍。」⑪這也是朱元璋隊伍得民心之所在。

第三，朱元璋具有非凡的軍事才能。首先表現在善於運用戰爭動員的手段。戰爭動員是戰爭中的重要一環。每次征戰前朱元璋都要對領兵將領進行動員，明確目標，交代任務，說明步驟，鼓舞士氣，申明紀律。同時也解答將領疑慮，統一認識。發佈檄文是戰爭動員的另一種方式，如討伐張士誠則發佈〈平周榜〉，進攻大都則發佈〈諭中原檄〉，都是大手筆。檄文發佈往往有一種先聲奪人之勢，既可壯大自己隊伍的士氣，又可使敵軍氣餒，聞風喪膽。檄文總要宣示戰爭的動因，表明自己是弔民伐罪

⑨查繼佐，《罪惟錄》列傳卷五〈宋韓林兒〉。毛貴、田豐、關先生、李武，俱是龍鳳政權的戰將。
⑩姚廣孝等，《明太祖實錄》卷一〈辛卯歲至甲午歲〉。
⑪張廷玉等，《明史》卷一三三〈胡大海傳〉。

之師，從而得到更多的民眾支援。其次是戰略思想有獨特之處。傳統兵法是遠交近攻，打弱避強。朱元璋在對待陳友諒和張士誠的戰略上，則從二人的實際出發，先戰遠方強大之敵，再打近處弱小之師，結果收到良好的效應。又如善於利用矛盾，個個擊破。朱元璋在討伐張士誠時，最擔心的是元朝軍隊南下，腹背受敵，為此他不斷利用元朝內部矛盾與擴廓帖木兒通好，這樣張士誠就處於孤立無援的境地。

第四，重視戰時經濟。元末戰爭使社會經濟受到嚴重破壞，農村勞動力缺乏，糧食供應不足，加上水利失修，到處可見殘破景象。各割據勢力之間的軍事較量，最終也反映在經濟實力的較量上。最初，朱元璋軍隊出征時，軍士概不支糧，而是進入敵境聽從「捎糧」。捎糧也叫「寨糧」，就是由當地百姓繳納糧草。這種籌集糧草的辦法一是害民，二是難以支援曠日持久的戰爭。下集慶後，朱元璋推行「廣積糧」的措施。至正十六年（一三五六年），朱元璋設營田司，兩年後又任命康茂才為營田使。營田司除負責修堤防、管水利外，主要任務是帶領各地戍守將領開荒屯田。同時又鼓勵農民各還鄉土，進行耕桑。這些措施收到良好效果，因此在至正二十年（一三六〇年），朱元璋就下令廢除「寨糧」。到至正二十三年（一三六三年），康茂才所管屯田，「所存得穀一萬五千石，以給軍餉，尚存七千石」[12]。吳元年（一三六七年），又設立司農司，專管屯田事務。這也是朱元璋較其他割據勢力高明之處。

⑫姚廣孝等，《明太祖實錄》卷一二。

第二章 開國制度與政治整肅

第一節 職官制度

明朝建立前，朱元璋政權雖有獨立性，但形式上是龍鳳政權的一個地方機構。龍鳳政權的建置又因襲元朝，所以洪武初年明朝各級政權的設置和各項制度基本上沿用元制。中央設中書省，置左、右丞相，平章政事，左、右丞，參知政事等官，總領全國政務；設大都督府，置左、右都督等官，統領全國軍隊；設御史臺，置御史大夫等官，負責監察。地方則設行中書省，總管一省事務。隨著統一戰爭的順利進展，政權更加穩定，明太祖即著手進行官制改革，從而奠定了有明一代國家管理制度的基礎。

朱元璋改革官制首先從地方官制開始。洪武初年，朱元璋先後設置浙江、江西、福建、北平、廣西、四川、山東、廣東、河南、陝西、湖廣、山西十二個行中書省。行中書省簡稱行省，有兩個意義，一是大行政區的代名詞，一是管轄大行政區的官署名。洪武九年（一三七六年），明太祖下令改行省之名為承宣布政使司，簡稱布政司。十五年又置雲南布政司，共十三司。至此，行省作為官署名的含義完全消失，而作為大行政區劃的含義則沿用下來。布政司設左、右布政使，掌管一省的政事。布政使具有上承中央政令，下轉地方執行，承上啟下的功能。省級機構還有提刑按察使司，簡稱按察司。《明史．刑法志》說：「按察名提刑，蓋在外之法司也。」按察司設按察使，掌管一省刑名按劾之事。又有都指揮使司，簡稱都司。明初置各省都督府，後革。又置都衛指揮使司，簡稱都衛。洪武八年改各都衛為都司。都司設都指揮使為之長，掌管衛所軍政。布政司、按察司、都司合稱都、布、按「三司」。

明朝設置三司是對元朝行省制度的重大變革。元朝行省無所不統，舉凡民政、財政、軍政皆其職掌。各行省設丞相、平章政事等官，是分權給地方，有較強的割據性。而明朝三司之間互不統屬，分別聽命於中央，是替中央行使權力。這種三司分權機制，削弱了地方的割據性，使中央對地方的控制比元朝明顯加強了。

行省之下設有府、州、縣，既是行政區劃，也是官署名。府的長官是知府，主持一府之政事。州的長官是知州，主持一州之政事。明朝的州有散州（亦稱屬州）和直隸州之分。直隸州相當於府，隸於布政司而統縣；屬州相當於縣，隸於府。縣以知縣為之長，是國家最基層官府的正官。明太祖說：「代天理民者君也，代君養民者守令也。」①所以知府、知州、知縣又稱親民官和父母官。明代基層管理實際上是二級，比元朝行省下面路、府、州、縣的多重設置更為簡明。

中央官制最大的變化是宰相制度的廢除。自秦始皇統一中國以來，歷朝的政體為君主制與官僚制的結合體，其中君主制處於主導地位。這種體制表現為地方集權於中央，中央集權於皇帝。但在皇帝

---

①余繼登，《典故紀聞》卷五。

之下又設宰相為百官之首，協助皇帝處理政務。宰相權利表現在兩個方面：一是議政權，二是監督百官的執行權。按照中國古代傳統政治觀念，宰相制度可以適度彌補君主世襲制帶來的一些弊病，是「賢人政治」的體現。朱元璋的看法與此相反，他說：「自古三公論道，六卿分職，並不曾設立丞相。自秦始置丞相，不旋踵而亡。漢、唐、宋因之，雖有賢相，然其間所用者多有小人，專權亂政。」②洪武九年（一三七六年），明太祖開始整頓中書省，裁汰平章政事、參知政事等官。次年又調出唯一的右丞丁玉，實際上僅存左、右丞相。洪武十一年（一三七八年），明太祖特別向臣下指出皇帝昏蔽、中書丞相專權是導致元朝衰亡的原因。並詔令六部「奏事毋關白中書省」③，預示著一場政局大變動即將來臨。洪武十三年（一三八〇年），朱元璋以謀反之罪殺中書省左丞相胡惟庸，同時宣佈廢除中書省，不設宰相。並且將這一措施作為硬性制度規定下來，「以後子孫做皇帝時，並不許立丞相，臣下敢有奏請設立者，文武群臣即時劾奏，將犯人凌遲，全家處死。」④從此長期存在於中國歷史上的宰相制度不復存在。

中書省既廢，原有中央機構的格局必然也發生變化。具體表現在原丞相議政權和監督百官的執行權的分流。在廢相的當年九月，朱元璋設置了四輔官。所謂四輔官，就是按照古時三公四輔論道經邦，理陰陽、順四時的說法設置輔臣。這些輔臣來自草野儒士，稱春官、夏官、秋官、冬官，並分別於四

②朱元璋，《皇明祖訓．首章》。
③張廷玉等，《明史》卷二〈太祖本紀二〉。
④朱元璋，《皇明祖訓．首章》。

季任事，在每一季的三個月中，每人每月也只任職一旬。他們「淳樸無他長」，輪流「協輔政事」的做法也無法保持政務的連續性。因此，四輔官設置不到兩年，明太祖就宣告廢棄。就在廢四輔官的前後，明太祖又推出兩種新的輔政形式。一是洪武十四年（一三八一年），用翰林院編修、檢討、典籍等官協助皇帝處理各衙門的奏疏，稱「翰林院兼平駁諸司文章事」。二是洪武十五年（一三八二年）設華蓋殿、武英殿、文華殿、文淵閣、東閣諸大學士。殿閣大學士僅正五品，「皆侍左右備顧問」。這兩種形式實際上包含了以後明朝議政權的雛形，永樂以後內閣制的出現即源於此。

行政系統的變化主要表現在「中書之政，分於六部」，也就是說吏、戶、禮、兵、刑、工六部的地位提高。六部由原來中書省曹屬轉變為直屬於皇帝，為皇帝「總理庶務」的最高一級行政機構。六部長官為尚書，正二品，副長官侍郎，正三品，每部下面又設若干清吏司，簡稱司，各置郎中、員外郎、主事為屬官。吏部負責全國官吏的選授、封勳、考功、考課等事；戶部負責全國的財政、經濟事務；禮部負責國家禮儀、教化方面的事務；兵部負責全國武衛官軍的選授、簡練等事務；工部負責國家土木興建、水利工程等事務。六部中吏部「視五部為特重」，被稱為「六部之首」。

廢中書省後，御史臺也隨之革去。洪武十五年（一三八二年）更置都察院。十七年定為正二品衙門。都察院稱風憲衙門，以肅政飭法為職。其正官有左、右都御史，左、右副都御史，左、右僉都御史，都御史地位與六部尚書相近，合稱「七卿」。屬官是監察御史，簡稱御史，分十三道設置，道的名稱與十三布政司相對應，每道七至十一人，共一百一十人。明太祖又設吏、戶、禮、兵、刑、工六科，分工對六部施行監督。六科各設給事中之職，每科數人至十餘人。都察院和六科同為監察機構，共同的特點是「不繫職司」，也就是監察獨立。給事中和御史品級不高，但都可與聞大政，彈劾高官，並向皇帝建言，因此又合稱「科道官」、「言官」。不同的是給事中側重於審核皇帝批覆過的章奏和下發的詔旨，有失得以封駁。御史側重於對中央和地方行政機構進行監督。御史外出，有巡按、監軍、巡鹽、茶馬、提學等名稱。他們「所按藩服大臣、府州縣官諸考察，舉劾尤專，大事奏裁，小事立斷。」⑤科道官人數眾多，稱「清華之選」，在政治生活中非常活躍，陞遷也很快。

除部、院、六科之外，還有其他一些重要的中央機構。大理寺，長官稱卿，負責復審、平反刑獄，與刑部、都察院合稱「三法司」，「刑部受天下刑名，都察院糾察，大理寺駁正」⑥。通政使司，長官通政使，負責出納帝命，受理臣民章奏，互通上下之情，是君主的「喉舌之司」。大理寺卿、通政使、都御史與六部尚書並稱「九卿」。又有翰林院，設學士、侍讀學士、侍講學士等官，負責起草制誥、纂修國史、備皇帝顧問諮詢。《宣廟御制文淵閣銘．序》云：「我太祖皇帝始設宮殿於南京，即於奉天殿之東建文淵閣，盡貯古今載籍，置大學士員，而凡翰林之臣皆集焉。萬幾之暇，輒臨閣中，命儒臣進講經史，躬自披閱，終日忘倦。」文淵閣是皇帝與殿閣大學士及翰林文學侍從之臣的聯繫之所，以後內閣也源於此。

洪武十三年（一三八〇年）廢相之時，也撤銷了最高軍事機構大都督府，改立前、後、中、左、右五軍都督府，簡稱「五府」。五府各設左、右都督等官，分掌天下軍籍，統領都司衛所。五軍都督府在軍隊管理上與兵部分權，兵部負責武官選授、軍隊調發等事，五軍都督府負責軍隊的日常管理。

⑤張廷玉等，《明史》卷七三〈職官志二〉。
⑥張廷玉等，《明史》卷九四〈刑法志二〉。

第二節　衛所制度

明朝軍隊基層組織是衛所。大抵五千六百人設一衛，長官為指揮使，下轄五個千戶所。每千戶所一千一百二十人，長官為千戶，下轄十個百戶所。每百戶所一百一十二人，長官為百戶，下面為兩個總旗，每總旗又分五個小旗。衛的上級為都司或行都司。行都司是從都司中分設出來的，設官與都司相同。都司、行都司掌管一省或一方軍政。原則上都司統衛，衛統千戶所，但也有一部分千戶所直隸於都司，稱守禦千戶所。根據洪武二十六年（一三九三年）的記載，全國共設立三百二十九個衛，六十五個守禦千戶所，以此估算軍隊人數約為一百八十萬。根據「居重馭輕」的原則，京師（南京）駐軍較多，共有四十八衛，二十餘萬人。

衛所軍士皆另立戶籍，稱軍戶。此制承自元朝。軍戶的來源有從征、歸附、謫發、垛集等名目。從征指跟隨朱元璋起兵的嫡系部隊，歸附指降附的元軍和元末各割據勢力的軍隊，謫發亦稱恩軍、長生軍，指犯罪免死充軍者，垛集指明朝建國後新徵一批民戶為軍者。軍籍由五軍都督府管理，與戶部掌管的民籍分屬不同的系統。每戶軍戶中有一人在指定的衛所服役，稱正軍，其子弟稱餘丁或軍餘，正軍應役時須攜妻及一名餘丁共往。正軍死亡，即以餘丁替代，如家中無餘丁，就須勾取其族人頂替，稱為「勾軍」。衛所軍有屯田

北平行都指揮使司夜巡銅牌

和守禦的不同分工，起初「邊地三分守城，七分屯種，內地二分守城，八分屯種」，後來又更定為「臨邊險要，守多於屯，地僻處及輸糧艱者，屯多於守」⑦。屯軍的土地、耕牛、農具由官府撥給，不准買賣轉移。洪武時，每軍受田五十畝為一分，畝稅（亦稱屯田子粒）一斗。軍屯雖然具有明顯的超經濟強制特徵，但在明初對推動經濟的恢復與發展，保證軍儲供應，具有積極意義。到洪武末年，軍屯面積達到八十九萬三千一百九十四頃。朱元璋對此頗為得意，說：「我京師養兵百萬，要在不費百姓一粒米。」⑧衛所主要是一種駐防體系，並非戰時編制。衛所軍平時進行軍事訓練，戰時則由朝廷命將充任總兵官，抽調衛所精銳出征，戰爭結束後，將領交還總兵印綬，軍士則返回各自衛所。

明朝衛所有實土、非實土之分。大部分衛所為非實土衛所，設於府、州、縣境內，其屯田與民田相雜，不完全自成區域。實土衛所設在一些尚未設立府、州、縣的邊區，擁有較為固定的轄區。如遼東都司下的衛所，全是實土衛所。又有邊疆民族地區，也有衛所至都司的設置，長官由當地民族首領擔任，與實土、非實土衛所均不相同，稱羈縻衛所。

第三節　禮制與法制

朱元璋對禮制和法制都很重視。「以禮治國」是儒家傳統的治國思想，強調社會應該和諧有序的發

⑦張廷玉等，《明史》卷七七〈食貨志一〉。
⑧申時行等，《大明會典》卷一八（萬曆版）。

展，因此每個人都應當使自己的行為符合禮的規範。禮制就是這種關於「序」和「規範」的制度，朱元璋稱之為「國之紀綱」。法制則是通過立法的形式，運用強力的手段，來維護禮制的社會秩序。禮制和法制並行不悖，相輔相成。這也正是朱元璋對兩者給以同樣重視的原因。

《明史．禮志》記：「明太祖初定天下，他務未遑，首開禮、樂二局，廣徵耆儒，分曹究討。」可見對「禮」的重視。洪武二年（一三六九年）他又詔諸儒纂修禮書，第二年修成，賜名《大明集禮》。該書詳載當時各種禮制，清朝史家評議說：「若夫釐正祀典，凡天皇、太乙、六天、五帝之類，皆為革除，而諸神封號，悉改從本稱，一洗矯誣陋習，其度越漢、唐遠矣。又詔定國恤，父母並斬衰，長子降為期年，正服旁服以遞而殺，斟酌古今，蓋得其中。」⑨說明明朝禮制的特點。明朝禮制仍沿用前朝吉、嘉、賓、軍、凶五禮的分類法。吉禮，指祭祀之禮，吉訓為福，也就是祀神致福之禮。嘉禮，指冠婚、飲食、賓射、燕饗、賑膰、慶賀等禮。賓禮，指接待賓客（蕃國君長與使節）之禮。軍禮，指軍旅之禮。凶禮，指喪葬之禮。除五禮之外，明朝禮制又增加了冠服、車輅、儀仗、鹵簿、音樂等名目。禮文更強調等級品節。對於不同層次的官府和不同身分的人，禮制的規定也不盡相同。從官府層次上看，有朝廷之禮，有王國之禮，有府、州、縣之禮；從人的身分上看，有天子之禮，有后妃之禮，有宗室勳戚之禮，有百官之禮，有庶民之禮。這些有關禮的制度，基本上是以官服佩飾定品級，居室車馬明身分，璽文印信表尊嚴，使傳統社會君臣吏民的差別法則化、規範化。以冠服為例，規定了皇帝、后妃、諸王、百官、士人、吏員、皁隸、平民、樂戶等衣冠服飾的標準，包括樣式、顏

⑨張廷玉等，《明史》卷四十七〈禮志一序〉。

色、質料、花樣、場合等多層次的規範，極為細緻。「禮不下庶人」觀念已蕩然不存，它已深入到明代人們社會生活的各個方面，制約和影響著整個社會。

洪武時期也是明朝法制建設的重要階段，朱元璋制定了多種法典、法規，包括律、令、誥、榜文、條例等。其中以《大明律》和《大誥》為主要代表。《大明律》是一部綜合性的刑法典，其修訂貫穿了洪武一朝。《明史．刑法志》稱：「草創於吳元年，更定於洪武六年（一三七三年），整齊於二十二年，至三十年始頒示天下。日久而慮精，一代法始定。」《大明律》以《唐律》為藍本，但又「因時以定制，緣情以制刑」，具有自己的特點。全書分三十卷，律文四百六十條。其篇目由《唐律》十二篇改為七篇，首列〈名例律〉一卷，規定立法之原則；然後依次為〈吏律〉二卷，〈戶律〉七卷，〈禮律〉二卷，〈兵律〉五卷，〈刑律〉十一卷，〈工律〉二卷，按六部分類編排相關律條，綱張目舉，條分縷析，從體例上較之《唐律》簡覈，是對傳統法典結構的一次改革。刑名則在繼承唐律笞、杖、徒、流、死五刑體制外，增加了兩種重要的補充刑罰：一是在死刑絞、斬之上增添了凌遲，亦稱磔刑，即分割犯人肢體，令其受盡痛苦而死。凌遲屬於殘酷極刑，用於處分大逆等重罪。二是流刑增加充軍，指將罪犯發往遠地衛所充軍籍服役，輕者止役終身，重者子孫世代不免，距離上又分附近、沿海、邊衛、遠衛、煙瘴、極邊六等，為流刑範圍中最重之刑罰，僅次於死刑。《大明律》最主要的特點是「重其重罪，輕其輕罪」⑩。所謂重罪是指危害國家統治的謀反及重大經濟犯罪，其量刑最重，連坐範圍也比唐律有所擴大。相反，明律對大量一般犯罪行為，如盜賊及有關帑項錢糧等事的懲處要比唐律為輕。

⑩薛允升，《唐明律合編》卷九，「奸黨」條。

《大明律》另一個特點是加大了對官吏和勳貴違法行為的打擊力度。《大明律》較《唐律》新增死罪二十七條，其中很大一部分是針對官吏和勳貴的。《大明律》對官員貪污受賄給予極大的重視，僅〈刑律〉中「受贓」就單列為一卷，規定受財枉法者，一貫以下杖七十，每五貫加一等，至八十貫即處絞刑。《唐律》中適用於官吏勳貴的「議、請、減、贖、當、免」諸法，規定詳細，而《大明律》中此類規定則明顯減少。清代法學家薛允升說：「唐律於〈名例〉之首，即列八議，議、請、減之後，又繼以官當蔭贖，其優恤臣工者，可謂無微不至矣。明律俱刪除不載，是只知尊君而不知禮臣。」⑪其實《大明律》這部分條文的制訂是與洪武年間整肅吏治的背景相呼應的。

《大誥》是洪武中後期朱元璋親自撰寫、刊發的刑事法規，分《大誥》、《大誥續編》、《大誥三篇》、《大誥武臣》四部分，共二百三十六條。誥文的內容包括一百五十六個「官民過犯」判例，六十多種法令法規，以及朱元璋對臣民的訓誡之辭。《大誥》的立法精神與《大明律》一致。按照朱元璋的要求「一切官民諸色人等」每戶都必須收藏《大誥》，如犯笞杖徒流罪名，家有《大誥》者罪減一等，無者罪加一等⑫。各級學校及民間書塾都要講讀《大誥》，當時稱之為「讀法」。朱元璋頒佈《大誥》的初衷是「明刑弼教」，即通過「不循朕教」、「自取滅亡」的判例，張揚刑威，向臣民灌輸「趨吉避凶」之道。但在判例中有相當多的案件採用了律外刑罰，誥中的法令法規在量刑標準上也大多比《大明律》嚴厲。如律外用刑，就有閹割、刖足、臏膝、斬趾等中古以來廢棄的肉刑。又創設斷手、剁手、

⑪薛允升，《唐明律合編》，「後序」。
⑫朱元璋，《大誥·頒行大誥第七十四》。

挑筋等古所未見的刑罰，甚至集數刑於一身。實際上「明刑弼教」變成了重刑恫嚇。《大誥》在整頓吏治方面還採取了一些特殊的做法，如稱「若靠有司辨民曲直，十九年來未見其人」，故而鼓勵百姓綁拿害民官吏，「以其良民自辨是非，奸邪難以橫作，由是逼成有司以為美官」⑬。因為《大誥》是在洪武十八年（一三八五年）至二十年間頒佈的，有些條目附載於洪武三十年（一三九七年）頒佈的《大明律》，另一些條目則與《大明律》有所牴牾，更多地體現朱元璋的個人意志，所以他死後基本不再行用。洪武以後，在司法實踐中日漸重要的是問刑條例，並成為司法部門得以援引的法律依據。但是《大明律》作為根本大法的地位並未動搖，條例的制訂與實施均以《大明律》為中心，條例的內容多在彌補《大明律》內容之不足。到宣德以後，以律定罪、以例發落的司法格式基本形成。

第四節　學校與科舉制度

明初學校設置大致可分為三個層次。第一層次是啟蒙教育組織社學。洪武八年（一三七五年），朱元璋看到國內形勢趨於穩定，便發佈詔書，要求各地有司普遍建立社學。他的目的是想推行普及教育，使百姓習教化，厚風俗，實現他的禮治社會。但他不久就發現「好事難成」。到洪武十三年（一三八〇年）只好暫時停止。三年以後，朱元璋不得不改變初衷，詔令「民間自立社學，延師儒以教子弟，有司不得干預。」⑭由強制辦學變為自願辦學，由官辦社學轉為民辦社學。除社學外，屬於啟蒙教育的

⑬朱元璋，《大誥三編．民拿害民官吏第三十四》。

組織還有各種書塾，有教師自辦村塾、里塾，有官宦富室辦的家塾，也有專為宗族子弟辦的義塾。在社學和書塾讀書的學生俗稱童生。洪武年間全國各地興辦社學數目很大，加上各種書塾，接受過啟蒙教育的人數遠遠超過明前任何一個王朝。

第二層次是府、州、縣學。洪武二年（一三六九年），朱元璋詔令天下府、州、縣皆設學校。府學設教授，州學設學正，縣學設教諭，各一人，為教官之長。一般教官則稱訓導，府四人，州三人，縣二人。生員人數，起初定在京府學六十，在外府學四十，州學三十，縣學二十，官府給予廩膳，稱廩膳生員。以後數目不斷增加，洪武二十年（一三八七年）又有增廣生員。英宗正統以後又進一步擴大，出現附學生員。洪武時規定生員之家免差徭二丁，正統以後又擴大為既免丁又免糧。嘉靖九年（一五三〇年）定為優免糧二石，丁二丁。生員在學專治一經，但不能直接做官，必須參加科舉考試，或是經過「歲貢」進入國子監，才可能有做官的機會。但是畢竟只有秀才才有這種機會，因此他們在地方頗受人們的尊重。與地方官學近似的還有專門為武官子弟設置的武學，設於衛所的衛學，設於鹽運司的運學，王府為教授宗室子弟而設的宗學。

第三層次是最高學府國學。始設時稱國子學，洪武十五年（一三八二年）改名國子監。國子監長官為祭酒，司業為之副，監丞負責糾懲，教官有教授、助教、學正、學錄等。國子監學生通稱監生，其中品官勳戚子弟為官生，地方保舉民間俊秀及府州縣歲貢生員為民生，也稱貢生。又有土司生和外國生，亦稱官生。洪武初年，官生數量較多，以後民生占了壓倒多數。洪武二十六年（一三九三年），

⑭姚廣孝等，《明太祖實錄》卷一五七〈洪武十六年十月〉。

監生總數達到八千一百二十四名。國子監教學內容以「四書」、「五經」為主，洪武時還包括《大明律》、《大誥》等法律文書，以及西漢劉向《說苑》等雜書。監生待遇也較優厚，生活費用官給，又時有賞賜，歲久探親還給賜路費。監中分正義、崇志、廣業、修道、誠心、率性六堂，教學難度逐次加深。陞入率性堂後，實行積分法，即每季度都有經義、策、論、判語、詔誥表章等考試，一門考試文理俱優得一分，理優文劣者得半分。一年中積至八分為及格，即可授官，不及八分仍坐堂肄業。既肄業，可差撥到內外諸司歷事，稱歷事監生，歷事期間無大過失，亦得補官。明初王朝始建，亟需大批官吏，朱元璋也寄厚望於監生，當時監生出路很廣。如洪武二十六年，朱元璋一次就提陞六十四名監生為行省布政、按察兩使及參政、參議、副使、僉事等官。當時「臺諫之選亦出於太學」，故史稱「其時布列中外者，太學生為盛」⑮。洪武時還一度設中都國子監，後革。永樂時南、北兩京俱設國子監，兩個最高學府的佈局也是明朝學校的特點。

總之，三個層次的學校設置構成了明朝完整的教育體制，與傳統社會後期人們對教育的需求相適應，正如清代學者所評價：「蓋無地而不設之學，無人而不納之教。庠聲序音，重規疊矩，無間於下邑荒徼，山陬海涯。此明代學校之盛，唐、宋以來所不及也。」⑯

明朝科舉始於洪武三年（一三七〇年），因取士效果不盡理想，洪武六年（一三七三年）一度停罷，至洪武十五年（一三八二年）重新開設。洪武十七年（一三八四年），命禮部制定科舉程式，頒行

⑮張廷玉等，《明史》卷六九〈選舉志一〉。
⑯張廷玉等，《明史》卷六九〈選舉志一〉。

各省，其後遂成定制。按規定，士子參加科舉，必先取得生員（俗稱秀才）資格，然後由地方官推薦，將年齡、籍貫、三代、本經等材料申報，縣州申府，府申布政司，取得參加科舉考試資格。正統以後，生員參加科舉還要先經過提學官考選，稱科考，科考合格才能參加科舉。這種使官辦學校與科舉制度緊密結合的做法，為明朝首創。

科舉考試三年一次，分鄉試、會試、殿試三級。鄉試每逢子、午、卯、酉年在各省舉行，中式者為舉人。鄉試分三場進行。第一場定在八月初九日，試「四書」義三道，即從《大學》、《中庸》、《論語》、《孟子》四書中出題三道，每道二百字；經義四道，即從《易經》、《詩經》、《尚書》、《春秋》、《禮記》出題四道，每道三百字以上。如不能完成，可各減一道。第二場在十二日，試論一道，三百字以上，判語五條，詔、誥、表內科一道。第三場在十五日，試經史時務策五道，如不能完成，可減二道，俱三百字以上。其中經義考題選擇度較大，考生平日可專攻一經，考前預報選經名稱，如報選《詩經》即作《詩經》之題。三場中，第一場最重要，要求考生有四書、五經的功底，同時要精研程朱學派對四書、五經詮釋，實際上是要求考生在理念上與正統思想合拍。二、三場主要是考察士子對古今政事的識見和撰寫公文的能力。會試在鄉試的第二年即辰、戌、丑、未年舉行，地點在京師，時間定為二月九日、十二日、十五日。考試內容與鄉試相同。由於會試由禮部主持，故稱「禮闈」。綜合有明一代會試情況，錄取率大約在百分之一左右。會試中式者隨即參加殿試。明朝第一次殿試在洪武四年（一三七一年）二月十九日，以後定為三月十五日。皇帝是殿試的主考。協助閱卷者稱讀卷官。殿試主要考時務策。策題一般是關係國計民生的大事，以考見其治國安民的見解與方法，使朝廷拔取有才識的人才。殿試分三甲發榜，統稱進士。第一甲稱進士及第，只有三名，第一名稱狀元，第二名稱榜眼，第三名稱探花。二甲若干人，稱進士出身。三甲若干人，稱同進士出身。進士大部分可以直接授官，並且在官員中的比例越來越大。

明朝在洪武時期基本上確立了以學校、科舉制度作為選拔人才的主要方式，在這種方式中，學校出身與科舉出身又有不同，朝廷根據官員出身規定不同的任官層次和陞遷範圍，形成了注重資格的任官制度，這種資格包含著對文化素質的肯定。因此，從整體上看，明朝官員的文化素質較高。但這種重資格的任官方式一經模式化也必將帶來固定性、排他性，最終趨於僵化。不過明朝學校科舉制度中存在著的「優養」精神，還是值得稱道的。從啟蒙的社學階段起，就有對貧寒生的優待，如免交學費、供給飲食、發給紙筆等，進入府州縣學後，即可在賦役上有所優免，學習優秀還有廩膳補助，至於國子監監生的待遇更是好於地方生員。對參加考試的士子，如歲貢生員入京，生員參加科考、鄉試，舉人參加會試，都有盤纏銀的補助。這些措施為不少出身寒微之家的讀書人提供了一條陞進之路，特別是在明朝的開創期，累代無官戶通過學校科舉步入仕途的已不是少數，有的科甚至高達近百分之八十[17]。可以說，這一制度在當時的歷史條件，是一種比較公平的制度。

第五節　戶籍與賦役制度

明初經戰亂之後，人口流失，戶籍散佚，社會潛存著極不穩定的因素，賦役徵調也面臨著種種困

[17] 和田正廣，〈明代科舉官僚家系の連続的側面に関する一考察〉，《西南學院大學文理論集》二四卷二號，一九八四年。

難。為此朱元璋十分重視重建戶籍制度的工作。洪武元年（一三六八年）即令：「凡軍、民、醫、匠、陰陽諸色戶計，各以原報抄籍為定，不得妄行變亂。」⑱「原報抄籍」，指根據舊有的元朝冊籍來抄報各色戶籍。因此，北伐軍攻占大都後，朱元璋就下令總兵官收集元朝的戶口版籍。洪武三年（一三七〇年）十一月，他又表示：「如今天下太平了也，止是戶口不明白哩。」於是戶部創設戶帖。戶帖格式由戶部統一制定，州縣印製後下發每戶填寫。填寫內容包括本戶籍貫、現住地、丁口數、姓名、性別、年齡、戶籍類別（分民、軍、匠、灶等）、財產狀況。一式兩聯，以字號編為勘合，騎縫處加蓋戶部印，稱半印勘合。一聯由本戶戶主收執，一聯上繳戶部，匯總為戶籍。明朝推行的戶帖戶籍制度是對古代戶籍制度的繼承與創新，實行極為嚴格，「百姓每自躲避了的，依律要了罪過，拏來做軍」，「有司官吏隱瞞了的，將那有司官吏處斬」⑲。這樣大規模的人口登記已含有類似現代「人口普查」的性質，它不僅使明廷對基層戶口的控制有了比較可靠的保證，而且對我國近現代戶籍形式和管理辦法產生一定影響。

在戶帖戶籍制度廣泛推行的基礎上，洪武十四年（一三八一年），明朝在全國普遍建立里甲制度。里甲是明朝基層社會管理組織，以一百一十戶為一里，推丁糧多的十戶為里長，其餘一百戶編為十甲，每甲又以一戶任甲首。里長、甲首皆輪流擔任，十年輪換一遍。在城鎮也有類似的編戶組織，城裡分坊，設有坊長，附廓稱廂，設有廂長。里長、甲首負責管束下屬人戶，統計丁口、財產變化狀況，督

---

⑱李善長等，《大明令．戶令》。

⑲李詡，《戒庵老人漫筆》卷一〈半印勘合戶貼〉。

促生產，調理糾紛。與此同時，朱元璋採納戶部尚書范敏的建議，在里甲制的基礎上，編製黃冊。黃冊是將每里戶口編為一冊，冊首是總圖，里中鰥寡孤獨及無田之人列在一百一十戶以外，附在圖後，稱作畸零帶管。黃冊登載的具體內容多與戶帖相同。黃冊每十年要重新覈實更造，寫明十年來各戶的人丁、財產變更情況，分別列出舊管（上次登數額）、新收（新增數額）、開除（減少數額）、實在（現有數額）四項細目，以使官府能夠掌握戶籍的變化，合理徵發賦役。各級官府在自留冊籍底本的同時，另有一份報上級機關，里之冊匯總於縣，縣之冊匯總於府，府之冊匯總於布政司，司之冊匯總於戶部。上報戶部者以黃紙為面，故稱黃冊。朱元璋既造黃冊登錄戶籍，又編製魚鱗圖冊以登錄田土。魚鱗圖冊因其中圖繪田畝，狀如魚鱗而得名，出現於南宋，明朝建國前曾在江南部分地區推行。洪武二十年（一三八七年）前後，開始在全國普遍推廣。其法，每一州縣根據稅糧多少劃分為若干糧區，分別丈量其田土狀況，詳列其面積、地形、四至、土質豐瘠、稅則高低、田主姓名，編號繪製為分圖，然後彙為一縣總圖冊。縣上於府，府上於布政司，司上於戶部，一如黃冊程式。魚鱗冊和黃冊配合使用，「魚鱗冊為經，土田之訟質焉，黃冊為緯，賦役之法定焉」[20]。明朝通過對田土、戶口兩大要素的統計，形成了一套比前朝更加詳備的戶籍和賦役管理制度。

賦役包括賦稅和傜役兩個部分。朱元璋在明初制定的賦稅制度基本上是沿用唐宋以來的兩稅法，田賦分夏稅和秋糧兩次繳納。夏稅徵收不過八月，秋糧繳納不過次年二月。繳納米麥稱為「本色」，繳納錢、鈔、絹或以其他物產代替者稱為「折色」。稅率因地而異，有不同的「科則」，差異很大。凡是

[20] 張廷玉等，《明史》卷七七〈食貨志一〉。

官田每畝通常納稅五升三合五勺，民田三升三合五勺。另外重租官田每畝達八升五合五勺，沒官田達一斗二升。在經濟發達的蘇州、松江、嘉興、杭州四府，有一批承自元朝的重賦官田，稅額每畝有的高達二三石甚至四石的。洪武七年（一三七四年），朱元璋決定四府沒官田畝稅七斗五升的減去一半，十三年又令四府舊額官田畝稅七斗五升到四斗四升的，減去十分之二。儘管如此，江南四府賦重的問題依然存在。為便於徵收，洪武九年，朱元璋命戶部以納糧一萬石為一區，每區設糧長一人（後增至正副糧長三人），以地多納糧多的大戶擔任，負責本區稅糧的催徵、經收和解運。催徵包括到戶部領取勘合，督促里長向納糧戶收繳稅糧。經收是將稅糧收齊總為保管。稅糧分為兩部分，一部分叫存留，即留在地方開支；另一部分叫起運，運到京師的也叫京運，運到其他地區的則叫對撥。各糧區解運都有比較固定的倉口。朱元璋曾多次召見糧長，有的還破格授以官職。如浙江烏程人嚴震直，以糧長成績顯著，為朱元璋賞識，稱「稅戶人才」，授官累至工部尚書㉑。

明初徵派徭役主要集中在江南應天等十八府及江西饒州、九江、南康等三府，計田出夫，農閒服役。黃冊制度確立後，徭役的僉派方式也隨之固定，分為「正役」和「徭役」兩種。正役以里甲為單位輪充，亦稱里甲正役。每年由里長一名督率一甲十戶應役，稱「見年」或「當年」，其餘九里長與九甲人戶在此後九年依次應役，稱「排年」。正役是協助糧長催徵稅糧，協助官府維持治安、拘捕罪犯，辦運上貢物料，支應官府公用等等。除此之外官府所派之役統稱雜役，也叫「雜泛」。僉派原則是以黃冊所載成丁和稅糧狀況為主，丁糧多的任重役，丁糧少的任輕役。雜役的名目有糧長、皁隸、運夫、

㉑張廷玉等，《明史》卷一五一〈嚴震直傳〉。

驛夫、水夫、急遞鋪的鋪兵等。臨時修水利、築城修路等，也屬雜役。

明朝戶籍類別區分極為嚴格，主要有民、軍、匠三大類，以及另外一些特殊戶籍，如灶戶、樂戶等。民戶是國家的基本勞動人口，上述賦役主要是針對民戶而制定的。軍戶主要是服軍役，前文已述。匠戶隸工部，是指專門從事手工業的專業人戶，分輪班匠和住坐匠兩種，皆父死子繼，永充匠役。輪班匠在一定期限內（初時三年一班，後分一至五年一班五種）到京師各官辦手工作坊服役三個月。住坐匠則長年在內府各監局服役，每月上工十日。匠戶可免去其他徭役，服役以外時間可以自由經營生產。明朝匠戶制度，儘管自由程度有限，但與元朝匠戶近似工奴的地位相比，畢竟有了相當大的改善，他們的大部分時間可以投入社會生產，這對有明一代手工業的發展是極為有利的。

第六節　胡藍之獄

朱元璋為政崇尚剛猛嚴厲，主張「刑用重典」，由此衍生出一起起政治風波，其中影響最大的，是旨在清除淮西勳貴的胡惟庸案和藍玉案，史稱「胡藍之獄」。

淮西勳貴主要指從南略定遠到攻占集慶兩年間跟隨朱元璋征戰的將領，也稱之為「渡江舊人」。他們在明朝的創建和以後的統一戰爭中，南征北戰，立下了汗馬功勞。由於他們有共同的地域即鄉里觀念，經歷相似，地位相近，利益相同，自然形成了一個特殊的集團。早在朱元璋初據集慶時，貝瓊就有詩曰：「兩河兵合盡紅巾，豈有桃源可避秦？馬上短衣多楚客，城中高髻半淮人。」㉒「楚客」、「淮人」都是指淮西人。這首詩反映出當時在野士人對淮西功臣地位的看法。明朝建立後，淮西功臣封官進爵，權勢迅速膨脹，朝中重要官職大多由他們充當。洪武三年（一三七〇年），朱元璋首次大封功臣，封公者李善長、徐達、常遇春之子常茂、李文忠、馮勝、鄧愈六人，皆淮西人。終洪武朝封公者十一人，除上述六人外，又有湯和、藍玉、胡顯、常昇，也都是淮西人。只有傅友德是碭山人，早年參加劉福通起事，後為陳友諒部將。歸附朱元璋後雖屢立戰功，但洪武三年封功臣時位列二十八位。直至洪武十七年（一三八四年）才封潁國公。封侯者計五十七人，仍以淮西人居多，非淮西人得以封侯的多是對戰敗降附人員的一種安撫性的封爵，如歸德侯陳理、歸義侯明昇（後二人徙高麗）、崇禮侯買的里八剌（後放歸北元）、海西侯納哈出、瀋陽侯察罕等。封伯六人，有東莞伯何真、懷仁伯陳友富、懷義伯陳友直等，也是安撫性質的。功臣中非淮西籍又屬文臣的只有誠意伯劉基和忠勤伯汪廣洋等少數人。

淮西勳貴還通過與皇族聯姻，相互結合，榮損與共。武定侯郭英之妹、臨川侯胡美長女皆為朱元璋的妃子，郭英又有二女，一為遼王妃，一為郢王妃。魏國公徐達有三女分別為燕王妃、代王妃、安王妃，鄂國公常遇春之女為皇太子妃，衛國公鄧愈之女一為秦王次妃、一為齊王繼妃，宋國公馮勝之女為吳王妃，潁國公傅友德之女為晉世子妃，信國公湯和之女為魯王妃，涼國公藍玉之女為蜀王妃，永平侯謝成之女為晉王妃，定遠侯王弼之女為楚王妃，韓國公李善長、潁國公傅友德、吉安侯陸仲亨、東川侯胡海、鳳翔侯張龍、武定侯郭英之子皆尚公主。淮西勳貴之間也互相聯姻，李善長與胡惟庸為兒女親家，鄭國公常茂妻是宋國公馮勝之女。淮西勳貴的顯赫地位與朱元璋自身的鄉里、宗族觀念也

㉒貝瓊，《清江詩集》卷五〈秋思〉。

不無關係，正是他在政治上的扶持，經濟上的優待，才使淮西勳貴勢焰熏天。這也必然引發朝中其他政治勢力的不滿。

最早向淮西勳貴挑戰的是楊憲。楊憲（?－一三七〇年），字希武，山西陽曲人。至正十六年（一三五六年）朱元璋初據應天，楊憲即來投奔，受到朱元璋的信任。明朝建立後，曾先後任中書省右丞、左丞。楊憲熟悉典章制度，敢於任事，對中書省所用淮西舊人有所裁汰。同時他還把矛頭指向淮西勳貴的核心人物李善長。淮西勳貴感到威脅，就由胡惟庸出面散佈：「楊憲為相，我等淮人不得為大官矣。」㉓於是淮西勳貴合力傾陷，楊憲被處以極刑。「自楊憲誅，帝以惟庸為才，寵任之。」㉔

當時朝中另一派勢力是以劉基為代表的浙東派官僚。他們大多在至正十八年（一三五八年）以後加入朱元璋隊伍，「或以功業定亂，或以文章贊化，卒能合四海於分裂之餘，不越十年，遂致平治」㉕。其中劉基運籌畫計，功績尤著。對於朱元璋出於鄉里觀念作出的決策劉基多所規勸。一是不贊同重用胡惟庸，曾對朱元璋說：胡惟庸就像一匹牛犢，一經重用，就會折轅破犁，闖出大禍㉖。二是反對建都鳳陽。當時朱元璋以應天為南京，以洛陽為北京，又以其家鄉臨濠府為中都。中都由致仕丞相李善長負責營建，實有遷都之意。劉基認為臨濠地處淮河南岸，地域封閉，資源貧乏，水旱頻仍，

㉓劉辰，《國初事蹟》。
㉔張廷玉等，《明史》卷三〇八〈胡惟庸傳〉。
㉕方孝孺，《遜志齋集》卷一九〈華川王先生像序贊〉。
㉖黃柏生，〈誠意伯行狀〉，收錄於《誠意伯文集》卷首。

「非天子居也」，不是建都的好地方。由於朱元璋鄉里觀念很深，朝中淮西勳貴勢力強大，劉基遭到排斥。洪武六年（一三七三年）九月，朱元璋改臨濠府為中立府，取「中天下而立，定四海之民」之意。次年八月，又遷府治於鳳凰山之陽，賜名鳳陽府。劉基為此處境窘迫，遂告老還鄉。以後胡惟庸又「使吏訐基」，誣告他與民爭地，地名「談洋」，有「王氣」。劉基為此被奪俸祿，入京謝罪，從此積鬱成疾。洪武八年（一三七五年）三月，劉基獲准回鄉養病，一月後病逝。

關於劉基之死，通行的說法是講劉基在南京生病，胡惟庸攜醫前往探視，劉基中毒，回鄉後一月毒性發作而亡。這種說法始見於胡案發生前御史中丞涂節告變，以後劉基之子劉仲璟撰《遇恩錄》又再次提及。後人不加審辨，輾轉沿用，似成定論。實際上兩件事都出自朱元璋，前者當時與胡惟庸同位但又不是淮西籍的汪廣洋即予否認，為此汪氏被朱元璋「賜敕誅之」，涂節也名列胡黨被殺。後者是朱元璋想通過劉仲璟之口說出胡惟庸毒死劉基，更具說服力。目的是為胡案羅織罪名，同時也擺脫朱元璋的干係。劉基死後，朝中再沒有可與淮西勳貴分庭抗禮的人物了，其權勢發展到炙手可熱、不可一世的地步。

其實，朱元璋對淮西勳貴也有戒心。建國前，朱元璋命將出征，往往派義子監軍。建國後又起用心腹為特務，稱檢校，察聽功臣及大小百官不法之事。朱元璋也曾要求淮西勳貴學習「君臣之禮」，勸說他們不可逾越君臣名分。洪武六年（一三七三年），朱元璋命工部於午門、中書省、御史臺前作鐵榜申誡公侯。他說：「不以功大而有驕心，不以爵隆而有怠心，故能享有榮盛，延及後世。大抵敬謹為受福之本，驕怠為招禍之原，惟知道者可以語此。」㉗這說明朱元璋與淮西勳貴之間的裂痕已開始出現，以至於不得不以「鐵榜」的形式約束他們的行止。也許是劉基的死對他有所觸動，洪武八年（一三七五年）四月朱元璋巡視鳳陽，發現淮西勳貴藉營建中都大修府第，意識到盤根錯節的宗族鄉里勢力是王朝潛在的危險，於是下詔罷中都興作，放棄遷都鳳陽的打算。

胡惟庸案標誌著淮西勳貴開始走上衰敗之途。胡惟庸（？—一三八〇年），鳳陽定遠人。早年為朱元璋幕僚，後累官至中書省左丞相，位居百官之首。明初淮西勳貴以丞相李善長為核心，李善長致仕後胡惟庸成為核心。他們排斥非淮西官僚、擅權撓政、結黨營私的種種活動，逐漸被朱元璋察覺。洪武十三年（一三八〇年），胡惟庸被告「謀逆」，審訊後處死，御史大夫陳寧、御史中丞涂節等一批高官同時被殺，中書省和丞相職位也隨之革除。此後十餘年，朱元璋不斷將胡案擴大化，增添「通倭」、「通虜（指北元）」等罪名，對淮西勳貴牽連羅織，大肆殺戮。洪武二十三年（一三九〇年），又以知情不舉、狐疑觀望、大逆不道之罪，處死致仕多年、七十七歲高齡的韓國公李善長，並及全家七十餘口。前後因胡案被誅或已死被追奪封爵的功臣總計有二十一侯，株連而死者有三萬餘人。朱元璋親製《昭示奸黨錄》，佈告天下，以述其罪狀。

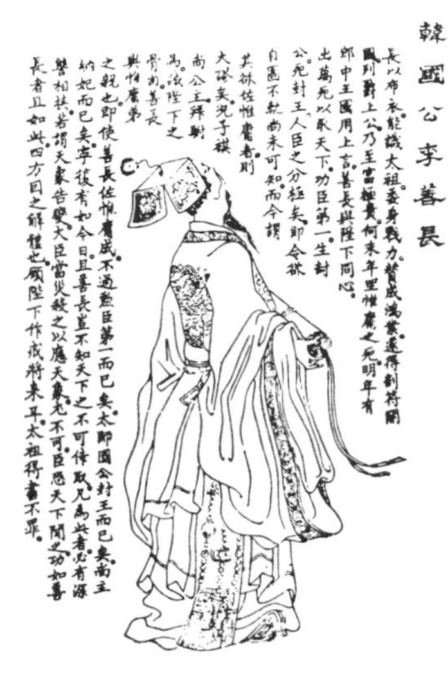

李善長像

藍玉案則標誌著淮西勳貴集團的最後覆滅。藍玉（？—一三九三年），鳳陽定遠人。明朝開國功臣

㉗姚廣孝等，《明太祖實錄》卷七五〈洪武五年七月至八月〉。

常遇春的妻弟。《明史》本傳上說：「玉長身赤面，饒勇略，有大將才。」是明初繼徐達、常遇春之後頗有勇略的將領。洪武二十一年（一三八八年），在捕魚兒海（今貝爾湖）沉重打擊了北元軍事力量，功勞尤著。朱元璋把他比之漢朝衛青、唐朝李靖，封為涼國公。但他居功自傲，驕橫跋扈，亦漸為朱元璋所不容。洪武二十六年（一三九三年）藍玉被告發謀反，下獄鞫訊後族誅，牽連景川侯曹震、鶴慶侯張翼等名將及吏部尚書詹徽、戶部侍郎傅友文等，皆被處死，死者約兩萬人。詔輯案犯口供為《逆臣錄》刊佈天下，其列名功臣者除藍玉外，尚有十三侯、二伯。

清朝修《明史》時，對胡藍兩案的首犯處理不同，胡惟庸入〈奸臣傳〉，李善長、藍玉等則仍列名功臣系列傳中，李善長本傳後還附有工部郎中王國用為李善長寫的〈辨冤疏〉，並說：「太祖得書，竟亦不罪也。」反映出修史人對李善長的同情。胡藍兩案的真相雖有學者加以考證㉘，但很難再現當時事件的原貌。不過以下三點可供思考：

第一，兩案反映出朱元璋與淮西勳貴的矛盾已經到了不可調和的地步。歷史上王朝新建，君主與功臣之間產生矛盾，似乎是一個普遍問題，有的處理平和一些，如唐朝、宋朝初年，有的則大開殺戒，如漢朝初年。對後者，論者每謂君主寡恩，故有「飛鳥盡，良弓藏，狡兔死，走狗烹」之謂。其實這只說出了問題的一個方面。朱元璋對歷史上這一現象十分清楚，早在建國前，他就與侍臣專門探討過這一問題，並批評劉邦「內多猜忌，誅夷功臣」，而肯定李世民「能駕馭群臣，及大業既定，卒能保全」。洪武八年（一三七五年）以前，朱元璋也基本上採用優待功臣的政策，希望君臣共享太平。自停

㉘如吳晗，〈胡惟庸黨案考〉，《燕京學報》十五期。

止興建中都鳳陽後，他對功臣的政策逐漸發生轉變。《明史》則道出了這一轉變的原因：「治天下不可以無法，而草昧之時法尚疎，承平之日法漸密，固事勢使然。論者每致慨於鳥盡弓藏，謂出於英主之猜謀。殊非通達治體之言也。」淮西勳貴「以介冑之士桀驁難馴，乘其鋒銳，皆能豎尺寸於疆埸，迨身處富貴，志滿氣溢，近之則以驕恣啟危機，遠之則以怨望扞文網。人主不能廢法而曲全之，亦出於不得已，而非以翦除為私計也。」㉙一個由共同利益組合的集團，在無序的社會中往往具有很大的凝聚力，但當社會向絕對權威的禮法社會轉型時，集團的破裂就不可避免，甚至會充滿血腥。淮西勳貴的厄運正是他們不適應這種社會轉型的必然結果。

第二，兩案是朱元璋強化皇權、變更中樞宰相及軍事體制的手段。通過胡案，朱元璋完成了廢棄中書省和罷除宰相制度的變革，使國家權力集中於君主一人之手。明初朱元璋無論在內地還是邊塞廣設軍鎮，命將臣戍守。幾乎與兩案發生的同時，這一軍事體制發生變化，胡案前朱元璋讓秦王、晉王就藩西安、太原，胡案後又命燕王就藩北平，以後又陸續讓其他親王就藩。用親王就藩取代將臣戍防是朱元璋軍事佈防體系上的一大調整，特別是邊塞諸王皆預軍務，其中晉、燕二王尤被重寄，大將如宋國公馮勝、潁國公傅友德皆受節制。藍案後第二年（一三六四年），傅友德獲罪自刎，又明年，馮勝也坐罪自殺。在此前後被殺的還有定遠侯王弼、永平侯謝成、崇山侯李新。至此，「開邊之猛將盡矣」。淮西勳貴僅存寥寥數人，如徐達的後裔、湯和、郭英、耿炳文、沐英、李景隆等人，權力大大削弱，不成氣候。到洪武後期，除義子沐英鎮守雲南外，由勳貴戍守軍鎮的局面全部終結。

㉙張廷玉等，《明史》卷一三二〈李新傳〉，「贊日」。

第三，兩案特別是藍案最大的受益者是燕王朱棣。朱棣在藍案中扮演的角色不見於《明太祖實錄》，後世有的史家認為《太祖實錄》經朱棣三修是為明太祖諱，其實不然，主要還是為朱棣自己隱諱。查繼佐在《罪惟錄》一書中對實錄等史書中有關藍案的記載有所評論，或許說出了歷史真相。

論曰：（藍）玉於太子至親，常說太子：「臣觀燕王英武，負上寵愛至，而術者言燕地有天子氣，太子幸自愛。」然則玉忠志無他矣。而燕王從中構之，必殺玉。史不載其實，但云獄具，則二萬餘人豈皆無辭，不待再聽者乎……而宋（馮勝）、潁（傅友德）、定遠（王弼）但書卒，於永平（謝成）但云坐法死，於崇山（李新）但云有罪伏誅，並不及黨玉事，豈猶有諱之者歟……或曰：存玉以無燕，不存玉以有燕。

查氏的分析絕非空穴來風。今有佚名《奉天靖難記》一書傳世，該書成於永樂年間，後收入《明太宗實錄》，顯然是得到朱棣及其子孫的認可。《奉天靖難記》也記載了上述藍玉與太子朱標的對話，只是對話中有大量關於燕王如何具有「君人之度」，如何「得人心」云云，用這些出自藍玉之口的話語來溢美燕王，同時謂太子朱標與藍玉「日夜搆隙，求所以傾上（指燕王）」。這從反面也可以看出，燕王朱棣深忌藍玉，必欲去之。其實淮西勳貴中也有宗派之分，與太子朱標一系關係密切的當屬藍玉、常昇、曹震、馮勝、葉昇等人。藍玉是常昇舅父，常昇是朱標的表弟，曹震之妻是朱標的乳母，葉昇與藍玉是姻親關係，馮勝與常昇之兄常茂雖曾彼此攻訐，但畢竟是翁婿關係。洪武二十五年（一三九二年）四月朱標去世，八月，靖寧侯葉昇在李善長被殺之後兩年「坐交通胡惟庸誅死」，第二年二月即發生藍案。常昇雖未列名《逆臣錄》，但也是坐藍黨誅死。馮勝在藍案後調回京師，兩年後不明不白地被誅。《太祖實錄》記藍案相當簡略，罪名似是而非，無怪乎王世貞、查繼佐、夏燮等人在著述中都對朱棣指疑。「存玉以無燕，不存玉以有燕」，非無謂之論。正如王崇武先生在《奉天靖難記註》卷一論曰：「果爾，（藍）玉駐兵北方，實可牽制燕王，設非太祖誅功臣，成祖之能否起事未可知。」朱元璋以扶植親王取代功臣來屏藩皇室，恰恰為燕王朱棣所利用，以後靖難之役中，朱棣無所顧及，建文帝勢單力孤實出於此。這也是朱元璋所始料不及的。

第七節　整肅吏治

朱元璋出身於社會下層，對元末吏治腐敗有切身體驗，故即位後對官吏貪污、瀆職行為尤為痛恨。他經常向官員們描述元末吏治的腐敗，認為這是導致元朝覆亡的原因，並決心把元朝當作前車之鑑，徹底清除官場宿弊，建立起公正廉潔、勤政愛民的政治風氣。朱元璋認為，要純潔政治空氣，必須首先讓官員們樹立正確的思想認識，因而，他花了不少力氣，對官員們進行愛民教育，希望官員們都能在思想深處確立節儉、勤政、廉潔的意識，為此還編寫了不少書籍作為教育官員的教材。在洪武八年（一三七五年）編寫的《資治通訓》和洪武十六年（一三八三年）編寫的《精誠錄》中，都有教育官員忠君愛民的專門篇章。洪武十九年（一三八六年）編寫的《志戒錄》，則是採輯漢、唐、宋時代發生的一百多個為臣悖逆不忠的事例，讓臣下知所鑑戒，書成後賜給群臣以及各級學校的教官、學生們講誦。朱元璋還曾編寫《彰善榜》，表列公勤清廉官員的事跡。洪武十八年（一三八五年）、十九年頒佈的《大誥三編》，也以教育官吏為首要目的，其中官吏貪贓枉法、科斂害民的案例，占全書一半以上。在洪武二十五年（一三九二年）編寫的《醒貪簡要錄》中，還詳細載明各級官員的祿米數額，並將米數折算成穀數，再算出每畝田地出產的穀數和投入人力的多少，目的是喚起食祿者的良心，使他們能自覺地體恤百姓。

當然，朱元璋深知，僅靠思想教育是無法澄清吏治的。他認為元朝吏治如此腐敗，與法律的寬縱鬆弛是分不開的，為了糾治業已根深蒂固的官吏貪暴之風，必須「刑用重典」，推行嚴刑峻法。建國前夕，他多次與劉基討論治道，在賜給劉基的一封手書中，他堅定地指出：「朕收平天下，非猛不可！」㉚即位之初，他又召見群臣，宣佈自己要實行「嚴法禁」的政策：「但遇官吏貪污蠹害吾民者，罪之不赦，卿等當體朕言。若守己廉而奉法公，猶人行坦途，從容自適；苟貪賄罹法，猶行荊棘中，寸步不可移，縱得出，體無完膚矣！」㉛

儘管朱元璋明確表明了自己要以猛治國的態度，但官場風氣卻並未像他預期的那樣頓然改觀。這使他覺得，用正常的法律手段已不能解決問題，於是就開始法外施刑，不斷加強懲罰力度。洪武八年（一三七五年），朱元璋下令，凡是犯有贓罪的官吏，一律貶到鳳陽開荒屯田，到第二年，在鳳陽屯種的官吏就達到近萬人。由於被逮治的官員很多，到處出現缺官現象，吏部只好不停地選補。洪武十年（一三七七年），朱元璋曾對一批即將赴任的官員說：「近者天下有司奏缺官，朝廷以時選補，比除未

㉚劉基，《誠意伯文集》卷一。
㉛姚廣孝等，《明太祖實錄》卷三八〈洪武二年正月〉。

久，有司又復奏缺，是何犯罪罷黜者之眾也？若移其作奸之心以為善，亦何不可？國家俸祿如井泉，汲而不竭，彼皆不思守法以保之，欺人欺天，競為贓利，雖積錢充屋，一旦事覺，皆非己有。今汝等之官，宜鑑前非，勉於為善，則永保祿位矣！」㉜

在這樣嚴密的法禁下，竟然還有不少官吏心存僥倖，作奸犯科，以致朱元璋哀歎說：「朕才疏德薄，控馭之道竭矣！」㉝朱元璋性格本就褊急，貪墨之風屢禁不絕，使他心浮氣躁，越來越不耐煩，於是法外施刑越來越多，越來越重。他曾下令，所有案犯，不論貪贓數目多少，一律處死㉞。除隨時處治貪官污吏外，朱元璋一生還數次尋找藉口對官僚隊伍進行整肅：洪武四年（一三七一年）甄錄天下官吏，八年興起空印案，十三年連坐胡惟庸黨，十八年窮治郭桓案，十九年逮捕積年害民官吏，二十三年嚴懲妄言者。其中規模和影響最大的，是空印案和郭桓案。

空印案是懲治使用空白印信官吏的案件。事發於洪武八年（一三七五年）。按制度，各布政司及府州縣每年均須派計吏赴戶部呈報財政收支賬目及錢穀等項數據，戶部審覆稍有出入，即駁回重造賬冊。計吏為免於往返奔走，皆帶有預先蓋好官印的空白賬冊，遇部駁即在京師重新填報。此法作為「權宜之務」，習以為常，但朱元璋得知後大怒，認為這是沿襲元末腐敗之舊習，官員互相串通，藉機舞弊，下令凡主印者及署名簽字者一律處死，佐貳官以下杖百戍邊。

㉜姚廣孝等，《明太祖實錄》卷一一六〈洪武十年十一月至十二月〉。
㉝朱元璋，《御制大誥三編》，「序」。
㉞劉辰，《國初事蹟》。

郭桓案是嚴懲貪官污吏的案件。案發於洪武十八年（一三八五年）。當時御史彈劾北平布、按二司官吏與戶部侍郎郭桓等通同作弊，侵盜官糧。朱元璋令審刑司拷訊。除郭桓等處死外，牽連六部尚書、侍郎以下官員及各布政司官吏甚多，又因追理贓糧七百萬石，波及民間富人，中產以上之家往往破產。由於株連過廣，民間騷動，朱元璋不得不殺此案主審官吳庸等人以平息眾怨，並稱折算贓糧實有兩千四百餘萬石，「恐民不信，但略寫七百萬耳」㉟。

空印、郭桓兩案坐死者數萬人，是朱元璋以重典肅政的表現。在重典「警懼」之下，一時官吏謹畏，吏治有所改善。時人謂：「郡縣之官雖居窮山絕塞之地，去京師萬餘里外，皆悚心震膽，如神明臨其庭，不敢稍肆。或有毫髮出法度，悖禮儀，朝按而暮罪之。」㊱但是朱元璋求治心切，往往越俎代庖，親自參與刑審，又把搞出貪污案多少作為考核官吏的一項標準。於是各級司法官吏在辦案中「務求深刻，以趨上意」，不僅刑訊中搞逼供，量刑上也往往偏重。這就不可避免地會出現冤假錯案。空印案當時定性就不準確，案發時，有鄭士利曾上書云：「自立國至今，未嘗有空印之律。有司相承，不知其罪，今一旦誅之，何以使受誅者無詞？」㊲郭桓案也因打擊面過寬，使不少官員蒙受不白之冤，從而使肅政的目標大打折扣。

朱元璋以嚴刑峻法整肅吏治，效果是很明顯的。清官海瑞曾指出：「我太祖視民如傷，執《周書》

㉟朱元璋，《大誥．郭桓造罪第四十八》。
㊱方孝孺，《遜志齋集》卷一四〈送祝彥芳致仕還家序〉。
㊲張廷玉等，《明史》卷一三九〈鄭士利傳〉。

『如保赤子』之義，毫髮侵漁者加慘刑。數十年民得安生樂業，千載一時之盛也。」㊳清修《明史》也說：「一時守令畏法、潔己愛民，以當上指，吏治煥然丕變矣。下逮仁、宣，撫循休息，民人安樂，吏治澄清者百餘年。」㊴當然，也應看到，朱元璋求治心切，有時「不分臧否」，殺戮甚眾，以至於朝廷內外長期籠罩著恐怖氣氛，官員人人自危，充分暴露出專制君主制的殘暴性。

㊳海瑞，《海瑞集》下編〈贈趙三山德政序〉。
㊴張廷玉等，《明史》卷二八一〈循吏傳〉。

第三章 從創業到守成的轉變

第一節 建文改制與削藩

洪武三十一年（一三九八年）閏五月十日，開國皇帝朱元璋離開了人世，根據遺詔由皇太孫朱允炆繼位。朱允炆出生於洪武十年（一三七七年）十一月，洪武二十五年（一三九二年）懿文太子朱標去世後被立為皇太孫。他繼位時，年僅二十一歲。因年號建文，又稱建文皇帝。建文年號後來被明成祖朱棣革除，建文期間仍延用洪武紀年。朱允炆自幼學習詩書及古代典禮文章，對儒家經典有一定造詣，立為皇太孫後，也曾歷習政事，省決章奏。據說他曾參與明律的最後修訂，改正洪武舊律畸重者七十三條。他還用《周禮》審斷過一批刑案，深得朱元璋的賞識。他可能受到父親朱標的影響，對諸王坐大的局面存有危機意識。建文帝是一個欲有作為的年輕皇帝，在即位詔書中宣佈要推行「維新之政」，使明朝達到「雍熙之盛」①。建文帝在位四年，推出不少政策，多有利國計民生，但有兩件大事

① 談遷，《國榷》卷一一。

卻引發了政局的動盪。一是更定官制，二是削藩。這兩件事都被燕王朱棣指為「變更祖制」，成為他發動靖難之役的藉口。

洪武時期，武官地位最尊，事務官次之，文臣又次之。究其原因首先是受元朝重武輕文風氣的影響，其次是受明初形勢的制約。明朝的創建和以後二十餘年的統一戰爭，造就了武臣的特殊地位。朱元璋雖也殺戮一大批武臣，但這種局面卻沒有根本的改變。明初右武偃文也見諸制度。《大明律》卷二〈吏律〉中規定：「文官不許封公侯。」當時大封功臣，李善長是以淮西舊人和首席事務官身分加封公爵，真正文官能封伯爵的也只有汪廣洋和劉基兩人。廢中書省和丞相後，六部地位提高，但品秩上是正二品衙門，而五軍都督府是正一品衙門，主官品秩、勳階、散階都高於尚書。建文年間的官制主要在兩個方面有所變動，一是更改部分官署的設置和名稱，如都察院改名御史府，通政使司改名通政寺，提刑按察使司改名肅政按察使司，戶部、刑部屬司由按省區命名改為按職能命名等等；二是提高文官地位，如進六部尚書秩正一品，尚書下增左右侍中，位侍郎上，秩正二品；裁左右布政使，只設布政使，秩正二品。又如改翰林官制，增設學士承旨，改侍講、侍讀兩學士為文學博士，下設文翰、文史兩館，又增設文淵閣待詔及拾遺、補闕等官，實在是擴大翰林文職的編制，加強文職在政府中諮詢諫諍的功能。中國歷史上漢族建立的傳統王朝大都遵照「馬上得天下，不能馬上治天下」的軌跡運行，由初始的右武偃文逐步向文人政府轉化，這種轉化一經完成則標誌著王朝進入相對的穩定時期。朱元璋已著手這種轉變，但沒有完成，朱允炆欲推進這一進程，他把自己的年號定為「建文」，就蘊含著實現文治的理念。改正官名也有這層意思，如把按察司的官名由「提刑」改為「肅政」，前者強調的是威刑治民，後者主張的是飭政愛民，反映出不同的政治理想。

封藩是朱元璋建立家天下的重要措施。他即位後制定了宗室封號：皇子封親王，親王嫡長子年及十歲立為王世子，長孫立為世孫；親王其他諸子年滿十歲封為郡王；郡王嫡長子為郡王世子，嫡長孫則授長孫；郡王其他諸子授鎮國將軍，孫授輔國將軍，曾孫授奉國將軍，四世孫授鎮國中尉，五世孫授輔國中尉，六世以下皆授奉國中尉。朱元璋共有二十六個兒子，先後三次冊封。第一次是洪武三年（一三七〇年），冊封九個兒子為親王；第二次洪武十一年（一三七八年），冊封五個兒子為親王；第三次在洪武二十四年（一三九一年），冊封十個兒子為親王。其中兩子未就藩已死，十七個兒子在洪武年間就藩，五個兒子到永樂年間才就藩。又有從孫朱守謙，洪武三年封靖江王（郡王）。朱元璋在首次冊封親王時說：

> 先王封建，所以庇民，周行之而久遠，秦廢之而速亡。漢晉以來，莫不皆然。其間治亂不齊，特顧施為何如爾。要之，為長久之計，莫過於此。

為此，他給予親王政治、軍事、經濟各方面的特權。如親王下有王府官，初設時有王相府、參軍府。後罷王相府，改參軍府為長史司，由左、右長史負責王府事務。洪武五年（一三七二年）又規定設立親王護衛指揮使司，簡稱護衛，每王府設三個護衛和兩個圍子手千戶所。其中分封到北方邊塞的秦、晉、燕、寧、遼、代、慶、肅、谷九王控制軍隊更多。朱元璋分封諸王的初衷是「分茅胙土，以藩屏國家」。當時有山西平遙縣儒學訓導葉伯巨上疏力陳「分封太侈」之弊，以漢之七國、晉之八王為例，「恐數世之後，尾大不掉，然後削其地而奪之權，則必生觖望，甚者緣間而起，防之無及矣。」朱元璋覽奏大怒，以為離間骨肉，伯巨因而被逮捕，死於獄中②。朱元璋認為親王「敬守祖法」，比文武大臣可靠。為了防止權臣擅權，規定諸王有移文中央索取奸臣和奉天子密詔清君側的權利③。又為了削奪淮西勳貴的軍權，用親王控制全國各地軍鎮。他雖然也申明諸王「列爵而不臨民，分藩而不錫土」④，但沒有制定防止諸王坐大的具體措施。朱元璋晚年曾對朱允炆說：「朕以禦虜付諸王，可令邊塵不動，貽汝以安。」允炆則道出了自己的憂慮：「虜不靖，諸王禦之，諸王不靖，孰禦之？」朱元璋無言以對，問允炆道：「汝意何如？」允炆回答：「以德懷之，以禮制之，不可則削其地，又不可則廢置其人，又甚則舉兵伐之。」朱元璋說：「是也，無以易此矣。」⑤這段對話反映出朱元璋晚年對分封的態度有所變化，意識到強藩與朝廷的關係「不可不慮」，但此時的他既無精力也無辦法去應對了。

在諸王中秦王朱樉、晉王朱棡都年長於燕王朱棣。秦王死於洪武二十八年（一三九五年）三月，晉王死於洪武三十一年（一三九八年）三月。秦王生前無大作為，晉王則深受朱元璋器重。史說晉王朱棡修目美髯，儀表堂堂，有文韜武略，且折節恭慎，與太子朱標友善。當時在北邊諸王中，晉王的地位和實力不在朱棣之下。而《奉天靖難記》則記載晉燕不和，指謂「太子與晉王深相結交」，並說：

②張廷玉等，《明史》卷一三九〈葉伯巨傳〉。
③朱元璋，《皇明祖訓·法律》。
④王鴻緒，《明史稿》列傳三〈諸王〉。
⑤尹守衡，《明史竊》卷三〈革除紀第三〉。

「晉王又厚結近戚，以為己聲譽，日夜搜求上（指燕王）國中細故，專欲傾上，然卒無所得。」⑥晉王朱棡比朱元璋早死兩個月，對不久於人世的朱元璋是沉重的打擊，對燕王來說則是極大利好，對朱允炆來說則失去了足以制約燕王的強藩。

朱允炆倚重的大臣有齊泰、黃子澄、方孝孺等人。齊泰、黃子澄都是洪武十八年（一三八五年）進士，為朱元璋所信任。齊泰在洪武年間歷官至兵部左侍郎，建文帝即位，進兵部尚書。黃子澄則歷官至太常寺卿，建文帝即位，兼翰林學士，與齊泰同參國政。方孝孺是明初循吏方克勤之子。曾從學宋濂，任漢中府教授，以文學名世。建文帝即位召為翰林侍講，又進侍講學士，改官制後為文學博士。當時朝廷詔檄多出自方孝孺之手。朱允炆削藩始於洪武三十一年（一三九八年）八月廢周王朱橚，次年四月至六月，又相繼罪湘王朱柏、齊王朱榑、代王朱桂、岷王朱楩。為了順利清除勢力很大的燕王，朱允炆做了許多準備工作：他派張昺為北平左布政使、謝貴為北平都指揮使，讓他們暗中監視燕王動靜；同時，又以防邊為名，將燕府護衛兵都調往塞外。建文元年（一三九九年）六月，朱允炆覺得部署停當，時機成熟，遂密令張昺、謝貴逮捕燕王。

第二節　靖難之役

對於建文帝的意圖，燕王朱棣早就有所察覺，他一面「佯狂稱疾」，麻痺朝廷耳目，一面暗中鑄軍

⑥鄧士龍輯，《國朝典故》卷一一〈奉天靖難記二〉。

器、練兵卒，準備與朝廷決一死戰。朱允炆下達逮捕朱棣的密令後，朱棣很快就得到消息，並做好起兵準備。建文元年（一三九九年）七月四日，朱棣將張昺、謝貴騙到王府擒殺，其護衛指揮張玉、朱能等率兵連夜攻奪九門，完全控制了北平城。朱棣遂援引祖訓，以「清君側」、誅「奸臣」齊泰、黃子澄為名，發動靖難之役。

北方諸將多為朱棣舊日下屬，朱棣起兵後，降燕者甚眾。燕兵先後攻破居庸關、懷來、密雲、遵化、永平（今河北盧龍）等地。而在朝廷方面，建文帝倚重的齊泰、黃子澄等人，都是書生，不知兵事。久歷戰陣的功臣宿將，洪武年間誅殺殆盡，此時已無人可用。無奈之下，只得起用年過六旬的長興侯耿炳文為大將軍，率軍十三萬伐燕。八月，耿炳文軍於滹沱河為燕軍所敗，退保真定（今河北正定），堅守不出。燕軍攻城不下，解圍而去。建文帝聞訊，接受黃子澄的建議，改派曹國公李景隆以代耿炳文。建文帝親到江滸餞行，賜以斧鉞，期在必勝。李景隆是朱元璋之甥、開國元勳李文忠之子，位高權重，卻未經歷過戰陣，缺乏作戰經驗。

九月，李景隆至德州，收集潰散軍士，並調集各路軍隊，共五十萬人，進抵河間駐紮。此時，永平正遭明軍圍攻。朱棣為了引誘李景隆攻北平，以世子朱高熾留守北平，親自率軍往解永平之圍，然後直趨寧王朱權之封地大寧。大寧在喜峰口外，東連遼左，西接宣府，是北部邊防重鎮，而且寧王手中還擁有一支強大軍隊。十月，朱棣設計誘俘了朱權，朱權遂與朱棣聯手，所屬八萬軍士及朵顏、福餘、泰寧三衛騎兵，盡歸朱棣，勢力大增，然後回師援救北平。李景隆聽說朱棣奔走大寧，果然揮師直抵北平城下。北平燕軍拼死抵抗，李景隆久攻不下。十一月，朱棣率軍趕回，城內外燕軍兩面夾擊，李景隆軍大敗，退走德州。消息傳到京師，黃子澄極力隱瞞，並稱李景隆數勝，建文帝遂加授李景隆太子太師，以示鼓勵。建文二年（一四〇〇年）四月，李景隆會合武定侯郭英、安陸侯吳傑等，合軍六十萬，號稱百萬，進抵白溝河（今河北雄縣北）。經過一場激烈混戰，朝廷軍遭受慘敗，燕軍追擊李景隆直到濟南。都督盛庸、參政鐵鉉極力防守，並於八月擊敗燕軍，燕軍撤軍回北平。

九月，建文帝擢鐵鉉為兵部尚書，封盛庸為歷城侯、平燕將軍，再次率軍北伐。十月，燕軍破滄州。十二月，燕軍進入山東。盛庸與鐵鉉宰牛犒賞將士，與燕軍會戰於東昌（今山東聊城），燕軍大敗，朱棣親信張玉陣亡，朱棣僥倖潰圍而還。此後一年，雙方在北平、山東地區反覆交戰，互有勝負，燕軍很難擴大戰果，所得不過北平、保定、永平三府。建文三年（一四〇一年）底，朱棣得到朝中奸細密報，知京師防衛空虛，遂大舉南下，表示要「臨江一決，不復反顧」。建文四年（一四〇二年）正月，燕軍進入山東。時鐵鉉駐守濟南，未易攻破，朱棣遂繞過濟南，攻占徐州等地。四月，燕軍與朝廷軍大戰於宿州（今安徽宿縣），燕軍失利，將士多想返回北平。朱棣不從，大將朱能亦鼓勵說：「諸君勉矣！漢高十戰而九不勝，卒有天下，豈可有退心！」⑦此時朝廷軍本應趁機加強攻勢，建文帝卻聽信左右之言，認為燕軍將要北歸，京師不可無良將，遂將魏國公徐輝祖統率的軍隊撤回。朱棣抓住這一時機，發動反攻，在靈璧大敗朝廷軍。朝廷軍精銳喪失大半，而燕軍卻士氣大振。五月，燕軍攻占揚州。六月，燕軍自瓜洲渡過長江，進圍京師。谷王朱橞與李景隆開城門迎降，京師陷落。

至於建文帝的下落，《明史》本紀謂：「宮中火起，帝不知所終。」或云在宮中自殺，或云潛逃出亡，成為歷史上的一個疑案。朱棣入城後，大索「奸黨」，實施殘酷報復。方孝孺因拒絕為朱棣起草即

⑦谷應泰，《明史紀事本末》卷一六〈燕王起兵〉。

位詔書，被磔於市，親屬「九族」之外又株連朋友門生，合為「十族」一併殺害。其餘建文遺臣齊泰、黃子澄等都被夷滅九族，他們的妻妾兒女也被下教坊司，有的甚至「籍其鄉，轉相攀染」，「村里為墟」，史稱「瓜蔓抄」⑧。在對政敵的血腥鎮壓中，朱棣登上皇位，定次年為永樂元年。朱棣廟號太宗，嘉靖時改稱成祖。

在中國歷史上，藩王與朝廷抗爭，無論在道義上還是在實力上都處於劣勢，鮮有成功者，朱棣取得成功算是特例。建文帝的失敗，主要有三個方面的原因：

首先，從歷史上看，但凡繼位君主，雖有維新之意，但登極之初都不大事張揚，只是在新舊權力轉移趨於穩定後再步步推進。建文帝在即位之初，權威尚未確立，而朱元璋不得變更祖訓的教誨言猶在耳，就大刀闊斧地推行「維新之政」，這既貽燕王以口實，同時也失去了眾多的支持者。建文之失失之於「急」。

其次，建文帝以齊泰、黃子澄為議政核心，又改官制提高文臣地位，而武臣受到冷落，在與燕王的戰爭中，武臣效忠者少，觀望者多。以後為建文殉難的主要是文官，武臣寥寥無幾。又如削藩，當時高巍就曾主張：「勿行晁錯削奪之謀，而效主父偃推恩之策。」⑨在具體削藩的步驟上，齊、黃意見不一。齊泰主張先對野心勃勃的燕王動手，而黃子澄則主張先削周、湘、齊、代、岷等藩王。建文帝採用的是黃子澄的意見。其實周王等人雖有劣跡，但構不成對朝廷的威脅，先削周王等藩，不僅使

⑧張廷玉等，《明史》卷一四一〈齊泰等傳〉。
⑨張廷玉等，《明史》卷一四三〈高巍傳〉。

燕王加快了反叛準備，而且造成宗藩整體恐慌，從而使朝廷失去了其他藩王支援。當燕軍兵臨京城時，打開城門迎降的是谷王朱橞和李景隆。前者是宗藩的代表，後者是武臣的代表。建文帝失去洪武朝兩個最有實力的政治集團的支援，皇權的基礎也就相當脆弱了。建文之失又失之於「弱」。

第三，建文君臣畢竟是書生，未曾經歷戰陣，治國缺乏政治經驗，用人失當，軍事策略也一誤再誤，直致敗亡。而燕王朱棣工於權謀，老於行陣，堅忍持久，屢挫不蹶，始為困獸之搏，終而一擲獲勝。在這裡鬥爭雙方領袖的政治、軍事素質也起到了至關重要的作用。可見建文之失還失之於「文」。

第三節　永樂政局

朱棣以藩王身分憑藉武力取得國家政權，這在中國傳統王朝中是絕無僅有的一例，顯示了他的雄才大略和超乎常人的智慧與能力。但是在當時他也無法擺脫「篡逆」的指責，「得位不正」成為他揮之不去的陰影。他的智慧給他提示，單靠「瓜蔓抄」式的刑殺震懾還不足以解決問題，他必須採取一些切切實實的措施，鞏固自己的統治地位。

朱棣起自藩王而奪得天下，深知藩王尾大不掉的危害，以故繼續採取「削藩」措施。一是將原來統兵較多的「塞王」內遷，如遼王朱植由廣寧改封荊州，寧王朱權由大寧改封南昌，谷王朱橞由宣府改封長沙，取消了他們馭將出征之權；二是制定各種「藩禁」約束藩王，又藉口藩王違禁削奪其護衛，重者廢為庶人。到永樂末年，諸王護衛大減，也不再有鎮遏地方的軍事權力。大多數藩王政治、軍事特權被剝奪，僅保存下經濟特權，成為徒擁虛名、坐糜厚祿的寄生階層。

朱棣奪位後，宣佈恢復洪武官制，同時對靖難功臣大加封賞。武臣的地位一時又顯赫起來。朱棣與其父不同的是注意保全功臣，此後靖難功臣與開國功臣並重。但另一方面，朱棣也不得不進一步推動國家權力運作的文治化，這種走向到永樂後期日益明顯。建文帝未完成的事業，最終通過他的反對者永樂皇帝及其子孫來推進。歷史走過的「之」字路常常有這樣一種情況，「維新者」被反對者所傾覆，但其主張卻在反對者手中得以延續。

為輔佐自己處理政務，朱棣建立了一個固定的祕書諮詢機構——內閣。明太祖廢宰相後，日理萬機，事務繁忙，不得不設立春夏秋冬「四輔」官，選民間老儒充任，後又改設殿閣大學士侍奉左右，諮詢道理，商榷政務，評騭經史。這種輔政形式被建文帝繼承，黃子澄、方孝孺都是以翰林官身分參與議政。朱棣即位後，在恢復「祖制」的旗號下，改建文官制仍為洪武官制，其中包括翰林官制。不過朱棣改動的是翰林院的編置，至於用翰林官輔政的形式則不僅沒有變更，反而制度化、固定化了。

明成祖

《明史》卷五〈成祖本紀〉云：「（建文四年）八月壬子，侍讀解縉、編修黃淮入直文淵閣。尋命侍讀胡廣，修撰楊榮，編修楊士奇，檢討金幼孜、胡儼同入直，並預機務。」文淵閣在午門之內，文華殿南面，地處內廷，於是稱內閣。值得注意的是解縉七人，都不是朱棣的藩邸舊人，而是忠於建文的臣子，在朱棣攻下應天前，除楊榮外的六人，都曾誓言為建文殉難，但不久就趨降迎附⑩。解縉七人又都是江南籍，朱棣將七人置於密勿謨畫之地，在當時對爭取建文朝臣、穩定局勢、安撫江南士人都有影響。但是其中還有另意，那就是用建文臣子打「祖訓」牌，為自己製造輿論更具有說服力。朱棣最初打算爭取方孝孺為他草擬詔書而未能如願，就說明了這個問題。

解縉等人入閣後做的第一件事，就是重修《明太祖實錄》。初修《太祖實錄》在建文朝，由方孝孺任總裁。重修《太祖實錄》在永樂元年（一四〇三年）十月，以解縉為總裁。永樂九年至十六年，又以胡廣、胡儼、黃淮、楊榮為總裁，三修《太祖實錄》。經過重修和三修，朱棣被說成「嫡出」，至於明太祖、馬皇后褒揚燕王和曾欲立燕王為太子的話語，更是連篇累牘，而建文帝則被寫成嗜殺成性的暴君，朱棣的「篡逆」罪名被洗刷的乾乾淨淨。從此明朝歷代皇帝的實錄由內閣大學士領銜纂修成為制度。

七位閣臣中，胡儼任職一年即出為國子監祭酒，不預機務；解縉在永樂五年（一四〇七年）被謫外任，後以私覲太子獲罪，十三年被害死獄中；楊士奇、黃淮常命輔導皇太孫，朱棣北征，又命輔太子居守；胡廣卒於永樂十六年（一四一八年）；自始至終在朱棣左右的是楊榮和金幼孜。永樂二十二年（一四二四年）七月，朱棣死於北征歸途榆木川。當時決定「祕不發喪」的是內臣馬榮（一作馬雲）、孟聘與閣臣楊榮、金幼孜。楊榮又和內臣海壽馳報皇太子，二十多天後，皇太孫趕至軍中，才宣佈發喪⑪。朱棣之死是突發事件，當時軍中公侯伯甚多，內臣卻只與內閣商議定策，說明內閣的地位

⑩張廷玉等，《明史》卷一四一〈周是修傳〉。

⑪楊榮，《北征記》。

在永樂後期已經舉足輕重了。

朱棣對宦官的任用程度，較洪武年間大為提高。宦官制度在中國傳統社會中淵遠流長，在恪守「身體髮膚受之父母，不敢毀傷」的觀念下，宦官常為世人所不齒。其實對宦官與宦官制度的考評，都離不開皇帝與皇權。明朝始用宦官是在朱元璋稱吳王（一三六四年）時，宦官機構的設置則始於吳元年（一三六七年）九月。當時只有內使監。洪武年間，宦官機構不斷增加，至三十年（一三九七年）已有十二監、二司、七局。永樂時調整為十二監、四司、八局。十二監是司禮監、內官監、御用監、司設監、神宮監、尚寶監、尚膳監、印綬監、御馬監、直殿監、尚衣監、都知監。四司是惜薪司、鐘鼓司、寶鈔司、混堂司。八局是兵仗局、銀作局、浣衣局、巾帽局、針工局、內織染局、酒醋麵局、司苑局。這些監司局總稱「二十四衙門」。不過明太祖使用宦官，卻對宦官控馭很嚴，曾鑄鐵牌於宮門口，上刻「內臣不得干預政事，犯者斬」⑫。又規定不許宦官兼外朝文武職銜，不許穿戴外朝官員服飾，官階不得超過四品，政府各部門不得與宦官文移往來等等。明太祖也曾自壞其法，如多次差派宦官出使，但不成制度。建文帝對宦官管理極為嚴厲，於是有些宦官甘為燕王耳目。

朱棣即位後，宦官地位大升，不僅給予出使、專征、監軍、出鎮之權，而且在永樂十八年（一四二〇年）設立東廠。東廠是專門從事偵伺緝捕的特務機構。設欽差總督東廠官校辦事一人，簡稱總督東廠或提督東廠。提督東廠之下，設掌刑千戶、理刑百戶各一人，又有掌班、領班、司房四十餘人，統領檔頭百餘名，番役千餘名，皆由錦衣衛差撥。檔頭、番役在外分瞰官府，四出偵察，凡不利於皇

⑫張廷玉等，《明史》卷七四〈職官志三〉。

錦衣衛木印（成化十四年）

帝的言論和行事都在東廠的偵緝之中。錦衣衛的設置比東廠要早。明朝設於京師的衛所稱京衛，京衛中又有上直衛，亦稱親軍衛，洪武時有親軍十二衛，錦衣衛即其中之一。錦衣衛與其他京衛在設置上有所不同。一般京衛下設鎮撫司，掌管本衛刑名。而錦衣衛則在洪武十五年（一三八二年）分設南、北鎮撫司，南司掌本衛刑名，北司專治詔獄。所謂詔獄，就是由皇帝直接過問的特殊刑案。洪武二十年（一三八七年），朱元璋罷北鎮撫司刑獄，詔內外刑案送刑部審錄。朱棣即位後，恢復了北鎮撫司，專典詔獄。北鎮撫司往往凌駕於國家法司之上，具有法律之外緝捕、刑訊、定罪、行刑等權力，當時稱作「人主私刑」。東廠與錦衣衛的職事同為偵探機密，辦理大獄，二者常常結合辦事，合稱「廠衛」。朱棣重用宦官，又設置東廠和恢復詔獄，一方面是針對臣僚中的反對派，另一方面是針對遷都引發的社會矛盾，特別是以神道設教倡亂的「大奸大惡」。當時或事出一時權宜，但永樂後仍相沿不改，遂成有明一代制度。這一制度對國家正常的司法制度是一種破壞，各種腐敗往往夤緣而生。

朱棣在位時期最重要的一項舉措是將都城北遷。永樂元年（一四〇三年）正月，他改北平布政使司為北京，二月，改北平府為順天府，與京師應天府相應。同時設北京行部。靖難之役後，朱棣把藩邸舊臣和最早歸附的北平布政司官員多安排在北京，一方面有利於穩定建文遺留下來的朝臣，另一方面也流露出他根基在北，將有遷都之舉。此後他不斷從全國各地有組織地向北京地區移民，充實北京人口，發展北京經濟。永樂四年（一四〇六年）閏七月，朱棣正式宣佈營建北京。七年二月，朱棣親臨北京，謀畫營建其山陵（即長陵）。從首建山陵可以看出，靖難之役雖然已過七年，明太祖、建文帝的陰影還籠罩著他。雄才大略的朱棣同時也是一個迷信的皇帝，死後難以面對太祖，恐怕是他決心遷都的因素之一。另外朱棣都於北京，死後葬於北京，其子孫必然隨之，這樣他就成為明朝又一次開基創業的君主。「由此而觀，定都北京是成祖肯定其歷史地位，使其以篡弒奪得之政權合法化之最重要的工作。」⑬永樂九年（一四一一年），有三十萬人在工部尚書宋禮的指揮下，開始了南北大運河的疏濬工程。運河的溝通，有助於解決南糧北調的問題，為國都北遷提供了物質上的保證。永樂十四年（一四一六年），朱棣再度下詔營建北京，第二年工程全面展開，從營建宮殿到重修城垣，歷時三年半的時間。永樂十九年（一四二一年）正月，明成祖朱棣正式定都北京，稱京師，應天府為南京，稱留都。兩京制並非明朝創立，在中國歷史上曾多次出現，明朝兩京制的特點是在留都也設有一套完整的中央機構。這套中央機構以後經仁、宣兩朝到英宗正統初年形成定制，對明朝政治格局產生深遠影響。另外北京是遼、金、元的故都，「地勢雄偉，山川鞏固，四方萬國，道里適中」，建都於此，對鞏固開發北疆極為有益。

第四節　仁宣致治

永樂二十二年（一四二四年）七月，朱棣去世，太子朱高熾即位，是為明仁宗，次年改元洪熙。

⑬朱鴻，《明成祖與永樂政治》，第二四九頁，臺灣師範大學歷史研究所專刊十七號。

朱高熾在位僅十個月，洪熙元年（一四二五年）五月去世，太子朱瞻基即位，是為明宣宗，次年改元宣德。從明朝建國到洪熙、宣德年間已歷六十年，明太祖、明成祖開基創業為明朝的長治久安奠定了基礎，但其中也有慘痛的教訓，如何上承洪、永兩朝開創局面，下啟明代治平之象，是時代賦予仁、宣兩帝的任務。

朱元璋完成了國家統一，改革了中央和地方官制，空前強化了君主專制體制。但是，在他身後也留下了一個不曾妥善解決的問題，即由於實行分封制度而導致君主專制政體出現危機。這一問題在永樂朝基本得到解決。永樂朝的國策及其舉措，就其主要方面仍然是鞏固國家統一和加強君主專制政體。在這方面朱棣與朱元璋是相通的。不過明成祖朱棣不是那種「斤斤克守故物」的皇帝[14]，遷都北京、五征漠北、郡縣交阯、鄭和下西洋等，無不赫赫煌煌，超邁前古。這中間又有許多措施與朱元璋的「祖訓」相背反。由於朱棣的各種活動需要大量人力和物力的支撐，永樂後期已經出現了國庫虧空、財政緊張和社會不穩定的徵兆。於是要求改革朝政的呼聲迭起。代表人物是戶部尚書夏原吉。夏原吉曾歷事三朝，均在戶部任職，永樂時供億轉輸，功績顯著。他向朱棣提出「專修內治，不事遠略」[15]。永樂十九年（一四二一年）冬，當朱棣籌劃第四次北征時，夏原吉便以「比年師出無功，軍馬儲蓄十喪八九，災眚迭作，內外俱疲」為由，諫止北征[16]。朱棣大怒，原吉被逮，並籍其家。朱棣的去世，無

[14] 查繼佐，《罪惟錄》紀卷三〈太宗紀〉。
[15] 夏原吉，《忠靖集》，後附〈夏忠靖公遺事〉。
[16] 張廷玉等，《明史》卷一四九〈夏原吉傳〉。

疑為仁、宣二帝政策調整提供了良好契機。

仁、宣二帝雖即位於承平之時，但不同於一般長於深宮的皇帝。靖難之役時，朱高熾就負責北京防守。永樂七年（一四〇九年）以後，朱棣因屢次北征和籌劃遷都長期駐蹕北京。當時「政本猶在南」，朱高熾以太子身分監國，已有長期處理政務的經驗。朱瞻基在永樂九年（一四一一年）被立為皇太孫，常隨朱棣左右，又曾隨同北征，撫軍歷政，講論治道。這樣的經歷，對他們即位後實施合乎時宜的政策，大有裨益。另外，在仁、宣二帝身邊有一個由閣部大臣組成的智囊團。內閣制度形成於永樂朝。朱棣曾對解縉等閣臣說：「天下事朕與若等共計之，非若六卿止分理。」⑰初步形成了皇帝決策、內閣議政、六部執行的權力分配模式。

當時閣臣又兼輔導太子、太孫，對儲位的確定起了重要的作用。朱高熾性格類似建文帝，又身體肥胖，行動遲緩，故一直不為朱棣所愛。次子朱高煦則以驍勇知名，在靖難之役中立有戰功，深得朱棣賞識。淇國公丘福等將領也從旁勸立高煦。高煦更是有恃無恐，覬覦儲位。所以朱棣即位後不召朱高熾入京，兩年間也不立太子。閣臣則力主立長之議。永樂二年（一四〇四年）二月儲位雖定，但朱棣本人仍是猶豫動搖，為此他甚至對一些閣臣產生懷疑。解縉終因高煦之譖，被害而死。黃淮、楊溥（當時官洗馬）等人因太子迎駕遲緩，以輔導失職繫獄十年。楊士奇也一度牽連被繫。這段經歷對朱高熾和閣臣來說都是刻骨銘心的。朱高熾即位後，曾召楊士奇等說：「監國二十年，為讒慝所構，心之艱危，吾三人共之。」⑱

---

⑰廖道南，《殿閣詞林記》卷一〈謹身殿大學士楊榮〉。

閣臣品秩原本不高，至是陞遷有加。如黃淮、金幼孜、楊士奇、楊榮都陞殿閣大學士，加官尚書或侍郎，進公孤銜。閣臣的職事也從過去比較空泛的「參預機務」，轉化為固定「票擬」，即代皇帝草擬對臣下章奏的批答意見，「用小票墨書，貼各疏面上進」，亦稱「條旨」。票擬之辭，經皇帝批准後，易紅書批出，即成聖命，稱「批紅」。當時「綸言批答，裁決機宜，悉由票擬」，閣權始重。楊溥在朱瞻基即位後入閣。後黃淮、金幼孜乞歸，閣臣遂有「三楊」之稱。永樂時，六部尚書中吏部尚書蹇義、戶部尚書夏原吉均為幹濟之臣，時稱「蹇、夏」。夏原吉是朱棣死後才被釋放出獄的，蹇義也曾因輔導監國受累繫獄。仁、宣時，二人重新起用，在六部中地位最尊，委寄優隆。宣德三年（一四二八年）十月以後，宣宗以蹇、夏年事已高，「令輟所務」，朝夕侍左右。蹇、夏也同德協心，匡翼二主。當時蹇、夏也參預票擬，票擬並不專屬內閣。

上述智囊團的組成，反映出仁、宣時期政治上的一些新特點：一是他們均為永樂時保儲有功的文臣，仁、宣二帝依賴甚殷，地位超越武將。明朝歷經六十年，至此完成了從重武偃文到文官政治格局的轉變。二是他們都有歷政的實踐經驗，具有穩健明智的特點，志在守成。三是君臣關係和諧。「天子不獨斷」，內閣無「偏重之勢」，六部大臣協力相資，議政、決策和執行三權分而有序。朱瞻基形容當時閣部大臣關係是「君子和而不同是已」[19]。正是有了這樣的統治核心，「仁宣致治」的局面才有可能出現。

⑱楊士奇，《三朝聖諭錄》中〈永樂二．洪熙〉。
⑲楊士奇，《三朝聖諭錄》下〈宣德〉。

仁、宣二帝首要關注的自然是高煦問題。明成祖在立高熾為太子的同時，封高煦為漢王，封國雲南，後改青州（今山東益都）。高煦與朝中武將聯繫較多。永樂七年（一四〇九年），淇國公丘福受命北征韃靼，於臚朐河喪師敗死。高煦失去朝中以丘福為代表的一批武臣的支援。以後高煦企圖奪儲的種種不軌行為逐漸暴露，特別是在朱棣籌劃遷都北京時，高煦謀國南京，引起朱棣的警覺，於是在永樂十四年（一四一六年）作出削其兩護衛就國樂安（今山東廣饒）的決定。仁宗即位後，高煦奪位之心不死。宣宗即位，高煦以為少主新立，企圖重襲「靖難」故事，於宣德元年（一四二六年）八月舉兵反叛。朱瞻基在閣部大臣建議下，統軍親征樂安，高煦猝不及防，被迫出城投降，後被處死。成祖另一子趙王朱高燧在永樂時亦曾參與奪儲，至此為形勢所迫，上表自動獻出護衛軍。從此明初因封藩帶來的政治動盪遂宣告結束，藩王在政治和軍事上的特權被剝奪，逐漸演化成經濟上的寄生階層。

仁、宣二帝重視內治，首先是整頓吏治。當時吏治主要存在三個問題。一是額外添設官吏大增。明朝各級官府設置皆有定員，額外添設官員稱為「添註官」。永樂朝多事興作，內外各衙門官，因各種差派大量增設，地方上添設尤多，到仁、宣之初，「藩、憲二司，府、州、縣官，比之原設倍而又增。」⑳出現了官冗吏濫的現象。二是官吏利用朝廷各種興作和差派的機會，枉法貪贓，中飽私囊，貪風日盛。三是各級官府之間遇事相互推諉，行政效率銳減。朱高熾在即位詔書中把懲貪裁冗作為內治中的首要大事。仁、宣之初，地方吏治整頓相當嚴厲，犯贓官員或戍邊或罷黜為民，不稱職的官員則降用。為了裁汰冗員，當時還採用了「記名放回」的做法。史載，從永樂末至宣德二年（一四二七

⑳范濟，〈詣闕上書〉，《明經世文編》卷二九。

年）五月，記名放回的官員就有四千餘人。從宣德三年起，朱瞻基把整頓吏治的重點放在兩京中央機構。在閣部大臣的推薦下，他起用顧佐為都察院都御史、邵玘為南京都察院左副都御史，負責整頓吏治。其中顧佐最為著名，時人比之「包孝肅」。顧、邵二人在宣宗和閣部大臣的支援下，用法嚴厲，貪風有所扼制。宣德五年（一四三〇年），朱瞻基又把整頓重點推向地方，即由皇帝賜敕，委派廷臣出任地方重要府分的知府。所派知府多由中央部、院大臣推薦，是當時朝中辦事幹練、剛正廉明的官吏。如蘇州知府況鍾，《明史》本傳說他「蠲煩苛，立條教」，「鋤豪強，植良善，民奉之若神」。僅宣德五年，就有像況鍾這樣的三十四名廷臣被賜敕出任知府，對改良地方吏治有所作用。

宣宗在內治方面的另一重要舉措是設置巡撫官。明初地方三司並立，互不統屬，以防個人專擅，但也造成事權不一、效率遲緩之弊，遇有重大問題往往不能迅速處理。於是出現了中央派遣官員「巡撫」地方的制度。永樂十九年（一四二一年），詔遣尚書蹇義等二十六人分巡各地，安撫軍民，詢察利病。但這只是臨時的差遣，「事畢復命，或即停遣」，不成制度。宣德時期，「巡撫」之名已經確立，並由臨時差遣變為專門設置，首立於蘇、松、兩浙，隨後江西、河南諸省漸次專立。宣德五年（一四三〇年），命周忱、于謙等六人皆以侍郎銜出外為巡撫，自此周忱巡撫南直隸二十二年，于謙巡撫河南、山西十八年，餘者也多是長駐久任。巡撫的任務因時因地而有不同側重，如督理稅糧、總治河道、撫恤流民、整飭邊防等。但總體上又具有協調地方「三司」，監察官吏、撫軍按民的共同職責，加強了中央對地方的監控，提高了行政效率。以後，巡撫逐漸固定統一以都察院正官繫銜，與正統後出現的總督合稱「督撫」，共同為位居三司之上的方面大員。不過終明一代，督撫一直具有中央欽差的身分，尚未發展為嚴格意義上的封疆大吏。

為了舒緩民困和樽節費用，仁、宣二帝及時調整了對蒙古和交阯的政策。經永樂五次北征後，蒙古各部力量已經削弱，仁宗即位後對蒙古採取以嚴守備邊為主的政策，並恢復韃靼部阿魯臺歲修職貢的關係。宣德時北邊偶有摩擦，主要還是來自阿魯臺的騷擾。朱瞻基也曾三次巡邊，但未形成大的衝突。宣德九年（一四三四年）八月，瓦剌部脫歡告捷，阿魯臺被其攻殺。次月，阿魯臺之子阿卜只俺來歸。所以仁、宣時期北邊總的來說比較安定。對於郡縣交阯，朱高熾早有不同於朱棣的看法。宣德時楊士奇曾對宣宗說：「士奇侍仁宗皇帝久，聖心數數追憾此事。」宣宗也說：「皇考言吾亦聞之屢矣。」並言仁宗每談到郡縣交阯，則「形諸慨歎」㉑。宣宗與乃父主張相同，即位後表示兩、三年內逐步放棄交阯。當時朝中一批大臣拘牽常見，認為不可「委棄祖宗之業」，反對放棄交阯。內閣贊同宣宗決策，對放棄交阯起了重要作用。宣德二年（一四二七年）十月，黎利遣人進前安南國王陳日煃三世嫡孫陳暠表，請立為陳氏後，停戰的契機出現了。宣宗因其求封之請，決定從安南撤兵。他說：「論者不達止戈之意，必謂之不武。但得民安，朕何恤人言。」㉒一場遷延歲月、徒耗國力的戰爭，終於結束了。這是宣宗當時明智的抉擇。

仁、宣二帝對國家大政也有不同的看法。朱瞻基自幼深得成祖寵愛，據說仁宗被立為太子，得益瞻基。瞻基常伴成祖身邊，自然對成祖的深謀遠慮有更深的領悟。在遷都北京的問題上，仁宗即位後出現反覆，反對遷都的大臣以物資供應、運輸耗費巨大為由，提出還都南京之議。洪熙元年（一四二

㉑楊士奇，《三朝聖諭錄》下〈宣德〉。
㉒楊士奇，《三朝聖諭錄》下〈宣德〉。

五年）三月，下詔復都南京，北京仍舊稱「行在」。但其具體行動尚未全部實施，仁宗即已去世。宣宗即位後，既不改變乃父的兩京稱號，又維持乃祖時業已形成的兩京格局。實際上他常住北京，北京雖名為「行在」，而有「京師」之實。朱瞻基以這種舒緩的辦法，把乃祖遷都之舉確定下來。又仁宗在即位詔書中明令停罷下西洋寶船，並以下西洋諸軍守備南京。宣宗則不同，他更欣羨乃祖時遠人「貢獻臣服」的盛國氣派，認為通番並非毫無意義。待到宣德五年（一四三〇年），由於安南戰事結束，「歲省軍興鉅萬」，便於六月命鄭和、王景弘重下西洋。船隊於次年十二月出海，宣德八年（一四三三年）六月返回。鄭和在回航途中病逝。

仁、宣時期曾被一些史家褒之為「仁宣致治」，其實仁、宣兩朝諸多政策調整有不得不然之勢。歷史上不乏威武雄壯的輝煌篇章，但是翻過這些倏忽不再的篇章之後，人們發現的是一頁頁由盛而衰的寫真。為了再現輝煌，改革、調整接踵而來。有的成效較大，有的成效甚微。當改革、調整毫無成效時，衰敗之途也就不可逆轉。所謂「仁宣致治」，正是永樂之後一次較有成效的調整。這次調整給明朝帶來了十五六年穩定。

但一些問題解決了，又有一些新的問題出現了。仁、宣時期也潛存著兩個重要問題：

一是永樂後三次北征及宣宗巡邊，注意點都在韃靼。韃靼部的衰落，給宣德時北方邊境帶來了相對安定的局面，但是也為瓦剌部脫歡力量崛起提供了機會。脫歡是馬哈木之子，永樂十六年（一四一八年）襲封順寧王。他一方面與明朝維持著朝貢關係，另一方面加緊擴張實力，在攻殺阿魯臺後，又兼併了賢義王和安樂王的部眾，成為瓦剌、韃靼兩部的實際主宰。宣宗對瓦剌的崛起失之警惕。在邊防轉為以守為主的策略之後，軍政雖有整頓，但成效甚微。軍伍空缺、屯政不理、邊備鬆弛的狀況日甚一日，導致北京防禦潛伏著危機。

二是內政方面，宦官專權始見端倪。明代宦官出使、專征、分鎮、刺探臣民隱事等重大事權，是從永樂時候開始的。不過明成祖可以自如地駕御宦官，因此也成就了一批頗有作為的宦官，如鄭和、王景弘、侯顯、亦失哈等。仁、宣時期宦官進一步受到重用，宣宗還打破了太祖規定的不許宦官識字的祖訓，設立內書堂，選擇一批聰明伶俐的小宦者入學，以翰林學士執教，培養一批通文墨的宦官。此時司禮監的地位提高，成為二十四衙門之首。司禮監設有提督太監、掌印太監、秉筆太監和隨堂太監等。提督太監分管內廷事務，掌印、秉筆、隨堂太監分管外廷事務。所謂「外廷事務」，主要是批紅。批紅，本來是皇帝的事情，但宣德後期起多由司禮監代行。司禮監還負責傳宣諭旨，提督東廠。這一切都為日後宦官專權造成了可乘之機。由此觀之，「仁宣致治」又具有很大的侷限性。

第五節　正統初元

宣德十年（一四三五年）正月，朱瞻基病故，其子朱祁鎮即位，改次年年號正統，是為明英宗。朱祁鎮即位時只有九歲，按照宣宗遺詔，軍國大政均要關白太皇太后（仁宗張皇后）。有些朝臣還請求太皇太后垂簾聽政，張氏以「不能破壞祖宗成法」為由予以拒絕。她特召英國公張輔，大學士楊士奇、楊榮、楊溥，禮部尚書胡濙，對朱祁鎮說：「此五人，先朝所簡貽皇帝者，有行必與之計，非五人贊成，不可行也。」㉓輔政五大臣中，張輔是一介武夫，不熟悉政務，胡濙雖自成祖以來就很受信任，但見識淺陋，發揮不了決策作用。真正處理軍國大政的，是內閣中的楊士奇、楊榮、楊溥三人，時稱

「三楊」。太皇太后對他們推心倚任，「有事遣中使詣閣諮議，然後裁決」㉔。

在施政方針上，三楊基本上沿襲洪熙、宣德時代的政策，期望讓「仁宣致治」局面延續下來。而對於宣德末年的弊政，則在一定程度上進行了清理革除。如宣德後期宮廷生活奢靡，朱祁鎮即位後，釋放教坊樂工三千八百餘人為民，放還天財庫夫役二千六百四十餘人，並減省了一些冗費支出，停罷了一些採辦項目。這期間最值得一提的大事，是最終解決了定都問題。前已提到，仁宗曾下令還都南京，北京改稱「行在」，但因其驟然去世，遷都之舉未能完成。宣宗即位後，中止了遷都活動，繼續以北京為實際首都，但為了表示不違仁宗遷都之令，北京依然稱「行在」。正統改元後，下令興修北京城門工程，至正統四年（一四三九年）完成。這是繼永樂之後對北京又一次大規模營建，表明朝廷已決心以北京為都。正統五年春，又開始重建三大殿與乾清、坤寧二宮，至正統六年（一四四一年）十一月竣工，於是詔北京諸衙門去「行在」二字，南京諸衙門加「南京」二字，北京作為正都的地位完全奠定。

在太皇太后和三楊等人的經營支撐下，「天下清平，朝無失政」㉕，「仁宣致治」的局面大體維持下來。明人王錡曾評論說：「正統初，太皇太后張氏同聽政，元老楊士奇、楊榮、楊溥居輔弼，凡朝廷大事，皆自三公處分。數年間，政治清明，為本朝之極盛。」㉖表面看來，正統初期朝政穩定，天

㉓谷應泰，《明史紀事本末》卷二九〈王振用事〉。
㉔張廷玉等，《明史》卷一四八〈楊士奇傳〉。
㉕張廷玉等，《明史》卷一四八〈楊溥傳〉。

下股實，宇內昇平，確實是一派太平氣象。但是，在這表面繁榮的背後，已潛藏著深刻的危機。總起來看，三楊適合做太平盛世的宰相，而缺乏扭轉乾坤的才能和極言敢諫的氣魄。在他們當政期間，政治、經濟、軍事方面的許多矛盾和問題已顯露出來，然而他們身居高位，明哲保身，對於皇帝的過失不敢苦諫，更提不出解決各種矛盾和問題的方略，大明帝國實際上正在滑向危險的深淵。

㉖王錡，《寓圃雜記》卷一〇〈王振〉。

第四章 邊疆經營與對外交往

第一節 邊疆經營

在明朝邊區經營中，漠北蒙古問題占有重要地位。明初，蒙古貴族在漠北雖然建立了「北元」政權，但是內部紛爭不已，加之明朝的不斷打擊，到洪武後期已經面臨分崩離析。遊牧於漠北東部和遼東邊外的兀良哈部最早歸附明朝，明設朵顏、泰寧、福餘三羈縻衛以統之。建文四年（一四〇二年），「非元裔」的鬼力赤奪得汗位，去元國號，僅稱蒙古，明朝則稱之為「韃靼」。與此同時，漠西的蒙古別部瓦剌（蒙元時斡亦剌部後裔）崛起，與韃靼互爭雄長。在以後的歷史中，韃靼和瓦剌成為明朝主要的邊患。朱棣對兩部採取的是「招撫」與「打擊」相結合的策略。永樂初，韃靼知院阿魯臺殺鬼力赤，仍立元皇室後裔本雅失里為汗。明廷派使臣郭驥前往招諭，被殺。永樂七年（一四〇九年）十月，明成祖以淇國公丘福為征虜大將軍總兵官，率精騎十萬北征韃靼。丘福孤軍輕進，在臚朐河（今克魯倫河）陷入重圍，全軍覆沒。朱棣大怒，於次年親統五十萬大軍北征，大敗韃靼軍於斡難河（今鄂嫩河）上，本雅失里西奔瓦剌，後為瓦剌所殺。阿魯臺則向明廷稱臣納貢，明封之為和寧王。此前瓦剌向明朝貢馬請封，明朝封其首領馬哈木為順寧王，太平為賢義王，把禿孛羅為安樂王。韃靼敗後，瓦剌轉而強大。永樂十二年（一四一四年），朱棣第二次北征，在忽蘭忽失溫（今蒙古烏蘭巴托東）擊敗馬哈木等三部的軍隊，暫時抑制了瓦剌勢力的膨脹。但不久韃靼阿魯臺再度強大起來，又對明朝形成威脅。永樂二十年（一四二二年）、二十一年、二十二年，明成祖又三次親征漠北，希望與韃靼部阿魯臺決戰，一勞永逸地解決蒙古問題，但是沒有實現，無功而返。朱棣本人也病死於最後一次北征途中。永樂北征應視為洪武建元以來統一戰爭的繼續，雖然沒有徹底解決問題，但仍然維持著強勢的局面。經過洪武、永樂兩朝，明朝北方軍事防禦體系逐漸形成，即沿長城一線設置九個邊防重鎮，自東向西分別是遼東（治今遼寧北鎮）、薊州（治今河北薊縣）、宣府（治今河北宣化）、大同、太原（治今山西偏關）、延綏（治今陝西榆林）、寧夏（治今銀川）、固原、甘肅（治今張掖），統稱「九邊」。九邊各駐重兵，設總兵、副總兵、參將等職，分區防守。洪武時在長城防線之外，還設立過大寧（治今內蒙古寧城）、開平（治今內蒙古多倫西北）、東勝（治今內蒙古托克托）三衛，但永樂後隨著「塞王」的內遷已逐漸放棄。長城最終成為明朝與蒙古勢力範圍的基本分界線。

東北地區的戰略地位十分重要。洪武四年（一三七一年），元遼陽行省平章劉益降附，明朝遂設立定遼都指揮使司，後改稱遼東都指揮使司。但盤踞在金山地區的納哈出，經常引兵攻擾遼陽、遼東等地。洪武二十年（一三八七年），納哈出降明，明朝對黑龍江流域諸民族進行了一些招諭工作，但成效並不顯著。朱棣即位後，更積極地經營東北。永樂元年（一四〇三年），明朝政府在今東北地區設置建州衛和兀者衛。此後又不斷派人前往黑龍江下游的奴兒幹地區進行招撫，設置了一批衛所。七年，下詔設立奴兒幹都指揮使司，統轄奴兒幹地區衛所。奴兒幹都司設治於距黑龍江入海口約二百公里的特林地方，管轄區西至斡難河，北抵外興安嶺，東越海直達苦夷（今庫頁島）。區內居民以女真人為主，具體又分為南部的建州女真、海西女真和北部的野人女真。此外還有吉列迷、苦夷、達斡爾等族，多以漁獵為生。都司西部也包括了兀良哈三衛等一些蒙古人。各族首領、酋長多被明朝委以都督、都指揮使、指揮使、千戶、百戶等官，稱「附塞之官」。明廷還在元朝驛站的基礎上，開通了奴兒幹通往內地的驛路，其幹線經由遼東都司直抵北京。明成祖、明宣宗曾數次派太監亦失哈等人前往奴兒幹地區巡視，在特林建造了永寧寺，並先後建立兩塊〈永寧寺記〉石碑，記錄了明朝經營和管理奴兒幹都司的事實。

西北地區是明初與蒙古抗衡的一條重要戰線。洪武時征伐北元，多次由西路出兵，在今甘肅西部、青海北部、直至新疆東部設立了一系列的羈縻衛所。今新疆大部分地區在元朝處於察合臺汗國控制之下，到明初，察合臺汗國滅亡，其地「各自割據，不相統屬」，「地大者稱國，小者止稱地面」①。各割據政權的頭領多為蒙古人，居民則以畏兀兒人為主。明朝開創期主要以哈密為經營西北的據點。哈密地當「絲綢之路」要衝，在元末明初由蒙古貴族兀納失里、安克帖木兒兄弟相繼統治，朱棣即位後，安克帖木兒遣使進貢，明朝封之為忠順王。不久，安克帖木兒被韃靼鬼力赤毒死，明廷將其侄、已在明朝任職的脫脫送回襲爵，繼而於永樂四年（一四〇六年）設立哈密衛，以忠順王部下頭目任衛指揮、千戶、百戶等職，又派漢人周安、劉行等人充任忠順王府長史、紀善等官，協理府事。明朝政府希望通過對哈密的經營，鞏固對蒙古的西側防線，同時使其起到「西域之喉襟」的作用，「以通諸番之消

① 張廷玉等，《明史》卷三三二〈西域傳四〉。

息，凡有入貢夷使方物，悉令至彼，譯表以上」②。從此哈密及其以西地區，如亦力把里（今伊寧市）、於闐（今和田）等部，都與明朝建立了比較固定的朝貢關係。

永寧寺碑

永寧寺碑，指〈永寧寺記〉碑和〈重建永寧寺記〉碑。永樂七年（一四〇九年），明成祖詔置奴兒幹都指揮使司。九年，派太監亦失哈赴奴兒幹（今黑龍江下游特林地方），立都司衙門，設都指揮、指揮等官，撫綏當地吉列迷及苦夷（庫頁島）居民。永樂十一年（一四一三年），亦失哈再次奉旨巡視奴兒幹地區，於特林北山上修建永寧寺，並刻石勒碑記事，即〈永寧寺記〉碑。宣德七年（一四三二年），亦失哈復奉旨至奴兒幹地區巡視，見永寧寺破毀，遂於次年重建並刻石立碑，即〈重建永寧寺記〉碑。兩碑正面為漢文，陰面為女真文和蒙古文，記載了明朝創立奴兒幹都司的經過，敘述了亦失哈巡視奴兒幹地區的簡要過程，是明朝管轄黑龍江、精奇里江、烏蘇里江、松花江流域和庫頁島的重要歷史證據。

②嚴從簡，《殊域周咨錄》卷一二〈拂菻〉。

西藏地區在明朝稱為烏斯藏。明初，朱元璋派人入藏招撫，承認元朝對當地僧俗首領所加的稱號。洪武四年（一三七一年），明廷設朵甘衛指揮使司，六年設烏斯藏衛指揮使司，七年陞二衛為都指揮使司。烏斯藏都司管轄今西藏自治區的大部分，朵甘都司管轄今西藏自治區的昌都地區和青海、雲南、甘肅、四川的藏族居住區。除二都司外，又設有宣慰司、招討司、元帥府、萬戶府、千戶所等羈縻機構。各級機構的官員例由藏族部落首領充任，但其任免權則歸明朝中央政府。朱棣即位後，相繼派司禮監宦官侯顯等人持節入藏，與各部落、各教派的上層人物廣泛接觸，推行政教合一的僧官制度。僧官分法王、王、佛子、大國師、國師、禪師、都綱、喇嘛各等級。永樂朝共封授了大寶、大乘兩個大法王和闡化、護教、贊善、輔教、闡教五個地方之王。以後宣德朝又封大慈法王。他們各有封地，互不統屬。當時每年都有大量的番僧來朝，甚至留居京師。大寶法王哈立麻是最早敕封的法王，曾奉永樂帝之命先後率僧徒在京師靈谷寺和五臺山大顯通寺舉行法會，為朱元璋和馬皇后薦福。哈立麻的三個弟子也被封為灌頂國師。大乘法王昆澤思巴在永樂十一年（一四一三年）也被召至北京。明初，在烏斯藏喇嘛教中出現一個新興的教派——格魯派，因其僧侶戴黃色僧帽，俗稱「黃教」，創立者為宗喀巴。宗喀巴（一三五七—一四一九年），本名羅桑劄巴，宗喀（今青海湟中）人。幼時出家於甲瓊寺（在今青海循化），十六歲進藏深造，先後在前後藏各地投師求法。當時喇嘛教各派戒律鬆弛，在社會上影響力下降，已有衰落趨勢。宗喀巴因而進行宗教改革，要求僧人恪守戒律，禁止其娶妻生子和從事世俗活動，同時加強對佛教經典的研究，以其聞思理智服眾。格魯派的建立時間以永樂七年（一四〇九年）宗喀巴在拉薩大昭寺發起大祈願法會為始，以後影響逐漸擴大。朱棣派欽差召宗喀巴入京，宗喀巴命其弟子釋迦也失代行。釋迦也失於永樂十二年（一四一四年）進京，受到禮遇，兩年後回藏，明廷賜予豐厚。此後黃教與明廷之間關係日益密切。永樂十六年（一四一八年），宗喀巴讓釋迦也失在拉薩北建沙拉寺，供奉朝廷賜予的佛像。沙拉寺與甘丹寺、哲蚌寺、箚什倫布寺是黃教最早、最著名的四大寺廟。宣德九年（一四三四年），釋迦也失又一次進京，被封為大慈法王，為藏地三大法王之一。在中央政府的支援下，黃教很快成為烏斯藏第一大教派。永樂時期，還開通了自雅州（今四川雅安）至烏斯藏的驛路，對內地與烏斯藏之間的往來提供了便利條件。

在明朝的雲南、貴州兩省、四川南部以及湖廣、廣西西部，居住著苗、瑤、彝、僮（壯）、傣、白、布依等許多少數民族。經洪武、永樂兩朝，明朝對這些地區的管理體制基本確立。這些地區的省級機構與內地一樣，設都、布、按三司。少數民族聚居區基層管理主要依靠土官，亦稱土司。土司的名號，屬武職系統者有宣慰（司）使、宣撫（司）使、安撫（司）使、招討（司）使等，屬文職系統的有土知府、土知州、土知縣等。土官大多為當地民族首領，一般世襲其職，但形式上必須經過中央批准，武職土司隸兵部，都司領之，文職土司隸吏部，布政司領之。也有一部分土司衙門中的佐貳官、首領官由朝廷任命的流官擔任，以對土司形成牽制。在西南土司中，女土司占有一定的數量，「大略諸蠻……多女子為政，其襲替多女土官，異於他族。」③如貴州宣慰使奢香，在洪武時期率所部建龍場九驛，暢通道路，是彝族著名的女政治家。土司的職責是謹守疆界，繳納賦稅，進貢土產，維護驛道，有事時則要出兵供朝廷調遣。這裡特別一提的是永樂時貴州建省的問題。在元朝，貴州地區分屬湖廣、四川、雲南三個行省。洪武十五年（一三八二年）置貴州都司，其民職有司仍屬湖廣、四川、雲南三

③毛奇齡，《蠻司合志》卷二。

布政司。永樂十一年（一四一三年）貴州獨立成省，建立布政司，形同內地。此事實為明朝最早改土歸流之事例。明朝土司制度源於元朝，但管理力度比元朝要大。特別是洪、永時期，注意對西南各民族實施懷柔政策，在當地整肅吏治，減輕賦役，興辦學校，並移內地軍民前往屯種，使西南民族聚居區的經濟開發和文化發展取得了很大進步。

第二節　對外交往

自漢唐以來，中國與周邊各國一直存在著友好關係，到了元朝，因一度四出用兵，使這種友好關係受到損害。明朝建立以後，朱元璋為了改善與周邊國家的關係，對外推行睦鄰政策。洪武元年（一三六八年）十二月，朱元璋首先遣使前往高麗和安南，由此拉開了明朝對外關係的帷幕。洪武朝的三十一年間，明政府先後三十次派遣使者對周邊的十二個國家進行訪問，取得了積極的回應，有十七個國家的使者先後一百三十五次訪問中國，友好往來相當頻繁。朱元璋還總結了歷史上對外關係的經驗教訓，把睦鄰政策寫入他所編定的《皇明祖訓》中。他說：「四方諸夷皆限山隔海，僻在一隅，得其地不足以供給，得其民不足以使令。若其不自揣量來撓我邊，則彼為不祥。彼既不為中國患，而我興兵輕犯，亦不祥也。吾恐後世子孫倚中國富強，貪一時戰功，無故興兵，致傷人命，切記不可。」這條祖訓以後成為有明一代對外關係的基本國策。

明朝在推行睦鄰政策的同時，還努力恢復與周邊國家傳統的朝貢體系。明初對外經濟活動基本被控制在朝貢體系的範疇之內，地點被限定在京師或明政府指定的港口。當時來京師朝貢的外國使者帶有貢物，明廷「例不給價」，而是採用賞賜的形式回酬。一般說來，賞賜的物品要大大多於貢物。同時，明政府還允許朝貢使臣附帶本國特產，或由政府給價收買，或在朝貢之後，由禮部主客司安排在會同館（京師接待內外賓客及遞運行李物品的處所）開市，與京師各鋪行商人進行公平交易。使者也可以在明政府規定的港口貿易，由所在港口的市舶司負責。明初最先設置太倉黃渡（今上海市嘉定區南）市舶司，管理海外貿易，因此有「六國馬頭」之稱。洪武三年（一三七〇年），罷太倉黃渡市舶司，改設泉州、明州（今浙江寧波）、廣州三個市舶司。《明史．食貨志五》云：「海外諸國入貢，許附載方物，與中國貿易。因設市舶司，置提舉官以領之。」可見港口貿易是京師貿易的一種補充，性質相同。洪武七年，明政府罷泉州等三市舶司。自罷市舶司後，官方貿易受到一定影響，但是朝貢關係卻一直沒有間斷。

至於民間海外貿易，洪武年間一直採取嚴厲的限制政策。朱元璋曾多次「申禁人民無得擅出海與外國互市」④。王圻對此評論說：「貢舶者，王法之所許，市舶之所司，乃貿易之公也；海商者，王法之所不許，市舶之所不經，乃貿易之私也。」⑤這裡所說的「王法之不許」就是指所謂的「海禁」政策。朱元璋實行海禁政策一是由於當時國內正致力於農村經濟的復蘇，發展海外貿易尚未提到日程上來；二是出於對國家的安全考慮，擔心流亡海外原方國珍、張士誠的舊部與內地反抗勢力結合，危及明朝的統治。

④姚廣孝等，《明太祖實錄》卷二五二〈洪武三十年四月〉。
⑤王圻，《續文獻通考》卷三一〈市糴考〉。

朱棣即位後，基本上繼承了洪武年間的對外政策，不同的是他對發展與各國政府的關係和海外貿易具有更大的熱情。在發展與各國的關係中，明朝最重視的是與朝鮮的關係。明建國之初，朝鮮尚稱高麗。當時明朝最先向高麗派出使臣，建立外交關係。由於退居沙漠的北元也極力爭取高麗，高麗國王王顓態度曖昧。其子辛禑繼位後更是親近北元，與明廷疏遠，並於洪武二十一年（一三八八年）四月發兵侵略遼東。辛禑的做法不得人心，五月，主張與明朝友好的都統使李成桂發動兵變，廢辛禑，立王瑤。洪武二十五年（一三九二年）李成桂又廢王瑤，自立為王，遷國都於漢城，國號朝鮮。此後李朝延續了四百三十多年。靖難戰役期間，李朝採取中立態度。朱棣即位後，立即遣使以即位詔告諭朝鮮。他曾對朝鮮使臣說：「外邦雖多，你朝鮮不比別處。」⑥表明了兩國的特殊關係。迨至永樂皇帝遷都北京後，兩國關係更為密切，使臣往來頻繁。兩國之間的經貿活動在實際運作中也已突破了朝貢體系，發展到民間貿易往來。

明朝與日本關係比較複雜。元末明初，日本正處於南北朝時期。南朝是指後醍醐天皇在吉野設立的朝廷，北朝則指征夷大將軍足利尊氏在京都開設的幕府。除兩個對立的朝廷外，各地還有許多割據的地方勢力——守護大名。南北朝歷經五十餘年的戰亂，在戰亂中各大名為了掠奪財富，除互相爭戰外，還組織武士、浪人和商人，結成武裝集團，到中國沿海地區劫掠騷擾，被稱作「倭寇」。朱元璋原希望和日本建立睦鄰友好關係，開展官方貿易，因而屢次遣使至日本，要求嚴禁倭寇來侵，但這些外交努力均不得結果。後來胡惟庸黨案又牽連日本，致使兩國關係更是矛盾重重。洪武二十五年（一三

⑥吳晗編，《朝鮮李朝實錄中的中國史料》上編卷二〈太宗實錄〉。

九二年），日本南北統一。建文三年（一四〇一年），足利幕府第三代將軍足利義滿（中國史料中多稱源道義）派遣使臣來中國，至此兩國恢復邦交，建立正常的睦鄰關係。朱棣即位後，兩國使臣頻繁往來，並建立了勘合貿易關係，即明朝政府給予足利幕府貿易勘合（憑證）百道，約定十年進貢一次，每次限二百人、船兩艘，不得攜帶軍器。雖然勘合約定十年一貢，但實際上並未受此約束，日本往往以朝賀、謝恩、獻俘、告訃等各種名義遣使問聘。足利義滿也能配合明朝抑制倭寇的侵擾。永樂二年（一四〇四年）發生了日本壹岐、對馬諸島侵擾中國沿海的事件。明廷派太監鄭和交涉，足利義滿即發兵剿捕對馬諸島海寇，並派使臣「獻渠魁二十人於闕下」。以後足利義滿又兩次遣使「獻所獲倭寇」。明朝每次都賜給義滿豐厚禮品，朱棣也稱讚：「日本王之有源道義，又自古以來未之有也。」⑦足利義滿死後，其子足利義持繼為幕府將軍，最初尚能遵守其父對明朝的政策，永樂九年以後，則受一部分朝臣影響，認為向明朝進貢是國之恥辱，遂切斷了與明朝政府關係。此後日本雖有使臣持勘合來朝，但大多是由地方官員派遣。在這種形式下，倭寇問題也就不可能徹底解決。永樂十七年（一四一九年），倭寇兩千餘人攻掠遼東望海堝（距今遼寧金縣七十里），被遼東總

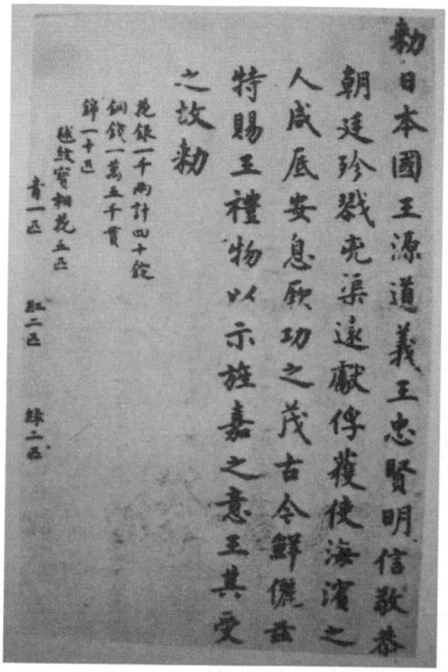
敕日本國王源道義王忠賢明信敬恭
朝廷殄戮寇渠遠獻俘獲使海濱之
人咸底安息厥功之茂古今鮮儷茲
特賜王禮物以示旌嘉之意王其受
之故敕
花銀一千兩計四十錠
銅錢一萬五千貫
錦一十匹
紵絲寶相花五匹
青一匹　紅二匹　綠二匹

明成祖賜日本國王源道義敕書

⑦嚴從簡，《殊域周咨錄》卷二〈日本〉。

兵劉榮（即劉江）指揮的軍隊全部殲滅。至此倭寇大懼，不敢輕易來犯，海上也較為平靜。永樂年間朱棣對日政策既以禮懷柔之，又以武備防禦之，從而取得對日關係的主動權。中日關係切斷後，真正受影響的是日本，所以到宣德七年（一四三二年），日本當國者足利義教開始改變足利義持的對明政策，兩國恢復了中斷二十二年的關係，至此，勘合貿易關係穩定下來，明朝對來華人數、船數及其各種限制也有所放寬。

明成祖即位之初，在今新疆以西的中亞地區崛起了一支新的勢力，即由突厥化的蒙古巴魯剌思部貴族帖木兒建立的帖木兒帝國。帖木兒帝國首都在撒馬爾罕（今烏茲別克斯坦撒馬爾罕州首府）。帖木兒終其生沒有稱「汗」，而是選用伊斯蘭教「蘇丹」的稱號。帖木兒野心很大，企圖效法成吉思汗建立龐大的征服國家。他不斷向外擴張，不僅占領原察合臺全境，還征服了波斯、花剌子模等地，並先後攻入伊拉克、俄羅斯、印度、土耳其境內，大加焚掠，土耳其的蘇丹也被他俘獲。由於帝國盛極一時，帖木兒晚年企圖東侵明朝。明朝與帖木兒的交往當始於洪武二十年（一三八七年）。《明太祖實錄》卷一八五記，這年九月壬辰，撒馬爾罕駙馬帖木兒遣回回使者來朝，貢馬十五匹，駝二隻。詔賜白金十五錠。以後貢使不斷。洪武二十八年（一三九五年），朱元璋遣傅安出使撒馬爾罕，被帖木兒扣留。朱棣即位後，曾遣使詔諭，帖木兒則聲稱要朱棣「稱臣納貢於帖木兒」⑧。永樂二年（一四〇四年）冬，帖木兒欲率十萬大軍攻明。朱棣聞訊後，即敕諭甘肅總兵官左都督宋晟「練士卒，謹斥堠，計糧儲，預為之備」⑨。由於帖木兒死於征途，其侵明計畫也就未能實現。帖木兒死後，其孫哈里繼承其位。

⑧（德）細爾脫白格，《遊記》。譯文見《中西交通史料彙編》第一冊第六章。

哈里不願與明朝為敵，於永樂五年遣使貢獻方物並送傅安回國。傅安在帖木兒汗國被扣十三年，「艱辛備嘗，志節益勵」，維護了明朝的尊嚴。此後哈里不斷遣使入明，朝貢關係逐漸穩定下來。帖木兒第四子沙哈魯領有哈烈（今阿富汗西北部），與哈里不和，雙方戰爭不斷。朱棣曾遣使往諭，表示對沙哈魯與哈里「一視同仁」，希望他們「休兵息民，保全骨肉，共用太平之福」。在明成祖的勸諭下，雙方停止了戰爭。從此哈烈和其他諸部也不斷遣使來貢。永樂時，除傅安再度出使撒馬爾罕外，著名的使者還有陳誠。陳誠三次出使中亞，著有《西域行程記》、《西域番國志》等書。沙哈魯也在永樂十七至十八年向明朝派遣過一個龐大的使團，使團成員也著有《沙哈魯遣使中國記》。此後明朝一直與中亞各國維繫著睦鄰友好關係。

在明朝，今越南分為兩個部分，北部稱安南，南部稱占城。洪武年間，安南、占城都與明朝保持著朝貢關係。當時安南國王係陳氏。洪武後期，安南國相黎季犛專權，擅自廢立國王。建文元年（一三九九年），黎季犛殺戮陳氏宗族，改名胡一元，稱太上皇，其子黎蒼改名胡奃，為安南國王。永樂元年（一四〇三年）四月，胡奃派遣貢使朝賀朱棣即位，並稱安南王陳日熞早死，家族絕嗣，自己是陳氏外孫，為眾所推，權理安南國事，並請求明廷賜封他為安南國王。朱棣「不逆其詐」，封胡奃為安南國王。第二年，老撾軍民宣慰使送陳日熞之弟陳天平至京，愬其實情，真相大白。朱棣命御史李琦等赴安南，責胡奃篡逆之罪。胡奃上表，請迎天平還國，「以君事之」。永樂四年（一四〇六年）春，朱棣遣使者以兵五千人護送陳天平還國。進入安南境，胡奃設伏兵劫殺陳天平。朱棣聞之大怒，遂命成

⑨姚廣孝等，《明太宗實錄》卷三九〈永樂三年二月〉。

國公朱能為征夷大將軍充總兵官，平西侯沐晟、新城侯張輔為左右征夷副將軍，討伐安南。朱能未入安南而病卒，遂以張輔為總兵官。在攻打安南中，明軍運用了強大的宣傳攻勢，即張貼榜文，安撫民心。榜文宣佈黎氏二十大罪，主要有兩殺其主，滅絕陳氏，背祖更姓，侵軼占城，掠奪雲南、廣西地界等。榜文末則稱：「待黎賊父子就擒之後，選求陳氏立之。」⑩永樂五年（一四〇七年）五月，明軍擒獲黎季犛父子，安南盡平。史載當時詔令訪求陳氏子孫而無可繼立者，群臣遂請開設郡縣。六月，朱棣正式頒佈《平安南詔》，改安南為交阯，設布政司、都司、按察司，統轄十七個府、四十七個州、一百五十七個縣。其要衝處又設十一個衛，三個守禦千戶所。軍隊隸屬廣西，民政歸屬交阯。安南自唐末獨立以來，至此又復入明朝版圖。工部尚書黃福被任命為布、按兩司長官。張輔在交阯駐守一年後還京，進封英國公。張輔回京後，陳氏舊官簡定發動反叛，明軍征討不利。永樂七年（一四〇九年），張輔再次領軍進入交阯，生擒簡定。第二年張輔還朝，簡定從子陳季擴復叛。永樂九年（一四一一年），張輔督師交阯，兩年後擒獲陳季擴，第二年班師回京。「說者謂王（張輔）此役較之前平定之功為難云。」⑪此後，張輔於永樂十三年（一四一五年），再次駐鎮交阯兩年。永樂十五年（一四一七年）張輔被召還京師後，交阯又爆發了以黎利為首的反抗明朝的鬥爭。以後明軍雖然控制了交阯局面，但剿捕黎利不果。這種局面一直延續到宣德時，明宣宗決定放棄交阯，從此兩國又恢復了正常的朝貢關係。張輔第一次用兵安南，從當時宗藩關係看，尚有道義可言，安南臣民心理上也可以承受，故軍

⑩丘濬，《平定交南錄》。
⑪丘濬，《平定交南錄》。

事行動較為順利。「郡縣交阯」，則性質不同，儘管張輔用兵頗有謀略，黃福也撫治有方，但安南畢竟有四百多年獨立的歷史，復入明朝版圖，僅僅是朱棣的一廂情願，簡定、陳季擴、黎利等人連續不斷的反明鬥爭，表現出鮮明的民族自發性。在這方面朱元璋似乎又勝過朱棣一籌。朱元璋曾把安南定為「不征之國」，又說「得其地不足以供給，得其民不足以使令」，並告誡後世子孫不可「倚中國富強，貪一時戰功，無故興兵」，不到八年，朱棣就把這些教誨丟置腦後。經過二十多年血的代價，明朝對安南的政策才又重新回到《皇明祖訓》的起點。

第三節　鄭和下西洋

朱棣重視發展與海外各國政治、經貿關係，永樂三年（一四〇五年）恢復了罷置近三十年的泉州、寧波、廣州三個市舶司，同時派遣鄭和進行海外遠航。這是中國歷史的宏偉篇章。鄭和（一三七一－一四三五年），原姓馬，雲南昆陽州（今晉寧縣）人，回族，世代信奉伊斯蘭教。其祖父和父親都曾到過伊斯蘭聖地天方（今沙烏地阿拉伯麥加）朝聖，因此被尊稱為「哈只」。「哈只」是「巡禮人」、「朝聖者」的意思。明軍攻占雲南消滅梁王政權時，鄭和被俘受閹入宮。明太祖把他賜給燕王朱棣做侍童。鄭和儀表堂堂，「才負經緯，文通孔孟」，辦事「公勤明敏，謙恭謹密，不避勞勩」⑫，深得朱棣賞識。在靖難之役中，鄭和隨侍朱棣，屢立戰功，朱棣稱帝後陞為內官監太監，並賜姓鄭（因鄭和曾立功於

⑫李士厚《鄭和家譜》；李至剛，〈故馬公墓誌銘〉。

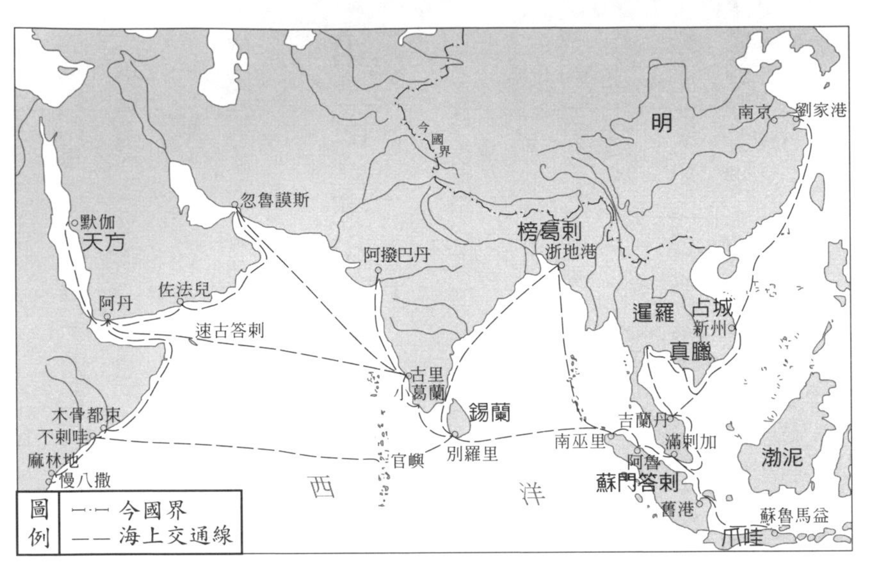

鄭和下西洋路線圖

鄭村壩）。鄭和又號三保太監。「三保」，即三寶，與佛教有關，指佛、法、僧三寶。今留存有他捐錢在永樂十八年（一四二〇年）刻印的《大藏尊經》中署名「大明國奉佛信官太監鄭和法名福吉祥」的字樣。可知鄭和跟隨朱棣以後又皈依佛門。明廷選用鄭和下西洋，授以統率龐大舟師和出使各國的重任，是經過縝密的考慮和慎重的選擇，除了他的忠誠和才幹之外，伊斯蘭教和佛教背景顯然也是他入選的重要條件。鄭和遠航始於永樂三年（一四〇五年）六月，止於宣德八年（一四三三年）七月，凡七次，歷時二十八年，到達亞非三十多個國家和地區。明朝人對海洋的概念是以婆羅洲（今加里曼丹島）的汶萊畫界，汶萊以東稱東洋，汶萊以西稱西洋。鄭和下西洋，就是指到今天的南海和印度洋。最遠到達紅海海口和非洲東岸。

鄭和在十五世紀初能夠進行規模巨大的遠航，絕非偶然，是有其歷史條件和原因的。第一，中國古代傳統社會並不是封閉的，對外政策的主流是開放，歷代王朝大都致力於發展與鄰國的關係，鼓勵人們向世界未知地區積極探索。宋元以來更是注重發展海上交通和海外貿易，中國乘船出海的人日漸多了起來，海船建造技術與航海技術大為提高，海外地理知識也日益豐富，這就為鄭和的海外航行創造了十分有利的條件。第二，明朝經過洪武年間經濟的恢復和發展，到了永樂時代已進入極盛時期，這時國力雄厚，武力強大，庫藏充實，這就為鄭和的海外航行，提供了物質條件。第三，明太祖時國家初建，人民需要休養生息，社會經濟亟待恢復和發展。所以明太祖主要致力於國內的勵精圖治。明成祖即位以後，隨著國內形勢的轉變，眼光開始移向海外，要求擴大對外關係，以遠播明朝聲威，並招致各國來朝來貢。正是有了這種比較開放的政策，才有了鄭和的海外航行。

鄭和下西洋是人類征服海洋的壯舉。它發生在地理大發現之前，比哥倫布到達美洲早八十七年，比迪亞士發現好望角早八十二年，比達．伽馬到達印度卡里庫特早九十三年，比麥哲倫到達菲律賓早一百一十六年。鄭和下西洋的規模是無與倫比的。如第一次下西洋時，有大型寶船六十二艘，官兵二萬七千八百餘人。鄭和船隊以寶船為主構成，此外，還有馬船、糧船、坐船、戰船等多種船隻，這是當時世界上最大的船隊。鄭和的寶船大者長四十四丈四尺（合一百三十八公尺多），寬十八丈（合五十六公尺）。有九桅、十二帆，「體勢巍然，巨無與比，篷帆錨舵非二三百人莫能舉動」⑬。這是當時世界上最大的船隻。而達．伽馬去印度僅有四船、約一百六十人，哥倫布去美洲僅有三船、八十餘人，麥哲倫去菲律賓僅有五船、二百六十餘人，與鄭和的船隊皆無法相比。鄭和七下西洋的結果，打通了

⑬鞏珍，《西洋番國志．自序》。

從中國到東非的航路，把亞、非的廣大海域聯成一氣，這是地理大發現之前人類航海史上的偉大成就。

鄭和下西洋的結果，擴大了中國同亞非各國的和平交往，發展了中國同亞非各國的經濟文化交流。鄭和下西洋是和平進行的，沒有征討和殺伐；有之，完全是出於自衛。如舊港王陳祖義是華僑，經常劫掠過往船隻，又謀劫鄭和的船，鄭和即擒陳祖義攜歸，陳祖義伏誅。又鄭和至錫蘭山，國王亞烈苦奈兒發兵前來劫船，鄭和即生擒亞烈苦奈兒攜至北京，明成祖又放其歸國。鄭和的船隊在所到之處，首先向國王、頭人等進行禮節性的訪問，宣讀皇帝詔書，贈送大量物品，然後即展開貿易活動。如在古里，按當地習慣交易，貨物議價以拍掌為定，自後價有貴賤，再不改悔。又在佐法兒（在阿拉伯半島南岸），其國王遣頭目遍諭國人，皆以乳香、蘇合油之類來交換絲綢、瓷器等物。鄭和的船隊總是滿載貨物往返，主要以中國的手工業品換取各國的土特產品，攜出的手工業品有絲綢、瓷器、鐵器、銅錢等等。攜歸的土特產品應有盡有，其中不少是奇貨重寶及珍禽異獸等，如珍珠、珊瑚、寶石、香料、麒麟（長頸鹿）、獅子、駝鳥之類。與鄭和同行的馬歡在〈紀行詩〉中說：「歸到京華覲紫宸，龍墀獻納皆奇珍。」⑭所以鄭和的船有「取寶」之名，被稱為「寶船」。

鄭和開始下西洋後，亞非各國多遣使來中國建交及進行貿易，絡繹不絕於途。如永樂十三年（一四一五年），東非麻林國遣使來獻麒麟，一時轟動京師。麒麟被中國視為吉祥之物，永樂皇帝親御奉天門受禮，文武大臣莫不稱賀。永樂十五年（一四一七年），蘇祿東王、西王和峒王三王各率人抵京，凡三百四十餘人，受到永樂皇帝隆重接待。永樂二十一年（一四二三年），忽魯謨斯等十六國使者來京，

⑭馬歡，《瀛涯勝覽》。

凡一千二百人，一時朝廷使者盈滿。據不完全統計，在永樂年間，有六十個國家二百四十五次訪問中國，其中渤泥、滿剌加、尼八剌（今尼泊爾）、蘇祿（今菲律賓群島）、錫蘭（今斯里蘭卡）、古麻剌朗（今菲律賓棉蘭老島）等六個國家的八位國王九人次訪問中國。其中渤泥國王、蘇祿國東王和古麻剌朗國王在訪問中國時不幸病故，分別葬於南京安德門外、山東德州北郊、福建福州西湖南面茶園山。他們的墓葬是中國與上述國家關係的歷史見證。自鄭和下西洋後，中國到南洋去的人日益增多，不少人僑居國外，把中國進步的生產技術和手工業品帶到南洋各地，對南洋的開發起了巨大作用。

鄭和下西洋也開拓了中國人的眼界。隨從鄭和航行的馬歡著有《瀛涯勝覽》，費信著有《星槎勝覽》，鞏珍著有《西洋番國志》，記載了所經各國的情況，豐富了中國人的海外地理知識。又鄭和下西洋時繪有航海圖，原名《自寶船廠開船從龍江關出水直抵外國諸番圖》（簡稱《鄭和航海圖》），此圖蜚聲中外，在世界海圖史上也有重要地位。

第五章 社會經濟的恢復與發展

第一節 生產關係的調整

明朝初年，最高統治者在土地關係和生產關係方面進行了一些調整，這對於提高貧苦農民的勞動積極性，促進社會經濟的恢復和發展，維護社會安定，保證國家稅收，發揮了積極作用。

元朝時期，土地兼併始終是一個嚴重的社會問題，而且越演越烈，到元朝後期，「大家收粟至數百萬斛，而小民皆無蓋藏」①的現象所在多有，在沉重的地租壓榨下，佃農生活極端困苦。元末農民起事使舊有的地主經濟結構受到很大衝擊。以江南為例，元朝後期，「江南富戶侵占民田，以致貧者流離轉徙」②，而經過農民戰爭的滌蕩後，「江南巨姓右族，不死溝壑，則奔竄散處」③。明朝建立後，朱

①余闕，《青陽集》卷三〈憲使董公均役記〉。
②宋濂，《元史》卷二〇〈成宗紀〉。
③貝瓊，《貝清江先生文集》卷八〈送王子淵序〉。

元璋利用地主經濟受到削弱、拋荒土地大量存在的有利時機，大力扶植自耕農經濟，發展個體農民的小土地所有制。洪武元年（一三六八年），朱元璋下詔規定：「各處荒閒田地，許令諸人開墾，永為己業。」為了防止舊地主回鄉後發生地權糾紛，朱元璋在詔書中還特別申明：「各處人民，曩因兵燹拋下田土，已被有力之家開荒成熟者，聽為己業，其業主回還，仰有司於附近荒田內，驗數撥付耕作。」④洪武五年（一三七二年），朱元璋再次重申：「兵興以來，所在人民拋下產業逃避他方，天下既定，乃歸鄉里，中間若有丁多力少而舊田多者，不許依然占護，止許盡力耕種到頃畝，以為己業。若有去時丁少、歸則丁多而舊產少者，許令於附近荒田內，官為驗其丁力，撥付耕種。敢有以舊業多餘占護者，論罪如律。」⑤洪武二十四年（一三九一年），朱元璋又「令公侯大官以及民人，不問何處，惟犁到熟田，方許為主，但是荒田，俱係在官之數，若有餘力，聽其再開」⑥。這些法令否定了舊地主對拋荒田地的所有權，把丁口多少和開荒能力作為占墾荒田的惟一指標，鼓勵農民盡其所能多墾田地，使大量過去無地的農民獲得了土地所有權，大大提高了自耕農的數量。

在明朝初期，佃農對地主的人身依附關係也有所鬆解。作為明代最基本的社會關係之一的地主與佃戶之間的關係，與前代相比，法律地位有了明顯上升。在宋、元時代，佃客在法令中雖然具有「良人」的地位，但與地主之間則有嚴格的人身依附關係，國家法令對這種依附關係是加以維護的。如元

④傅鳳翔，《皇明詔令》卷一〈大赦天下詔〉。
⑤傅鳳翔，《皇明詔令》卷二〈正風俗禮儀詔〉。
⑥申時行等，《大明會典》卷一七（萬曆版）。

朝主佃關係「貴賤等分甚嚴」，佃農對地主「拱侍如承官府」[7]，路遇地主「不敢施揖，伺其過而復行」[8]，法律還明確規定，地主打死佃農，只杖一百七，徵燒埋銀五十兩，而不須抵命。明朝建立後，朱元璋限於歷史條件，儘管不可能賦予地主與佃農絕對的平等地位，但對兩者之間的不平等的法律關係還是作了很大調整，國家不再承認佃農對地主的人身依附關係。他規定：「佃見田主，不論齒序，並如少事長之禮；若在親屬，不分主佃，則以親屬之禮行之。」[9]

在元朝，大批手工業者被僉編為世襲性匠戶，他們終年在官府手工作坊從事繁重的勞動，形同工奴。明朝沿襲了元朝的世襲匠戶制度，但對他們的服役方式作了一些改革。洪武十一年（一三七八年），朱元璋下令「凡在京工匠赴工者，月給薪米鹽蔬，休工者停給，聽其營生勿拘」；十九年又制定了工匠輪班制度，規定各地匠戶三年一班，每班三個月，輪流赴京服役[10]。後又按各工種的實際需要對輪班期限作了調整，有五年一班、四年一班、三年一班、二年一班、一年一班幾種方式。這樣，與元代相比，匠戶不僅獲得了在非服役期自行營業的自由，而且服役時間也大為縮短，既有利於提高勞動積極性，又促進了民間手工業的發展。

元朝蓄奴風氣盛行，許多貧苦農民淪為貴族地主的奴婢，失去人身自由，無法獨立地從事生產活

⑦傅維麟，《明書》卷九〇〈方國珍傳〉。

⑧黃溥，《閑中古今錄摘鈔》。

⑨姚廣孝等，《明太祖實錄》卷七三〈洪武五年三月至五月〉。

⑩姚廣孝等，《明太祖實錄》卷一一八〈洪武十一年四月至五月〉、一七七〈洪武十九年正月至四月〉。

動。朱元璋對這種風氣深惡痛絕，於洪武五年（一三七二年）宣佈「諸遭亂為人奴隸者，復為民」⑪，後來又規定，非勳貴、官僚不得蓄養奴婢，「若庶民之家存養為奴婢者，杖一百，即放為良」⑫。朱元璋還撥出資金，贖還因饑荒典賣為奴婢者。對於王朝新貴，朱元璋也對他們役使奴婢的數額作出具體規定：公、侯家不得超過二十人，一品官不得超過十二人，二品官不得超過十人，三品官不得超過八人。

元朝時期，地主富戶千方百計隱瞞丁田，逃避賦役，加重了下層農民的負擔，加劇了貧富分化和社會矛盾，元末農民戰爭的爆發，即與此大有關聯。朱元璋對這一問題十分重視，建國前就曾在占領區進行土地清理，編造圖籍，據以確定賦稅和徭役。大明王朝剛剛建立，朱元璋就派遣國子監生到土地隱瞞現象最為嚴重的浙西地區覈實田畝。不久，朱元璋又命中書省議定役法，決定每田一頃，出丁夫一人，不到一頃的，用別的田補足，稱為「均工夫」。洪武三年（一三七〇年），又下令進行大規模的戶籍清理，推行戶帖制度。到洪武十四年，又在戶帖基礎上建立了黃冊制度，政府把戶帖發給各戶，讓他們詳細填寫籍貫、姓名、年齡、丁口、田宅、資產等內容，政府每年都要派人覈查，每十年一次，根據戶帖編製黃冊。此制推行後，朱元璋覺得還不夠嚴密，地主富戶仍有可能隱瞞田地，所以到洪武二十年（一三八七年），又下令進行大規模的土地普查，並將普查結果編製成魚鱗圖冊，圖冊中詳細載明每塊田地的畝數、品質、方圓四至以及田主姓名等。黃冊以戶為主，以人為經，以田地為緯，魚鱗

⑪張廷玉等，《明史》卷二〈太祖本紀〉。
⑫佚名，《明律集解附例》卷四〈戶役·脫漏戶口〉。

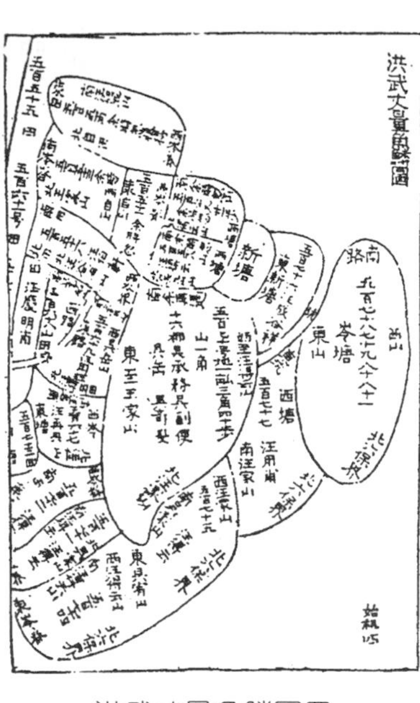

洪武丈量魚鱗圖冊

圖冊則以田地為主，以地域為經，以人為緯，兩種冊籍相互配合，相互補充，相互覈對，相互牽制，構成一套完備嚴密的戶口、田地和賦役管理制度。在進行戶口和田地清理的同時，朱元璋還採取嚴厲措施，打擊豪強地主隱瞞田產、逃避賦役、轉嫁負擔的行為。他曾規定，對於轉嫁負擔、行為不法的豪強地主，受害人和當地耿直豪傑可以不必告知地方官府，而將他們捉拿起來，直接送到京師，被拿者的罪行查實後，全家都要遷發到荒涼的邊境地區，其田產賞給受害人。在雷厲風行地清理整頓下，明初對田地、戶口的管理趨於規範化，地主富戶隱瞞田產、逃避賦役的現象大為減少，普通百姓的負擔得以減輕。

與元朝相比，明初百姓所需承擔的賦役額也有所降低。元代賦役名目繁多，且日趨沉重，元中葉與元初相較即已增加二十倍，到元末更甚，地方官府在徵收時又往往額外多收，至有「州縣徵之加十倍」者⑬，百姓苦不堪言。明朝建立後，朱元璋推行「藏富於民」的治國政策，本著「賦民而民不困，役民而民不勞」的原則⑭，盡量減輕百姓的賦役負擔。由於田地有官田、民田的區別，各處田地的肥

⑬宋濂，《元史》卷一八四〈王都中傳〉。

⑭姚廣孝等，《明太祖實錄》卷一七二〈洪武十八年三月至四月〉。

瘠程度也大不相同，因而各地的田賦徵收額頗為參差，但就總體情況而言，明初民田一般是每畝徵收三升三合五勺，田賦額是比較輕的。明初徭役分為里甲正役和雜泛差役兩類，「凡百差科，悉由此出，無復前代紛更之擾」[15]，比元末也大為減輕。朱棣登上皇位後，也曾宣佈「擅役一軍一民者，處重法」，「誅不宥」[16]。對遭受戰亂破壞和發生自然災害的地區，明初政府多次下令蠲免部分或全部賦稅，災害嚴重的地方，還調撥米、布、鈔等加以賑濟。朱元璋曾規定：「旱傷州縣，有司不奏，許耆民申訴，處以極刑。」[17]後又諭戶部：「自今遇歲饑，先貸後聞，著為令。」[18]據統計，在朱元璋統治的三十一年時間裡，他下詔減免賦稅和賑濟災民達七十多次。永樂年間，朱棣也多次下令蠲免賦稅，賑濟災民，並要求各地官員「遇有饑荒，即加賑濟」[19]。

第二節　荒田的墾闢

鑑於荒田太多，僅靠流民回籍耕墾速度太慢，許多邊遠地方民力也難以顧及，朱元璋遂採取屯田的辦法，進行大規模墾荒。當時的屯田，有三種類型，這就是軍屯、民屯和商屯，其中以軍屯規模最大。

---

[15] 顧炎武，《天下郡國利病書》卷七八。
[16] 姚廣孝等，《明太宗實錄》卷一七〈永樂元年二月〉。
[17] 張廷玉等，《明史》卷七八〈食貨志〉。
[18] 張廷玉等，《明史》卷三〈太祖本紀〉。
[19] 余繼登，《典故紀聞》卷七。

據《明史．食貨志》記載：「移民就寬鄉，或召募，或罪徙者為民屯。」可見民屯分為移民屯田、募民屯田和徙罪人屯田三類。移民屯田就是把地少人多地區的一部分人民強制遷移到地多人少的地區定居耕墾。被遷移者的情況，又可分為三種：一是沒有田地的窮苦農民，這類人往往是全家遷移。如洪武三年（一三七〇年），從蘇州、松江、嘉興、湖州、杭州遷徙無田產者四千戶到臨濠屯種；洪武二十一年（一三八八年），從山西澤州和潞州遷徙無田農民到彰德、真定、臨清、歸德、太康諸處閒曠之地，自便置屯耕種。二是從丁多地少的家庭抽調部分丁口遷移。如洪武二十八年（一三九五年），令山東青州、兗州、登州、萊州、濟南五府民家，有五丁以上田不及一頃，十丁以上田不及二頃，十五丁以上田不及三頃，以及無田可耕者，都要分丁到東昌編籍屯種。洪武三十五年（即建文四年，一四〇二年），命山西太原、平陽二府，澤、潞、遼、沁、汾五州，丁多田少及無田之家，分其丁口以實北平各府州縣。三是邊民、降民和降卒。如洪武四年，魏國公徐達令徙順寧、宜興州沿邊之民，皆入北平州縣屯戍，計一萬七千二百七十四戶、九萬三千八百七十八口；又以沙漠遺民三萬二千八百六十戶屯田北平府管內之地，共置屯二百五十四處。洪武六年，徙山西弘州、蔚州、定安、武朔、天城、白登、東勝、澧州、雲內等州縣北邊沙漠居民於臨濠，共計八千二百三十八戶、三萬九千三百四十九人。

募民屯田就是通過召募的方式徵集農民到荒閒之處定居耕墾。召募的對象，主要是地少人多地區的農民，如洪武二十二年（一三八九年），命杭、湖、溫、臺、蘇、松諸郡民無田者，允許往淮河迤南滁、和等處就耕；同年，山西沁州民張從整等一百一十六戶告願應募屯田，命送後軍都督僉事徐禮分田給之，仍令回沁州召募居民。總的說來，與移民屯田相比，募民屯田的規模要小得多。

徙罪人屯田就是把犯罪的百姓或官吏發到荒曠之地屯田。如洪武五年（一三七二年），詔今後犯死罪當謫兩廣充軍者，俱發臨濠屯田；洪武八年（一三七五年），令官吏受贓及雜犯私罪當罷職役者謫鳳陽屯種，民犯流罪者鳳陽輸作一年，然後屯種。洪武二十三年（一三九〇年），奏准以遷謫之人開耕成都附近荒田。洪武三十五年（一四〇二年）規定：「自今凡人命、十惡死罪、強盜傷人者依律處決，其餘死罪及流罪，令挈家往北平種田。」⑳因此永樂年間有許多罪人被發到北京附近屯種。

明初對民屯的管理是比較重視的。洪武三年（一三七〇年），在河南設置司農司，專掌遷民分屯事。後來各級行政機構趨於完善，民屯事宜便由各地方政府管理。為了鼓勵人民移徙墾荒，政府宣佈移民對開墾出來的田地擁有所有權，並享受一定時間的免稅優惠，有時還給予耕牛、種子等資助。如洪武三年遷蘇、松等地無田貧民到臨濠，規定「就以所種田為己業，官給牛種舟糧以資遣之，仍三年不徵其稅」。同年，濟南知府及司農官題准：「北方郡縣近城之地多荒蕪，宜召鄉民無田者墾闢。戶率十五畝，又給地二畝與之種蔬，有餘力者不限頃畝，皆免三年租稅。」㉑永樂九年（一四一一年），接受撫按山東給事中王鐸的建議，「籍青州等三府逃民，官給牛具種子，命就彼耕種，俟三年後科徵稅糧」㉒。

商屯是一種特殊的民屯。它是由於實行「開中」的食鹽銷售方法而興起的由鹽商經營的農業生產組織。明王朝在北部邊境地區駐紮了大量軍隊，軍餉耗費額十分巨大，單靠軍士在駐防地區的屯田收

⑳姚廣孝等，《明太宗實錄》卷一二下〈洪武三十五年九月〉。
㉑姚廣孝等，《明太祖實錄》卷五三〈洪武三年六月〉。
㉒姚廣孝等，《明太宗實錄》卷一一六〈永樂九年六月〉。

入，不能滿足需求，而由民戶長途運輸糧餉補給，也是一項十分艱鉅的任務。為了合理地解決軍餉問題，明朝政府便利用國家掌握的食鹽專賣權，刺激商人到邊境納糧上倉，以換取作為販鹽許可證的「鹽引」，這就是被讚為「轉輸之費省而軍儲之用充」的開中法。由於販鹽能獲得極高的利潤，「富商大賈悉於三邊自出財力，自招遊民，自墾邊地，自藝菽粟，自築墩臺，自立堡伍，歲時屢豐，菽粟屢盈」㉓。商屯的土地是屬於國家的官田，當時沿邊一帶荒地極多，國家歡迎商人們「自墾邊地」。商屯土地上收穫的糧食，除生產者自己消費的部分外，基本上都用來換取鹽引。從成化時期開始，由於勢豪之家大量插手鹽業等原因，造成鹽法壅滯，商人報中的越來越少。到弘治五年（一四九二年），在戶部尚書葉淇的主持下，對鹽法進行了變革，由商人納糧於邊改為商人到鹽運司納銀買鹽，然後再將所賣之銀分解各邊。這樣，商人便無需到邊境納糧，商屯遂日趨消亡。

明代有一支數量龐大的常備軍，要使這支軍隊發揮攘外安內的功效，就必須使其經濟生活有所保障。軍屯的開展，在這方面起到了很大作用。早在明朝立國之前，為了解決軍餉供應問題，朱元璋在其統治區就曾推行屯田。明朝建立之後，朱元璋更加深刻地認識到讓軍士「坐食民之租稅」不是長策，而以兵屯田「無事則耕，有事則戰，兵得所養而民力不勞」㉔，遂大規模地開展軍屯。大體說來，屯守比例是邊地三分守城、七分屯田，內地二分守城、八分屯田，但各地因田地肥瘠、地方緩衝有異，又有二八、四六、一九、中半等例。每名軍士的屯田數，大致是「以五十畝為中」㉕，實際各地相差

㉓霍韜，〈哈密疏〉，《明經世文編》卷一八六。
㉔姚廣孝等，《明太祖實錄》卷八七〈洪武七年正月至二月〉。

很大，多或百畝，少或二十畝。屯軍的生產資料仰給於政府，政府則向屯軍徵收屯田子粒。徵收的數額，洪武年間大致是每畝徵收一斗。朱棣即位後，始定科則，規定每軍田一分，納正糧十二石、餘糧十二石。這一標準實際上很難達到，政府不得不屢次下調，到宣德十年（一四三五年）規定，屯軍只須交納餘糧六石上倉。

軍屯的廣泛開展，大大提高了沿邊地區的農業開發程度。如在擁有廣闊肥沃土地的遼東，元明之際，由於迭經戰火，原有的農業經濟受到破壞，「居民散亡，遼陽州郡鞠為榛莽」㉖。明軍在進入這一地區後，將十幾萬軍士投入屯墾，軍屯土地面積迅速增加，到洪武三十年（一三九七年），明朝政府宣佈遼東全部官軍的食糧都已「屯田自給」㉗。永樂年間，遼東屯田繼續得以維持和發展。屯田最高額達到二萬五千三百餘頃，屯糧產量達到七十餘萬石。又如寧夏，明朝初年由於以察罕帖木兒為代表的元朝殘餘勢力憑藉寧夏和賀蘭山後這片基地與明對抗，於是明廷盡其所能將寧夏及所屬靈州、鳴沙州等城居民遷徙到關中，寧夏遂成空城。到明朝驅逐了殘元勢力，在寧夏立穩腳跟後，便陸續設立寧夏衛和寧夏前衛、寧夏左屯、右屯、中屯，「徙五方之人實之」，寧夏開始了新一輪的開發過程。到洪武二十二年（一三八九年），寧夏與河州、洮州等八衛因屯土增廣，糧食充足，每石只折鈔二貫五百文。甘肅在元末明初亦極殘破，而依靠屯田恢復了生機。到洪武後期，莊浪、河州、洮州、岷州、涼州、

㉕申時行等，《大明會典》卷一八（萬曆版）。
㉖李輔，《全遼志》卷六〈外志．史考〉。
㉗姚廣孝等，《明太祖實錄》卷二五五〈洪武三十年九月至十二月〉。

臨洮等地因荒地墾闢、粟麥豐收，出現了「米價日減，每石至五百文」的景象㉘。據洪武三十一年（一三九八年）統計，涼州等十一衛已有屯地一萬六千三百餘頃，不僅可以自給，還有餘糧接濟甘州、山丹等衛軍餉。西南地區的農業經濟在明初也取得了很大進步。如在雲南，明朝平定此地後，建立雲南都司，廣置衛所，從外地大量調派駐防軍人，使雲南的人口迅速增長，軍屯也隨之開展起來。如洪武十八年（一三八五年），雲南「諸蠻」平，增置衛所，開屯戍守。次年，沐英奏准置屯，令軍士開墾荒地，不久朱元璋又令沐英自永寧至大理每六十里設一堡，置軍屯田。朱元璋還曾直接調軍隊到雲南開展屯田，如命長興侯耿炳文率陝西土軍三萬三千人到雲南屯種。

經過各種方式的墾田開荒，明初田地增長很快。《明太祖實錄》記有從洪武元年至洪武十六年（一三六八－一三八三年）大多數年分的耕地增闢數，列表如下：

年分	增闢耕地數	備註
洪武元年（一三六八年）	七百七十餘頃	
洪武二年（一三六九年）	八百九十八頃	
洪武三年（一三七〇年）	二千一百三十五頃二十畝	山東、河南、江西三省數字
洪武四年（一三七一年）	十萬六千六百二十二頃四十二畝	
洪武六年（一三七三年）	三十五萬三千九百八十餘頃	
洪武七年（一三七四年）	九十二萬一千一百二十四頃	
洪武八年（一三七五年）	六萬二千三百零八頃二十畝	

㉘姚廣孝等，《明太祖實錄》卷一九五〈洪武二十二年正月至三月〉。

洪武九年（一三七六年）	二萬七千五百六十四頃二十七畝	
洪武十年（一三七七年）	一千五百一十三頃	
洪武十二年（一三七九年）	二十七萬三千一百零四頃三十三畝	
洪武十三年（一三八〇年）	五萬三千九百三十一頃	
洪武十六年（一三八三年）	一千二百六十五頃	

如果扣除洪武十六年（一三八三年）不計，表中所列十一個年分，累計增闢耕地一百八十餘萬頃，幾乎占了洪武十四年（一三八一年）全國官民田總數三百六十六萬餘頃的一半，充分說明了墾荒成績之大。

第三節　水利的興修

明初不僅大力鼓勵墾闢荒田，還興修水利，以提高土地的品質和生產能力。在中國這樣一個氣候旱澇無常的農業大國，建設和維護一個良好的水利系統，是提高糧食產量、減少自然災害的重要途徑。對於水利的巨大作用，農民出身的朱元璋比中國歷史上其他任何一個帝王的認識都要深切得多，所以他始終重視農田水利建設，把興修水利當作大事來做。

早在建國前的龍鳳四年（一三五八年），朱元璋就設立了督水營田司，遷陞在屯田方面成績卓著的康茂才為營田使，專門掌管疏濬湖塘，修築堤防。明朝建立後，他把水利工程的興修列為地方官的一項重要職責，並下令，如果有百姓提出水利方面的建議，當地政府要迅速向中央彙報。對於不重視水利事業的官吏，則予以懲罰。在確定各部門職責範圍的〈諸司職掌〉中，他要求各地官員對於本地可以引水灌田、有利百姓的閘壩陂堰等，務必要時常修理疏濬；如有河水氾濫，損壞房屋、田地、禾稼者，必須設法築堤防護。到晚年，他還告諭工部說：「陂塘湖堰可蓄洩以備旱潦者，皆因其地勢修治之。」㉙

在朝廷的督導之下，各地政府組織大量人力物力，修建了許多水利工程。其中規模較大的有：洪武元年（一三六八年），修築和州銅城堰閘，周圍二百餘里。四年修復廣西興安縣靈渠三十六陡，可以灌溉農田上萬頃。八年，命長興侯耿炳文督率疏濬陝西涇陽洪渠堰，可以灌溉涇陽、三原、醴泉、高陵、臨潼等縣田二百餘里。十九年，修築福建長樂縣海堤，防止了海潮侵淹農田，人民大受其利。二十三年，調發淮安、揚州、蘇州、常州四府民工二十五萬人，修築崇明、海門潰決海堤二萬三千九百餘丈。二十四年，疏濬定海、鄞縣東錢湖，灌溉農田數萬頃。二十五年，徵發嘉興等州民工近三十六萬人，開鑿江南溧陽縣銀墅東壩河道四千三百餘丈。

儘管各地已興修了不少水利工程，但朱元璋並不滿意，他認為各地方官員本應有更大作為。於是，洪武二十七年（一三九四年），他派出大批國子監的學生到各地督修水利，在全國掀起一次興修水利的高潮。臨行前，他教導這些國子生說：「耕稼衣食之原，民生之所資，而時有旱澇，故不可以無備……朕嘗令天下修治水利，有司不以時奉行，至令民受其患。今遣爾等往各郡縣，集吏民，乘農隙，相度其宜，凡陂塘湖堰可瀦蓄以備旱暵、宣洩以防霖潦者，皆宜因其地勢修治之。毋妄興工役，掊克吾

㉙張廷玉等，《明史》卷八八〈河渠志六〉。

民。」㉚這次水利建設成績斐然，到次年底，全國共開鑿修築塘堰四萬零九百八十七處，修河四千一百六十二處，修築陂渠堤岸五千零四十八處㉛。

永樂至正統初年，朝廷仍很重視水利建設，興修了不少水利工程。如永樂元年（一四〇三年），命戶部尚書夏原吉疏濬吳淞江，動員了十餘萬人，「度地為閘，以時蓄洩」，竣工後「蘇、松農田大利」㉜。正統五年（一四四〇年），還曾遣官「修備荒之政」，詔令「各處閘壩陂堰圩田，濱江近河，堤岸有損壞當修築者，先計工程多寡，於農隙之時，量起人夫用工」，並申明「各處陂塘圩岸，果有實利及眾，比先有司失於開報，許令開陳利民之實，踏勘明白，畫圖貼說，具申工部定奪」㉝。水利工程的廣泛興修，增強了抵禦自然災害的能力，改善了土壤品質，提高了農作物的產量。

第四節　手工業的進步

明朝建立後，手工業生產也很快得到恢復和發展。當時的手工業，既有官營的，也有民營的，但官營手工業占絕對主導地位。比較發達的手工業部門，有礦冶、造船、紡織、陶瓷等。

㉚姚廣孝等，《明太祖實錄》卷二三四〈洪武二十七年八月至九月〉。
㉛姚廣孝等，《明太祖實錄》卷二四三〈洪武二十八年十一月至十二月〉。
㉜張廷玉等，《明史》卷一四九〈夏原吉傳〉。
㉝陳文等，《明英宗實錄》卷六九〈正統五年七月〉。

明初官營礦冶業比較發達，礦產品有金、銀、銅、鐵、鉛、汞、硃砂、青綠、錫、銀硃、煤炭、礬、石青、寶石等多種，其中鐵礦規模最大。洪武六年（一三七三年），在江西進賢、新喻、分宜，湖廣興國、黃梅，山東萊蕪，廣東陽山，陝西鞏昌，山西太原、澤州、潞州，各設鐵冶所一個；在山西吉州，設鐵冶所二個。後在河南、四川和湖廣茶陵也設置了鐵冶所。各處官鐵冶每年煉鐵總額為一千八百四十七萬餘斤。洪武十八年（一三八五年），因官府存鐵已多，朱元璋下令停閉各處鐵冶，後因需要，又陸續恢復一些鐵礦。洪武二十八年（一三九五年），經查點，內庫貯鐵三千四百七十三萬餘斤，遂又命停罷各處官冶，並允許人民自由採煉，按十五分之一的比例抽取稅課。到洪武三十一年（一三九八年），內府存鐵無多，又命重開鐵冶。永樂年間，先後在四川龍州、順天府遵化和遼東三萬衛設置了官鐵冶。

民營礦冶業也獲得一定程度的發展。特別是洪武二十八年「令民得自採煉」後，民營礦業的發展速度更快。從鐵課來看，永樂元年（一四〇三年）為七萬九千八百零六斤，永樂十三年（一四一五年）增為三十八萬五千六百零五斤，到宣德九年（一四三四年）達到五十五萬五千二百六十七斤。如按官定十五分之一的稅率折算，則永樂元年產鐵量為一百一十九萬七千餘斤，宣德九年為八百三十二萬九千餘斤，三十年間增加了近七倍。宣德十年宣宗去世，英宗即位，解除民間交易用銀的禁令，並停罷各處金、銀、銅、鐵等官礦，聽民自由開採。從此，礦冶業進入民營占主導地位的時期。官營礦冶業雖旋即恢復，並且一直維持到明末，但生產量日漸萎縮。

明初的冶煉水準比前代有所提高。遵化鐵冶廠使用的煉鐵爐，深一丈二尺，前寬二尺五寸，後寬二尺七寸，每日可煉鐵四次。根據冶煉次數的不同，產品分生鐵、熟鐵和鋼鐵三種，「生鐵之煉凡三時而成，熟鐵由生鐵五六煉而成，鋼鐵由熟鐵九煉而成」㉞。明初銅的冶鑄技術已達到很高水準。現保存於北京大鐘寺的華嚴鐘，係永樂年間採用地坑造型表面陶範的泥範法鑄成，銅鐘通高六．七五公尺，口沿外徑三．三公尺，重約四十六噸，鐘聲和諧宏亮，鐘體內外遍鑄經文，共二十二萬七千字，字體端正清晰，歷時數百年而仍然清晰可辨。

明初官營造船業分佈很廣，海運交通口岸、對外貿易基地以及海防駐軍衛所，都設有規模不等的造船廠，其中著名的造船基地有南直隸的龍江、太倉、清江、儀征，山東的臨清、登州，北直隸的直沽（天津），遼東的金州、海州，廣東的廣州、潮州，福建的漳州、泉州、福州，浙江的明州（寧波）等。在官營造船廠中，集中了大批技術高超的工匠，他們各專其能，生產上有明確細緻的分工，加之不需計較成本，因而所造船隻品質較高。

鄭和下西洋所用的龐大船隻，最能反映官營造船業的成就。從《明太宗實錄》的有關記載來看，在鄭和出使前兩年，明廷開始大造海船。其方式分為創製與改造。在創製方面，如永樂元年（一四〇三年）命福建都司造海船一百三十七艘；二年命京衛造海船五十艘，命福建造海船五艘；三年命浙江等都司造海船一千一百八十艘；七年命江西、湖廣、浙江及蘇州、揚州等府衛造海船四十艘；九年命浙江臨山、觀海、定海、寧波、昌國等衛造海船四十八艘。在海道運糧船的改造方面，如永樂五年（一四〇七年）命都指揮汪浩改造海運船二百四十九艘以備使西洋，命浙江、湖廣、江西改造海運船十六艘；六年命浙江金鄉等衛改造海運船三十三艘。到永樂十八年（一四二〇年），還在南京設寶船廠，專

㉞孫承澤，《春明夢餘錄》卷四六〈工部鐵廠〉。

造下西洋所用寶船。明成祖死後，仁宗曾下令停止製造寶船。宣宗繼位後，又命恢復寶船製造工作。鄭和下西洋使用的寶船，最大的長四十四丈四尺，寬十八丈，規制遠遠超過前代。鄭和下西洋是人類航海史上的壯舉，而為這一壯舉打下基礎的，則是空前鼎盛的造船事業。英宗即位以後，復禁製造寶船，官府造船業開始走下坡路。與此同時，民間造船業卻日益發達起來。

明初鼓勵農民種植桑、麻和木棉，為紡織業的發展奠定了基礎。早在建國前，朱元璋就規定：「農民田五至十畝者，栽桑、麻、木棉各半畝，十畝以上者倍之。其田多者，率以是為差。有司親臨督勸，惰不如令者有罰。」㉟建國之後，朱元璋迅速把這一法令推行於全國，並規定凡種桑、麻者，「四年始徵其稅，不種桑者輸絹，不種麻者輸布」㊱。在此種政策的激勵下，紡織原料作物的種植日趨普遍和擴大。據統計，洪武十一年（一三七八年）以前，蘇州府吳江、吳縣、常熟、崑山、崇明等縣種植桑樹就達十五萬餘株。洪武二十五年（一三九二年），彰德、衛輝、廣平、大名、東昌、開封、懷慶七府棉花獲得豐收，產量高達一千多萬斤。

這些作物種植面積的擴大，提供了豐富的紡織原料。明初廣設官營紡織作坊，除兩京設有內外織染局、神帛堂等機構外，還在蘇州、鎮江、松江、杭州、嘉興、湖州以及福州、泉州、江西、四川、山東等地設立了數十個織染局，以織造絲織品為主。東南地區是官府絲織業的中心，尤以南京、蘇州、杭州三處為重，自永樂時期開始差遣宦官督管織造。官營絲織作坊的年生產量有定額，大體上是北京

㉟姚廣孝等，《明太祖實錄》卷二四六〈洪武二十九年五月至八月〉。
㊱張廷玉等，《明史》卷一三八〈楊思義傳〉。

外織染局每年造解五萬五千匹，南京內織染局和神帛堂造解三千三百六十九匹，各地方織染局二萬八千六百八十四匹。棉織業在明初也很發達，這從政府每年使用的大量棉布上就可略見一斑。據統計，明廷每年在內廷宗室的消費、廷臣藩屬的賞賜和邊衛軍士的餉給等各方面消費的棉布，總數不小於一千五百萬匹。棉紡織業主要以家庭副業的方式進行，因此朝廷有時通過賦稅折色從民間獲取棉布。如洪武三年（一三七〇年），朱元璋批准戶部的奏請，命令棉花種植廣泛、棉紡織業發達的松江府可以以棉布代替秋糧。洪武六年，詔令直隸各府州縣以及浙江、江西二省本年的秋糧可以改納棉布。

陶瓷業在繼承宋元傳統的基礎上，又向前大大跨進了一步。洪武二年（一三六九年），在江西浮梁縣景德鎮建立御器廠，設大龍缸窯、青窯、色窯等二十座，景德鎮很快發展成為全國陶瓷業中心。明代前期，以單色釉瓷的製作為主，但比宋元製品要豔麗得多。特別是宣德年間景德鎮燒造的青花瓷器，成就很高。它採用景德鎮東鄉麻倉山出產的陶土作瓷胎質料，潔白細膩；青花原料用的是南洋輸入的蘇泥勃青，色調幽雅；繪畫大都先用細線描輪廓，再加以渲染。除青花瓷之外，還有紅、藍、翠青、綠、黃等單色釉瓷，其中尤以鮮紅色的最為著名，因用於宮廷祭祀，故稱「祭紅」（亦稱「霽紅」）。祭紅亦以宣德年間燒製者最為絕品，釉色紅中稍帶黯黑，靜穆凝重。

宣德青花海水雲龍紋扁瓶

第五節　商業的初興

明太祖朱元璋對商業的態度具有二重性。一方面，他繼承了歷代的重農抑商政策，主張「崇本而祛末」，將「不務耕種，專事末作者」劃為「遊民」，要予以逮捕㊲，並規定商賈之家不許穿細紗，在社會地位上予以貶抑；另一方面，他又認為商人可以「通有無」，不僅民間需要，就是官府也需要商人為其服務，因而反對「工商技藝之子不預士伍」的看法㊳，主張給予商人一定的社會地位。這種二重性特點貫穿在明初的一系列商業管理措施之中：既建立了一整套制度以圖把商業置於政府的全面控制之下，又廢棄了宋元時代「頗繁瑣」的「關市之徵」，在商稅方面「務簡約」㊴，並對官吏額外苛求、留難的行為嚴加懲處。

明初政府對商人和市場的管理比較嚴格。法令規定，凡外出經商，必須先經過官府批准，領取官府簽發的「商引」（也叫「關券」、「路引」、「物引」）。「商本有巨微，貨有重輕，所趨遠近水路，明於引間」㊵，即商引上要寫明貨物種類、數量以及道里遠近等項。供商人停宿的客店，也要置有官府簽

㊲朱元璋，《明太祖實訓》卷四。
㊳嘉靖《廣東通志》卷五〇。
㊴王鴻緒，《明史稿》卷六三。
㊵朱元璋，《大誥續編·互知丁業第三》。

發的「店曆」，由店主「逐日附寫到店客商姓名人數，起程月日，月終各赴所司查照」㊶。如不申請商引私自經商，一經拿獲，便要「治以遊食，重則殺身，輕則黥竄化外」㊷。不過，從另一方面看，政府雖然對商人的限制較多、管理較嚴，但商業政策的完備使商人有法可依，朝廷對各級官吏勒索騷擾商人的行為也約束較嚴。如洪武八年（一三七五年），廣東南雄商人載貨入京貨賣，「至長淮，關吏留而稅之，既閱月而貨不售，商人訟於官」，朱元璋「命杖其吏，追其俸以償商人」㊸。這些措施，對於戰亂之後商業的恢復和發展是有利的。洪武以後，官府對商人的控制就逐漸鬆弛，商引、店曆等制很快就廢格不行，商業經營獲得越來越大的自由。

商稅徵收機構在吳元年（一三六七年）前就曾「設官店以徵商」，稅率十五分之一，後又改為二十分之一。吳元年以後，在京的官店改稱宣課司，在府縣的官店改稱通課司。建國後，又將府通課司改為稅課司，州縣通課司改為稅課局，另在商業發達的市鎮設立分司、分局。在各水域關津去處還設立竹木抽分局，負責向過境竹木抽稅。據統計，明初全國共設稅課司局四百多處。商稅分為營業稅和通過稅兩種，前者稅率三十分之一，後者根據物品不同自十分之一至十五分之一不等。在初期，各稅課司局根據設立後第一年的徵收數立有固定稅額，徵不及額者由負責具體徵收的巡攔和當地商民賠納。洪武十三年（一三八〇年），鑑於賠納制累民過甚，朱元璋裁撤了徵收不及課額米五百石的三百六十四

㊶申時行等，《大明會典》卷三五（萬曆版）。
㊷朱元璋，《大誥續編．驗商引物第五》。
㊸姚廣孝等，《明太祖實錄》卷一四〈甲辰年正月至四月〉。

處稅課司局和所有竹木抽分局。二十年又明令改定額制為實徵制，並擴大免稅範圍。但自二十六年後，又恢復或新設立了一些竹木抽分局。宣德年間開始，還增設了浙江杭州北新關，南直隸無錫滸墅關、淮安兩淮關、揚州關，江西九江關，山東臨清關和北直隸河西務等七個鈔關，專門負責徵收運載商貨的車船稅，起初每船一百料徵鈔一百貫，後因估料困難，改為按梁頭廣狹徵收，每五尺納鈔二十貫五百五十文、錢四十文有奇。總起來看，明初商稅徵收務求簡約，稅額比較適當。

明初大力發展驛遞系統，促進了交通線開闢和擴展，也有利於商業發展。萬曆《大明會典》卷一四五記載：「自京師達於四方，設有驛傳。在京曰會同館，在外曰水馬驛並遞運所，以便公差往來。」洪武年間，驛遞網以首都南京為中心，僅連接南京與東南西北八個邊陲重鎮的驛道就有十二條，加上浙江、福建等十三布政司管轄的共通的水陸驛道共達十四萬三千七百餘里，設有驛站一千九百三十六處。永樂遷都北京後，經過調整，北京成為全國驛遞網的中心。驛遞系統的功用雖在於政治和軍事，但亦有利於商品經濟發展和各地經濟往來。如從貴州通往四川，四川內地通向松潘，以及由四川延伸到西藏的驛道，是明廷借助於少數民族力量開鑿的，在加強內地與邊疆政治聯繫的同時，也促進了經濟關係的發展。再如由贛江翻越大庾嶺直達兩廣的線路，既是驛道幹線，也是江南商品運輸的必經之路。

明初政府積極開展民族貿易，建立起以茶、馬市為主的貿易體系，加強了邊境少數民族地區與內地的聯繫。居住在西部地區的藏、維吾爾、回回、蒙古等民族，生活中離不開茶，本地卻不產茶，而明政府在軍事上非常需要他們的馬，於是便開設「茶市」同他們交易。從洪武到永樂時期，政府陸續設立了秦州（後改為西寧）、河州、洮州等茶馬司，鑄造了四十一枚金牌，「上號藏內府，下號降各番族，三年一差官來往對勘，以茶易馬，上馬八十斤，中馬六十斤，下馬四十斤」㊹。為了在政府的控制下順利進行茶馬貿易，對茶的生產和流通實行嚴格的壟斷政策，對於私茶買賣懲處甚嚴。明初茶馬貿易額是很大的，如洪武三十一年（一三九八年）一次就用茶五十餘萬斤，換取馬一萬三千五百一十八匹。永樂以後，除茶馬交換外，也用布帛絹等物易馬。

對於北部和東北地區的蒙古、女真等民族，明政府則開設「馬市」以便商品交換。從洪武三年（一三七〇年）開始，明政府在遼東設立軍事機構，遼東和內地的貿易就在進行。永樂三年（一四〇五年），蒙古兀良哈部福餘衛指揮喃不花要求允許他們到北京賣馬，明成祖考慮到其居地離北京較遠，便命令遼東地方官員允許他們「就廣寧、開原擇水草便處互市」㊺。次年，因前來賣馬的蒙古和女真族人很多，明政府便命在開原城南和城東各開一處馬市，後在廣寧團山堡又開一市。開原城南一市與海西女真交易，其餘二市與蒙古朵顏、泰寧、福餘三衛交易。宣德四年（一四二九年）又建宣府廣全右衛張家口堡馬市，宣德九年（一四三四年）還建立了山西水泉堡馬市。馬市分為官市和民市兩種。官市是政府與各族的交易市場，商品種類和價格均由政府確定；民市是各族人民之間的交易市場，作為官市的補充形式而存在，交易額較小，且要受管理馬市官員的監督控制。馬市的開市日期有嚴格限制，如開原馬市每月初一至初五日開一次，廣寧馬市每月二次，一在初一至初五日，一在十六至二十日。至期各少數民族首領必須持有明政府頒發的敕書才能前來交易，沒有敕書或不按照敕書內規定的人數

㊹黃榆，《雙槐歲鈔》卷五。
㊺楊士奇等，《明太宗實錄》卷三四〈永樂二年九月〉。

不得入市。

除茶、馬市外，各少數民族首領向明廷的朝貢也帶有官方貿易性質。每隔一定期間，各少數民族首領就遣使或親自攜帶貢品到京師朝見，他們的進貢物品主要是馬匹和其他本地特產。明政府則按照貢品的價值給予回賜。同時，朝貢往往還伴有大規模的商品交易活動。如永樂元年（一四〇三年），「哈密安克帖木兒遣使臣馬哈木沙渾都思來朝，貢馬一百九十匹……其市易馬四千七百四十匹」，明成祖命「悉官償其直」㊻。明前期蒙古阿魯臺多次遣使貢馬，「俱厚報之」；瓦剌及朵顏、泰寧、福餘三衛亦「朝貢不絕」㊼。西藏僧俗官員也與明廷保持著密切的朝貢關係，如永樂四年哈立麻入朝，「賜黃金百，白金千，鈔二萬，綵幣四十五表裏，法器、裀褥、鞍馬、香果、茶米諸物畢備」㊽。

此外，明代前期，在宋元時期奠定的基礎上，海外貿易也出現了新的局面。關於這方面情況，上節已經敘及，茲不贅言。

㊻楊士奇等，《明太宗實錄》卷二四〈永樂元年十月〉。

㊼張廷玉等，《明史》卷三二七〈外國八〉、三二八〈外國九〉。

㊽張廷玉等，《明史》卷三三一〈西域傳三〉。

第六章 專制統治下的社會與文化

第一節 循禮守儉的生活風尚

在明代中葉以後的士大夫筆下，明朝初期常被描繪為「風俗淳美」的黃金時代。因意在批判窮奢極侈、僭禮逾制的社會現實，這種描繪當然含有理想化的成分，但也並非全無事實根據。明太祖朱元璋登上皇帝寶座後，把「明禮義、正人心、厚風俗」當作治國的根本，大力推行「教化」之道，對社會生活進行了全方位的整頓和規範，力圖創立「望其服而知貴賤，睹其用而明等威」的生活秩序①，從而形成了循禮守儉的社會風氣。

朱元璋整頓和規範社會生活的重要內容之一，是試圖清除蒙古族對內地風習的影響。

經過元朝一百多年的統治，蒙古族的風俗習慣在內地產生了深刻影響。明初著名儒家學者方孝孺曾談到，江南被元朝占據後，文雅的禮儀風俗受到蒙古人粗豪風氣的浸染，不過幾十年的時間，宋朝

①張瀚，《松窗夢語》卷四〈百工紀〉。

的遺風就蕩然無存；一些知識分子為了得到一官半職，辮起頭髮，穿上短衣，學說蒙古語，而很少有人能夠堅守本族的風俗習慣。飽讀詩書的江南士人群體尚且如此，文化程度相對較低的地域和階層，當然更容易接受蒙古風習的影響。對於這種「先王衣冠禮義之教混為夷狄」的狀況，以「驅逐胡虜，恢復中華」為己任的朱元璋當然深為不滿，陸續頒佈了一系列法令予以禁絕清除。

服飾、姓氏、語言是民族特色的重要標識。蒙古統治時期，從士大夫到普通百姓，無不辮髮椎髻，頭上戴的是深簷胡帽，身上穿的是褲褶窄袖的衣服，婦女們則上身穿著窄袖短衣，下身穿著裙裳，與中國傳統的衣著打扮大相逕庭。還有不少人用蒙古名，說蒙古語，從他們身上已不容易辨識出本民族的色彩。朱元璋君臨天下後，下令「復衣冠如唐制」，不准內地人民繼續穿著蒙古式服裝，不准辮髮椎髻，也不准說蒙古語言，用蒙古姓名。儒家文化講究慎終追遠，對喪葬事宜一向十分重視。但明初一些地方的居民，卻沿襲元朝時的習俗，遇喪事時大宴親友，作樂娛屍，只計較酒肴厚薄，對死者卻毫無哀戚之情，甚至有人採用蒙古習俗，將死者焚化後投於水中。朱元璋認為這是極其嚴重的「傷恩敗俗」行為，詔令予以嚴禁。對當時蒙古族流行的收繼婚風俗，朱元璋也很是看不慣，他指責「弟收兄妻、兄據弟婦」的習俗導致「夫婦無別，綱常大壞」，是「古今大變，中國之不幸」，屢次嚴令徹底禁絕，並申明凡不遵教令者，「罪不容誅」②。對於其他不合乎中國傳統的社會習俗和文化因素，包括音樂中的「胡虜之聲」，朱元璋也下令「悉屏棄之」③。

② 朱元璋，《御制大誥．婚姻第二十二》；姚廣孝等，《明太祖實錄》卷二三二〈洪武二十七年三月至四月〉。

③ 宋濂，〈洪武聖政記〉，載《國朝典故》卷九。

朱元璋整頓和規範社會生活的另一個方面，是對他認為不健康的生活方式和民間陋習加以禁止。或許由於自身就是從遊民階層脫穎而出的緣故，朱元璋特別希望全體臣民都能各守本業，勤勉工作，對不務生理的遊手好閒之徒深感憎惡。他推行的為政方針，是讓農民、士人、商賈、工匠都各守本業，對於四處遊蕩、不事生業的「遊民」採取嚴厲打擊的措施，一經發現就要遷徙到邊遠地區安置。據說，朱元璋還在南京淮清橋以北特地建造了一座逍遙樓，凡是賭博的、下棋的、養鳥的，以及遊手好閒的人，都被拘禁在樓中，名為「逍遙」，實際上是把他們活活餓死。為了防止軍人沉溺娛樂、荒怠武藝，朱元璋甚至頒下這樣一道聖旨：「在京但有軍官軍人學唱者割了舌頭，下棋、打雙陸的斷手。」④對於官吏嫖妓，朱元璋也很是不滿，除對娼妓業進行整頓外，還頒佈了官吏狎妓禁制令，規定「官吏宿娼，罪亞殺人一等」，就是遇赦免除了本罪，也終身不許再擔任官職⑤。此外，對於被視為「淫祠」、有悖於正統文化理念的民間信仰，朱元璋也不能容忍，下令取締白蓮社、明尊教、白雲宗等民間教派，禁止民眾進行巫覡、扶鸞、禱聖、書符、呪水之類的活動。

朱元璋整頓和規範社會生活的再一個方面，是為各種身分的人們制定了嚴格、細緻、明確的生活標準。

元朝時期，由於蒙古統治者推行民族歧視政策，江南士大夫不太容易步入仕途，但官府對他們的控制也比較寬鬆，徵收的賦稅也不算太沉重。積聚了豐厚錢財的江南富民，往往稱雄一鄉，被心懷畏

④顧起元，《客座贅語》卷一〇〈國初榜文〉。
⑤王錡，《寓圃雜記》卷一〈官妓之革〉。

《明宣宗行樂圖卷》(部分)

懼的小民們稱為「野皇帝」，他們爭相追求奢華的生活，不僅住房、器具極盡奢靡，甚至連腳下的皂靴也要鑲嵌上金飾。對於這種違禮逾制的行為，熱中於強化皇權的朱元璋當然無法容忍，他除採取遷徙、抄家、誅殺等手段打擊江南富民外，還為官員以至庶民硬性規定了各種生活用品標準，以求形成貴賤有別、上下有等的社會生活秩序。

服飾是最能顯示人們生活方式和身分等級的生活資料。朱元璋在禮臣們的協助下，訂出一套極其繁瑣的服飾標準，皇帝、后妃、親王、公主、官員以至士庶人等，其冠服的式樣、圖案、顏色，都有很大差別。按照規定，玄、黃、紫三種顏色以及龍鳳圖案屬於皇室專用，其他人等，不論官吏、軍民、僧道，一律不得穿著；官僚們的日常服裝可以使用雜色紵絲、綾羅、彩繡，而庶民則只能穿用綢、絹、紗、布；庶民的首飾、釧、鐲只能用銀，而不得用金、玉、珠、翠製作，也不得用金、玉、瑪瑙、珊瑚、琥珀製作巾環。為了讓服飾也能昭示朝廷重農抑商的意向，朱元璋還特別下令：農民之家可以穿綢、紗、絹、布，而商賈之家只許穿絹、布；農民之家只要有一人為商，就不許穿綢、紗。對於供人消遣的妓樂，還做出歧視性的規定——例如樂藝要頭戴青卍字頂巾、樂妓要頭戴明角冠、伶人要頭戴綠色巾等，這樣可以使人一望便知道他（她）們是從事「賤業」的賤民。

住宅是能夠顯示人的社會等級的另一種重要生活資料。朝廷在這方面也做出了瑣細而嚴格的規定。按照規定，像公、侯這樣的最高等級的勳貴家庭的住宅，應有前廳、中堂和後堂，其中前廳面闊七間或五間、兩廈九架，中堂七間九架，後堂七間七架；門屋三間五架，大門可以用金漆塗刷並使用獸面錫環。一品和二品的高級官員家庭，廳堂的標準是五間九架，屋脊上可以裝置瓦獸，樑棟、斗栱、簷桷都要繪飾成青碧色，門屋三間五架，大門上也可以用獸面錫環，但門板只能用綠油塗刷。三至五品的中級官員家庭，廳堂限用五間七架，屋脊上可以裝置瓦獸，樑棟、簷桷可以用青碧繪飾，正門三間三架，大門只能用黑油塗刷，可以使用錫環，但不能用獸面；六至九品的下級官員家庭，廳堂限用三間七架，樑棟只能用土黃刷飾，正門一間三架，門板只能塗成黑色，而且只能使用鐵環而不能使用錫環。至於一般老百姓居住的房舍，不能超過三間五架，也不許使用斗栱，不能用彩色進行裝飾。

明初的禮儀特別注重區分上下等級，身分低的人在路上遇到比自己身分高的人，必須主動讓路。為了能夠準確標識出路行者的等級身分，朝廷對他們乘坐的車、轎的裝飾做出限定：一至三品的官員，可以使用間金裝飾、銀螭、繡帶、青幔；四、五品的官員，可以使用素獅頭、繡帶、青幔；六至九品的官員，可以使用素雲頭、素帶、青幔；而平民百姓只能使用黑油、齊頭平頂、皂幔，不許使用雲頭。此外，從路行者使用的傘蓋，也可以大致看出他們的身分高低：一、二品的官員使用的傘蓋是銀浮屠頂、茶褐羅表、紅絹裡，三簷；三、四品的官員使用的傘蓋是紅浮屠頂、茶褐羅表、紅絹裡，三簷；五品所用為紅浮屠頂、青羅表、紅絹裡，兩簷；六至九品所用為紅浮屠頂、青絹表、紅絹裡，兩簷；

庶民則不許使用羅絹涼傘，只許用油紙雨傘。

對於居家使用的物品，明初也做出許多限制。例如，在帳幔、被褥方面，一至五品的官員，帳幔允許使用綾、羅、紗，被褥允許使用紵絲、錦繡；六至九品的官員，帳幔允許使用紗、絹，被褥允許使用綾、羅、綢、絹；一般老百姓家的帳幔、被褥，則只能使用綢、絹、布。又如，在酒具方面，公、侯和一、二品官員家，酒注、酒盞可以用金製作，其餘的酒具用銀製作；三至五品官員家，酒注可以用銀製作，酒盞可以用金製作；六至九品官員家，酒注、酒盞都只能用銀製作，其餘的酒具只能用瓷、漆、木器；平民百姓家的酒注只能用錫製作，酒盞只能用銀製作，其餘的酒具只能用瓷、漆器。

除對生活用品作出許多限制外，明初還制定了冠、婚、喪、祭以及相見禮等各種禮儀，試圖革除一些流傳已久的陋習，為人生禮儀和社交禮儀提供一套規範化的儀禮程式。比如，在民間婚姻方面，禁止指腹以及割衫襟為婚的習俗，規定男子十六歲以上、女子十四歲以上可以婚嫁，婚禮應當以宋代大儒朱熹制定的《家禮》為標準，先由媒人通言，女家同意後，命媒人依次納采、納幣，至期新郎要盛服親迎，次日新婦先祭祖禰，次見公婆，新郎則要盛服往拜岳父母。又如，在民間喪葬方面，提倡根據家庭經濟條件量力而行，嚴禁富裕家庭超越禮制規定辦理喪事，也禁止為了求得「風水寶地」而長期將棺柩停置不葬的行為，並對初終、小殮、大殮、成服、弔奠賻、擇葬地、葬、虞、卒器、祔、小祥、大祥、禫等各個喪葬環節的程式都做出了細緻而明確的規定。再如，在相見禮儀方面，規定官員之間以品秩的高下區分尊卑高下，百姓之間則以長幼輩分區分尊卑高下；特別重視官員與百姓之間的區別，在舉辦宴會時，退休居鄉的官員必須單坐一席，具有官員身分者絕對不允許坐在無官者之下；百姓對於退休居鄉的官員，都要以官禮謁見，官員則不須向百姓答禮。

在古代中國，朝廷頒佈的許多法令和規定往往只是一紙空文，沒有多少實際作用。不過，在明朝初年，雖然朱元璋頒佈的一系列禁令和標準也不可能被不折不扣地完全遵行，但敢於公然違反的人恐怕也為數不多。這是因為朱元璋的「教化」決不是只停留在口頭上，而是依靠極其嚴酷的懲治措施來推行和維護。在以「重刑」為特徵的《大誥》中，朱元璋特地談到「民有不安分者，僭用居處、器皿、服色、首飾之類，以致禍生遠近，有不可逃者」，並宣佈：「誥至，一切臣民所用居處、器皿、服色、首飾之類，毋得僭分。敢有違者，本用銀而用金，本用布絹而用綾錦紵絲紗羅，房舍棟樑不應彩色而彩色，不應重錦而重錦，民牀勿敢有暖閣而雕鏤者，違誥而為之，事發到官，工技之人與物主，各各坐以重罪。」⑥這種法令並非只是停留在紙面上，而是確曾付諸實施。一部地方志談到，明初百姓「或奢侈逾度，犯科條，輒籍沒其家」⑦。

在這種嚴苛的法制環境下，無論是勳貴、官僚，還是平民百姓，基本上都不太敢逾越國家法令和禮制為其設定的生活標準；再加上當時商品經濟尚不發達，奢侈品的製作和流通相對較少，明朝初期的社會生活，確實表現出循禮守分、尚樸崇儉的特色。晚明張瀚曾指出：「國朝士女服飾，皆有定制。洪武時，律令嚴明，人遵畫一之法。」⑧在各種地方志中，幾乎都可以見到明初風尚純樸的記載。例如，位於富饒的長江三角洲的蘇州府吳江縣，明初「風尚誠樸」，只有少數世家才建造高大的廳堂，身

⑥朱元璋，《大誥續編．居處僭分第七十一》。
⑦嘉靖《太平縣志》卷二〈地輿志下〉。
⑧張瀚，《松窗夢語》卷七〈風俗紀〉。

上穿戴的衣服和首飾，家中使用的器皿，都不敢奢侈；至於小戶人家，大多住在茅草屋內，以布為裙，以荊為釵[9]。位於皖南山區的涇縣，明初「人尚儉樸」，男子努力耕稼，女子努力紡織，按時為官府提供徭役，衣服均用土布做成，只有達官貴人才用紵絲，所有住宅都沒有較大的廳堂，建築標準全都符合國家規定[10]。明末清初的著名學者顧炎武，曾摘錄《歙縣志》關於風土的一段議論，讚譽明初「詐偽未萌，訐爭未起，紛華未染，靡汰未臻」，認為當時風俗的淳美，超過了漢文景、唐貞觀、宋太平等歷史上著名的治世，完全可以與「三代」盛世相媲美[11]。這樣的評價雖然含有虛譽的成分，但確實也在一定程度上反映了明初的社會現實。當然，我們也應明白，風尚純樸的時代並不一定就是黃金時代，它也可能是人們的自由度狹小和社會生活缺乏色彩的反映。

第二節　理學統治的強化

儒家產生於先秦時代，「禮治」、「教化」是其治世理想中的重要概念，然其時列國紛爭，各國皆講求富國強兵之術，儒家的治道不受重視。秦朝以法家立國，漢初則黃老是尚。從漢武帝開始，儒家取得「獨尊」的地位，然漢家治道實王、霸兼雜。漢代以後的幾百年中，儒家思想雖未失去主導地位，

---

[9] 乾隆《震澤縣志》卷二五〈風俗〉。

[10] 嘉慶《涇縣志》卷一〈沿革．風俗〉。

[11] 顧炎武，《天下郡國利病書》原編第九冊〈鳳寧徽〉。

但受到佛教、道教思想的強烈衝擊，儒家的治世理想無從發揮。唐代後期開始，伴隨著門閥世族社會向士大夫社會的過渡，儒學出現了復興的趨勢；至兩宋，經程顥、程頤、朱熹等人闡釋發揮，儒學成為一種新的思想形態，稱為「理學」。蒙古入主中原後，在中原士人的努力下，理學的影響不僅沒有下降，反而大有提高，並導致了制度層面上的變化，而制度層面上的這些變化，又進一步促進了理學的普及。其一，元朝開科取士，明令「四書五經以程子、朱晦庵註釋為主」⑫，理學取得了官學的地位，這必然促使士人以講誦理學為務。其二，元朝曾據《朱子家禮》制定婚姻禮制，試圖以理學家的構想禮化社會，擴大理學在基層社會的影響。

朱元璋崛起的時代，理學已成為整個社會的主導性意識形態，他徵辟、任用的儒士，大多是當時著名的理學代表人物。這些人遭逢亂世，期望有王者起，把他們的治世理想付諸實施。如范祖幹初見朱元璋，即持《大學》以進，並據此敷陳治國平天下之道。在這些儒士的薰陶下，朱元璋的治國思想打上理學的深刻烙印。建國前，他與劉基、王禕討論治道指出：「喪亂之後，法度縱弛，當在更張，使紀綱正而條目舉。然必明禮義，正人心，厚風俗，以為本也。」⑬從這段對話可以看出，朱元璋對治道的理解，已浸透著理學的教化精神。明朝建立後，朱元璋便開始全面地以理學思想規範士林和社會，正如何喬遠所說：「明興，高皇帝立教著政，因文見道，使天下之士，一尊朱氏為功令。」⑭他

⑫完顏納丹，《通制條格》卷五〈科試〉。
⑬朱元璋，《明太祖寶訓》卷一〈論治道〉。
⑭何喬遠，《名山藏．儒林記》。

沿襲元代以程朱註疏作為科舉取士標準的做法，並進一步加以規範化、制度化，使理學獲得至高無上的正統官學地位。

朱棣奪取皇位後，更加尊崇程朱理學。為了「俾人皆由於正路，而學不惑於他歧，家孔孟而戶程朱」⑮，朱棣命翰林院學士胡廣等人編纂了《五經大全》、《四書大全》、《性理大全》。其中《四書大全》基本上是朱熹《四書集註》的放大，《五經大全》亦以程朱傳註為主，《性理大全》則是輯錄程朱學者闡釋性理方面的言論。三部《大全》「悉去漢儒之說，而專以程朱傳註為的」⑯，標誌著程朱理學官學化的完成和確立。由於內容皆是抄襲成說，《大全》在學術上無甚價值，顧炎武曾批評說：「當時儒臣奉旨修《四書五經大全》，頒餐錢，給筆劄，書成之日，賜金遷秩，所費於國家者不知凡幾。將謂此書既成，可以章一代教學之功，啟百世儒林之緒。而僅取已成之書抄謄一過，上欺朝廷，下誑士子，唐宋之時有是事乎？」但朱棣卻將《大全》視為金科玉律，不准人們提出絲毫異議。據記載，當時有一位名叫朱季友的饒州儒士，曾「詣闕上書，專詆周、程、張、朱之說」，朱棣怒曰：「此儒之賊也。」他認為「愚民若不治之，將邪說有誤後學」，派人將朱季友「押還鄉里，會布政司、按察司及府縣官，杖之一百，就其家搜檢所著文字，悉毀之，仍不許稱儒教學」⑰。

在這種政治環境和學術氣氛下，明初學者大多謹守師說而無所發明，《明史・儒林傳》概括說：

---

⑮胡廣，〈進書表〉，《皇明文衡》卷五。

⑯何良俊，《四友齋叢說》卷三。

⑰陳鼎，《東林列傳》卷二；《明太宗實錄》卷二三。

「明初諸儒，皆朱子門人之支流餘裔，師承有自，矩矱秩然。」明朝第一代儒學者，都是元朝遺留下來的，較有影響者有宋濂、王褘、胡翰、蘇伯衡、許元、吳沉、章溢等人，他們大多出自浙東，入明之後，仍承繼其鄉輩傳統，學宗程朱，而且從「道統」角度將金華朱學奉為嫡傳，因此可以說金華朱學是洪武儒學的主潮。這些學者基本上是「經義一本朱子，排斥異論」⑱，在學術思想上沒有多少貢獻。但有兩點當予以肯定：其一，這些學者反對空談性理，強調經世致用。如宋濂曾指出：「學經而止為文章之美，亦何用於經乎？以文章視諸經，宜乎陷溺彼者之眾也。吾所謂學經者，上可以為聖，次可以為賢，以臨大敵則斷，以處富貴則富，以行貧賤則樂，以居患難則安，窮足以為世法，達足以為生民準，豈特學其文章而已乎？」⑲其二，這些學者承繼宋元之學風，知識比較淵博，視野也比較開闊。以影響最大的宋濂為例，他雖然學宗朱熹，但又不拘泥於朱學，他特別重視「吾心」，認為「吾心」就是「天地萬物之心」，明顯帶有折衷程朱理學和陸九淵心學的色彩。他對佛教也比較寬容，一再強調「儒釋一貫」，認為佛教「明心見性」的修養方法「有裨治化」。

在明朝成長起來的儒家學者，與他們的前輩相比，思想觀念更加保守。如宋濂的學生方孝孺，因「靖難之變」後不肯降附，被朱棣磔殺並誅其十族，而成為明代歷史上最著名的氣節之士，也是一位大力維護程朱理學的思想家，時人有「程朱復出」之說。黃宗羲《明儒學案》引其師劉宗周之言，盛讚方孝孺「扶持世教」、「千秋正學」，黃宗羲自己也稱譽方孝孺為「有明之學祖」。與乃師宋濂一樣，

⑱宋濂，〈吳先生碑〉，《吳禮部集．附錄》。
⑲宋濂，《宋文憲公全集》卷三二。

方孝孺也極力提倡「經世宰物」，他對空談性命者提出批評說：「談性命則或入玄祕而不能措之行事，攻文辭或離於實德而滯於記問，扣之以輔世治民之術則冥昧而莫知所為。」⑳在對佛教的態度上，他與宋濂則大異其趣，將佛教視為異端邪說，認為「用之修身則德隳，用之治家則亂倫，用之於國於天下則毒乎生民，是猶稂稗之農也、學之蠹者也」㉑。比方孝孺稍晚的曹端，亦被尊為明初一大儒，劉宗周謂「方正學而後，斯道之絕而復者，實賴有先生一人」㉒。《四庫全書總目提要》也稱譽說：「明初儒學，以端為冠。」但曹端在學術上並無創見，只是強調道德修養和躬行實踐，所以《明史・儒林傳》稱其「篤踐履，謹繩墨，守儒先之正傳，無敢改錯」。可以說，在學術思想的廣博性和包容性方面，方孝孺、曹端等新生代學者，要比由元入明的那些學者更加狹隘。這也是明初強化理學統治的必然結果。

第三節　《永樂大典》的編纂

儘管明初的學術思想乏善可陳，在典籍編纂方面卻取得一項重要成就，這就是組織人力編纂了《永樂大典》。朱棣奪取皇位後，深知「靖難之舉，不平之氣遍於海宇」，於是「借文墨以銷壘塊」㉓，於

⑳方孝孺，《遜志齋集》卷九。
㉑方孝孺，《遜志齋集》卷一七。
㉒黃宗羲，《明儒學案・師說・曹月川端》。

永樂元年（一四〇三年），命解縉等將「書契以來經史子集百家之書，至於天文地志、陰陽醫卜、僧道技藝之言，備輯一書，毋厭浩繁」㉔。書成，賜名《文獻大成》，但由於「採擇不廣」，朱棣又命太子少師姚廣孝同解縉等重修。當時參加編輯、繕寫、圈點工作的有三千多人，至永樂五年完成，賜名《永樂大典》。

《永樂大典》全書二萬二千八百七十七卷，另有凡例、目錄六十卷，裝成一萬一千九十五冊，約三億七千萬字。全書所採古書達七八千種，包括經、史、子、集、天文、地志、陰陽、醫卜、僧道、戲劇小說、農藝、工技等。全書編輯方法是以《洪武正韻》為綱，分類依次收載。所收書籍一字不易，完全按照原著整段、整篇乃至整部抄入。原書書名和作者名，均用紅字寫出，極為醒目。由於工程浩大，編纂人員眾多，全書在體例上不夠統一，「或以一字一句分韻，或析取一篇，以篇名分韻，或全錄一書，以書名分韻」。但正因如此，「元以前佚文祕典，世所不傳者，轉賴其全部全篇收入」㉕。《永樂大典》是中國歷史上最大

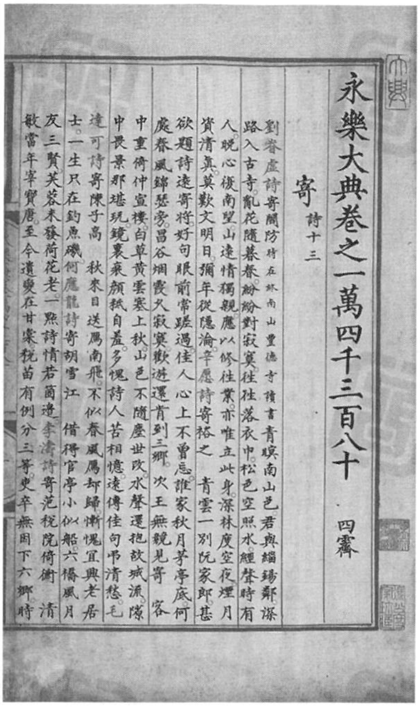
永樂大典卷之一萬四千三百八十
寄 詩十三
四霽

《永樂大典》書影

㉓孫承澤，《春明夢餘錄》卷二一。

㉔楊士奇等，《明太宗實錄》卷二一〈永樂元年六月至七月〉。

的一部百科全書式的類書，文獻價值極高。清乾隆年間纂修《四庫全書》，從業已殘缺不全的《永樂大典》中，竟輯出佚書多達五百多種，許多古代文獻賴其得以流傳下來。

由於篇幅浩繁，《永樂大典》修成後，未能刻版付印，只是清鈔了一部，庋藏於文淵閣。永樂遷都後，《永樂大典》也隨之北遷，藏於宮中三大殿附近的文樓內。嘉靖年間，明世宗朱厚熜又命人重錄副本，原正本藏於文淵閣，副本藏於皇史宬。明末，正本散佚，僅存副本。入清後，副本亦有散佚，至乾隆年間已短缺二千四百多卷。一九〇〇年，八國聯軍入侵北京，副本部分燬於火，餘被劫走。目前存於世界各地的僅為八百一十卷。

第四節　平淡無奇的詩文

黃宗羲《明文案序》指出，「有明之文，莫盛於國初」。明初文學興盛的原因，是元代遺留下一批頗有造詣的文章家，入明後繼續活躍於文壇，雖未留下多少值得傳誦的名篇，卻也給明代文學增添了不少光彩。在這些文章名家中，以宋濂、劉基的成就較為突出。

宋濂主張文章應「明道致用」，反對詰屈聱牙、晦澀難懂的文風，他的作品體現出豐厚的知識素養，具有一種雍容溫潤、閒雅醇正的氣度。作為「開國文臣之首」，明初許多廟堂典冊文字都出自宋濂之手，語言雖然典雅渾穆，內容卻比較空洞。宋濂作品中現實意義較強的部分，是一些傳記文，這些

㉕紀昀等，《四庫全書總目》卷一三七「《永樂大典》提要」。

文章的語言質樸簡潔，善於運用不同藝術手法塑造人物，具有較強的感染力。如〈秦士錄〉描寫壯士鄧弼文武兼長卻懷才不遇，其豪爽奔放個性躍然紙上。〈王冕傳〉對元末「狂士」王冕狂癡豪放、高潔孤傲之形象的刻畫栩栩如生，開頭描寫王冕少年讀書情形一節頗有情趣。〈記李歌〉則成功刻畫一位生長娼門而不失人格尊嚴的女性形象。

劉基像

劉基亦以文名，《明史》本傳稱其「所為文章，氣昌而奇，與宋濂並為一代之宗」。劉基強調文章的諷諫作用，所作《郁離子》，就是「矯元室之弊，有激而言」㉖。該書共一百九十五篇，用寓言和郁離子的議論相間寫成，每篇皆可獨立，而又由郁離子的議論貫穿，言簡意賅，短小精悍，揭露了現實生活中的弊端，抒發了憤世嫉俗的情懷，表達了救世濟民的志向。劉基還撰寫了不少淺近優美的散文，〈賣柑者言〉就是廣為傳誦的名篇，它假借賣柑者之口，嘲諷了那些「金玉其外，敗絮其中」的文武官員，筆法犀利生動。劉基撰寫的遊記，或辭采秀麗，或清新秀美，有些作品還將景觀描寫與人生哲理交融起來，很有特色。

明初的詩壇也比較興旺，活躍著一批由元入明的詩人。陳田〈明詩紀事序〉曾評論說：「明初詩家，各抒心得，雋旨名篇，自在流出。」當時詩派紛呈，主要有以劉基為代表的越派，以高啟為代表的吳派，以林鴻為代表的閩派，以孫蕡為代表的嶺南派，以劉崧為代表的江右派。其中高啟的詩歌成

㉖紀昀等，徐一夔，〈郁離子序〉。

就最為人稱道。高啟才思俊逸，善於摹擬古人，其詩的內容和風格多種多樣。他長期隱居鄉里，撰寫了一批描寫農民生活的詩篇，如〈牧牛詞〉、〈田家行〉、〈養蠶詞〉等等，語言質樸真切，在一定程度上反映了農民疾苦的現實。高啟抒情寫景一類的七言歌行，最有藝術特色，其弔古詩風格雄勁，氣勢壯闊，其抒情詩含蓄蘊藉，韻味深長，充分展示了他的才華。但高啟的詩歌，模仿多而獨創少，再加上壯年即被誅殺，未能熔鑄融會，自成一家。

由元入明的詩文家陸續去世後，明初文壇一度陷於靜寂狀態。到永樂、宣德年間，出現了以內閣大學士「三楊」（楊士奇、楊榮、楊溥）為代表的「臺閣體」詩文。臺閣體崇尚皇家氣派和宮廷風致，作品大多數都是應制、唱和之作，語言風格講求「從容安閒」、「雅正平和」，內容則空洞無物，既缺乏對自我情感的切入，也缺乏對社會生活的關懷。由於「三楊」長期執政，臺閣體受到廣泛模仿，「餘波所衍，漸流為膚廓冗長，千篇一律」[27]，越來越缺乏趣味和生氣，因而受到後人嚴厲批評，許多人都指責其「粉飾太平」。但應當指出的是，「三楊」所處的時代，的確是明朝歷史上少有的一個太平時代，這種文體的出現和流傳，也有一定的現實基礎。

第五節　《三國演義》與《水滸傳》

明初的詩文雖然平庸無奇，小說創作成就卻斐然可觀。宋元以來，民間說話人（說書人）經過長

---

[27] 紀昀等，《四庫全書總目》卷一七〇。

期的藝術加工，留下了許多講史話本。元末明初，一些文人在這些話本的基礎上進行再創作，產生了《三國演義》、《水滸傳》等優秀的長篇巨製，標誌著章回小說這種體裁最終定型化。

《三國演義》的作者為羅貫中，其生平事跡難以確考。根據較通行的說法，羅貫中名本，號湖海散人，原籍太原，後徙居杭州，生活年代約在一三二〇—一三八五年間。羅貫中是一位多產作家，《西湖流覽志餘》稱其「編撰小說數十種」，現存歸其名下的作品，除《三國演義》外，尚有《隋唐兩朝志傳》、《殘唐五代史演傳》、《三遂平妖傳》等。

《三國演義》的成書，經歷了一個漫長過程。至遲在晚唐時，三國故事就以雜戲和說話的形式在民間流傳，到宋代更是出現了專門「說三分」的說話人，元代則出現了刻本《全相三國志平話》，其內容和結構已粗具《三國演義》的規模，當然描寫要粗略得多，文詞也很樸陋。羅貫中正是在民間傳說以及前人創作的話本、戲曲的基礎上，結合陳壽《三國志》和裴松之提供的資料，精心創作了《三國演義》。現存最早的版本，是弘治七年（一四九四年）金華蔣大器作序、嘉靖元年（一五二二年）刊刻的二十四卷本，每卷十目，共二百四十目，各用七言單句為題。此後該書屢次刊刻，至明末被合編成為一百二十回本，名《李卓吾先生批評三國志》。清初毛宗崗又對明刊本加以修訂，使全書情節更加緊湊，遂成為流行至今的通行版本。

《三國演義》以「分久必合，合久必分」為總體框架，以漢末三國一百餘年的歷史為線索，生動地再現了這一時期群雄紛起與角逐的動盪局面。書中盡可能地取材於真實的歷史事件和人物，故有「七分事實，三分虛構」之說，但作者又不為歷史事實所囿，在故事情節和人物性格上充分發揮藝術想像力，成功地塑造了眾多人物形象。毛宗崗曾評論說，《三國演義》中有「三絕」，即諸葛亮「智絕」、關羽「義絕」、曹操「奸絕」。其他人物，如劉備、張飛、呂布、周瑜、魯肅等，也無不性格鮮明，栩栩如生。毛宗崗還談到：「三國者，乃古今爭天下之一大奇局，而演三國者，又古今為小說之一大奇手也。」《三國演義》確實是一部戰爭奇書，共描寫大小戰役四十餘次，尤其是對官渡之戰、赤壁之戰、彝陵之戰等較大戰役的描寫，堪稱繪聲繪色，氣勢磅礴。書中還不惜筆墨，詳述雙方備戰過程和計謀運用，因而後人常從中領略古代兵法之奇妙。

《水滸傳》的成書時間與《三國演義》大體相當，其作者或說為施耐庵，或說為羅貫中，或說是施、羅二人共同完成，現今通常將其著作權歸於施耐庵名下。施耐庵生平事跡不詳，有人說他是興化白駒場（今屬江蘇大豐）人，曾入張士誠幕下，但並無確切證據。

宋元時代流行的《大宋宣和遺事》、《癸辛雜識》和《甕天脞語》等書，已有關於宋江起事的記述。因此，《水滸傳》也是以廣泛流傳的民間故事、話本、戲曲為基礎，加工創作而成。《水滸傳》的版本情況比較複雜，今天可知的版本有三種，即百回本、百二十回本和七十回本，均為明萬曆以後刊本。百回本比百二十回本少征田虎、王慶之故事，其餘文字略同；七十回本則是明末金聖歎刪節而成。

《水滸傳》是一部長篇英雄傳奇小說，講述了北宋末年宋江起義的故事。農民起義軍在中國歷史上一向被視為「犯上作亂」的「盜賊」，《水滸傳》則在一定程度上顛覆了這種傳統觀念，它通過對北宋末年黑暗社會的描寫，揭示出「官逼民反」的深層根源，並熱情謳歌梁山泊好漢們「替天行道」的俠義精神。書中成功塑造了一批江湖英雄形象，很多故事情節，如智取生辰綱、拳打鎮關西、火燒草料場、武松打虎、江州劫法場等，都充滿濃郁的傳奇色彩。作者在描述這些英雄好漢被逼上梁山的不同經歷時，不僅寫了他們見義勇為、除暴安良、慷慨任俠的諸多義舉，而且賦予他們捨身報國、立功沙場的理想與抱負。作者在構思結局時用心良苦。梁山好漢雖然接受招安，得以立功邊陲，但他們當年被逼上梁山的社會環境並沒有改善，他們處處受到掣肘和迫害，最終落得生離死別、「魂聚蓼兒窪」的結局。

《水滸傳》的成書時間

在嘉靖年間纂成的高儒《百川書志》中，最早著錄了《水滸傳》，所署撰者為「錢塘施耐庵的本，羅貫中編次」。根據這一重要記載，並參考其他史料，學術界普遍認為，《水滸傳》成書於元末明初，主要作者為施耐庵。但也有學者認為，在嘉靖以前的文獻中，沒有發現有關《水滸傳》的任何蹤跡，《水滸傳》的故事情節和主題思想，與元末明初的歷史環境也不合拍，書中提到的「子母炮」、「腰刀」、「廣泛使用白銀」等，都是明中葉才出現的物品或事件，因而《水滸傳》的成書應在嘉靖初年，而不是元末明初。《水滸傳》究竟成書於何時，有待於進一步考證，或許元末明初即已成書，但經後人加工潤色，所以摻入了明中葉才出現的物品或事件。

第二篇

明朝的腐化期

一四四二—一五二一年

導言

從明英宗正統七年（一四四二年）至武宗正德十六年（一五二一年），是明朝的腐化期。

本期的皇帝，有英宗、景帝、憲宗、孝宗和武宗五位。儘管他們並非都無所作為，如景帝有安定社稷之功、孝宗有清除積弊之舉，但總體看來，他們的治國能力明顯遜於開創期的幾位君主，王朝統治正在走下坡路，深受各種矛盾和危機的困擾。體現皇帝治國能力衰弱的最明顯標誌，是屢次出現宦官擅權現象，正統年間的王振、成化年間的汪直、正德年間的劉瑾，都曾成為隻手遮天的政治獨裁者。以皇帝為首的統治集團，掀起土地兼併的狂潮，社會矛盾空前激化，農民暴動多次爆發。作為基層秩序之基礎的里甲體系，逐漸趨於解體，鄉紳的力量日益增強，成為地方社會的支配階層。經濟發展雖然受到腐朽統治的阻礙，但仍有所進步，最值一提的是貨幣制度發生重大變化，白銀成為主要的流通貨幣。由於政治控制放鬆、經濟有所發展，生活風尚也開始變化，出現了奢靡化的跡象。在思想文化方面，本期開始階段仍然缺乏創新，但後來煥發了生機，心學思潮蔚然興起，文學復古運動蓬勃開展，繪畫和書法風格大變，打破了僵化、沉寂的氣氛，對後來思想文化的發展有很大影響。

第七章 土木之變與保衛京師

第一節　王振攀上權力頂峰

英宗即位初期，中央決策大權掌握在太皇太后張氏和內閣大臣楊士奇、楊榮、楊溥等人手中，英宗的職責主要是接受教育。但隨著年齡增長，英宗對政務亦日漸熟悉。正統六年（一四四一年）十一月初一日，英宗御奉天殿，頒詔大赦天下，這可以視為他親政的開端。次年五月，舉行了大婚禮，標誌著他已是一個成年人了。大婚之後五個月，太皇太后張氏溘然長逝，三楊在此前後也從政治舞臺上先後消失，政治決策權力發生重大轉移，宦官王振成為朝廷中舉足輕重的實權人物。

王振（？—一四四九年），山西蔚州（今河北蔚縣）人，本是儒士，以後進身為教官，執教九年，沒有成績，例當謫戍。時值永樂末年，成祖下令教官考滿乏功績者，如有子嗣，可淨身入大內教授女官。於是王振自閹入宮，先教授女官，以後被授予五品局郎銜，入東宮侍奉太子朱祁鎮講讀，受到朱祁鎮敬重。在宮裡眾多宦官中，王振是文化程度較高的，因而也受到宣宗重視，讓他替不識字的司禮監太監劉寧代筆。朱祁鎮即位後，委任王振為司禮監秉筆太監，使其具備了攫取大權的條件。

明太監塑像

王振能夠成為明朝歷史上第一位專權宦官，是明初以來宦官職權逐步增長的必然結果。洪武年間，就設立了很多宦官機構，永樂年間又有所增加，形成宦官二十四衙門。不過，太祖雖使用宦官，但對宦官控馭極嚴，曾鑄鐵牌置於宮門口，上刻：「內臣不得干預政事，犯者斬。」①除嚴禁宦官干預政事外，還制定了其他各種限制，如宦官不許兼外朝的文武職銜，不許穿外朝官員的服裝，品級不得超過四品，甚至規定宦官不得識字讀書。太祖也曾自壞禁令，委派宦官出使行事，但未成常制。成祖在「靖難之變」中，曾得到建文朝中宦官祕透軍情之助，認為此輩忠心可用，即位後相繼授予宦官出使、專征、監軍、分鎮等項大權，還建立了東廠這個特務機構，專刺臣民隱事，由宦官提督。宣宗打破了太祖規定不准宦官識字的祖訓，在大內設立內書堂，選拔十歲上下聰明伶俐的小內使數十乃至二三百人入學，以翰林學士執教，培養了一批通文墨的宦官。此時，司禮監代內官監而起，成為二十四衙門之首。司禮監秉筆太監享有「批紅」的權力，代替皇帝批答數量繁多的奏章。這樣，司禮監太監每每成為皇權的代理人，再加上掌握著東廠和錦衣衛，也就為日後宦官專權造成了可乘之機。不過，成祖、仁宗、宣宗都是有才幹的皇帝，並且都於成年後御宇，政治經驗豐富，能夠自如地駕馭宦官，使其成為皇權的得力工具。英宗幼年即位，缺乏主見，王振遂

①張廷玉等，《明史》卷七四〈職官志三〉。

將宦官權力向前推進一步，成為朝政的實際主宰者。

王振為人乖巧，善於察言觀色。他知道太皇太后張氏和三楊是執掌權力的核心人物，便設法討他們的喜歡。張氏篤信佛教，時常攜英宗到紫禁城外的功德寺拜佛誦經，三、四日不歸，朝臣頗有非議。王振便讓英宗向張氏提出設佛堂以求冥福，這樣既方便了張氏做佛事，又可免去朝臣非議，自然受到張氏賞識。英宗活潑好動，常踢毬玩耍。一次，他正興致勃勃地與小內使踢毬，王振突然走來，他只好停止玩耍。次日清晨，王振又特地跪奏說：「先皇帝為一毬子，幾誤天下，陛下復踵其好，如社稷何？」②三楊見此情景，也為王振忠君愛國之心所感動，大加讚歎。

其實，這是王振故意做給人看的，在他忠誠正派的面具後面，是一顆極度迷戀權力的奸詐之心。他時刻窺伺著機會，借用皇帝手中的無上權力，建立自己的權威，培植自己的勢力。正統元年（一四三六年）十二月，他唆使皇帝以會議邊情遲延，將兵部尚書王驥、侍郎鄺埜下獄，雖很快就釋放，無疑給群臣敲了一記警鐘。不久，右都御史陳智彈劾英國公張輔回奏稽遲，並彈劾科道官不能舉奏，王振遂藉機唆使皇帝將監察御史和給事中們各廷杖二十。這一下科道官們都知道了王振的厲害，紛紛秉承王振風旨，摭失大臣過失，自公、侯、駙馬、伯以及尚書、都御史以下，無不被劾，或下獄，或荷校，甚至譴謫。如正統三年中，戶部尚書劉中敷、侍郎吳璽，刑部尚書魏源、侍郎何文淵，都御史陳智都曾下獄，連輔政大臣之一的禮部尚書胡濙也未能倖免。

對於王振權勢的膨脹，太皇太后張氏自然不會不知曉。一日，張氏御便殿，召輔政五大臣入朝，

②查繼佐，《罪惟錄》列傳卷二九〈王振傳〉。

宣王振至，斥責說：「汝侍皇帝起居，多不律，今當賜汝死。」左右女官立即把刀劍架在王振脖頸上，英宗急忙跪地求情，五大臣也跪請免王振一死。張氏說：「皇帝年幼，豈知此輩自古禍人家國？我聽帝暨諸大臣留振，此後不得令干國事也。」③很明顯，張氏雖然看到了王振的跋扈，但未真正認識到宦官專權的危害性，她只是想警告一下王振，並未想置他於死地。三楊本就是明哲保身的人，況且楊榮貪財納賄，楊士奇縱子為惡，有把柄在王振手中，不敢與王振抗爭，只能眼睜睜地看著王振坐大。有一天，王振竟大模大樣走入內閣，提醒三楊年事已高，應選後繼者。三楊雖怒火中燒，亦無可奈何，只能順水推舟，推薦新閣員。正統五年（一四四〇年）底，英宗大宴百官，慶賀三殿二宮落成。按照慣例，宦官雖貴寵，不得與宴。英宗時刻記掛著王振，宴會中間派人去探視，使臣至王振宅，王振正在生氣，說：「周公輔成王，我獨不可一坐乎！」使臣回奏，英宗竟不惜公開違背祖制，開東華中門，召王振入席，王振行至門外，百官望風而拜，王振才面露喜色④。可見，在太皇太后張氏去世前，王振已然權勢熏天了。

太皇太后去世後，對王振最後一點約束也解除了，王振更加肆無忌憚地招權納賄，網羅黨羽，打擊異己。國子監祭酒李時勉德高望重，在王振過生日時不肯前去祝賀，王振便尋找藉口將李時勉以百斤重枷荷校國子監門外，十六日始放回。大理寺卿薛瑄與王振是同鄉，王振想拉攏他，但這位著名理學家不肯買王振的賬，王振便唆使御史構陷薛瑄，下獄論死，經大臣力救，才免死罷官。翰林侍講劉

③夏燮，《明通鑑》卷二二。
④谷應泰，《明史紀事本末》卷二九〈王振用事〉。

球上疏勸皇帝親理政務，任賢德大臣，觸怒王振，遂將劉球下錦衣衛獄，最後將劉球殺死肢解。就連宣宗長女、英宗長姐順德公主的丈夫駙馬都尉石璟因罵了府中小宦官幾句，王振認為這是傷其同類，竟把石璟關進錦衣衛監獄。在這種局勢下，一些希望飛黃騰達的官員，也就把禮義廉恥拋在一邊，紛紛投附到王振門下。工部郎中王祐諂媚有術，被破格提陞為侍郎。一日，王振見王祐美而無鬚，便與他打諢：「王侍郎何以無鬚？」他竟回答：「老爺所無，兒安敢有！」⑤甚至一些很有才幹的官員，或許是受當時風氣的影響，或許是為了順利施展抱負，也不得不與王振結交。江南巡撫周忱即是一例。王振一座私宅剛剛落成，周忱馬上進獻松江地毯，輔地一試，分毫不爽。王振佞佛，周忱就鑄一尊金觀音奉送。周忱博得王振歡心，所上奏章，朝廷批答無不如意，這倒使他順利做了一些有利於國計民生的事情。王振門庭若市，戶限為穿，進見禮也不斷升值，饋贈百金者得見一面，千金者可受一餐，一時官員們紛紛擾擾，四處伸手攫取財貨，貪風大熾。

而英宗這位少年皇帝，在深宮之中逍遙自在，對外面的事情他知道的不多，大概也不想多知道。皇帝無上的尊嚴和權力，並未激發起他對政治的熱情，而他自幼年就建立起來的對王振的依賴之情，如今依然強烈地影響著他。他認為王振富有才幹，忠誠勤懇，能有這樣一個人替他處理冗雜的政務，他感到很滿意，很放心。正統十一年（一四四六年）正月，他下令賜王振白金、寶楮、彩幣諸物，並任命王振的侄子王林為錦衣衛世襲指揮僉事。在賜王振的敕書中說：「朕自在春宮，至登大位，幾二十年。爾夙夜在側，寢食弗違。保護贊輔，克盡乃心。正言忠告，裨益實至。」⑥這是朱祁鎮感情的

⑤谷應泰，《明史紀事本末》卷二九〈王振用事〉。

真實流露，而正是這種源自幼年的深厚感情，為王振的權力大廈奠定了堅實的基礎。

第二節　東南農民起事與麓川叛亂

正統年間，明王朝開始由興盛轉向衰敗。此時，明朝立國已七十餘年，明初建立起來的各項制度日趨崩壞，社會矛盾逐漸顯露，再加上王振逐漸攬取大權，朝政日非，大大加速了統治危機的爆發。

當時最突出的問題，是土地兼併日趨劇烈，而平民百姓賦役負擔卻與日俱增。擁有大量田土的勢豪權貴，千方百計逃避賦役，把負擔轉嫁到小民頭上。小民無法生存下去，只得背井離鄉，流移他方。而逃亡者的賦役不能免除，官府總是強迫留存者代納，這又把留存者逼上逃亡之路，形成一個惡性循環。正如一位官員所說：「逃民既皆因貧困，不得已流移外境，其戶下稅糧，有司不恤民難，責令見在里老、親鄰人等代納。其見在之民，被累艱苦，以致逃走者眾。」⑦深重的社會矛盾，終於以農民起事的激烈方式表現出來。

明朝推行礦禁政策，私開銀礦者要受死刑處罰。但無以為生的小民為了餬口，只能不顧禁令，鋌而走險。浙江、福建、江西三省交界地區的仙霞嶺是銀礦產區，雖被政府列為禁區，但前來盜採者大有人在，這些人常用武力抵抗官軍的剿捕。正統十年（一四四五年），浙江慶元人葉宗留等率礦工起

⑥谷應泰，《明史紀事本末》卷二九〈王振用事〉。
⑦陳文等，《明英宗實錄》卷六六〈正統五年四月〉。

事，但被鎮壓。他率餘眾逃出，於正統十二年（一四四七年）又在福建政和、浙江慶元起事，轉戰於閩、浙、贛三省交界地區，許多礦工和周圍地區的農民起而回應，眾至數萬人。次年，福建沙縣佃農鄧茂七號召農民不給地主送租穀，不向地主交納雞鴨等「冬牲」，地主向縣裡告狀，縣裡派巡檢來逮捕鄧茂七，鄧茂七遂率人民起事，稱「鏟平王」，隊伍很快即達數萬人，攻占二十餘縣。

葉宗留、鄧茂七兩支隊伍「互為聲援」，共同對抗政府軍。明政府派遣都御史張楷前去鎮壓鄧茂七軍，在浙江遭到葉宗留軍襲擊。正統十三年（一四四八年）十一月，葉宗留中流矢身亡，部眾在葉希八率領下繼續戰鬥，殺死都督陳榮等人，張楷逃往福建。在張楷軍被攔截於浙江期間，鄧茂七抓緊時機，積極向外擴展。正統十四年初，明政府增派寧陽侯陳懋為征南將軍，保定伯梁瑤、平江伯陳豫為左右副總兵，刑部尚書金濂總督軍務，太監曹吉祥監軍，率領京營及江西、浙江諸處大軍前來鎮壓，農民軍寡不敵眾，遭致失敗，鄧茂七中箭身亡。

與葉宗留、鄧茂七起事同時，廣東南海縣人黃蕭養也領導了一次農民起事，他自稱東陽王，建立了初步的政權組織。由於農民在沙田上耕種的田地和莊稼常被勢家地主公開搶奪過去，廣東沿海社會矛盾很尖銳，因此黃蕭養起事吸引了眾多的追隨者，在水上居住的「疍民」、從事沿海貿易的商人、小手工業者，以及居住在山區的苗族和瑤族民眾，也有不少參加進來，最盛時達十萬人以上，擁有戰船三千餘艘。政府派兵鎮壓，屢被擊敗，遂採用鎮壓與招撫兩手並用的策略，以削弱農民軍的鬥志。景泰元年（一四五〇年），黃蕭養中箭身亡，起事失敗，但其餘部堅持戰鬥一直到成化年間。這幾次起事及其失敗說明，明王朝已陷入深刻的危機之中，但又未到潰爛不堪的地步，其統治尚能維持下去。

東南不靖，西南也不安寧，麓川宣慰司（今雲南瑞麗縣等地）出現了叛亂。這裡與緬甸毗鄰，元朝時被征服，設置宣慰司，明朝因襲未改，由部族首領擔任宣慰使之職。永樂十一年（一四一三年），思任發繼任宣慰使，他野心勃勃，逐步擴展自己的地盤。朝廷雖然注意到了他的動向，但認為征剿費用太大，遲遲沒有採取行動。正統二年（一四三七年），他正式舉起叛亂旗幟，朝廷派兵鎮壓，起初軍事行動受到一些挫折，但到正統五年，黔國公沐昂與都指揮方瑛、柳英率領的部隊終於獲得優勢，思任發表示願意向朝廷進貢謝罪。在廷議時，有些人認為最大的邊境威脅還是來自蒙古，對思任發應以招撫和防守為主，不要興師動眾。

但王振卻「欲示威荒服」，以提高自己的威望。兵部尚書王驥極力附和王振，力主用兵，「遂詘廷議，於是麓川之役起」⑧。正統六年（一四四一年）初，原在西北防禦蒙古的定西伯蔣貴，被調任征蠻將軍，兵部尚書王驥提督軍務，太監曹吉祥監督軍務，從四川、貴州、湖廣等地調集士兵十五萬，前往征討麓川。但用兵一年，沒有結果，只得班師。正統七年（一四四二年），蔣貴、王驥再次征剿麓川，這次雖然也遭受了嚴重損失，但深入高黎貢山，占領了思任發的大本營，思任發逃入緬甸，幾年後被緬甸人交付明軍。思任發的兒子思機發屢次遣使入貢謝罪，王振卻要「盡滅其種類」，於正統十三年（一四四八年），命王驥率十三萬大軍再次進攻。王驥雖然擊潰了思機發的部隊，但並未能真正平定這一地區，思任發的少子思祿被推舉為首領，繼續作亂，王驥只能承認思祿事實上的統治地位。對麓川的用兵，使朝廷對這一地區的控制有所鞏固，但代價也極高，「老師費財，以一隅騷動天下」⑨，國

⑧夏燮，《明通鑑》卷二二。
⑨張廷玉等，《明史》卷一七一〈王驥傳〉。

力耗費巨大。

第三節　土木之變

王振在朝中飛揚跋扈，在處理與蒙古貴族的關係上也隨心所欲，最終導致土木慘敗，皇帝被俘，他自己也在混亂中被殺。

明朝建立後，蒙古貴族對中原的統治結束，但他們在退回草原後，不斷南下侵擾明朝邊境，令明朝統治者深感頭痛，不得不在北邊部署大量軍隊，屢次派兵深入沙漠遠征。永樂年間，明成祖親率大軍，五次親征，削弱了蒙古軍隊的力量，加劇了部落領袖之間的對立以及瓦剌部與韃靼部之間的爭戰；但另一方面，明成祖把設在長城以外的幾個前沿衛所撤到長城以南，這樣做儘管有充足的理由，卻也增加了邊防線的壓力。總起來說，直到宣德末期，由於蒙古人忙於內部爭戰，對邊防線的衝擊較少，明軍尚易應付。但是，力量對比正悄悄發生變化：明朝的軍事力量逐漸衰敗，而蒙古人則逐步向著統一的方向邁進，實力越來越強。

永樂六年（一四〇八年），瓦剌部的三個首領馬哈木、太平、把禿孛羅分別被封為順寧王、賢義王、安樂王。後瓦剌勢力漸盛，侵擾邊境，扣留使臣，明成祖於永樂十二年（一四一四年）親征，馬哈木戰敗逃走，不久死去。永樂十六年（一四一八年），馬哈木之子脫歡襲封順寧王，積極擴充勢力，於宣德九年（一四三四年）襲殺韃靼部的阿魯臺，擁有其眾，正統初又兼併了賢義王和安樂王的部眾，成為瓦剌、韃靼各部的實際主宰。正統四年（一四三九年），脫歡死，其子也先繼位，自稱太師淮王。

也先繼續與明廷保持朝貢關係，並突破明廷規定朝貢使團最多不得超過五十人的限制，人數不斷增多，正統七年朝貢使團竟達二千餘人，「邀索中國貴重難得之物」。與此同時，也先極力擴充自己對各部蒙古人的控制力。他的手首先伸向西方，與沙州、赤斤蒙古諸衛建立聯姻關係。到正統九年（一四四四年），竟設置甘肅行省，任命罕東諸衛都督訥格等為平章。次年，又裹脅沙州、罕東及赤斤蒙古等圍攻哈密衛，哈密的首領忠順王倒瓦塔失里數次派人求救，明廷不發一兵一卒，倒瓦塔失里只好臣服於也先。平定西方後，也先的矛頭又轉向東方，率兵攻打兀良哈三衛，明廷依然坐視不顧，兀良哈亦被也先征服。這樣，也先控制了東到朝鮮邊境、西到今新疆的遼闊地域，勢力臻於極盛。朝廷中的有識之士已意識到，也先的南侵只不過是早晚問題了。

正統十三年（一四四八年）十二月，也先又派遣了一個有二千五百二十四人的龐大使團至京，詐稱三千五百九十八人，以冒領賞品。王振命禮部查覈貢使實際人數賞賜，見所貢馬瘦小，又命削減馬價。也先數年來一直有意挑釁，得知此情，勃然大怒，便藉口明廷曾答應將公主嫁其子，此次所進馬匹係定親聘禮，明廷卻失信賴婚，又侮辱貢使，不可容忍，決計起兵。正統十四年入夏以來，京城就流傳著也先正集結兵馬、準備進犯的消息。朝廷雖已派出要員前往宣府、大同整飭軍備，但朝官中仍有人暗中南遣家眷，以備不虞。王振倒未把此事放在心上。多年來，他一直私下以武器換取也先的良馬，自此相處尚好，只是這次一時忿怒，才覈實貢使，削減馬價。他或者是認為也先虛張聲勢，不會真的入侵，或者是覺著以自己的才幹，即使也先大舉入侵，也足以將其擊退，因而並未認真進行戰備。

進入七月，傳言變成事實，也先傾兵南下，分為四路進攻：東路由可汗脫脫不花率所部與兀良哈部進攻遼東；西路由別將率兵進攻甘州；也先親率大軍由中部進攻，又兵分兩路，一路由阿剌知院統率，進攻宣府，又一路由也先親統，進攻大同。也先一路兵鋒甚銳，七月十一日，大同參將吳浩與也先在貓兒莊遭遇，戰敗而死。接著，英宗命駙馬都尉井源等率領四萬大軍出擊，全軍覆沒。軍情吃緊的消息不時傳向京城。

王振對敵我雙方的情況都不甚了解，又不認真進行戰爭準備，便想當然地認為這是一次揚威遠方的機會，慫恿英宗出征。英宗久處深宮，對戰爭從無親身感受，只知道他的曾祖永樂皇帝和父親宣德皇帝曾多次親征漠北，大展天威。據說，永樂皇帝御用的長矛佩以號帶，一直奉掛在午門的五鳳樓，英宗曾多次登樓，撫摸著長矛，幻想那「金鐘鼉鼓大十圍，震擊元來聞百里，紫電清霜森武庫，高幢大纛紛無數」的征戰場面。現在，王振的慫恿喚起了他心中的激情，他決定仿效祖宗，親提六師，掃蕩漠北，做出一番動人心魄的偉績，於是下詔命京軍準備出征。群臣對英宗的草率決定大為驚愕，吏部尚書王直率領百官上疏，力勸英宗不要「以天子至尊而躬履險地」。此時英宗哪裡還聽得進勸諫的話，他詔諭百官說：「卿等所言，皆忠君愛國之意。但虜賊逆天悖恩，已犯邊境，殺掠軍民，邊將累請兵救援，朕不得不親率大兵以剿之。」⑩

七月十五日，英宗正式下詔親征，命其弟郕王朱祁鈺留守京師，駙馬都尉焦敬輔政。這一天，前方戰況更加吃緊，宣府總兵官奏稱瓦剌軍隊圍攻馬營已經三日，敵軍斷絕河水，明軍營中無水，難以支撐。大同情況更壞，總督軍務西寧侯宋瑛、總兵官武進伯朱冕、左參將都督石亨與瓦剌騎兵戰於陽和口，在監軍太監郭敬節制下，軍隊漫無紀律，一經交戰，便全軍覆沒，宋瑛、朱冕戰死，石亨奔還

⑩陳文等，《明英宗實錄》卷一八〇〈正統十四年七月〉。

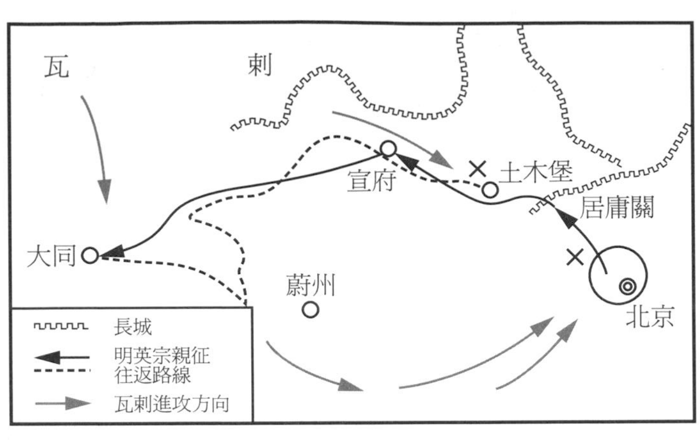

土木之戰示意圖

大同，僅以身免。

敗報頻傳，王振仍一意孤行，不肯罷親征之舉。七月十六日，英宗偕王振率領各中央機構官員及五十萬大軍倉猝出發，是晚，車駕駐磨家嶺。十七日，駐龍虎臺，夜間軍中自相驚亂。十九日出居庸關，二十日抵榆林，二十一日至懷來，二十二日至雷家站，二十三日抵宣府。時值連日風雨，人情洶洶，糧餉不足，士卒疲憊，群臣請求暫停前進，王振大怒，俱令略陣。二十四日，抵雞鳴山。英宗將指揮大權盡付王振，王振越加作威作福。「靖難」功臣成國公朱勇「有所建白，膝行而前」。⑪戶部尚書王佑、兵部尚書鄺埜稍違其意，便被罰跪於草叢之中，至暮方釋。欽天監監正彭德清雖是王振黨羽，見軍情兇險，也以天象示警為名勸王振回師，王振不聽。大軍在王振威嚴的號令下，只好戰戰兢兢前行。

七月二十五日，車駕至萬全峪。二十六日，至懷安城西。二十七日，至天城西。二十八日，至陽和城南。駐守大同的明軍，曾在這裡與瓦剌騎兵發生一場戰鬥，伏屍遍野，將士

---

⑪陳文等，《明英宗實錄》卷一八〇〈正統十四年七月〉。

見之，無不心驚。二十九日，至聚落驛。八月初一日，抵達大同。這時也先已主動北撤，等待時機。王振仍欲北進，但其親信太監郭敬密報了陽和等處的慘敗狀況，王振這才感到驚懼，決計班師。八月初二，大軍開始東還。起初決定取道紫荊關，這樣可以經過王振的故鄉蔚州，王振很想讓家鄉人瞧瞧他這個當年潦倒的窮儒現如今的赫赫威勢。從兵法上說，取道紫荊關倒不是一個錯誤的決定，這是返回塞內的最便捷的路徑，可以減少遭瓦剌攻擊的可能性。可惜的是，大軍剛走了四十里，王振忽然想到五十萬大軍過處，必然踐踏家鄉的莊稼，頓時改變主意，決定軍伍由東南行改為向東北行，折歸原路，取道宣府返京。行軍路線的突然改變，既耽誤了時間，又在軍隊中引起極大疑慮。

八月三日，車駕至滴滴水。四日，至洪州方城。五日，至白登。六日，至懷安城西。七日，抵達宣府。瓦剌兵在後面追來，兵部尚書鄺埜請求派精兵殿後，車駕疾驅入關，遭王振痛斥。十日，行至宣府東南。十一日，抵雷家站。十二日，車駕將要起行，接到瓦剌兵迫近的報告，遂下令原地紮營，派恭順侯吳克忠與其弟吳克勤統兵斷後，吳氏兄弟力戰而死。是日傍晚，得到吳氏兄弟戰歿的消息，又派成國公朱勇、永順伯薛綬帶領四萬士兵赴戰，結果在鷂兒峪遇伏，全軍覆沒。十三日，車駕行至土木堡，東距當時懷來城僅二十里，時天色尚早，群臣建議入保懷來，但王振卻以千餘車輜重未至，下令軍隊在土木堡駐紮等待。明軍擇高地紮營，旁無水泉，亦無險可守。十四日，瓦剌騎兵追至，將明軍包圍，明軍驚慌不安，又缺乏飲水，掘井二丈仍不得水脈，將士飢渴。十五日是中秋節，由於瓦剌軍切斷明軍營地南方十五里的溪流，明軍更是人飢馬渴，附近的麻峪口激戰終夜，大隊敵兵還在源源開來。因為摸不清四下有多少敵人，王振不敢下令啟行，幾十萬大軍只能眼睜睜坐困，形勢危急，人心惶惶。忽然，瓦剌遣使臣前來議和，做出撤軍的姿態，英宗不知其中有詐，馬上命令學士曹鼐草詔議和，並遣通事偕瓦剌使臣去見也先。王振則抓緊時機，下令移營就水，迴旋之間，行列已亂，瓦剌騎兵突殺入陣，「大呼解甲投刀者不殺」，明軍奔逃無路，「裸袒相蹈藉死，蔽野塞川」，「英國公張輔，尚書鄺埜、王佐，學士曹鼐、張益而下數百人皆死」[12]。王振則在混亂中，被護衛將軍樊忠以棰擊殺，說：「吾為天下誅此賊！」[13]英宗突圍不出，被瓦剌軍俘獲。這次戰役，史稱「土木之變」，是明王朝由盛趨衰的一個轉捩點。

第四節　整頓軍備與景帝登基

英宗被俘後，在瓦剌人的要求下，寫信索要金帛贖身。此信連夜送到朝廷。皇太后孫氏、皇后錢氏打算先封鎖消息，盡力籌措金銀珠寶、文綺彩緞，把皇帝贖回來。但壞消息總是傳得很快，朝臣們次日就聽到戰敗的風聲，齊集闕下，「私相告語，愁歎驚懼」；土木之役中僥倖逃脫的士卒，也陸續奔回京師，「瘡殘被體，血污狼藉」，更增添了京城的恐懼氣氛[14]。孫太后知道難以隱瞞，遂於十八日召集百官，宣佈了敗報，命英宗之弟郕王朱祁鈺監國，旋又下詔立英宗之子朱見深為皇太子。

當時「京師戒嚴，羸馬疲卒不滿十萬，人心恟恟，群臣聚哭於朝」[15]。在商議戰守事宜時，翰林

[12] 谷應泰，《明史紀事本末》卷三二〈土木之變〉。
[13] 谷應泰，《明史紀事本末》卷二九〈王振用事〉。
[14] 劉定之，《否泰錄》。

院侍講徐珵（後改名徐有貞）力倡遷都南京，說：「驗之星象，稽之曆數，天命已去，惟南遷可以紓難。」⑯徐珵是蘇州吳縣人，因仕途不順，便常談術數天命之說以炫耀自己，博得不少人的信任。本年夏，因有瓦剌人將要入侵的傳聞，他便借解釋熒惑入南斗的天象，宣傳禍將不遠，並讓妻子攜家眷南歸。現在他力倡南遷，很容易動搖人心。禮部尚書胡濙首先起而反對南遷，指出：「文皇定陵寢於此，示子孫以不拔之計。」兵部侍郎于謙則厲聲說：「欲遷者，可斬。為今之計，速召天下勤王兵以死守之。」此言得到學士陳循的回應，其他朝臣也都表示贊成。徐珵不敢復言，被太監金英叱出。但孫太后等人仍心懷疑懼，詢問太監劉永昌，劉永昌回答說：「陵廟宮闕在茲，倉廩、府庫、百官、萬姓在茲，一或播遷，大事去矣！獨不監南宋乎？」孫太后明白過來，「由是中外始有固志」⑰。孫太后和朱祁鈺將戰守重任交付于謙，任命他為兵部尚書。

于謙（一三九八－一四五七年），字廷益，浙江錢塘（今浙江杭州）人。永樂十九年（一四二一年）進士，宣德初授御史，雪冤囚，除民害，頗得宣宗賞識。宣德五年（一四三〇年）設立巡撫，宣宗手書于謙之名，授吏部右侍郎，巡撫河南、山西。前後在任十九年，甚得民心。正統十三年（一四四八年），召入京任兵部左侍郎。于謙在青少年時代就懷有救國救民之志，曾為文天祥畫像題寫贊詞，頌揚其「殉國忘身，捨生取義」的精神⑱。現在明朝處於危急關頭，大任驟降，于謙「以社稷安危為

⑮陳文等，《明英宗實錄》卷一八一〈正統十四年八月〉。
⑯張廷玉等，《明史》卷一七一〈徐有貞傳〉。
⑰陳文等，《明英宗實錄》卷一八一〈正統十四年八月〉。

己任」，毅然受命，全力備戰。在于謙等人的建議下，短短十幾天中，朱祁鈺發佈了一系列命令：調集外地部隊赴京防守；任命政府各機構的主要負責人；派遣武將分鎮宣府、居庸關、紫荊關等要隘；發動京師百姓、軍士及文武官員有運輸工具的前往通州，將存放在官倉中的儲糧運進京城。經過悉心整頓，京城防衛力量迅速增強，糧食儲備充足，各地勤王軍隊陸續開到，人心逐漸安定下來。

需要說明，就明朝的政治體制而言，本應由內閣發揮中樞決策作用。但在王振崛起後，閣權逐漸被侵奪，三楊之後入閣的曹鼐、馬愉等人資淺望輕，發揮不了決策作用。土木之變中，曹鼐等死於亂軍中，內閣幾成空白。在六部首腦中，向以吏部尚書最尊，稱為六卿之首。但此時任吏部尚書的王直年已老邁，又讚賞于謙才幹，遂極力推許，于謙成為決策群體的核心。孫太后和朱祁鈺倚信于謙，也是勢之必然。有些人心懷嫉妒，謂任用于謙太過，太監興安辯護說：「為國分憂如于公者，寧有二人！」⑲

局勢趨穩後，人們開始思考土木慘敗的原因，怨氣自然就集中到王振及其黨羽身上。八月二十四日晨，景帝臨御午門左門，聽朝議政。右都御史陳鎰代表群臣上奏說：「王振傾危社稷，搆陷乘輿，請族誅以安人心。」⑳朱祁鈺此時只是以親王的身分監國，只要英宗回來，他就得把權力上交，而王振是英宗最寵信的人，處理不當，英宗回來後不好交代。因此，陳鎰上奏後，朱祁鈺並未給予明確答

---

⑱于謙，《于忠肅公集．拾遺》。
⑲張廷玉等，《明史》卷三〇四〈興安傳〉。
⑳夏燮，《明通鑑》卷二四。

覆，只是敷衍說：「汝等所言皆是，朝廷自有處置。」朝臣見朱祁鈺態度曖昧，群情激憤，跪地慟哭不已，痛陳王振之惡，要求速作決斷。錦衣衛指揮馬順喝逐百官，給事中王竑奮臂向前，揪住馬順頭髮齧咬其肉，說：「順倚振肆強，今猶若此，誠奸黨也！」百官爭相捶擊，將馬順打死，並要求籍沒王振家產，朱祁鈺只得應允。眾人仍哭泣不退，朱祁鈺令太監金英詢問，大家說宦官毛貴、王長隨也是王振死黨，應該伏法。金英急忙讓人把毛、王二人從門縫中推出，群臣又是一頓暴打，二人也被擊斃㉑。望著兩眼冒火的朝臣和血跡斑斑的殿庭，朱祁鈺頗感恐慌，便想抽身而去。于謙急忙上前攔住，請他宣佈馬順罪當死，擊斃馬順者概不追究。朱祁鈺得到于謙提示，心神安定下來，也悟出其中道理，遂照此宣告。不久，王振之侄、錦衣衛千戶王山又被人捆綁而來，跪於庭中，眾人爭相唾罵。朱祁鈺命將王山押赴西市，凌遲處死。王振家族不分老幼，都被斬首。籍沒王振家產，所獲甚多，有金銀六十庫，玉盤一百個，高六七尺的珊瑚樹二十餘株，馬數萬匹。二十九日，朱祁鈺又命將從大同逃回的王振黨羽郭敬、彭德清下獄抄家。經過一系列打擊，宦官勢力有所削弱，于謙等主戰派的正氣得到伸張。

為了加強京城防守，八月二十五日，于謙推薦石亨掌五軍大營。石亨（?—一四六〇年），渭南（今屬陝西）人，善騎射。嗣父職為寬河衛指揮僉事，正統中積功陞指揮同知，佐武進伯朱冕守大同，遷都督僉事，再遷都督同知。也先進犯大同，石亨與西寧侯宋瑛、武進伯朱冕等戰陽和口，宋瑛、朱冕皆戰沒，石亨單騎奔還，受到降職處分，募兵自效。在當時的邊將中，石亨的軍事才能算是比較突

㉑陳文等，《明英宗實錄》卷一八一〈正統十四年八月〉。

出的，所以于謙才委以重任，並進其職位為右都督，不久封武清伯。

在明代的政治架構中，皇帝是絕對核心，缺少了這個核心，政令的制定和貫徹就會受到阻礙。朱祁鈺雖奉皇太后命以監國身分總理國政，但畢竟不是真皇帝，也難以像真皇帝那樣發揮作用。而且，英宗還掌握在也先手中，也先藉此要脅，對明廷也很不利。朝臣們普遍感到，君位不可久虛，當下最急迫的事務是另立新君。英宗之子朱見深雖然已被冊立為太子，但年方三歲，顯然無法擔當軍國重任。九月二日，群臣聯合上奏孫太后，謂「國有長君，社稷之福」，請立正在履行監國之職的朱祁鈺為皇帝。孫太后審時度勢，覺得也只能這樣做，才利於國家安定，遂下旨批准。朱祁鈺接奉懿旨，再三遜讓，還退避到郕王府邸。于謙正色對朱祁鈺說：「臣等誠憂國家，非為私計。」㉒朱祁鈺遂於九月初六日祭告天地、社稷、宗廟，正式即皇帝位，史稱景帝。仍在瓦剌人手中的英宗，則被遙尊為太上皇。在國家危難之際，朱祁鈺被扶上皇位，明朝又有了一位年富力強的君主，堅定了軍民抗戰的信心，也使也先無法利用英宗進行要脅。

景帝即位的次日，于謙又薦舉遼東都指揮范廣為副總兵，協助石亨佐理京營。九月二十二日，管三千營的忻城伯趙榮因「不赴營操練，以致軍容不整，紀律全無，士卒喧嘩，行伍錯亂」㉓，受到于謙彈劾，景帝命將其下法司禁錮，以都督僉事孫鏜代領其職。經過一番人事調整，京營軍紀頗有改觀，戰鬥力有所增強。

㉒張廷玉等，《明史》卷一七〇〈于謙傳〉。

㉓陳文等，《明英宗實錄》卷一八三〈廢帝郕戾王附錄第一〉。

宣府、大同是京師屏障，防務必須加強。土木之變猝然發生，宣府人心驚慌，有人建議棄城而去，官吏軍民紛然爭出，鎮守總兵官楊洪和巡撫羅亨信等下令「出城者斬」，率軍民全力防守，保住孤城。事後，于謙建議朝廷封楊洪為伯爵，仍讓他全權負責宣府防務，並獎諭了羅亨信。大同戰略地位尤為重要，在土木之變後的危急局面下，都督僉事郭登誓死堅守，力保危城，而鎮守大同總兵官、廣寧伯劉安卻不顧軍務，於九月初五擅回京師，並說英宗已陞他為侯。劉安受到廷臣彈劾，下獄禁錮，于謙舉薦郭登佩征西將軍印，為總兵官，代劉安鎮守大同。居庸關、紫荊關等關隘是京師咽喉，也都派遣得力人選前去防守。此外，還命監察御史白圭、李賓等十五人到直隸、山東、山西、河南各府縣招募民壯操練，聽調策應。

第五節　京師保衛戰

正當明廷整飭內政、加強戰備之際，瓦剌軍隊在也先率領下果然捲土重來。十月初一日，也先率領部眾擁挾英宗來到大同，聲稱要送還英宗。大同守將郭登派人告訴也先：「賴天地宗社之靈，國有君矣！」㉔也先見大同守備嚴密，知郭登早有準備，不敢貿然進攻，便繞過大同，向南進發。郭登將軍情馳報朝廷。初三日，瓦剌軍前哨精騎二萬餘已抵紫荊關北口，另一路瓦剌軍則從古北口內犯。初四日，瓦剌軍三萬人過洪州堡進攻居庸關，見居庸關險難攻，便轉而去攻居庸關西南的白羊口。初八

㉔夏燮，《明通鑑》卷二四。

日，白羊口守將謝澤戰死，白羊口被攻破。初九日，也先率精兵攻紫荊關，投降瓦剌的明朝宦官喜寧引導瓦剌軍由山間小路翻越山嶺，紫荊關腹背受敵，亦告陷落，守備副都御史孫祥、都指揮韓清戰死。

明廷接到郭登戰報後，即在京師實行戒嚴，進行戰爭準備。初五日，景帝致書宗室諸王，令急遣兵入衛。初八日，詔命于謙提督各營軍馬，將士皆受節制。又召集文武大臣商議戰守之策。成山侯王通主張挑築北京外城濠以阻擋敵軍；總督京營總兵官石亨則主張軍隊不可出城，應關閉城門，堅壁而守，以待敵軍疲勞。于謙不同意他們的主張，認為此時敵軍勢盛，如果明軍顯得軟弱，則敵軍士氣更盛。他提出把部隊部署在城外以迎擊敵人。景帝對于謙的計畫也表示支持，於是「固守之議始決」。議既定，立即分遣諸將率兵二十二萬列陣於京師九門外：總兵官石亨與副總兵范廣、武興陣於德勝門，都督陶瑾陣於安定門，廣寧伯劉安陣於東直門，武進伯朱瑛陣於朝陽門，都督劉聚陣於西直門，副總兵顧興祖陣於阜城門，都指揮李端陣於正陽門，都督劉德新陣於崇文門，都指揮楊節陣於宣武門。各門守將皆聽石亨節制。于謙把兵部的日常事務交侍郎吳寧處理，自己親披甲冑，至德勝門外石亨軍營，主持前敵軍務。初九日，下令「有盔甲軍士但今日不出城者斬」㉕，督促各軍盡快出城佈陣。各軍出城部署完畢，即下令將各城門關閉，以示背城死戰的決心。又發佈軍令：「臨陣將不顧軍先退者，斬其將；軍不顧將先退者，後隊斬前隊。」㉖于謙還泣以忠義勸諭將士，將士人人感奮，勇氣倍增。

十一日，瓦剌軍抵北京城下，列陣西直門外。也先原以為明廷京軍精銳盡喪土木，北京旦夕可下，

㉕陳文等，《明英宗實錄》卷一八四〈廢帝郕戾王附錄第二〉。
㉖張廷玉等，《明史》卷一七〇〈于謙傳〉。

沒想到明軍嚴陣以待，早已做好戰爭準備。在彰義門外的一路瓦剌軍，剛駐紮停當，就遭到明都督高禮、毛福壽的襲擊，死傷數百，一路上劫掠來的千餘名民眾也被明軍奪去。也先不敢貿然發動進攻，便擁英宗來到德勝門外土城上，邀明廷派大臣出迎，藉以試探明廷的態度和虛實。景帝暫陞通政司左參議王復為右通政，中書舍人趙榮為太常寺少卿，讓他們出城去見也先和英宗。也先聽從喜寧之言，對王復等說：「爾小官，可令胡濙、于謙、王直、石亨、楊善等來。」㉗並索要大量金帛財物。王復、趙榮回報，景帝頗為動搖，打算議和。派人去問于謙，于謙回答說：「今日止知有軍旅，它非所敢聞。」㉘景帝打消議和念頭，也先索要的金帛財物也拒絕送去。也先一無所得，盛怒之下，縱馬隊在北京四周大肆搶掠，伺機進攻。明軍則固守軍營，準備廝殺。

十三日，也先發動總攻，明軍與瓦剌軍在德勝門外展開一場驚心動魄的戰鬥。這天天寒降雪，又起大風，接著雷電交加，轉為降雨。清晨，也先派出一哨人馬，偵察明軍虛實。這時，從明軍營中，也走出一支馬隊。原來，瓦剌軍抵達北京城下後，曾派散騎來德勝門窺探明軍陣勢，于謙判斷瓦剌軍可能要從這裡進攻，預先讓石亨領兵埋伏於道路兩邊的空房中，並派一支馬隊前去誘敵。兩隊人馬相遇，剛一交鋒，明軍就佯裝敗退。也先認為明軍不堪一擊，揮動萬餘騎追來。瓦剌軍剛要逼近明軍營地，突然一聲炮響，明軍神機營的火炮、火銃一齊發射，石亨所領伏兵也起而夾攻。副總兵范廣身先士卒，躍馬陷陣，部下人人奮勇，瓦剌軍抵禦不住。也先之弟孛羅卯那孩素有「鐵元帥」之稱，也在

㉗劉定之，《否泰錄》。
㉘夏燮，《明通鑑》卷二四。

戰鬥中被火炮擊斃。

也先攻擊德勝門失利，又移師西直門。守將孫鏜率軍迎戰，斬殺瓦剌前鋒數人，敵軍稍向北退卻，孫鏜率軍追擊，被瓦剌援軍圍在核心。孫鏜盡力拼殺，但因兵力單薄，支撐不住，退到城邊。給事中程信等在城上發炮轟擊瓦剌軍，高禮、毛福壽率兵來助戰，石亨也派兵前來增援，瓦剌軍三面受敵，只得退兵，無功而還。

銅火銃（景泰元年製造）

這次戰鬥，暴露出明軍防務中的一些問題，于謙及時調整，派僉都御史王竑往毛福壽、高禮處提督軍務，與孫鏜屯兵一處，讓他們與彰義門守軍加強聯繫，一遇情況，相互應援，不得自分彼此，貽誤軍機。十四日，瓦剌軍果然向彰義門發動進攻，于謙命副總兵武興、都督王敬、都指揮王勇率軍往彰義門迎敵。明軍把火銃放在前面，弓矢短兵在後相隨，挫敗了瓦剌軍前鋒。不想明軍中有百餘名騎兵急於爭功，見瓦剌軍稍卻，遂從後陣躍馬而出，衝亂了己方陣腳，明軍火器也不敢亂放，怕傷及己方士卒。瓦剌軍乘機反擊，明軍敗退，副總兵武興中流矢死於陣前。瓦剌軍追至土城，當地居民不懼危險，紛紛爬上屋頂，投擲磚石打擊敵人，喊聲驚天動地，阻遏住了瓦剌軍的攻勢。王竑、毛福壽聞訊趕來助戰，瓦剌軍見援軍已到，不敢戀戰，急忙撤退。

也先這次率大軍直逼京師，原以為明軍不堪一擊，不想連日作戰，皆遭敗績，藉英宗向明廷要脅也未能得逞，這使也先頗為沮喪。對北京城的進攻沒有結果，對居庸關的進攻也未能得手。守將羅通利用天氣寒冷的氣候條件，汲水灌城，利用堅冰阻遏敵人，多次擊退瓦剌軍的攻擊，還三次出關追擊敵人，頗有斬獲。也先前阻堅城，又聽說明朝勤王軍隊將至，恐怕歸路被截斷，於是在十五日夜拔營挾英宗北返，沿途大掠，並焚毀了昌平天壽山明長陵、獻陵、景陵的寢殿。楊洪等率軍追擊，二十四日在霸州擊敗瓦剌軍，俘虜敵軍四十八人，奪回被掠人口萬餘。次日，孫鏜、范廣也追敗瓦剌軍於固安。沿途民眾也自發組織起來，襲擊瓦剌軍。如真定府安平縣老人郭弘、生員郭清等十六人襲擊斬殺瓦剌軍七人，並繳獲一批盔甲器械，朝廷予以嘉獎，授郭弘為判官，郭清等為正、副巡檢。

十一月初八日，瓦剌軍退回塞外，京師保衛戰勝利結束。這次戰鬥的勝利，使明王朝度過了一場嚴重的政治危機。

第八章 天順與成化年間的政治變亂

第一節 英宗之幽禁與復辟

瓦剌部首領也先俘獲英宗後，本以為奇貨可居，可用來誘破明朝城隘，向明廷索要金帛。由於明朝堅持抗戰，也先除最初勒索到一些財物之外，再也得不到實惠，英宗在他手裡成了個無用的「空質」。而由於與明廷處於戰爭狀態，原先通過朝貢和互市可以得到的物品，現在也無法得到，這使在經濟生活上對內地依賴很多的瓦剌部損失頗重。也先逐漸感到，與明朝繼續對立下去，實在是得不償失，便動了把英宗送回的念頭。

在明朝方面，上至文武大臣，下至草野村夫，對皇帝被蒙古人俘去，無不覺得是奇恥大辱，希望英宗能盡快返回。但此時坐在皇帝寶座上的景帝，對此卻不熱心。一次廷議，吏部尚書王直奏言：「上皇蒙塵，理宜迎復。乞必遣使，勿使有他日悔。」景帝不高興地說：「我非貪此位，而卿等強樹焉，今復作紛紜何！」于謙看透了景帝的心思，從容言道：「天位已定，孰敢他議？答使者，冀以舒邊患，得為備耳！」景帝這才放心應允①。經過幾次遣使往復，也先決定送英宗南歸。景泰元年（一四五〇年）八月二日，英宗踏上返回故國的路途，於十五日抵達北京。景帝與其兄經過一番禮儀性的遜讓後，便將英宗送入南宮（今北京南池子緞庫胡同內），並命靖遠伯王驥守護，實際上是將英宗軟禁起來。在禮數上，景帝對英宗也甚薄。每逢英宗生日，禮部都奏請讓群臣到南宮行朝賀禮，景帝一概拒絕。

景帝還一心想廢掉太子朱見深，改立自己的獨子朱見濟為太子，但一直找不到合適的機會。景泰三年（一四五二年），發生了廣西土官黃玹上疏事件，遂使易儲問題公開化了。黃玹是廣西思明州土知府黃㻂之庶兄，守備潯州。景泰二年八月，黃㻂致仕，其子黃鈞襲職。黃玹想為自己的兒子謀取知府之位，便偽稱要在思明徵兵，讓其子黃灝糾眾在府城三十里外結營，到深夜突然進入府城，襲殺黃㻂一家，將黃㻂、黃鈞父子肢解，用甕裝盛，埋於後花園中。事畢，黃灝率眾回到營地。次日，他重新入城，假裝發現黃㻂一家遇害，於是為其發喪，並假惺惺地派人緝捕兇手。在黃灝行兇時，黃㻂家一名僕人躲了起來，後逃到按察司報案，並出具了黃玹的徵兵檄文為證。廣西巡撫李棠得知此事，一面申報朝廷，一面派人將黃玹父子逮捕下獄。黃玹見事情敗露，便派千戶袁洪到北京活動。袁洪到京後，探聽到皇上想改換太子，便以黃玹的名義進呈一本奏疏，聲稱為了「永固國本」，必須改立太子。景帝得疏大喜，稱讚說：「萬里之外，乃有此忠臣！」②他不顧是非，令將黃玹父子釋放，擢黃玹為都督同知，並詔令廷臣集議。廷議時，有人不同意改換太子，太監興安厲聲說：「此事今不可已，不肯者不用簽名，尚何遲疑之有！」於是朝臣聯名合奏：「父有天下，必傳於子，此三代所以享國長久也。

①谷應泰，《明史紀事本末》卷三三〈景帝登極守禦〉。
②夏燮，《明通鑑》卷二六。

惟陛下膺天明命，中興邦家，統緒之傳，宜歸聖子。今黃玹所奏，宜允所言。」③景帝終於實現了立己子朱見濟為太子的願望，原太子朱見深改封沂王。但次年朱見濟即夭亡，不少朝臣對儲位空虛感到擔憂。御史鍾同上疏，謂「沂王天資厚重，足令宗社有託」，請求「蠲吉具儀，建復儲位」，禮部郎中章綸也疏請「還沂王於儲位，定天下之大本」，景帝暴怒，將二人下獄，嚴刑拷掠，鍾同被杖死，章綸則長繫錦衣衛獄中④。

對於英宗的一舉一動，景帝都嚴加防範。御用監少監阮浪侍英宗於南宮，英宗賜予一個鑲金繡袋和一把鍍金刀，阮浪又轉贈給好友王瑤。此事被洞隱燭微的錦衣衛發現，遂誣告阮浪密奉上皇之命，以袋、刀潛結王瑤，謀復帝位。對於這類消息，景帝從不懷疑，遂將阮浪、王瑤下獄拷訊。雖然最終也沒有確實的口供和證據，仍將王瑤磔死，阮浪則在獄瘐死。嚴密的防範仍不能使景泰帝放心，景泰六年（一四五五年）夏天，他竟接受太監高平的建議，將南宮的樹木盡皆砍伐，以防有人逾越高牆，與英宗取得聯繫。

景泰七年（一四五六年）十二月下旬，景帝身染沉痾，臥床不起。元旦在即，他自知難以應付繁瑣的禮儀，便於二十八日下令，罷元旦慶賀禮。他不想讓廷臣知道自己病重，所以公開宣佈的理由是近來星變不斷，上天示警，故爾減損禮儀以答天戒。而群臣們則猜測，其中必另有隱情，一時議論紛紛，人心不安。禮科給事中張寧上疏指出：皇帝忽然宣佈罷元旦慶賀禮，雖說是恭謹敬慎，誠奉天命，

③陳文等，《明英宗實錄》卷二一五〈廢帝郕戾王附錄第三十三〉。
④夏燮，《明通鑑》卷二六。

但朝廷內外豈能盡知陛下之心？必致訛言相傳，有所驚訝。他請求皇帝「勉順舊章，俯全大禮」。景帝覽疏不悅，下旨斥責張寧「不識大體」⑤。已經從各種管道聽說皇帝患病消息的大臣們，推測皇帝已病得不輕，否則是不會輕易罷免朝賀大典的。於是，人們又開始暗中議論立儲事，只是鑑於鍾同、章綸之禍，誰也不敢明言。

三十日歲暮，應享太廟，景帝為保省體力，遣武清侯石亨代祭。次日，是景泰八年（一四五七年）元旦，他強撐病體，御奉天殿，百官按朔望禮朝參。初六日是孟春，又當祭宗廟，仍命石亨代行。十三日，應在南郊大祀天地。十二日，景帝勉強支撐病體，出宿於南郊齋宮。他本想親行郊祀大禮，但病勢沉重，開始咯血，只得召石亨至榻前，命他攝行祀事。祭畢，返回皇宮，令文武百官免行慶成禮。在京各衙門官員，紛紛前往左順門問安，都察院左都御史蕭維楨、左副都御史徐有貞，也率僚屬前往。太監興安以手作十字形，暗示皇帝病重，拖不過十天。他還對眾人說：「公等皆朝廷股肱耳目，不能為社稷計，徒日日問安何益？」⑥大家明白了興安的意思，回去商議奏稿，準備請求皇帝盡快立儲。

十四日，百官齊集於左順門，商議奏請立儲事，並拿出各自的疏稿。大多數官員認為應復立沂王朱見深為皇太子，但大學士王文、陳循、蕭鎡等不同意。蕭鎡說：「沂王既退，不可再也。」王文則說：「今具請立東宮，安知上意誰屬？」於是，蕭維楨把胡濙等擬好的疏稿中的「早建元良」改為「早擇元良」，各衙門長官依次簽名上奏。次日，景帝傳旨說：「朕偶有寒疾，十七日當早朝，所請不

⑤陳文等，《明英宗實錄》卷二七三〈廢帝郕戾王附錄第九十一〉。
⑥夏燮，《明通鑑》卷二七。

允。」⑦十六日，王直、胡濙、于謙會諸大臣，準備再次請求立儲，推學士商輅主草。商輅寫道：「陛下宣宗章皇帝之子，當立章皇帝子孫。」⑧大家都稱讚此語精妙。因為宣宗只有英宗朱祁鎮和景帝朱祁鈺二子，景帝既然無子，宣宗裔孫也就只有英宗諸子。商輅這樣寫雖未明確提出復立沂王，實已暗含其義。況且當時人十分看重血緣關係，這樣寫也容易感動人心。奏疏起草完畢，天色已晚，也就沒有上呈，準備次日早朝時奏上。誰能想到，就在這天夜裡，變生蕭牆，英宗重新登上皇位。

原來，景帝十二日在南郊齋宮召見石亨時，石亨親眼看到他的病況，估計行將不起，便與都督張軏、左都御史楊善、太監曹吉祥祕密策劃，準備迎請英宗復辟。他們感到心裡沒底，便去請教以謀略著稱的太常卿許彬。許彬認為這是「不世功」，但又覺得自己「年老無能為」，讓他們去找「善奇策」的徐有貞商議⑨。石亨等遣人伺機向英宗通報了情況，並於景泰八年（一四五七年）正月十四日夜聚於徐有貞家，徐有貞看出這是一個飛黃騰達的好機會，堅決支持，制定了詳細行動計畫，並讓曹吉祥密稟皇太后孫氏，取得了她的允准。十六日晚，石亨告訴徐有貞，英宗已回信，對他們的行動表示贊同。

十七日凌晨三更，石亨等人會合右都御史羅通，領軍向南城進發。四更時分，開長安門，納兵千餘入宮城，然後將門反鎖，以阻遏外兵。接著，迅速趕到南宮。南宮宮門之鎖都被鐵汁灌死，十分牢

⑦夏燮，《明通鑑》卷二七。
⑧張廷玉等，《明史》卷一七六〈商輅傳〉。
⑨張廷玉等，《明史》卷一七六〈徐有貞傳〉。

固。徐有貞讓軍士用巨木撞門，又命勇士翻牆入內，內外合力，牆壞門開，眾人擁入。英宗聽到喧鬧聲，燃燭出見，徐有貞、石亨等伏地請復登大位。呼軍士舉輦，軍士驚慌不能舉，徐有貞等幫著一起推挽，扶英宗登輦以行。英宗詢問諸人職官姓名，各人紛紛報上。到東華門，守門衛士大聲呵止，英宗高喊：「朕太上皇帝也！」東華門隨聲而開。眾人擁英宗到奉天殿，升御座。幾天前，景帝曾傳出諭旨，定於十七日早朝。這天按照慣例，百官於五更前在午門外朝房等待。忽然，宮中鐘鼓齊鳴，宮門大開，徐有貞出來高聲宣佈：「太上皇帝復位矣！」目瞪口呆的公卿百官在徐有貞的催促下，匆匆整隊入宮拜賀。為了安定人心，英宗傳諭百官說：「卿等以景泰皇帝有疾，迎朕復位，眾卿仍舊用心辦事，共享太平！」⑩百官齊呼「萬歲」，人心稍定。這一事件，史稱「奪門之變」，也稱「南宮復辟」。

臥病在床的景帝，聽到鐘鼓聲和奉天殿傳來的喧雜聲，知事情有變。他問身邊的人：「是于謙嗎？」不一會兒，有人報說是太上皇帝復位了。朱祁鈺聞聽此語，連聲說：「好，好！」數年來他一直嚴加防範、惟恐發生的事，還是發生了。但他此時病體纏綿，自知行將不起，聽說兄長復位，心下倒有些釋然，畢竟皇位未落入他人之手。

復辟當日，英宗命徐有貞以原官兼翰林學士入內閣預機務。次日，逮捕了兵部尚書于謙、大學士王文，並將一批大臣、太監下獄。二十一日，頒佈復位詔書，改景泰八年為天順元年。據說，復位詔書起初是由內閣諸學士集體起草的，但諸學士依次簽名後，惟獨徐有貞不肯簽，英宗召他詢問緣故，

---

⑩陳文等，《明英宗實錄》卷二七四〈天順元年正月〉。

他闡述了自己的見解，英宗遂命他重新起草，經三宿才最後完成。徐有貞所草詔書，內有「豈期監國之人，遽攘當寧之位」等語⑪，將景帝登基定性為篡位。二月初一日，又以孫太后名義發佈制諭，宣佈廢「景泰僭子仍為郕王」。制諭對英宗大加稱讚，謂其「敬天勤民，無怠無荒」，對土木之變也粉飾說：「比因虜寇犯邊，生靈荼毒，為恐禍延宗社，不得已親率六師以禦之，此實安天下之大計也。」而對於景帝，則痛加詆毀，內中云：

> 斁敗綱常，變亂彝典。縱肆淫酗，信任奸回。毀奉先傍殿，建宮以居妖妓；污緝熙便殿，受戒以禮胡僧。濫賞妄費而無經，急徵暴斂而無藝。府藏空虛，海內窮困。不孝不悌，不仁不義。穢德彰聞，神人共怒。上天震威，屢垂明象，祁鈺恬不知省，拒諫飾非，造罪愈甚。既絕其子，又殃其身，疾病彌留，朝政遂廢。⑫

此諭用詞頗似潑婦罵街，歪曲是非，顛倒黑白，將朱祁鈺臨危受命、奠安社稷之功一筆抹殺。二月十九日，朱祁鈺淒涼辭世，究竟是自己病死，還是被宦官勒死，已成歷史之謎。朱祁鈺死後，獲諡號曰「戾」，其義為「知過不改」。到成化年間，又被恢復了帝號。

于謙等人下獄後，徐有貞、石亨必欲置其死地而後快。他們唆使黨羽，彈劾于謙、王文等人，謂

---

⑪ 陳文等，《明英宗實錄》卷二七四〈天順元年正月〉。

⑫ 陳文等，《明英宗實錄》卷二七五〈天順元年二月〉。

其圖謀迎立襄王朱瞻墡之子入京即位。在廷審時，王文辯白說：「召親王須用金牌信符，遣人必有馬牌，內府、兵部可驗也。」⑬于謙則冷笑著說：「(石)亨等意耳，辯何益。」⑭經過查對，金牌信符都在內府，徐有貞卻說：「雖無顯跡，意有之。」主持審訊的官員阿附徐有貞、石亨，竟以「意欲」定案，判處于謙、王文謀逆，當凌遲處死，籍沒家產⑮。案子上奏後，英宗有些遲疑，說：「于謙實有功。」徐有貞說：「不殺于謙，此舉為無名。」英宗決心遂下。大理寺卿薛瑄奏請從輕處置，英宗令將二人處斬。于謙赤心為國，當國家危急存亡之際，力定大計，使社稷轉危為安，一代功臣，竟慘死刀下。抄其家時，家無餘貲，只有正室門鎖牢固，打開一看，都是景帝所賜蟒衣劍器。于謙無辜被殺，天下冤之。可以說，殺害于謙，是英宗復辟後最大的一個失誤。此後軍備廢弛，邊警不斷。一天，英宗憂形於色，在一旁的恭順侯吳瑾說：「使于謙在，當不令寇至此。」⑯

第二節　曹石之變

英宗對幫助自己復辟之人心存感激，大行封賞。石亨在景泰時已封侯，晉封為忠國公。張軏封為

⑬張廷玉等，《明史》卷一六八〈王文傳〉。
⑭張廷玉等，《明史》卷一七〇〈于謙傳〉。
⑮谷應泰，《明史紀事本末》卷三五〈南宮復辟〉。
⑯張廷玉等，《明史》卷一七〇〈于謙傳〉。

太平侯，其兄張輗封為文安侯。曹吉祥陞為司禮監太監，總督京軍，其嗣子曹欽得授都督同知。楊善封為興濟伯。徐有貞於奪門之變當天即入閣，次日晉陞兵部尚書，仍不滿足，石亨將他的心意轉告英宗，遂封為武功伯。這些人還紛紛為自己的親屬和手下邀取官爵，以致未過多久，以「奪門功」晉陞者已達三千餘人。與此同時，景泰朝大臣橫遭排陷打擊，大學士陳循、刑部尚書俞士悅、工部尚書江淵、吏部左侍郎項文曜等發遼東鐵嶺衛充軍，大學士蕭鎡、商輅，兵部右侍郎王傳等罷職為民，吏部尚書王直、禮部尚書胡濙、大學士高穀等致仕，戶部尚書張鳳、左都御史蕭維楨等改任南京，一時閣部為空。而這些空出來的職位，很多都被徐有貞、石亨的親信占據。

英宗認為徐有貞富有才幹，對他十分信任。經過幾番折騰，政治局面總算安定下來，應該集中精力解決那些困擾著朝廷的經濟、軍事問題了。然而，「奪門」功臣們並不把國家大事放在心上，只為自己的功名利祿著想。沒過多久，他們中間就為爭奪權力展開一系列勾心鬥角的鬥爭。

徐有貞柄政以後，開始與曹吉祥、石亨拉開距離。一是因為曹、石招權納賄過於露骨，與他們搞在一起影響自己的威信；二是徐有貞想獨攬大權，曹、石成為他的競爭對手。不久，徐有貞就窺伺到英宗對曹、石已有些厭惡，於是就向英宗密言他們的貪橫行為，試圖動搖英宗對他們的信任。天順元年（一四五七年）五月，御史楊瑄上疏彈劾曹、石強奪民田、冒功濫職等罪。英宗召徐有貞和另一名閣臣李賢詢問情況，二人說：「瑄所言公正，不避權幸，宜從其請。」英宗遂下詔褒獎楊瑄，並命巡按御史覆勘侵奪民田事⑰。曹吉祥和石亨因爭權奪利，本來相互之間也有矛盾，這時卻聯合起來，策

⑰陳文等，《明英宗實錄》卷二七八〈天順元年五月〉。

劃傾陷徐有貞。英宗經常召徐有貞到深宮密談，曹吉祥密令小宦官竊聽，再故意洩露給英宗，並聲稱徐有貞已在外廣為散佈，促使英宗銜恨徐有貞。

由於英宗褒獎了楊瑄，御史們以為皇上對曹吉祥、石亨已失去信任。恰巧天象出現異常，彗星見於危宿，色青白，狀如粉絮。古人一般都很迷信，認為這是凶兆，而且根據占星術理論，這是上天對奸臣當朝的警告。於是，一些言官便起草奏章，準備聯名彈劾曹、石。不料給事中王鉉向石亨密報了相關情況。石亨、曹吉祥立即入宮，哭哭啼啼向英宗表白自己萬死一生、擁戴復辟的功勞，聲稱內閣正唆使御史排陷奪門功臣。英宗果然被二人說動，次日言官們進奏彈章時，英宗下令將他們都逮下錦衣衛獄，拷問主使者，但他們均無所招。錦衣衛於是上奏說，御史們是受了右都御史耿九疇和副都御史羅綺的指使，耿、羅二人企圖藉此阿附閣臣徐有貞和李賢。英宗令將耿、羅下獄，又令科道官彈劾徐有貞、李賢「欲獨專擅威權，排斥勳舊」⑱。徐有貞、李賢很快也被逮捕入獄，因天變不斷，英宗不免有所驚懼，遂從輕發落，降徐有貞為廣東右參政，李賢為福建右參政。彈劾曹、石的言官，也盡被謫戍。李賢在英宗心中並未留下不良印象，又得到吏部尚書王翱保護，因此尚未離京，即得以復職；徐有貞則遭到曹、石進一步陷害，被發往雲南金齒衛為民，直到天順四年（一四六〇年），才被釋放回原籍蘇州。

曹吉祥、石亨在這次與徐有貞的較量中，獲得全勝，於是更加肆無忌憚地專權亂政。二人一掌外朝，一掌內廷，權傾天下，朝野側目。雖然復辟時動用的全部軍人不足一千，可石亨弟侄家人，部曲

---

⑱陳文等，《明英宗實錄》卷二七九〈天順元年六月〉。

親故，以「奪門功」陞遷者已多達四千餘人。石亨又公開賣官鬻爵，「以貨之多寡為授職美惡，入之先後為得官遲早」，嗜進者紛紛奔走其門，行賄鑽營，當時有「朱三千，龍八百」的民謠，說的就是郎中朱銓和龍文行賄陞官之事⑲。漸漸地，石亨對英宗也缺乏人臣應有的恭謹，每日進宮，肆意干預政事，英宗對他所請之事偶然加以拒絕，他就立即怫然不悅。

曹吉祥、石亨的專權跋扈，使英宗越來越感到難堪和不安，但他為人優柔寡斷，不知道如何應付。一天，英宗私下問李賢：「此輩干政，四方奏事者先造其門，為之奈何？」李賢回答：「陛下惟獨斷，則趨附自息。」英宗又說：「向嘗不用其言，乃怫然見辭色。」李賢建議「制之以漸」⑳。於是英宗就採用李賢的辦法來對付曹、石。曹、石經常因為小事私情，甚至沒有什麼事情，就要求晉見英宗，這時英宗向左順門衛士下令：不經宣召，不許總兵官入宮。後來，兵部尚書陳汝言受到科道官彈劾，英宗下令將其禁錮；吏部左侍郎孫弘聞喪，英宗命其回家守孝。這二人都是石亨的心腹，英宗這樣做是有意去其臂膀。

石亨之侄石彪驍勇善戰，景泰年間積功陞至都督僉事。英宗復辟後，陞都督同知，以遊擊將軍赴大同備敵，因屢立戰功，先封定遠伯，晉為定遠侯。石彪自恃功高，對部下驕橫，連大同總兵官李文也不放在眼裡，李文等人便傳播流言，說石彪在大同擁精兵，懷異志。英宗果然對石亨、石彪內外掌握重兵產生疑心。天順三年（一四五九年）三月，因黃河解凍，蒙古軍不易越河內犯，英宗召石彪回

⑲夏燮，《明通鑑》卷二八。
⑳李賢，《天順日錄》。

京，但石彪直到七月才抵達京城。他還指使千戶楊斌等五十餘人來京，向皇帝乞請讓石彪鎮守大同。英宗產生懷疑，將楊斌等下獄，他們供出是受石彪指使，這更增加了英宗的猜疑。在英宗授意下，科道官們紛紛彈劾石彪欺君罔上，罪大惡極，英宗便於八月一日下令將石彪逮捕，命令錦衣衛、兵部、都察院、刑部等衙門嚴加審訊。石彪私置繡蟒龍衣和違禁寢床、強姦良家婦女、欺侮藩王、禁死軍士等一系列罪狀逐步被揭露出來。在審訊的同時，還對石氏黨羽進行了清查，因阿附石氏得以陞遷的文武官員，分別受到革職、貶官、充軍等懲罰。

石彪下獄，朝臣們也就摸清了英宗對石亨的態度，於是陸續上章彈劾石亨。錦衣衛指揮逯杲本來也阿附石亨，後見皇帝疏遠石亨，就轉變態度，伺察石亨陰事密奏，得到英宗信用，這時就更加賣力地摭拾石亨罪狀。天順四年（一四六〇年）正月，逯杲奏稱石亨怨恨朝廷，蓄養無賴二十餘人，專門伺察朝廷動靜，圖謀不軌。同時，石亨的家僕也詣闕告變，說石亨怨謗朝廷，有不軌之謀。英宗這時也就相信石亨確有謀反之心，遂將逯杲的奏章出示群臣，群臣異口同聲，皆言石亨罪大，不可寬宥，於是英宗下令逮捕石亨。石亨下獄二十一天便瘐死，幾天後石彪亦被處決。在這期間，英宗還革除了「奪門」之功，下令以後凡有章奏，一律不許用「奪門」二字。他想對冒「奪門」功陞職者進行徹底清查，李賢怕這樣做會使人心驚懼，甚至激成禍變，建議英宗下令自首者免罪，隱瞞不報者定罪降調。冒功陞官相繼自首改正者達四千餘人。

石亨、石彪敗亡，曹吉祥、曹欽叔侄驚懼不安。自英宗復辟後，曹氏飛黃騰達，此時曹欽已被封為昭武伯，曹吉祥則一直總督三大營，軍權在握。曹吉祥其他幾個侄子，也都官至都督，掌握重兵。曹家藏有大量器械甲杖，門下廝養著上千名精悍的蒙古族軍人。石亨一敗，曹吉祥就覺著同樣的命運也快降臨到自己頭上，決定孤注一擲，發動軍事政變。他向門客馮益詢問：「自古有宦官子弟為天子者乎？」馮益回答：「君家魏武（即曹操）其人也。」㉑曹吉祥聽說有先例，心頭大喜。他每日厚賞門下軍夫，激勵他們為自己效力。天順五年（一四六一年）六月，蒙古孛來部頻頻犯邊，朝廷決定派遣兵部尚書馬昂、懷寧伯孫鏜率京軍前往陝西征討，並定於七月二日早朝陛辭。曹吉祥與曹欽決定七月二日黎明前起事，這樣可以利用西征將士出發之機，蒙混調動軍隊。叔侄二人還進行了分工，曹欽自外擁兵入宮，曹吉祥率禁兵在內接應。計議已定，曹欽便與其黨羽都督伯顏也先部署好士卒五百人，然後與黨徒數十人夜飲，等待起事時刻的到來。酒吃到一半，蒙古族軍官馬亮怕事情失敗，便從酒席上悄悄溜出來，到皇宮報告。是夜，懷寧伯孫鏜因次日晨將陛辭，與恭順侯吳瑾俱宿於朝房。馬亮將有關情況報告吳瑾，吳瑾急忙告訴孫鏜。二人急忙草疏告變，因都是武臣，短於寫作，疏中只寫著：「曹欽反，曹欽反！」㉒奏疏從長安右門門縫投入，英宗立即藉故召見曹吉祥，將其逮捕，並命令緊閉皇城與京城諸門。

曹欽發現馬亮溜走，知事情有變，不待凌晨，便率眾提前行動，首先向錦衣衛指揮同知逯杲家奔去。逯杲正出門準備去朝房，曹欽上前將其頭顱砍下，並讓部下將他碎屍萬段。接著，又衝向西朝房，殺死都御史寇深。然後，又往東朝房去尋大學士李賢。李賢聽到外面喧雜聲，還以為是西征將士，突然聽到有人呼其官名，便出門去看，被曹欽部下砍傷。曹欽趕到，將部下叱退，稱受到逯杲讒害，不

㉑張廷玉等，《明史》卷三〇四〈曹吉祥傳〉。

㉒夏燮，《明通鑑》卷二八。

得不起而自衛，讓李賢寫疏上奏。李賢只得照曹欽之意草疏，從東長安門門縫投進。曹欽見門不開，便縱火焚燒，不得入，又轉攻西長安門，仍不得入，於是又轉攻東安門，途中與恭順侯吳瑾相遇，吳瑾戰死。孫鏜投疏告變後，便去召集軍士，至太平侯張瑾家，張瑾恐懼不敢出。孫鏜又奔至宣武街，派兩個兒子孫輔、孫軏幫他召集西征士卒，得二千人，遂率眾去攻打曹欽。工部尚書趙榮也召集到數百人，前來助戰。此時天色漸漸放明，叛軍士氣隨之瓦解。各城門早已緊閉，曹欽衝突不得出，只能率餘眾奔回家中拒戰。孫鏜督兵攻入，曹欽投井自盡，滿門皆被斬殺。三天後，曹吉祥也被處以磔刑。

英宗又度過了一場驚心動魄的政治危機。通過這場危機，他對李賢的信任有所增加，以李賢為首的閣臣們也盡心輔佐，朝政很快就恢復了正常。此後直到英宗去世，最高權力機構一直運轉得比較平穩。

第三節　憲宗的統治風格與弊政

天順八年（一四六四年）正月，英宗去世，皇太子朱見深繼位，是為明憲宗。在明朝歷史上，朱見深是惟一一位兩度正位東宮的太子。先是正統十四年（一四四九年）土木之變後，為穩定局勢，命郕王監國，同時立朱見深為太子；郕王登基後，於景泰三年（一四五二年）廢黜朱見深太子之位，改封沂王；景泰八年（一四五七年）英宗復辟後，朱見深再次被立為儲君。

憲宗的性格比較寬厚，據說每有死刑案件上奏，「多所寬宥，或不得已而行刑」㉓。即位之後，曾平反前朝一些冤獄。尤其是為于謙平反、恢復景泰帝號，為他博得良好聲譽。

于謙於土木之變後臨危受命，赤心報國，立下豐功偉績。但英宗復辟後，卻聽信讒言，將于謙處死，天下無不冤之。成化元年（一四六五年）二月，御史趙敔上疏，指出正統時蒙古進犯京城，「賴于謙一人保固，其功不小」，卻被石亨等人誣陷害死，「冤抑無伸」，請求為其平反。憲宗讀罷此疏，感慨說：「御史言是。自昔奸凶之徒，不誣人以惡，則不能甚人之罪；不甚人之罪，則不能大己之功。朕在青宮，稔聞謙冤。蓋謙實有安社稷之功，而濫受無辜之慘，比之同時駢首就戮者，其冤尤甚。所司其悉如御史言，亟行之。」㉔次年八月，于謙子于冕請予祭祀，憲宗命翰林院撰文，遣人到于謙墓前祭祀，祭文中說：「卿以俊偉之器，經濟之才，歷事先朝，茂著勞績。當國家之多難，保社稷以無虞；惟公道而自持，為權奸之所害。在先帝已知其枉，而朕心實憐其忠。」祭文給予于謙高度評價，一時天下傳誦。

與平反冤案相比，為景泰恢復帝號則要敏感得多。此事由湖廣荊門州訓導高瑤率先提出。他於成化三年（一四六七年）五月上疏指出，土木之變後，「宗社危如一髮，使非郕王繼統，國有長君，則禍亂何由而平？黠虜何由而服？鑾輿何由而還？六七年間，海宇寧謐，年穀屢豐，元元樂業，其功不小」。請求為郕王追加廟號㉕。憲宗將奏疏交廷臣討論，大家都覺得此事關係重大，不敢多嘴，拖了半年多，才回奏說：「郕王繼位六七年間，行事具在《實錄》，其廟號非臣下所敢輕議，請自上裁。」這

㉓王錡，《寓圃雜記》卷一。
㉔劉吉等，《明憲宗實錄》卷一四〈成化元年二月〉。
㉕劉吉等，《明憲宗實錄》卷四一〈成化三年四月〉。

等於什麼也沒說，推給憲宗自己決定。狀元出身的左庶子黎淳，上疏極言郕王過失，反對追加廟號，憲宗在其疏上批下「獻諂希恩」四字，並說：「景泰已往過失，朕不介意，豈臣下所當言！」㉖成化六年（一四七〇年）八月，御史楊守隨上疏，謂郕王「受命艱危時，削平禍亂，功甚大」㉗。此時憲宗正被他事煩擾，未明確表態。成化十一年（一四七五年）十二月，憲宗思及郕王功績，下旨肯定郕王有「戡難保邦，奠安宗社」之功，並稱英宗在世時已知郕王誣枉，欲為其平反，未及舉行而去世，自己繼承父志，決定恢復郕王帝號㉘。禮部召集廷臣會議，擬上謚號「恭仁康定景皇帝」。憲宗此舉頗得人心，有人讚譽說：「大哉憲皇，追稱景帝，所挽回元氣多矣！」㉙

憲宗的統治風格，可用庸碌無為加以概括。《明憲宗實錄》的編纂者曾為其下了這樣一個定論：「上以守成之君，值重熙之運，垂衣拱手，不動聲色，而天下大治。」所謂「天下大治」，無疑是溢美之詞。憲宗稟受明初以來之餘澤，國家雖未出現大亂子，但危機日深，矛盾叢生，顯然與「大治」局面大不相侔。但說憲宗「垂衣拱手」，卻是實情。他缺乏雄心，怠於臨政，在位二十三年，僅在成化七年（一四七一年）召見過閣臣一次，性格上也有點優柔寡斷，很容易受到他人左右。他的寵妃萬氏，就對朝政有很大影響。

㉖劉吉等，《明憲宗實錄》卷四九〈成化三年十二月〉。
㉗張廷玉等，《明史》卷一八六〈楊守隨傳〉。
㉘劉吉等，《明憲宗實錄》卷一四八〈成化十一年十二月〉。
㉙談遷，《國榷》卷三七。

《憲宗元宵行樂圖》

萬氏（一四三〇－一四八七年），小字貞兒，山東諸城人。宣德八年（一四三三年）入宮，一直隨侍在皇后孫氏身邊。天順年間，到東宮侍奉朱見深，朱見深對其依戀日深。憲宗即位時，年方十六，而萬氏年已三十有五，但憲宗卻對她寵愛有加，成化二年（一四六六年）封貴妃。對於憲宗專寵萬貴妃，許多人都難以理解，皇太后周氏也曾詢問：「彼有何美，而承恩多？」憲宗回答說：「彼撫摩，吾安之，不在貌也。」[30]由此可見，對於憲宗來說，萬氏實際上是亦妻亦母，起著精神慰藉的作用；也正因如此，憲宗對萬氏之愛終生不渝。由於萬氏可以察言觀色，左右憲宗，於是佞幸錢能、覃勤、汪直、梁芳、韋興等，「皆假貢獻，苛斂民財，傾竭府庫，以結貴妃歡，奇技淫巧，禱祠宮觀，靡費無算」[31]。大學士萬安與萬貴妃本無親戚關係，卻腆顏攀為族侄，以邀寵固位。可以說，成化朝的許多弊政，都有萬貴妃插手其間。

汪直就是靠侍奉萬氏而得寵的一位宦官。汪直，廣西大

[30] 查繼佐，《罪惟錄》列傳卷二〈皇后列傳〉。
[31] 張廷玉等，《明史》卷一一三〈后妃傳一〉。

藤峽瑤族人，幼年淨身入宮，後充昭德宮內使，侍奉萬貴妃。因年少黠譎，頗得憲宗寵信，陞為御馬監太監。成化十二年（一四七六年），「以左道惑眾」的「妖人」李子龍與宦官相結，經常到萬歲山觀望，被錦衣衛發現，伏誅。此事使憲宗深感不安，他「銳欲知外事」，遂令汪直易服化妝，經常帶領校尉密出伺察。成化十三年（一四七七年），設立西廠，以汪直提督，權勢遠遠超過另一特務機構東廠。西廠可以不俟奏請先行逮捕，偵伺的範圍，「自諸王府、邊鎮及南北河道，所在校尉羅列，民間鬥詈雞狗瑣事，輒置重法」，製造了很多冤案。如建寧衛指揮楊曄，是已故大學士楊榮的曾孫，與父楊泰為仇家所告，逃往京城，藏匿在姐夫董璵家。董璵向汪直的心腹錦衣衛百戶韋瑛求情，韋瑛假意應允，暗中卻報告汪直，將楊曄、董璵逮捕，用酷刑拷掠。楊曄受刑不過，妄言寄金於其叔父兵部主事楊士偉所，汪直不奏請，便將楊士偉下獄，並拷掠其妻孥，最後楊曄死於獄中，楊泰論斬，楊士偉等皆謫官。汪直還借此案，誣大臣多得楊曄賄賂，除大學士商輅外，並及刑部尚書董方、都御史李賓等。高級官員和官宦之家尚且如此，普通百姓更難自保，一時「冤死相屬，無敢言者」㉜。商輅等上疏，極言汪直之害，謂「自直用事，士大夫不安其職，商賈不安於途，庶民不安於業，若不亟去，天下安危未可知也」㉝，憲宗竟怒言：「用一內豎，何遽危天下？」經商輅等力爭，憲宗暫罷西廠，但不久復開，汪直權勢更盛，「士大夫益俯首事直，無敢與抗者」㉞。

㉜張廷玉等，《明史》卷三〇四〈汪直傳〉。
㉝張廷玉等，《明史》卷一七六〈商輅傳〉。
㉞谷應泰，《明史紀事本末》卷三七〈汪直用事〉。

重開西廠後，汪直倚重的心腹，有王越、陳鉞等人。王越為人不修小節，與其他官員關係不睦，後通過結識汪直心腹韋瑛，攀附上汪直，遂官運亨通，擢兵部尚書兼左都御史。陳鉞也靠諂附汪直，擢右副都御史，巡撫遼東。汪直「年少喜兵」，憲宗遂令他巡邊，汪直擺足派頭，「率飛騎日馳數百里，御史、主事等官迎拜馬首，箠撻守令。各邊都御史畏直，服櫜鞬迎謁，供張百里外」。時在遼東的兵部侍郎馬文升不肯逢迎汪直，遂被讒害，罷職謫戍。就連一些無賴，竟也利用汪直的權勢詐騙。江西人楊福與汪直相貌相似，遂詐稱汪直，自蕪湖至浙、閩，歷常州、蘇州、杭州、紹興、寧波、溫州等地，到達福州，一路上作威作福，官府皆奉承恐後，足見汪直氣焰之盛。汪直的專權跋扈，引起廣泛不滿。善於詼諧表演的小宦官阿丑，一次在憲宗面前做戲，佯醉謾罵。左右稱聖駕至，仍謾罵如故；稱汪公來，立即驚走。問其故，答曰：「今人但知汪太監也。」又一次演戲，扮做汪直模樣，手執兩鉞而行，左右問其何故持鉞，答曰：「吾將兵，仗此兩鉞耳。」問為何鉞，又答曰：「王越、陳鉞也。」㉟不過平情而論，王越、陳鉞二人，在北邊多有作為。

汪直的倒臺，起因於與另一宦官尚銘爭功。尚銘本因依附汪直而得進用，得掌東廠。時有盜竊西內物品者，東廠捕獲奏報，尚銘得到獎賞。汪直認為這是尚銘與自己爭功，大不悅。尚銘懼怕汪直傾陷自己，遂先發制人，密奏汪直向外洩露禁中祕事，並揭發王越勾結汪直諸多不法事，憲宗於是開始疏遠汪直。成化十七年（一四八一年），命汪直和王越往宣府禦敵，敵退，汪直請班師回京，憲宗不許，命其徙鎮大同。汪直久在外鎮，其寵更衰。給事中、御史紛紛彈劾汪直苛擾，大學士萬安等人也

㉟張廷玉等，《明史》卷三〇四〈汪直傳〉。

請罷西廠。成化十八年（一四八二年）三月，西廠最終停罷。次年六月，汪直被調到南京御馬監，不久降為奉御，其黨羽王越等亦先後被褫逐。

汪直之外，憲宗信用的宦官，還有梁芳、錢能、韋興、陳喜、王敬等人。這些宦官的權勢雖未達到汪直那樣的地步，但亦皆招權納賄，恣縱專橫。此外，也應看到，並非所有宦官都是朝政敗壞者。如懷恩就是一位正直的宦官。他掌司禮監，「性忠鯁無所撓，諸閹咸敬憚之」。員外郎林俊因直諫觸怒憲宗，憲宗欲誅之，懷恩不顧個人安危，極力諫止，使林俊免於一死。後懷恩被斥居鳳陽，孝宗即位後召回，力勸孝宗黜奸佞，進正直，「一時正人彙進，恩之力也」㊱。

除寵信宦官外，憲宗還崇佛溺道，以致妖人、佞幸飛揚跋扈，給朝政造成很大損害。其中名聲最大、劣跡最著者，有李孜省、繼曉等。

李孜省（?—一四八七年），江西南昌人。原為江西布政司吏，玩法受贓。後赴京考選，受贓事發，當罷黜為民，潛匿京師不歸。因憲宗溺好方術，李孜省便學五雷術，厚結宦官梁芳、錢義，以符籙進，果然得到憲宗寵倖。成化十五年（一四七九年），特旨授太常寺丞。御史楊守隨、給事中李俊等力諫，憲宗不得已，改授上林苑監副，然寵倖日甚，賜以「忠貞和直」、「妙悟通微」二印，許密封奏事。李孜省與梁芳等表裡為奸，干預政事。成化十七年（一四八一年），擢右通政，大臣交劾，多遭貶黜。後又進左通政，益作威福。他利用扶乩術，言江西人赤心報國，於是致仕副都御史劉敷、禮部郎中黃景、南京兵部侍郎尹直、工部尚書李裕、禮部侍郎謝一夔，皆因之以進，就連內閣大學士萬安、

㊱張廷玉等，《明史》卷三〇四〈懷恩傳〉。

劉吉、彭華也「從而附麗之」；而江西巡撫閔珪、洗馬羅璟、兵部尚書馬文升、順天府丞楊守隨等，則遭其排斥，皆被譴逐，以致朝野側目。後擢禮部右侍郎，仍掌通政司如故㊲。

繼曉，原為湖廣江夏（今湖北武昌）僧人，亦攀附梁芳，以祕術進，授僧錄司左覺義，進右善世，命為通玄翊教廣善國師。日誘憲宗為佛事，「建大永昌寺於西市，逼徙民居數百家，費國帑數十萬」。員外郎林俊請斬梁芳、繼曉以謝天下，幾得重譴。繼曉自知受人憎惡，惟恐禍及己身，遂乞歸養母，奏討空名度牒五百道，憲宗悉從之。繼曉為人奸黠，竊弄權柄，成化二十一年（一四八五年）發生星變，言官極論其罪，繼曉才被黜為民。此外，憲宗寵溺番僧，封法王、西天佛子、大國師、國師、禪師者，不可勝計。道士在憲宗朝也大受寵信，「羽流加號真人、高士者，亦盈都下」㊳。在憲宗的縱容下，一些僧道或橫行於朝廷，或作亂於地方，百姓深受其害。如被封為「大真人」的張元吉，私設監牢，濫用酷刑，先後殺害無辜四十餘人，事發，朝臣一致要求處以極刑，憲宗卻一再減刑，使其逍遙法外。

由於奸佞競進，憲宗率酬以官職，一時名爵大濫。憲宗即位僅一個多月，就命中官傳旨授司禮監工匠姚旺為文思院副使，此為「以內批授官」之始。「自後相繼不絕，一傳旨姓名至百十人，時謂之傳奉官，文武、僧道濫恩者數千」㊴。根據《憲宗實錄》統計，僅在成化十九年至二十三年（一四八三—

㊲張廷玉等，《明史》卷三〇七〈李孜省傳〉。
㊳張廷玉等，《明史》卷三〇七〈繼曉傳〉。
㊴張廷玉等，《明史》卷三〇七〈李孜省傳〉。

一四八七年）間，傳奉官至少就有一千一百多名。這也是成化朝屢受詬病的弊政之一。

傳奉官

傳奉官，指不經銓選、由皇帝傳旨所授之官。天順八年（一四六四年）二月十七日，剛即位二十六天的明憲宗派司禮監太監牛玉「傳奉聖旨」，陞工匠姚旺為文思院副使，此為明朝傳奉官之始。此後相繼不絕，日趨氾濫，有一次傳旨授官至百十人者，總數達四五千人。孝宗即位初期，曾清汰部分傳奉官，但後復以旨傳陞，延及正德年間。傳奉官主要由以下人等構成：擅長書法通達文字的士人、熱衷文學愛好詞曲的藝人、精於醫術通曉藥理的醫生、能夠製作精美器物的工匠、能夠識別並採買古董玩物的鑑賞家、具有一定造詣並能交流技藝心得的書畫家、善觀天象諳熟地理特別是能驅神捉鬼並精通房中術的術士、以祛病消災修煉來世祈禱太平自詡的番漢僧道，以及其他能夠證實自己有特殊技能的各色人等。

第四節　大藤峽用兵與荊襄起事

成化年間不但朝政庸暗，地方上也不安寧。在北部邊境地區，出現了蒙古韃靼部進入河套、騷擾明邊的新情況。土木之變後不久，蒙古瓦剌部內部發生矛盾。景泰四年（一四五三年），太師也先殺脫脫不花，自立為可汗。景泰六年，也先又被阿剌知院殺死，致使瓦剌內部分裂，勢力逐漸衰落。而蒙古韃靼部卻日益強盛，並逐步深入河套地區。河套是指今內蒙古南部和寧夏東部賀蘭山以東、狼山和大青山以南的黃河沿岸地區，因黃河在此流成一個大彎，猶如一個巨大的套子，故稱河套，蒙語則稱其為鄂爾多斯，延袤二千里，水草豐美，久為蒙古各部所垂涎。天順年間，有位叫阿羅出的部落首領，率部進入河套地區，自此長駐不去。成化初，孛來、毛里孩諸部也相繼到來，河套遂成韃靼諸部越冬之地。韃靼諸部入據河套，驟然縮短了蒙古本土與中原內地的距離，明朝陝西、延綏、寧夏、甘肅、宣府、大同諸邊，直接暴露於蒙古人面前，從此「邊事以棘」。明廷曾多次派兵進剿，但蒙古人「去輒復來，迄成化末無寧歲」㊵，甚至還常深入內地，成為明朝之大患。

北邊讓朝廷憂心，南部廣西的大藤峽地區也陷入混亂狀態。大藤峽在潯州府和柳州府之間，潯江由此流過，在這一段特別曲折，兩岸都是森林覆蓋的陡峭山嶺，懸崖絕壁，峽谷深隘，只有粗壯的大藤把兩岸連結起來，故稱大藤峽。人們若想來往於峽谷兩邊，只能攀緣大藤而過。這一地區東西長數

㊵張廷玉等，《明史》卷三二七〈韃靼傳〉。

百里，南北寬上百里，是瑤族和壯族的居住地。自唐宋以來，這裡就是羈縻州縣，由大大小小的酋長頭目充任土司土官。一方面由於內部階級壓迫導致的階級矛盾激化，另一方面由於漢官漢軍欺壓土著居民導致的民族矛盾激化，這一地區一向多事，入明以後，也很少有安寧的時候。朝廷除派兵彈壓外，還陸續增設衛所和土司衙門，試圖把當地土著限制圍困在深山之中。景泰七年（一四五六年），瑤族人侯大苟起事，聚眾至萬人，修仁、荔浦、力山、平樂等地的瑤民、壯民紛起回應，並逐步波及到廣東高、廉、雷諸州。天順七年（一四六三年），七百餘名起事者攻入梧州城，當時總兵官、鎮守太監、巡按御史以及三司官，俱擁重兵駐城中，皆不敢動。成化元年（一四六五年），根據兵部尚書王竑的建議，憲宗派右僉都御史韓雍率十六萬大軍前往征討。位於大藤峽地區北部的修仁、荔浦二縣，是進攻大藤峽的必經之路，韓雍首先驅兵攻取二縣，擒斬上萬人。然後分兵幾路，發動總攻，血洗大藤峽，侯大苟亦被俘殺。韓雍還命人砍掉厚達數尺的大藤，將大藤峽更名為「斷藤峽」。不過，明軍的勝利是暫時的。成化二年（一四六六年），侯鄭昂又率餘部起事，直到成化八年才被壓制下去。但剛過一年，柳州、潯州等地又出現動亂，這一地區長期不得安寧。

大藤峽用兵方酣，荊襄地區又發生了流民起事。荊襄是指湖廣西北的荊州府和襄陽府，與河南、陝西、四川接壤，山深地廣，延蔓數千里。唐宋時代，此地人煙稠密，後來由於長期戰亂的破壞，到明朝建國時，已是基本無人居住的荒蕪之地。從明初開始，一些生活無著的貧苦農民，便向這一地區流移，但政府總是採取措施迫使流民返回原籍。到明代中期，由於賦役負擔加重、土地兼併加劇，出現了大規模的流民潮，至成化年間，聚集在荊襄地區的流民已達一百五十萬人。有一個名叫劉通的人，在河南西華縣老家時曾舉起重達千斤的石狻猊，人稱「劉千斤」，成為流民中的一個領袖人物。成化元年（一四六五年），他聯合石龍（又名石和尚）、馮子龍等人在房縣（今屬湖北）大石城起事，自稱漢王，隊伍很快發展到四萬餘人。朝廷派遣撫寧伯朱勇、工部尚書白圭率軍前往鎮壓，並命在貴州用兵的湖廣總兵李震也會合作戰。李震在梅溪附近慘敗，損失都指揮以下軍官三十八名。白圭分兵四路，從南漳、遠安、房縣、穀城進逼梅溪。劉通轉移到壽陽，在古口山被俘身亡，部眾及家屬一萬餘人被殺。石龍一路隊伍轉移到四川，也被擊敗。

但是，嚴重的流民問題，並未隨著軍事鎮壓的成功而得到解決。由於一些地區連續乾旱，荊襄地區在短時期內又湧入近百萬難民。成化六年（一四七〇年），原劉通的部下李原（又稱李鬍子）、小王洪等再次起事，李原自稱太平王。起事隊伍活動於南漳（今屬湖北）、內鄉（今屬河南）、渭南（今屬陝西）一帶，大批流民附和回應，荊襄再次震動。朝廷派都御史項忠總督河南、湖廣、荊襄軍務，集結兵力二十五萬。成化七年，李原和小王洪先後被俘身亡。項忠不管流入時間長短、是否參與起事，對流民一概驅逐屠殺，「刀兵之加，無分玉石，驅迫不前，即草薙之，死者枕籍山谷」，當時未死被解往湖廣、貴州充軍者，「舟行多疫死，棄屍江滸，臭不可聞」㊶。據估計，被項忠驅散的流民，多達一百五十萬人，究竟有多少人死於非命，已難以確知了。

為了防止流民復入，朝廷一方面使用嚴刑恫嚇，一方面築堡戍守阻攔，但無濟於事，到成化十二年（一四七六年），聚集到此地的流民又達數十萬人。很明顯，僅僅依靠驅逐和鎮壓的手段，是無法真正解決流民問題的。朝廷不得不改弦更張，變鎮壓為安撫，派遣左副都御史原傑前往經略荊襄。原傑

㊶劉吉等，《明憲宗實錄》卷九八〈成化七年十一月〉。

幹練務實，到荊襄後，一面增設防禦力量，一面遍歷深山窮谷，向流民宣講德政，陳說利害，很快就樹立起威信。他對流民進行全面調查並造冊登記，並根據流民的自願，分別遣返原籍或就地入籍。在會同地方軍政官員實地踏勘的基礎上，他建議開設鄖陽府，以鄖縣縣城為府治，下轄鄖、房、竹山、竹溪、上津、鄖西、保康、白河八縣，並在鄖陽府設置湖廣行都司，立鄖陽衛，轄前、左、右三千戶所。經過原傑的一番經心處置，困擾明朝政府多年的荊襄流民問題終獲解決。由此也可看出，以前採取的驅逐和鎮壓措施是完全錯誤的；這種錯誤政策，加劇了荊襄地區的動亂，使流民遭受了很大的傷亡和痛苦。

第九章 從弘治中興到正德亂局

第一節　弘治中興的亮點與暗影

成化二十三年（一四八七年）八月，明憲宗去世，皇太子朱祐樘即位，是為明孝宗。明代中後期諸帝，無不大受詬病，惟獨孝宗得到高度讚譽。《明史．孝宗紀贊》云：

明有天下，傳世十六，太祖、成祖而外，可稱者仁宗、宣宗、孝宗而已。仁、宣之際，國勢初張，綱紀修立，淳樸未漓。至成化以來，號為太平無事，而晏安則易耽怠玩，富盛則漸啟驕奢。孝宗獨能恭儉有制，勤政愛民，兢兢於保泰持盈之道，用使朝序清寧，民物康阜。

還有些史書，給孝宗的歷史定位是「中興之令主」①。與明代中後期其他皇帝相比，孝宗確實比

①夏燮，《明通鑑》卷四〇。

較賢明、勤政、愛民，其治政有不少「亮點」。但也應看到，孝宗不具備大刀闊斧推行改革的氣質，他只是在有限的程度上緩解了統治危機，而不能消除危機，而且在他統治後期，各種弊政又重新出現，因而弘治一朝的治政，也存在許多「暗影」。

孝宗從乃父那裡繼承的政治遺產之一，是大批恃寵驕縱的宦官和奸佞。為了刷新政治，孝宗把清除這些人作為首務。即位第六天，就將飛揚跋扈的宦官梁芳貶居南京，將奸佞李孜省謫成陝西。不久，又逮捕梁芳、李孜省下獄，李孜省被拷掠致死。弘治元年（一四八八年），僧繼曉也被「逮治棄市」。成化年間出現了大批傳奉官，「文武僧道濫恩澤者數千」，孝宗即位後，下令清汰傳奉官，不出兩月，黜罷右通政任傑等二千餘人，並罷遣禪師、國師、真人等一千數百人。這樣，前朝留下的權閹、奸佞以及形形色色的傳奉官，基本上都被清除出去。對於高級官員隊伍，孝宗也進行了一番清理整頓。內閣首輔萬安諂附萬貴妃，只知獻媚邀寵，在政務上卻庸碌無為。孝宗即位時，他領頭起草登極詔書，為阻遏輿論，竟禁止言官風聞言事，一時輿論大嘩。孝宗早就「稔聞其惡」，即位後在宮中發現一篋奏疏，內容竟然都是談論房中術，疏尾皆署有「臣安進」字樣。孝宗令人持疏到內閣，當面指責說：「是大臣所為乎？」萬安惶愧出汗，無言以對，科道官遂紛起彈劾，孝宗令罷其職。

在罷斥奸邪之人的同時，孝宗大力選拔賢才，充實官僚隊伍，其中王恕、馬文升、劉大夏、劉健、李東陽、謝遷等，皆為一時名臣。王恕一向以直言敢諫，受到憲宗厭惡，成化末年被迫致仕。孝宗即位後，召王恕為吏部尚書，他竭誠任事，條陳時弊，引薦了一大批賢才，「弘治二十年間，眾正盈朝，職業修理，號為極盛者，恕力也」②。馬文升是一位文武全才型人物，長於應變，成化時曾任兵部尚書，因受到李孜省讒害，調任南京閒差。孝宗即位後，召拜左都御史，不久改任兵部尚書，兼提督團營。他嚴格考覈將校，黜罷貪懦者三十餘人。任兵部尚書十三年，「盡心戎務，於屯田、馬政、邊備、守禦，數條上便宜，國家事當言者，即非職守，亦言無不盡」③。王恕致仕後，又改任吏部尚書。劉大夏「明習兵事」，弘治初任廣東右布政使，弘治六年（一四九三年）因王恕薦，擢右副都御史，弘治十五年（一五〇二年）任兵部尚書，為人方正嚴直，練達政事，而且敢於反映民間疾苦，孝宗對他非常信任，屢次召見議事。劉健、李東陽、謝遷在孝宗為太子時皆曾充任講官，孝宗即位後加以重用，陸續入閣。三人各有特點，時人謂「李公謀，劉公斷，謝公尤侃侃」。他們「同心輔政，竭情盡慮，知無不言」④。正是由於「明於任人」，才成就了「弘治中興」的政治局面。

為了保持官僚隊伍的效率和廉潔，孝宗十分重視對官員進行考覈審察。弘治以前，各處參將等武官不在考察之列，以致有些人貪贓枉法卻無人過問。弘治元年（一四八八年），孝宗令考察武職鎮守等官，「凡有疾者、戴罪待問者、年老政聲無聞者、不愜人望者，皆罷之，年及六十者，令致仕」⑤。他還令吏、兵二部錄呈文武大臣以及中外四品官員姓名，貼於文華殿壁上，以便隨時省覽，並將各官為官事跡記錄在其姓名之下，以備陞遷罷黜。弘治八年，他要求吏部、都察院在考覈時注意掌握實情，「今後考察黜退官員，各從公詢訪，必得實跡，不可輕信偏聽，以致枉人」⑥。京官的考察，原是十

②張廷玉等，《明史》卷一八二〈王恕傳〉。
③張廷玉等，《明史》卷一八二〈馬文升傳〉。
④張廷玉等，《明史》卷一八一〈劉健傳〉、〈謝遷傳〉。
⑤焦芳等，《明孝宗實錄》卷九〈弘治元年正月〉。
⑥焦芳等，《明孝宗實錄》卷九九〈弘治八年四月〉。

年進行一次，南京吏部尚書認為間隔太長，孝宗採納其建議，改為每六年進行一次。過去各衙門正官與佐貳官不和，互相攻擊，則不論曲直，一概免職，孝宗令具體情況具體對待：如係佐貳官貪暴殃民、倚強恃老欺壓正官，允許正官具奏斥退；如係正官贓濫不法，允許佐貳官申稟，將正官治罪；如係雙方因忿致爭，方以同僚不和懲治。

憲宗時，言路阻塞，直言敢諫之人多遭謫罰。孝宗即位後，廣開言路，一時官員們紛紛上疏，或進諫，或獻策，孝宗多虛心接納。一次，孝宗在萬歲山建一棕棚，以便登臨眺望，太學生虎臣得知，上疏切諫，國子監祭酒費誾恐受牽連，將虎臣上枷鎖繫於樹下，不久孝宗將虎臣傳喚左順門，慰諭說：「若言是，棕棚已毀矣。」虎臣名聞京城，不久得授七品官，赴雲南任知縣。還有一次，孝宗在後苑遊玩之後，御經筵聽講，侍講學士王鏊遂講「文王不敢盤於遊畋」，反覆規諫，孝宗不但未生氣，事後還對陪他遊玩的宦官李廣說：「講官所指，殆為若輩，好為之！」此後「遂罷遊獵」⑦。

明代中後期皇帝多不上朝，孝宗則比較勤政，除早朝外，又增加了午朝，還經常在便殿召見大臣，與他們講論治道，謀議政事。對於民生疾苦，孝宗也比較關心。他見劉大夏奏疏中提到「天下民窮財盡」，便召見詢問說：「祖宗以來徵斂有常，何以今日至此？」劉大夏對曰：「正謂不盡有常耳。如廣西歲取鐸木，廣東取香藥，費固以萬計，他可知矣。」孝宗又詢問士兵情形，對曰：「窮與民等。」孝宗不解地問：「居有月糧，出有行糧，何故窮？」對曰：「其帥侵剋過半，安得不窮？」孝宗歎息說：「朕臨御久，乃不知天下軍民困，何以為人主！」遂下詔嚴禁⑧。各地發生自然災害，孝宗一般

⑦夏燮，《明通鑑》卷三八；《明史》卷一八一〈王鏊傳〉。

都減免賦稅，有時還撥發帑金賑濟災民。由於採取了一些有利於民生的措施，弘治時期社會矛盾相對緩和，農民起事也較前後朝代為少。

儘管弘治朝政確有許多值得肯定之處，但也應看到，弘治年間的政治改良是很不徹底的，存在著不少弊病和隱憂。

就孝宗本人而言，他對政務的興趣與日俱減，特別是弘治八年（一四九五年）以後，在宦官李廣等人的引誘下，他越來越熱中於齋醮燒煉，而出來視朝的時間越來越晚，批復章奏的間隔越來越長。大學士劉健在一份奏疏中，曾尖銳地指出：

> 陛下即位之初，百度一新，遠近欽戴。邇來勤勵之志，漸異於前。每日早朝，不過數刻，而起鼓或至日高；宮中奏事，止得一次，而散本或至昏黑。侍衛接本之人，筋力疲憊，不得休息；百司庶府之事，文書壅滯，不得施行。一事之決，動經旬月；一令之出，隨輒廢弛。⑨

不但處理政務日見懈怠，原來革除的一些弊政，也又逐漸出現。如孝宗即位初，曾大力清汰僧道和傳奉官，但到弘治九年（一四九六年），孝宗下令陸灌頂大國師劄巴堅為西天佛子，並恢復了道錄司左正一王應琦三人之「真人」、「高士」原職。孝宗還踵襲乃父故習，以中旨大量陞授官職。弘治十二

⑧張廷玉等，《明史》卷一八二〈劉大夏傳〉。
⑨唐鶴徵，《皇明輔世編》卷二〈劉文靖健〉。

年（一四九九年），因出現彗星，五府六部疏言：「近年傳陞乞陞文職，至八百四十餘員，武職至二百六十餘員，比成化末年增一倍。」⑩再如憲宗朝宮廷用度浩繁，財政匱乏，孝宗即位後，馬文升疏言「一應供應之物，陛下量減一分，則民受一分之賜」，孝宗「嘉納之，悉施行」⑪。隨著統治時間的增加，孝宗在節儉方面漸不如初，「興作相繼，費出無經，民困於科派，軍困於力役」，「民困財竭」的狀況重又出現⑫。

在對待宦官方面，有鑑於成化年間宦官專權亂政之害，約束稍嚴，後則逐漸放縱。孝宗最寵信的宦官李廣，以符籙禱祀得幸，權傾中外，就連駙馬貴戚亦事之如父，總兵鎮守皆呼之為公。李廣奪民田，專鹽利，官員爭進賄賂。李廣死後，孝宗懷疑他藏有異書，遣人到其家索取，得一冊簿，上面記有很多文武大臣姓名，名下還註明饋送黃白米各若干石。孝宗看了很奇怪，問：「廣食幾何，乃受米如許？」左右告訴他說：「隱語耳，黃者金，白者銀也。」⑬皇后張氏及其兄弟為人皆貪婪，孝宗一味寬縱，賞賜大量田地和官店，任其胡作非為，亦為弘治朝一大秕政。

⑩沈德符，《萬曆野獲編》卷一〈弘治中年之政〉。
⑪谷應泰，《明史紀事本末》卷四二〈弘治君臣〉。
⑫夏燮，《明通鑑》卷三八、三九。
⑬張廷玉等，《明史》卷三〇四〈李廣傳〉。

第二節　劉瑾專權

弘治十八年（一五〇五年）五月，孝宗去世，十四歲的皇太子朱厚照繼位，是為明武宗。孝宗去世前，對太子感到有點擔心，他召見內閣大學士劉健、李東陽、謝遷，囑託說：「東宮年幼，好逸樂，卿等當教之讀書，輔導成德。」⑭

孝宗去世後，劉健等利用起草遺詔的機會，宣佈革除一些弊政，如蠲免弘治十六年（一五〇三年）以前逋賦，裁減部分馬房、倉庫管事內官，停罷禮部揀選宦官和樂工，禁止皇親勳臣勢要之家奏討鹽引、侵占土地，鼓勵官員進言等等。但初登皇位的武宗，對此卻不加措意。他極力張揚其「好逸樂」的個性，根本不接受顧命大臣們的輔導規勸。武宗經常尋找各種理由停罷經筵，每日的朝參或遲遲不到，或藉故傳免，根本無心理政，天天與一幫宦官廝混在一起，尤以劉瑾、馬永成、高鳳、羅祥、魏彬、丘聚、谷大用、張永八人最受寵信，時稱「八黨」或「八虎」。很快，劉瑾就成為「八虎」之首領。劉瑾（約一四五一－一五一〇年），陝西興平人，本姓談。幼年入宮，依劉姓宦官得用，乃冒其姓。弘治時在東宮侍奉太子，武宗即位，掌鐘鼓司，進內官監太監，總督團營。「八虎」以狗馬鷹犬、歌舞角觝，引導武宗遊戲娛樂，孝宗遺詔中的各項革弊佈新事宜，全都廢格不行。

武宗的所作所為，令朝臣們大失所望。戶部尚書韓文退朝後，常與屬吏談到宦官亂政，「輒淚數行

⑭夏燮，《明通鑑》卷四〇。

下」。顧命大臣不斷上疏要求減少遊樂，專心朝政，武宗總是表面答應，卻並不真正採納。他們認為武宗醉心遊獵，都是「八虎」誘導所致，決心合力將「八虎」除去。正德元年（一五〇六年）十月，劉健、謝遷等連疏請誅劉瑾等為惡宦官，戶部尚書韓文率諸大臣繼之，要求武宗「奮乾綱，割私愛，上告兩宮，下諭百僚，明正典刑」[15]。司禮監太監王岳、范亨、徐智等，也厭惡劉瑾等之為人行事，贊成清除「八虎」。武宗見到這些奏疏，「驚泣不食」，他打算採取一種折衷的辦法處理此事，將劉瑾等安置到南京閒住。兵部尚書許進勸劉健等適可而止，以免過激生變，但劉健等卻不想就此罷手。在他們看來，自己是先朝老臣，武宗會顧及到他們的影響力，況且武宗與劉瑾等感情深厚，安置南京，隨時都有可能再召回來。他們決心奮力一搏，除惡務盡。劉健見武宗捨不得誅殺劉瑾等，在內閣推案大哭曰：「先帝臨崩，執老臣手，付以大事。今陵土未乾，使若輩敗壞至此，臣何面目見先帝！」王岳將劉健之言報告武宗，並說：「閣臣議是。」[16]劉健、韓文等還與九卿相約，次日伏闕力爭。

吏部尚書焦芳素與劉瑾交結，將廷臣的動向迅速密報劉瑾。劉瑾大懼，連夜率「八虎」去見武宗，他們環跪在武宗周圍，伏地痛哭。劉瑾還倒打一耙，挑撥說：「害奴等者王岳。岳結閣臣，欲制上出入，故先去所忌耳。且鷹犬何損萬幾？若司禮監得人，左班官安敢如是！」[17]武宗被劉瑾說動了心，立即命劉瑾掌司禮監，馬永成掌東廠，並復設西廠，由谷大用掌管；贊成外廷意見的王岳、范亨、徐

[15] 夏燮，《明通鑑》卷四一。
[16] 張廷玉等，《明史》卷一八一〈劉健傳〉。
[17] 谷應泰，《明史紀事本末》卷四三〈劉瑾用事〉。

智等，當夜即被逮捕，發落到南京充淨軍。第二天，朝臣準備伏闕面爭，發現一夜之間，劉瑾等已化解危機，掌握主動。劉健、謝遷、李東陽知事情無可挽回，皆上疏求去。武宗令劉健、謝遷致仕，因爭論時李東陽語氣稍緩和，得以獨留。王岳、范亨等赴南京途中，劉瑾派人追至臨清，將他們縊殺。在朝臣與「八虎」的較量中，「八虎」取得絕對勝利。

劉瑾得勢後，更加肆無忌憚地排斥異己。對於帶頭反對自己的戶部尚書韓文，必欲除之而後快，每日派人窺視過失，一日有人將假銀輸入內庫，遂歸罪韓文，將其罷職。正德二年（一五〇七年）三月，劉瑾矯旨召群臣到金水橋南，跪聽宣示奸黨，劉健、謝遷、韓文等五十三人都被列入奸臣榜中。同時，劉瑾又大力安置自己的親信。吏部尚書焦芳在劉健、謝遷被逐後，旋即入閣。他與劉瑾表裡為奸，杜塞言路，一手把持內閣大權；李東陽雖以舊閣臣留任，不敢與之抗，閣事全任焦芳處理。後來，劉瑾的私黨劉宇、曹元等也陸續入閣，內閣大權被劉瑾牢牢控制。一時外廷大僚紛紛投附劉瑾，僅六部正副堂官中，就有二十多人成為劉瑾黨徒。

為了攬權專政，劉瑾利用武宗貪玩好逸的個性，故意在武宗玩興正濃時，抱來一大堆奏章讓他處理。遇到這種情況，武宗總是說：「吾用爾何為？乃以此一一煩朕耶！」於是以後劉瑾「不復奏，事無大小，任意剖斷，悉傳旨行之」[18]。正德二年（一五〇七年）四月，劉瑾矯詔令內閣撰寫敕書，令「天下鎮守太監得預刑名政事」，正式授予宦官干預地方司法和政務活動的權力。劉瑾口銜天憲，勢傾中外，就連公侯勳戚也不敢與之抗禮，私謁劉瑾時相率跪拜。官員題奏，都要先具紅色揭帖投送劉瑾，

[18] 夏燮，《明通鑑》卷四二。

稱為「紅本」，然後再送通政司，稱為「白本」，皆只稱劉太監而不敢稱其名。一次都察院奏事失察，竟稱其名，劉瑾怒詈，都御史屠滽率僚屬跪謝，劉瑾才算罷休。大小官員奉命出外及還京，朝見皇帝畢，都要赴劉瑾處見辭。當時京城內外都說有兩個皇帝，一個坐皇帝，一個立皇帝，一個朱皇帝，一個劉皇帝。

劉瑾還常借事立威，正德三年（一五〇八年）六月二十六日早朝，在丹墀發現一封匿名信，內容是揭發劉瑾的各種不法行徑。劉瑾大怒，令百官跪在奉天門下聽候發落。當時正值暑天，朝臣不耐暴曬，竟有昏迷至死者。因無人承認，晚上劉瑾又將五品以下官員全部關進監獄，共有三百多人。次日，大學士李東陽上疏申救，劉瑾也聽說此信是宦官所寫，才將官員們釋放。為了強化偵察和控制能力，劉瑾在東廠、西廠之外，又設立內行廠，自己親自掌管。內行廠為害「尤為酷烈，中人以微法，無得全者。凡所逮捕，一家有犯，鄰里皆坐，或瞰河居者，以河外居民坐之。屢起大獄，冤號相屬」⑲。地方官員入京朝覲，畏懼劉瑾虐焰，遂斂銀賄賂以免禍，每省至二萬兩，銀不夠者向京城富豪借貸，復任之日，從官庫中取銀償還，稱為「京債」，這在當時成為一種慣例。

當然，對於劉瑾用事期間的所作所為，也不能完全否定。他也推行了一些改革措施，如堵塞了鹽法、屯政中的一些漏洞，對勢要之家的特權有所裁抑，對宦官們的行為也有所約束，這些都是有積極意義的。劉瑾對吏治頗為重視，採取了一些整頓措施，如對官員特行考察，遣旗校巡察，加重對不合格官員的懲罰，而最有特色的是針對「事多未完」的現狀，設立稽考法：「撫、按自接管日為始，一

---

⑲夏燮，《明通鑑》卷四二。

切勘合俟報完，乃許交代。如有互為挪移及遷延後期者，新舊撫、按俱降二級別用。其三司掌印及守巡官陞調，事故勘合未完輒離任者，降級亦如之。」此法實行後，「諸司以勘合未完多獲罪者」⑳。可惜的是，劉瑾倒臺後，他所進行的制度變更，包括那些有積極意義的變革，皆被廢止。

劉瑾的專權，成為安化王朱寘鐇叛亂之口實；而朱寘鐇之叛亂，又成為劉瑾倒臺之導火線。朱寘鐇是朱元璋第十六子慶靖王朱㮵之曾孫，於弘治五年（一四九二年）嗣安化王位。他相貌魁梧，女巫王九兒使用經過訓練的鸚鵡，妄言禍福，每次見到朱寘鐇，輒呼「老天子」，朱寘鐇也以為自己有帝王之相，圖謀造反。正德四年（一五〇九年）八月，劉瑾派人赴邊清理屯田，大理寺少卿周東為了向劉瑾獻賄，度田時以五十畝為一頃，多徵畝銀，並嚴刑逼收屯租，以致民怨沸騰。正德五年（一五一〇年）四月，朱寘鐇遂起兵反叛，襲殺了周東、總兵姜漢等，頒佈「清君側」檄文云：

劉瑾蠱惑朝廷，變亂祖法，屏棄忠良，收集凶狡，阻塞言路，括斂民財。籍沒公卿，封拜侯伯。數與大獄，羅織無辜。肆遣官校，脅持遠近。張綵、劉璣、曹雄、毛倫，文臣武將，內外交結，意謀不軌。㉑

陝西守臣將朱寘鐇發佈的檄文、告示馳報朝廷，劉瑾命將檄文壓下，只將叛亂事奏報。武宗頒詔

⑳費宏等，《明武宗實錄》卷五一〈正德四年六月〉。
㉑鄭曉，《今言》卷四。

天下，宣佈減輕刑罰、撤回各地清理屯田差官、蠲免歷年拖欠租糧等，以穩定人心。命令涇陽伯神英充總兵官，起用前右都御史楊一清提督軍務，太監張永監軍。但大軍尚未到，朱寘鐇就被遊擊將軍仇鉞設計擒獲，叛亂失敗，僅持續十八天。楊一清馳赴寧夏處理善後事宜，不久張永也來到寧夏，楊一清主動與他結交。張永本為「八虎」之一，劉瑾得勢後，欲對宦官稍加約束，張永等有所請託，劉瑾多不應，因此頗有怨言，還曾與劉瑾發生衝突。楊一清了解到張永與劉瑾存有嫌隙，力勸張永揭發劉瑾罪惡，並說劉瑾被誅，張永必得大用。八月十五日，張永回到北京報捷獻俘，武宗置酒慰勞。待劉瑾退席後，張永便向武宗出示了朱寘鐇之檄文，並陳奏劉瑾諸不法事，武宗被說動，當夜即逮捕劉瑾，朝臣紛紛疏劾其罪，最後將劉瑾處以磔刑，族人、同黨皆受到嚴懲。

第三節　豹房政治與嬉遊生活

武宗性好嬉遊，正德二年（一五〇七年），在宦官誘導下，令於西華門外太液池南岸別構院籞，建造宮殿，並造密室於兩廂，勾連櫛列，稱為「豹房」。是年八月，武宗撇開歷朝皇帝居住的乾清宮，搬到豹房居住。他還不惜財力，不斷增修豹房。正德七年（一五一二年）十月，工部奏報：「豹房之造，迄今五年，所費白金二十四萬餘兩。今又增修二百餘間，國乏民貧，何以為繼？乞即停止，或量減其半。」[22]武宗不聽，仍令建造。

[22]夏燮，《明通鑑》卷四四。

豹房勇士銅牌

武宗之所以捨棄乾清宮，住進豹房，有這樣幾個原因：第一，明代宮廷嚴格，住在乾清宮受到約束較多，而豹房為遊幸之所，在豹房的活動也不屬於宮廷禮儀範圍，可以不受宮廷禮制的拘束；第二，豹房不是一般朝臣進謁皇帝的地方，武宗在此可以天天與親近寵臣廝混在一起，而盡量避開朝臣的干擾；第三，豹房是武宗取樂的場所，他在此廣置女孌，恣行淫樂，為所欲為，自然樂此不疲，留連不返。

活動於豹房的政治勢力，主要有三種：第一種是宦官，正德前期以劉瑾為首的「八虎」是宦官集團的核心，他們分掌司禮監、東廠、西廠、京營，幾乎包攬了一切軍政大權，在豹房諸種政治勢力中地位最為顯赫，其他勢力都是以他們為依託。第二種是邊軍將領。邊軍在明代專指北方防禦蒙古的九邊鎮所屬部隊，按照祖制，「京軍所以衛內，不以無故而外出，恐有四方窺伺之虞；邊兵所以捍外，不以無事而弛備，恐有一旦倉卒之患」，將京軍調外、邊軍調內，便有可能出現「邊兵弱則夷狄為患，畿兵弱則邊兵為患」之局面㉓。正德四年至七年（一五〇九－一五一二年），畿內發生劉六、劉七起事，武宗調宣府、大同、延綏、遼東四鎮兵入內參與鎮壓。事後，武宗傳旨，令兌調京營、宣府官軍，往來操習備禦。這樣，四鎮兵便長期留京而不再返鎮，稱為「外四家」，邊軍將領江彬、許泰等被任命為統帥，邊帥遂也成為豹房中的實力人物。豹房中的第三種勢力，便是大管家錢寧和依附宦官的朝臣。錢寧是前朝太監錢能的養子，正德初投靠劉瑾，被薦入豹房，得到武宗寵信，言無不聽，賜姓朱，累遷至左都督，掌錦衣衛事，典詔獄，名刺上自署「皇庶子」，其子錢永安，年方六歲即封為都督，養子錢傑、錢靖等也都冒姓朱，授錦衣衛官。依附宦官的朝臣，主要為焦芳、張綵、王瓊等。焦芳在劉瑾得勢後即被擢入內閣，張綵由吏部主事很快陞為吏部尚書，王瓊則從工部郎中很快陞為戶部尚書、兵部尚書，他們出入豹房，不少事情都不經內閣票擬，直接取旨施行。

武宗在豹房怠於理政，誅除劉瑾後，不但不接受教訓，反而荒嬉更甚，朝政悉由江彬、錢寧等一班奸佞把持。武宗每天召教坊司樂工入內承應，猶嫌人數不足，下令河間府樂戶技藝精湛者悉遣入京。他聽說錦衣衛都督同知于永是色目人，「善陰道祕術」，立即召入豹房密談，十分投機。于永也竭力獻媚取寵，稱說回回女子肌膚潔白如玉，貌美非凡，並從別人那裡索取「回女善西域舞者」十六人進獻，供武宗玩樂。延綏總兵官馬昂因奸貪驕橫被罷職，有妹善歌舞騎射，已嫁指揮畢春，馬昂竟奪歸獻於武宗，武宗遂擢馬昂右都督，其弟馬炅、馬昶也獲賜蟒衣，並賜一大宅院，宦官們皆呼之為舅。一次

㉓費宏等，《明武宗實錄》卷九四〈正德七年十一月〉。

武宗到馬昂家飲酒，看中其愛妾，馬昂託故拒絕，武宗大怒而去，馬昂急忙將愛妾進獻，武宗擢陞馬炅為都指揮，馬昶為儀真守備，馬昂大喜，復進美女四人。正由於武宗極好美色，一次京城流言四起，說皇帝將大選女子以充後宮，弄得人心惶惶，不少有女兒人家，恐怕被選中，竟隨便尋一男子，將女兒草草嫁了。

除在豹房享樂外，武宗還常出外遊玩，有時數日不歸。當時在京的朝鮮使節朴榮曾記載說：「闕外有西湖，皇帝日事遊行，每車駕出，盡閉宮門，或三四日，或五六日，如是者殆無虛月。又皇帝視朝，月不過二度，本國使留皇都五十日，皇帝視朝只正朝及慶宴而已。」㉔正德九年（一五一四年），武宗開始微服外出，夜裡常到教坊觀樂，「見高屋大房，即馳入，或索飲，或搜其婦女，居民苦之」。從正德十二年（一五一七年）開始，在江彬等人的引誘下，武宗頻繁到外地遊玩，先後到過昌平、密雲、居庸關、宣府、陽和（今山西陽高縣）、大同、太原、榆林等地。去陽和時，武宗想改變一下身分，自署為「總督軍務威武大將軍總兵官」，駐蹕之處稱「軍門」，凡調發軍隊，皆以威武大將軍鈞帖行之。在大同，他又降敕加封自己為鎮國公，歲支祿米五千石。武宗每到一處，「近侍先掠良家女以充幸御，至數十車，在道日有死者。左右不敢聞，且令有司餼廩之，別具女衣首飾為賞賚費。遠近騷動，所經多逃亡」㉕。武宗對宣府尤為留戀，稱為「家裡」，不僅數次前往，還在此建鎮國府第，輦豹房珍玩、美女於府中，縱情玩樂，並經常夜間闖入民家索要婦女。

㉔吳晗，《朝鮮李朝實錄中的中國史料》上編卷一三。
㉕毛奇齡，《明武宗外紀》。

在北方玩膩了，武宗又想到南方走一走。正德十四年（一五一九年），他下詔南巡，內閣大臣力諫不聽，於是兩京給事中、御史皆上疏諫阻，群臣也紛紛上疏勸諫。武宗與諸佞幸大怒，將兵部郎中黃鞏等六人逮下錦衣衛獄，翰林修撰舒芬等一百零七人罰跪午門五日。諸臣晨入暮出，身被桎梏，累累若重囚，觀者無不歎息。金吾衛都指揮僉事張英自刃以諫，衛士奪刃，得不死，下詔獄鞫治，被杖殺。不久又分兩批，杖舒芬等一百四十六人於闕下，其中十一人慘死杖下。經過這番折騰，武宗也暫時失去興致，南巡之事作罷。但時隔不久，封地在南昌的寧王朱宸濠叛亂，武宗遂假親征之名，實現了南巡的願望。回途中，在淮安清江浦泛舟落水，自此患病，正德十六年（一五二一年）三月死於豹房。武宗死前，還想保護他所寵信的宦官，對司禮監太監說：「朕疾不可為矣。其以朕意達皇太后，天下事重，與閣臣審處之。前事皆由朕誤，非汝曹所能預也。」㉖

第四節　京畿農民起事與寧王叛亂

由於統治集團腐敗，社會矛盾激化，正德年間是農民起事的多發期。其中四川、江西、北直隸等地都發生了規模較大的農民起事。四川的農民起事發生於正德四年（一五〇九年），其領袖藍廷瑞、鄢本恕、廖惠分別自稱「順天王」、「刮地王」、「掃地王」，民眾紛起回應，眾至十餘萬，勢力擴展到陝西、湖廣等地。在明軍的鎮壓下，起事領袖相繼被俘，但其餘眾轉戰於陝西、貴州等地，直到正德九

㉖張廷玉等，《明史》卷一六〈武宗紀〉。

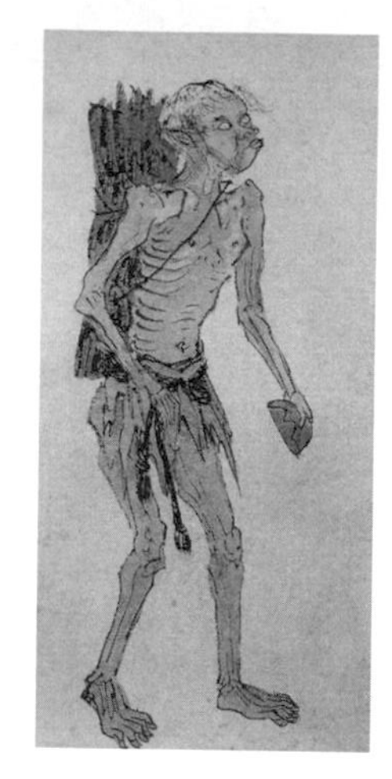

周臣《流民圖》（局部）

年（一五一四年）才被徹底撲滅。江西自正德六年以來，農民起事此起彼伏，持續不斷，幾乎波及全省。正德十二年（一五一七年），江西南部的農民起事趨於激烈，起事隊伍轉戰在江西、福建、廣東、湖廣的交界地帶，攻州縣，殺官吏，聲勢浩大。後來朝廷派右僉都御史王守仁為南贛巡撫，提督軍務。王守仁剿撫並用，南贛幾支農民隊伍相繼被鎮壓。

最使朝廷感到震驚的，還是京畿地區爆發了大規模農民起事。明朝自天順以來，皇莊及各類莊田不斷擴展，這些莊田大多分佈在京畿地區。武宗即位一個月內，就在大興縣建立皇莊七所，後又陸續建蘇家口等處皇莊二十四處，勳戚、宦官之莊田更是星羅棋佈。莊頭豪佃侵占民田，搶奪人口，為害甚烈。除莊田之害外，明朝為選馬備邊，強迫北直隸、山東、河南等地人民養馬，養馬戶須按規定數額交納馬駒，若馬匹死亡或生駒不夠數，則要賠償，因此破家者多，當時有「江南之患糧為最，河北之患馬為最」之說。㉗正是在這種背景下，正德五年（一五一〇年）十月，文安縣人劉六、劉七在霸縣起事。他們推舉交河人楊虎為首，京南固安、永清、文安等縣「諸窮民回應之，旬日有眾數千人，屢敗官兵」[28]。不久，文安生員趙鐩與其弟也率五百人起而響應。正德六年春，起事隊伍攻入山東，以後又由山東回攻京畿，來去倏忽，勢如風雨。隨著隊伍壯大，起事隊伍兵分兩路，一路由劉六、劉七、齊彥名率領，一路由楊虎、劉惠、趙鐩率領。兩路時分時合，往來接應，轉戰於京畿、山東等地。起事隊伍所到之處，人民「樂於供給，糧草器械，皆因於民，棄家從亂者，比比皆是」[29]。是年八月，兩支起事隊伍聯合進逼京師，遭到明軍阻擊，於是轉而南下。

正德六年（一五一一年）九月，楊虎一路起事隊伍連破興濟、滄州，進至山東，攻破不少郡縣。明朝命太監谷大用總督軍務，兵部侍郎陸完提督軍務，加派京營軍，並增調宣府、大同、延綏邊兵，前往鎮壓。楊虎率軍突破包圍，南向攻徐州不克，十一月至宿遷渡小黃河（黃河故道），不幸落水身亡。楊虎死後，眾推劉惠為首、趙鐩為副，楊虎妻崔氏亦勇敢善戰，所率部稱「楊寡婦軍」。劉惠率軍進入南直隸霍丘（今屬安徽），大敗明軍，殺都指揮王保。「當是時，河、淮南北官吏望風遁」。起事隊伍勢力日盛，遂重新整合，共推劉惠為奉天征討大元帥，趙鐩為副元帥，下設前、後、左、右、中五個都督，分二十八營，各樹大旗為號。旗上大書「虎賁三千，直抵幽燕之地，龍飛九五，重開混沌之天」，把矛頭直指明朝最高統治者。朝廷派人招撫，趙鐩復書說：「群奸在朝，濁亂海內，誅殺諫臣，

㉗顧炎武，《天下郡國利病書》卷五〈北直隸·大名府田賦志〉。
㉘高岱，《鴻猷錄》卷一二〈平河北寇〉。
㉙費宏等，《明武宗實錄》卷七四〈正德六年四月〉。

屏斥元老。乞皇上獨斷，梟群奸之首以謝天下，斬臣之首以謝群奸。」㉚正德七年（一五一二年），趙鐩在江夏被俘，押送京師處死。劉惠轉至河南桐柏、南召，戰鬥中負傷自殺。

劉六、劉七率領的起事隊伍，於正德六年（一五一一年）秋攻入山東，連破日照、海豐、壽張、陽穀、曲阜等十城。次年，明軍十萬合圍起事隊伍，劉六、劉七率精騎突圍，明軍難以抵禦。他們由山東再攻回京畿，進抵香河、寶坻、玉田諸縣，轉攻武清，屢敗明軍，殺參政王杲，對京師構成嚴重威脅。明朝發重兵堵截，劉六、劉七率眾南下，經冠縣、平原、邳州，渡河到固始。由於劉惠、趙鐩部已被鎮壓，劉六、劉七只得孤軍奮戰。他們轉戰湖廣，在黃州團鳳鎮兵敗，劉六與其子投水自殺。劉七和齊彥名奪得船隻，率眾順江而下，直至南通，活躍在九江、安慶到南通的長江沿岸，「凡三過南京，往來如入無人之境」㉛。但起事隊伍不適應舟居，欲登岸趨淮安，復還山東，為揚州官軍所拒，遂以狼山為根據地。明朝調集大軍，彙聚於長江南北。正德七年（一五一二年）八月，狼山突遭強颱風襲擊，明軍趁機發動總攻擊，劉七中箭投水自殺，齊彥名戰死，起事最終失敗。

除農民起事外，正德年間還發生了兩次藩王叛亂。一次是安化王朱寘鐇之叛，如前所述，這次叛亂僅持續十八天，對王朝統治影響不大，但它產生了一個意外結果，即促成了劉瑾的倒臺。另一次叛亂由寧王朱宸濠在南昌發動，其聲勢要比朱寘鐇大得多。

㉚高岱，《鴻猷錄》卷一二〈平河北寇〉。

㉛谷應泰，《明史紀事本末》卷四五〈平河北盜〉。

朱宸濠的高祖，是明太祖朱元璋第十七子朱權，封地原在位於北方邊境的大寧。明成祖朱棣奪取皇位後，將他改封在南昌。朱權死，世子朱盤烒先卒，孫朱奠培嗣位，是為朱宸濠之祖父，天順年間因罪削去護衛。朱奠培死，朱宸濠之父朱覲鈞嗣位。弘治十年（一四九七年），朱覲鈞死，朱宸濠繼為寧王。朱宸濠是一個奸詐而有野心的人，與朱寘鐇一樣，他的野心得到術士們胡言亂語的助長。為了積蓄軍事力量，他重金賄賂當權宦官劉瑾，因而在正德二年（一五〇七年）得以恢復護衛軍。劉瑾被殺後，他的護衛又被裁撤，但他不怕挫折，通過結交兵部尚書陸完和武宗倖臣臧賢、錢寧，在正德九年（一五一四年）再次達到恢復護衛的目的，更加積極地策劃謀反。因武宗無子，朱宸濠試圖以己子入嗣，故謀反行動隱忍不發。正德十四年（一五一九年），邊將江彬、太監張忠在與朱宸濠之靠山臧賢、錢寧的相互傾軋中占了上風，受他們影響，武宗改變了對朱宸濠的態度，把他派到京城的人驅逐回去，還派勳戚大臣帶著聖旨前往南昌誡諭朱宸濠，收其護衛。

朱宸濠知道以己子入嗣皇位已然無望，決定發動叛亂。正德十四年（一五一九年）六月十三日，他以慶祝生日為名，設宴招待地方文武官員。次日一早，與宴官員前來道謝，朱宸濠命令侍衛把地方官員包圍起來，聲稱奉太后密旨，將起兵入朝。江西巡撫孫遂、按察司副使許逵不從，被殺。其他官員均表示歸順。朱宸濠留下一些人防守南昌，自己率軍前去攻打安慶。南贛巡撫王守仁得到消息，急忙招集附近各府州縣兵力，直搗南昌，並將這座城池攻克。圍攻安慶尚未得手的朱宸濠，聽到南昌失陷，急忙回軍解救，途中與朝廷軍發生激戰，兵敗被俘。叛亂前後持續了四十三天。武宗得知叛亂消息，決定以此作為南巡藉口，傳旨令總督軍務、威武大將軍、鎮國公朱壽，也就是他自己統領各鎮兵征剿。親征隊伍剛到涿州，就接到王守仁擒獲朱宸濠的戰報。武宗竟令祕而不宣，繼續南下，在南京搞了非常滑稽的獻俘儀式：武宗身著戎服，樹起大纛，派軍士環立四周，將朱宸濠釋放，然後伐鼓鳴金，指揮將士再將朱宸濠擒獲。朱宸濠本想從武宗手裡奪取皇位，最後竟成為武宗大過其好武之癮的玩偶。

第十章 經濟與社會的變動

第一節 土地兼併的劇烈化

元朝末年，土地集中化程度很高，社會矛盾激烈，成為農民起事的重要原因之一。明朝建立後，自耕農階層獲得大發展，其原因是：第一，元末農民起事過程中，「民皆相挺為變，殺掠巨室」①，豪強地主受到沉重打擊。明朝建立後，繼續打擊豪強地主，如三吳巨姓「或死或徙，無一存者」②。這樣，地主階級的勢力一時間大為削弱，而且懾於政府嚴酷政策的威力，殘存和新興的地主亦不敢肆無忌憚地兼併土地，這為自耕農經濟創造了發展機會。第二，大規模墾荒為自耕農提供了發展良機。明初南北各地都存在大量荒蕪的田地，政府為了盡快使社會經濟得到恢復，採取了一系列鼓勵墾荒的措施，並用行政力量從狹鄉向寬鄉移民。當時規定，民間荒閒田土，「許盡力開墾，有司毋得起科」③；

①宋濂，《宋學士集》卷二八〈故廬陵張府君光遠甫墓碣銘〉。
②貝瓊，《清江貝先生文集》卷一九〈橫塘農詩序〉。

同時又嚴禁豪富兼併多占，規定「若兼併之徒多占田以為己業，而轉令貧民佃種者，罪之」④。這些政策的目的，就是為了造就一個強大的自耕農階層。第三，明初的賦役整頓有利於自耕農維持自己的經濟地位。明朝建立後，朱元璋派人丈量土地，清理戶口，編製賦役黃冊和魚鱗圖冊，讓人民按「丁口多寡，事產厚薄」承擔賦役，嚴禁飛灑、詭寄等宿弊，在一定程度上杜絕了地主向小農身上轉嫁賦役負擔，這對自耕農壯大和維護自己的經濟利益是大有好處的。

洪武以後，統治政策逐漸從嚴酷趨向和緩，地主階級的力量逐步回升，到明代中期，遂出現了嚴重的土地兼併浪潮。

對於土地過分集中的現象，皇權未能發揮應有的抑制作用，反而大力擴充皇莊，加入到兼併隊伍中。皇莊可追溯到永樂年間，當時曾將原燕王府所屬王莊改稱皇莊，後劃歸宛平縣管業。皇莊的正式出現，始於憲宗，《明史．食貨志》云：「憲宗即位，以沒入曹吉祥地為宮中莊田，皇莊之名由此始。」到弘治二年（一四八九年），畿內之地已有五處皇莊，共有田地一萬二千八百餘頃。武宗即位後，皇莊進入快速膨脹期，到正德九年（一五一四年）已增至三十一處，占地三萬七千五百九十五頃。已經建立的皇莊，還不斷侵吞周圍田地。如沒收曹吉祥土地所建皇莊，原為三十五頃，但到正德末年已增加到七十五頃，比初建時擴大一倍有餘。世宗入繼皇位後，迫於輿論，令將各宮莊田均改為官地，皇莊之名被正式取消。

③申時行等，《大明會典》卷一七（萬曆版）。
④姚廣孝等，《明太祖實錄》卷六二〈洪武四年三月〉。

王府莊田的擴張速度也很快。明代實行分封制度，皇帝子孫皆有相應封爵。各級宗室成員，特別是地位高、權勢重的親王、郡王，除按規定領取歲祿外，還都擁有大量莊田。皇帝循例或額外賞賜給王府田土，是王府莊田的重要來源之一。欽賜的事例，明初已有所見，正統以降日漸增多。如正統間，以湖廣襄陽府所屬各縣無稅田地三百九十六頃、山二所賜襄王。成化間，賜吉王河間府地土一百頃，賜徽王寶坻縣閒田一百零二頃，賜趙王湯陰縣地七百餘頃、水鹼地七十餘頃，賜徽王安陽縣地七十八頃餘，彰德衛未納糧地二百三十四頃餘。王府莊田的另一重要來源是奏討，即由各王府向皇帝奏請某處田地，而獲得皇帝允准。如景泰間，從襄王之請，給其襄陽等縣無糧空閒山地一百頃。成化間，德王奏討直隸廣平府清河縣田土七百餘頃；襄王奏討襄陽縣閒田一百六十二頃，命給三十頃；唐王奏討河南南陽府閒地一百四十頃。投獻與占奪也是王府獲得土地的重要手段。投獻有兩種，一是把自己的土地獻給王府，二是誣指他人田產為官田、無主田或己產以獻給王府，其中以後者占絕大多數，許多民田就是通過這種途徑轉移到王府。如成化四年（一四六八年）德王所請廣平府清河縣地七百餘頃，「中間多係民人開墾成熟並辦納糧差地畝，被奸民妄作河灘空地，投獻本府，奏准管業」⑤。占奪是依靠權勢赤裸裸地掠奪軍民田地，比投獻更猖狂。正統五年（一四四〇年）戶部檢視，僅各王府芻牧地就侵占百姓莊宅田地共三千餘頃。對於侵占行為，朝廷往往加以縱容。如慶王於鳴沙州等處墾種無徵田一千餘頃，有人告其占種軍田，英宗置不問。正德時，寧王「於民田地山塘房屋等項，或用勢強占，或減價賤賣，或因官本准折，或摭別事抄收。有中人之家者，一遭其毒，即無棲身之所。有上農

⑤劉吉等，《明憲宗實錄》卷八六〈成化六年十二月〉。

之田者，一中其奸，即無用鋤之地」⑥。

公主也都擁有一定數量的莊田。洪武九年（一三七六年）規定，公主「已受封，賜莊田一所，歲收糧千五百石，鈔二千貫」⑦。十九年，壽春公主下嫁，賜予吳江縣上腴田一百二十餘頃。洪熙元年（一四二五年），從咸寧公主之請，給與長洲縣沒官田地山場一百零四頃餘。宣德九年（一四三四年）和正統十四年（一四四九年），分別賜真定公主武強縣退灘田土九十四頃和五十餘頃。總的說來，成化以前，賜與公主的莊田數量，一般都不太大。成化以降，則數目劇增。如成化四年（一四六八年），從嘉善長公主請，給與順天府文安縣退灘空地三百六十五頃餘；九年，賜廣德、宜興二長公主任丘縣地九百餘頃；十年，隆慶長公主先已奏討武清縣草場三百餘頃，至此又奏討欒州、玉田、豐潤等處閒田四千頃，命給一千頃二十畝；十七年，賜宜興長公主武清縣塌河水甸地一千零八十頃。弘治時，淳安公主已賜田三百頃，又想把任丘民田據為己有。除皇帝賞賜田土外，有些公主也像諸王一樣侵奪民田。

很多勳貴也是大土地所有者。勳貴是指勳臣和貴戚，他們分別是因有戰伐之功或因有椒房之親而獲得封爵的，成為宗室貴族之外的另一類貴族，即異姓貴族。早在明朝初期，朱元璋就賞賜勳貴田地以酬報他們為明朝建立所作出的貢獻，其時「勳臣、公侯、丞相以下莊田，多者百頃」⑧。洪武以後，賞賜勳貴田地事例亦不絕於史，到明朝中期，賞賜極濫。僅以弘治朝為例，見於《明孝宗實錄》的賜

⑥王守仁，《王陽明全集》卷四〈計處地方疏〉。
⑦張廷玉等，《明史》卷八二〈食貨志六〉。
⑧張廷玉等，《明史》卷七七〈食貨志一〉。

田記錄，就有賜錦衣衛指揮紀貴永清縣田二百九十八頃，賜錦衣衛千戶楊璽田三百頃，賜瑞安伯王源固安縣田二百二十五頃，賜慶雲侯周壽寶坻縣田五百頃，賜瑞安侯母段氏高陽、肅寧縣田三百頃，賜慶雲侯周壽寶坻縣田七百頃，賜壽寧侯張鶴齡北直隸田一千二百一十一頃，賜建昌侯張延齡涿州田七百五十一頃，賜錦衣衛指揮邵英三河等處田四百一十五頃等。這還不包括向勳貴集體賞賜或賞賜數額不明的事例。除奏討欽賜的田地外，勳貴的莊田還有侵奪、買賣、開墾等其他來源，其中以各種名目和手段進行的侵奪是擴張地產的一條極重要的途徑，即在奏討欽賜的田地中，也有許多是朦朧強占的。

宦官占有的莊田，數量也很龐大。明朝初年，鑑於前代宦官專權之禍，曾採取措施限制宦官權力。但永樂以降，宦官的權勢不斷增長，終至釀成了與漢、唐並稱的宦官專權局面。與權勢上升同步，宦官開始大力擴充莊田。景泰年間，南京錦衣衛官華敏上疏論宦官之害，內言宦官「廣置田莊，不納糧芻，寄戶府縣，不當差徭，彼則田連阡陌，民則無立錐之地」；天順以後，宦官莊田發展更快，南京科道官李鈞謂其「訾貨萬餘，田連千頃」⑨。與其他莊田一樣，宦官莊田也主要是通過欽賜、奏討得來的。如正統六年（一四四一年），已故御用監太監劉順家人奏其生前欽賜並自置莊田、塌房、果園、草場共二十六所，其中僅薊州草場等十所就有地四百六十八頃；十二年，御用監太監喜寧奏討河間府青縣地四百一十五頃，命賜與七十九頃八十畝；景泰七年（一四五六年），賜尚膳監左少監劉祥真定府冀州、寧晉田地五百八十餘頃；天順元年（一四五七年），賜太監劉家林真定府深州田一百頃；三年，賜太監張輝保定府新城縣空地一百五十餘頃。成化十七年（一四八一年），賜內官陳顯定興縣莊地三百

⑨余繼登，《典故紀聞》卷一二、一四。

九十八頃餘。弘治年間，先後三次賜神宮監太監陸愷田地三百四十餘頃。除欽賜、奏討外，宦官也大量占奪官民田。如九門外苜蓿地一百餘頃，大多被太監李良等占種。保定府黑洋淀地一百餘頃，為本營太監廖屏、指揮萬通等占種。不過，由於宦官無後，所得田地又多出於皇帝一時寵倖，故與其他類型莊田相比，宦官莊田具有變易頻繁、驟起驟落的特點。像上舉弘治時太監陸愷後兩次所得地，皆為已故太監莊田。

在明代中葉的兼併狂潮中，縉紳地主也不甘落後。所謂縉紳，包括現任官員、致仕官員和雖未入仕但獲有進士、舉人、監生、貢生、生員等資格的人員。明太祖朱元璋認為，「賢人君子，既貴其身而復役其家，則君子野人無所分別」⑩，遂制定優免制度，官員之家有田土者除輸租稅外，悉免其徭役，生員則本人免役並優免戶內二丁差役。其後隨著時間推移，優免制度屢有變化，總體趨勢是越來越優厚。縉紳利用自己的政治和經濟特權，「多倚勢恃強，視細民為弱肉」⑪，大肆擴充自家的地產。據何良俊記載，「憲、孝兩朝以前，士大夫尚未積聚……至正德間，諸公競營產，謀利一時」⑫。有些縉紳為占奪田地，窮兇極惡，不擇手段。如大學士梁儲之子梁次攄，在廣東順德原籍為爭奪一百餘頃田地，竟不惜殺害二百餘人。可以說，到明代中葉，「富強兼併，至有田連阡陌者，貧民無可耕，故往往租耕富民之田」⑬，已成為普遍的社會現象，明初朱元璋努力維持的以自耕農為主的社會結構遭到嚴重破壞。

⑩姚廣孝等，《明太祖實錄》卷一一一〈洪武十年正月至四月〉。
⑪趙翼，《廿二史箚記》卷三四〈明鄉官虐民之害〉。
⑫何良俊，《四友齋叢說》卷六〈正俗〉。

第二節　鄉紳階層的崛起

明朝建立後，朱元璋在全國推行里甲制度。里甲雖然是自上而下賦予地方社會統一的行政性組織，但卻具有很大的包容性，可以容納基於地緣和血緣而形成的各種關係和組織。可以說，朱元璋的目的並不是拋棄或打碎原有的社會組織原則和秩序，而是試圖在現存的社會結構的基礎上，形成人口居住、土地占有和賦役責任高度結合的機制，實現基層社會控制的一元化格局。從〈教民榜文〉等文獻中可以明顯看出，在朱元璋的政治藍圖中，里甲的功能絕非僅限於賦役的科派和徵收，每個里甲都應當是一個對地方各種公共事務統一管理的行政組織，同時也應當是一個相對封閉且有很強集體認同感的合作社區。社區中的成員要相互幫助，也要相互監督；本社區的成員未經批准不能擅自離去，外來的成員也不能在本社區隨意活動和居留。

作為一位從社會最底層崛起的政治家，朱元璋深知只有得到地方精英的支援與合作才能建立一個穩固的統治基礎，同時又對地方精英的過度壓迫與肆意掠奪所造成的社會危害保持著高度警惕。他推行里甲制度的政策意圖，就是希望形成以安分守法的地主富民為地方領導層的鄉村等級秩序，造成一個「以良民治良民」的社會控制模式，實現「富者得以保其富，貧者得以全其生」的理想社會目標。因而，財富的多寡，特別是土地占有的數量，便成為選擇里甲組織首領的首要標準。不僅里長、糧長

⑬王淑英，《資治策奏》，〈皇明名臣經濟錄〉。

是從擁有土地最多的人戶中僉派的，就是負責教化、勸農以及民間輕微案件審理的里老人，朝廷的詔令雖然強調「公平正直」等品德方面的因素，但實際上也大都由富戶擔任。著名學者顧炎武曾評論說：「里甲之編，均其戶口，可舉綱以知目；首長之役，擇其望族，如以臂而運指。意甚善也。」⑭

事實上，明初政府任用地主富民擔任糧長和基層組織的首領，可以起到兩方面的作用。一方面是可以發揮他們作為民間權威的固有作用，以順利地實現社會控制的目標，另一方面是通過將他們納入由官府主導的組織框架，以加強對他們的制約和控制。糧長、里長都是根據人丁田糧的多少自然產生的，這種職位既是一種權利，也是一種義務，既是一種榮耀，也是一種負擔。糧長、里長等人可以利用徵派賦役的權利從中漁利，但也要承擔稅糧徵收不足時墊賠的風險；他們可以憑藉自己的職位管理和支配民眾，但當本里內出現違法亂紀的遊民逸夫時，他們也要承擔管理不善的連帶責任。在里甲體制之外，明朝政府不希望有其他任何類型的地方權威存在。比如，對於以武裝組織或祕密宗教為依託的掠奪性的和非正統的地方權勢人物，頒佈了嚴厲的法令予以取締和打擊。對於生活於地方社會的學校生員，一方面給予他們優免特權，另一方面又嚴格約束他們的行為，不准生員干預地方公務。

經過一段時間的運行之後，里甲制越來越難以正常地發揮其職能。首先，里甲之間的賦役負擔越來越輕重不均。里甲制是以標準戶數為單位編成的基層組織，各甲、各里之間承擔的傜役額是大致均等的。但是，由於各戶的經濟狀況千差萬別，還要考慮地理上的相互聯屬，里甲編制之初，各甲、各里的人丁事產就不可能達到完全均平的狀態。隨著時間推移，各甲、各里的人丁事產「消長不齊」，相

⑭顧炎武，《天下郡國利病書》原編第一五冊〈山東上〉。

互之間的徭役承擔能力相差越來越懸殊。其次，戶口與土地在空間上的分離現象越來越嚴重。明朝政府推行里甲制的目的，是試圖在地方社會造成一個個以人口和土地的結合為基礎的相對封閉的社區，這是里甲制有效行使其賦役徵收和社會控制機能的前提條件。但是，在社會經濟的發展、土地兼併的加劇和賦役負擔的加重等因素的促動和衝擊下，人口和土地的流動必然日趨興旺和活躍，里甲內的人戶和土地的分佈自然會在空間上發生分離，致使里甲首領越來越難以確切地掌握本里人戶的人丁和事產狀況。第三，里甲框架越來越難以包容日趨分化的社會現實。里甲制的建立雖然沒有也不可能消除現存的貧富分化和階級關係，但卻是以分化不太嚴重的社會政治生態為基礎的。但是，這種相對均衡的社會現實不可能長久維持下去，鄉村社會很快就出現了越來越嚴重的社會分化現象，形成「奸豪吞併，單弱流亡，里或止二三甲，甲或止一二戶，甚至里無一甲、甲無一戶者有之」的局面⑮。在大量占有土地卻又因享有優免權而恣意逃避賦役負擔的官紳地主擠壓下，構成里甲制核心的鄉村中小地主階層日趨沒落，從根本上動搖了里甲統治的基礎。

隨著里甲制的衰弱，糧長、里長的社會地位日趨下降。洪武至永樂年間，里長「皆歲更」，大體上能維持由丁糧最多的人戶充當里長的局面。宣德初年，「用戶部建言，擇丁產之尤殷者充之，自是非有大故者不更」⑯，里長逐漸成為一項終身性的和世襲性的職役，除非其家庭經濟徹底沒落才允許告脫。既然里長職位已淪為一項極其沉重的差役，自然不可能在地方社會中繼續發揮領導者的作用。如在北

⑮錢琦，〈恤新縣疏〉，康熙《西江志》卷一四六。
⑯嘉靖《香山縣志》卷二〈民物志．徭役〉。

直隸南宮縣，「成化、弘治間，必有行義者，眾共推為長，人亦以得與里長為榮」，其後里長地位日降，「皆苦於誅求，輒受箠笞榜械之辱，微知自愛者，必百計祈解」⑰。糧長的社會地位也經歷了同樣的變化過程。明初糧長皆由大戶充當，享有準官僚的地位，「父兄之訓其子弟，以能充糧長者為賢，而不慕科第之榮」；其後糧長負擔日重，「不獨任大家，以中戶輪充，已而冗費不支，往往破家，則輪充又改為朋充，多者或至八九人，役並及於下戶，而糧長乃為大害」⑱。這樣，以糧長、里長、老人等職役為主幹的地方權威體系陷於崩潰的境地，「無論里排與糧長不相上下，即甲下花民亦與里排抗禮，毫無尊卑矣」⑲，過去那種「民徙不出鄉，事咸統於里長」⑳的局面一去不復返了。

一些新興起的地方精英逐步取代了里甲領導層的地位和作用，在地方社會中形成了新的非正式的權力結構。在形形色色的新型地方精英中，最為顯眼的無疑是享有廣泛的政治、經濟和社會特權的紳士。紳士階層是依託於學校制度、科舉制度和官僚制度而成立的社會階層。明朝開國後，很快就建立起一套比較完備的學校與科舉制度。這套制度的直接目標是為官僚機構培養和選拔人才，但它卻帶來一個極其重要的副產品，就是使大量擁有「功名」的人士「沉澱」於地方社會，在地方社會結構中形成一個相對穩定的權威系統。在宋代，紳士主要限於那些曾經擔任官職的人，這些人的家鄉概念並不

⑰嘉靖《南宮縣志》卷一〈地里志．里甲〉。
⑱萬曆《嘉定縣志》卷六〈徭役〉；顧炎武，《天下郡國利病書》原編第六冊〈蘇松〉。
⑲曹憕，《庵村志．風俗》。
⑳嘉靖《惠州府志》卷五〈戶口志〉。

強烈，許多官員退職後也不返回鄉里而是在他鄉寄居；至於學校的生員並無什麼特權地位，舉人也並非終身性的頭銜。到了明代，紳士不限於有過任官經歷的人士，還包括只有「功名」而未曾擔任過任何官職的人，而且後者因其人數眾多實際上構成地方精英的主體力量。與宋朝相比，朝廷給予士人的社會政治地位要優越得多，舉人、生員都成了終身性的頭銜，即使沒有任何在官僚機構工作的經歷也會享有一定的經濟和社會特權，這就使得滯留於地方社會的紳士人數大大增加。明朝初期，儘管在地方社會中已有一些紳士存在，但由於他們人數還比較少，朝廷法令又對他們的活動限制極嚴，因此他們尚且融合在里甲制秩序之中，而未形成一個獨立的社會階層。十五世紀中葉以後，鄉村社會在商品經濟和土地兼併的混合作用下急劇分化，里甲制秩序趨於解體。而在此時，監生以至舉人的入仕途徑日趨狹窄，大量持有功名的人沉滯於地方社會，逐步固定成為一個獨立的社會階層。他們在地方社會的權力網絡中占據了核心地位，成為社會控制的主體力量。

紳士階層的興起，給地方政府的管理職能帶來很多阻礙和限制。在里甲體制下，里長與各級官府構成了一個整然有序的等級序列，此即所謂「天下之勢，自下而上，甲首上有里長，里長上有縣令，縣令上有郡守，郡守上有藩司，藩司上有六卿，而天子加焉」㉑。相對於地方官員來說，里長一類的職役性地方精英無疑處於弱勢地位，他們的影響力基本侷限在本社區的範圍之內，只能聽憑地方政府的役使和擺佈。紳士階層的地位與里長迥然有異，他們不是里甲組織的首領，並無為地方政府服務的法定義務；更重要的，他們與地方官員享有大致相同的社會地位，可以利用自己的身分特權干預地方

㉑葉春及，《石洞集》卷一〇〈里役論〉。

政府的政務活動，給地方官員造成很大的壓力和約束。對於曾經擔任高級官職的上層紳士，地方官員無不誠惶誠恐，加意奉承，「顯宦居鄉，縣送門皁吏書承應，比於親臨上司」㉒。明代中葉以降，地方官員在做出重要的決策和行動時，一般都要與紳士集團進行交流和溝通；那些不能與當地紳士建立合作關係的官員，不但難以真正推行自己的各項政策，還往往受到地方紳士在朝中的代言人的攻擊而失掉職位。

第三節　白銀成為主要貨幣

明代前期，官定貨幣為銅錢和紙鈔；進入明中葉以後，原被禁用的白銀異軍突起，成為主幣，銅幣仍在鑄造，但已是輔助性貨幣，紙鈔則逐漸廢棄。

明朝建立前，朱元璋就曾鑄造「大中通寶」錢在轄區發行。洪武元年（一三六八年），頒佈錢制，鑄造「洪武通寶」銅錢，型制分小平、折二、折三、折五、當十錢五種，小平錢一文重一錢，其他依次遞增，至當十錢重一兩。但是，實行統一的銅錢制度必須有充足的幣材供應，而剛剛建立的明王朝卻極端缺乏銅料。政府不得不嚴令人民將私鑄錢當作廢銅輸官，甚至要求人民交納銅製器皿。這樣，銅錢制度很難順利運行起來。

洪武八年（一三七五年），朱元璋借鑑元代實行的紙幣制度，命令印製發行「大明寶鈔」，與銅錢

㉒徐學謨，《世廟識餘錄》卷二一。

並行，以紙幣為主，銅錢為輔。洪武十年（一三七七年）還進一步規定，百文以下的交易用錢，商稅輸納以鈔七錢三為率。紙鈔的面額以錢文計，分一貫、五百文、四百文、三百文、二百文、一百文六等，後來又增加了一種面額五十文的小鈔。這種紙幣沒有和金、銀儲備掛鉤，一開始就是不兌換紙幣，人民可以持金、銀按照鈔一貫值銀一兩、四貫值金一兩的比價向政府兌換寶鈔，但不能用寶鈔換取金、銀。民間用金、銀交易，在法律上是嚴格禁止的。寶鈔用久昏爛，可以到行用庫兌換成新鈔，政府量收工墨費。

毫無疑問，新建立的紙幣制度需要用「信用」加以維持和鞏固，而控制貨幣發行量又是建立信用的重要方法。但正是在這一點上，統治者缺乏應有的認識。「大明寶鈔」自一開始就陷入超量發行的境地，並很快引致了寶鈔貶值以及新舊鈔差價。洪武十三年（一三八〇年）剛一宣佈實施「倒鈔法」，就有人到行用庫用還可使用的舊鈔易換新鈔。洪武二十三年（一三九〇年），兩浙地區有將一貫鈔折錢二百五十文使用的。到二十七年，兩浙、福建、兩廣、江西這些經濟較發達的省分，普遍將一貫寶鈔貶值為一百六十文銅錢使用。但是，政府並沒有從紙幣發行方面考慮補救之策，而是推行戶口食鹽法、贓罰輸鈔、增徵雜稅等措施，以圖擴大紙幣使用範圍，還再次申明禁用金、銀的法令，並決定連銅錢也禁止使用。

儘管禁令嚴厲，仍不能完全阻止民間使用金銀。如杭州諸郡商賈交易，就「不論貨物貴賤，一以金銀定價」㉓。私鑄銅錢之風也很盛行，屢禁不止。就連中央政府本身，也不能真正貫徹禁令。永樂

㉓姚廣孝等，《明太祖實錄》卷二五一〈洪武三十年三月〉。

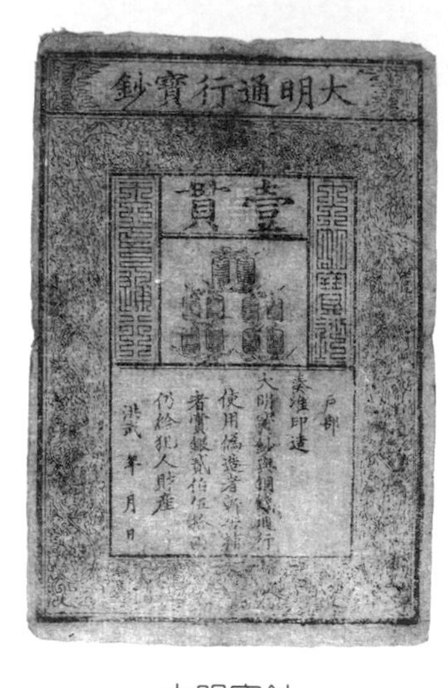

大明寶鈔

金花銀五十兩銀錠

六年（一四〇八年）、宣德八年（一四三三年），曾分別鑄造「永樂通寶」和「宣德通寶」，一些商稅和魚課也明令徵收銀兩。因而，在實際上，紙幣的使用範圍越來越小。正統元年（一四三六年），政府適應民間對交易用銀的強烈需求，「弛用銀之禁」，並將江南、湖廣等地的四百多萬石田賦米麥改折成一百餘萬兩銀徵收，稱為「金花銀」，意即成色上好之銀。隨著對使用白銀的解禁，寶鈔幣值跌落更快。正統十三年（一四四八年），新鈔一貫時價不過十錢，舊鈔只值一二錢，甚至到了「積之市肆，過者不顧」㉔的地步。到了孝宗時期，政府也對紙幣完全喪失了信心，各關的錢、鈔一律折銀，錢七文折銀一分，鈔一貫折銀三厘。這樣，寶鈔之名雖然到明末還存在，但從中期開始已是名存實亡。

在鈔關折銀的同時，明孝宗還於弘治十六年（一五〇三年）正式放棄錢禁，恢復了銅錢鑄造，此後歷

㉔張廷玉等，《續通考》卷一〇〈錢幣考〉。

代嗣君均有以新年號為名的銅錢。為與前朝雜錢相區別，本朝所鑄者稱「制錢」。但是，明初遭遇到的銅材不足問題仍未解決。隨著時間推移，明代新闢的採銅點雖然續有增加，但產量上升並不太多。在有資料可查的永樂元年至宣德九年（一四〇三－一四三四年）間，銅課額一直在二千斤至三千斤之間徘徊。正德九年（一五一四年）以後，雖然雲南諸處銅場次第開採，但仍滿足不了實際需要。丘濬所說的「我朝坑冶之利，比前代不及什之一二」㉕，可以視為有明一代採銅業的概括。幣材的缺乏，限制了官錢鑄造的數量。官錢不敷需要，私鑄錢幣的行業自然就發展起來，並造成了無法解決的錢價跌落問題。弘治十六年（一五〇三年），錢禁剛一解除，就出現了「偽錢盛行」的局面，京師錢價從銀一錢值八十文一下子跌至值一百三十文，其後隨著私錢鑄造摻雜鉛、錫越來越多，錢價跌落更甚。

可以說，明代貨幣制度的最大變化，是白銀代替寶鈔、銅錢成為主要貨幣，對社會經濟各方面產生了深遠影響。而白銀的社會化過程，基本上是在正統到正德年間完成的。萬明曾對徽州地區四百多件土地交易契約中的通貨使用情況進行統計，結果如下㉖：

年代	契約件數	交易媒介及所占百分比					
		寶鈔	百分比	白銀	百分比	穀物和絹布	百分比
洪武年間	50	39	78	6	12	5	10

㉕丘濬，《大學衍義補》卷二九〈山澤之利下〉。

㉖萬明，〈明代白銀貨幣化的初步考察〉，《中國經濟史研究》二〇〇三年第二期。

建文年間	22	7	31.8	11	50	4	18.2
永樂年間	103	85	82.5	1	1	17	16.5
洪熙年間	6	4	66.7	0	0	2	33.3
宣德年間	40	9	22.5	1	2.5	30	75
正統年間	54	0	0	35	64.8	19	35.2
景泰年間	30	0	0	27	90	3	10
天順年間	33	0	0	31	93.9	2	6.1
成化年間	90	0	0	90	100	0	0

說明：1. 洪武年間契約數應為四十九件，但有一例係鈔、布兼支，作兩契分計。
2. 洪武年間有二例、永樂年間有一例係用元鈔交易，計入寶鈔類。

上述情況說明，從明朝初年開始，民間一直存在著使用白銀的動力和欲望，雖然洪武後期到宣德年間，政府採取措施強力推行寶鈔，禁止用銀，但並不能保持寶鈔幣值的穩定，反而促使許多交易以穀物或絹布作為媒介。到正統年間，解除用銀禁令，白銀貨幣化得以迅速發展，天順以降，白銀已奠定了主體貨幣的地位。

第四節　社會生活初現奢靡之風

明朝初年出現的循禮守分、尚樸崇儉的社會生活風尚，是在法律威懾力量比較強大、商品經濟相對不發達的條件下形成的。但是，這些條件不可能長期保持下去。明太祖推行的嚴刑峻法，在繼之為君的建文帝統治時期就明顯緩解，明成祖奪取皇位後，雖曾大肆屠戮忠於建文帝的朝臣，但對於一般士大夫和民眾則遠不似洪武朝那樣嚴苛，到仁、宣之後，法制日趨鬆弛更成為不可逆轉的趨勢。與此同時，明初比較凋敝的社會經濟，也逐漸得到恢復，棄農經商或兼營工商業的人數迅速增長，人們的活動地域和視野範圍不斷擴張。在這種情況下，人們的物質欲望以及追求物質欲望的膽量和能力，就必然要日益膨脹起來，明初加之於社會生活的種種限制，很難繼續維持下去。

根據《明史》的概括，「仁、宣之際，國勢初張，綱紀修立，淳樸未漓。至成化以來，號為太平無事，而晏安則易耽怠玩，富盛則漸啟驕奢」㉗。也就是說，明代社會生活風尚由淳樸到驕奢的轉捩點，是在成化年間。但實際上，這種轉變的苗頭，在正統後期就已經比較明顯。正統十二年（一四四七年），英宗曾兩次發佈禁令：年初的一次是針對服飾違制，當時官民服飾多有違例使用蟒、龍、鬥牛及其他違禁花樣者，英宗特別詔諭工部官員通令禁止，「此後敢有仍蹈前非者，工匠處斬，家口充邊軍，服用者亦重罪不宥」；年末的一次是針對器用違禁，當時製瓷業中心江西饒州府為了滿足社會需求，

㉗張廷玉等，《明史》卷一五〈孝宗紀贊〉。

成化五彩罐

成化提梁壺

私自燒造黃、紫、紅、綠、青、藍、白地青花等瓷器，英宗命令都察院在該地張榜通諭，「有敢仍冒前禁者，首犯凌遲處死，籍其家貲，丁男充軍邊衛，知而不以告者連坐」㉘。英宗屢次頒佈禁令，正說明社會生活方面的僭禮逾制，在當時已是不容忽視的現象。禁令雖然對違制行為規定了非常嚴厲的處罰措施，但由於當時法制縱弛的局面已經積重難返，這些措施很難落到實處並起到應有的震懾作用。

景泰以降，服飾、住宅和器用的違禁趨奢，越來越成為一種不可遏制的生活風尚。景泰五年（一四五四年），監察御史周清指出，「風俗侈靡，所在當禁」，建議由禮部再次張榜公佈關於喪葬、婚嫁、服飾、房舍的禮制規定。天順二年（一四五八年），針對服飾僭越現象日益氾濫的情況，英宗曾再次下詔申明服飾之禁，令官民不得穿用薑黃、柳黃、明黃、玄色綠等衣服，衣服

㉘陳文等，《明英宗實錄》卷一四九〈正統十二年正月〉、一六一〈正統十二年十二月〉。

上也不得使用蟒龍、飛魚、鬥牛、大鵬、獅子、四寶相花、大西番蓮、大雲之類的花樣。成化二年（一四六六年），給事中丘弘上疏指出：「近年民俗日事奢侈，富貴之族，食祿之家，窮奢極巧，驕肆無度，至有一服器價值千金、一筵宴用費萬錢。軍民僧道，皆得以服錦繡之服、金線之靴；倡優下賤，皆得以用寶石首飾、金織衣袍。牀帷屋壁擬於宮闕，飲食器皿僭以金玉。惟事鬥麗而誇多，不顧逾禮以僭分。」㉙禮部提請申明禁例，對違禮逾分者嚴加懲治。成化六年（一四七〇年），丘弘再次指出：「近來京城內外，風俗尚侈。不拘貴賤，概用織金、寶石服飾，僭擬無度。一切酒席，皆用簇盤、糖纏等物。上下仿效，習以成風。」建議對這些現象「嚴加禁革」㉚。朝廷不斷發佈禁令，試圖把人們的消費活動拉回到法定框架之中，正說明突破朝廷設定的禮法規範，已是社會生活中的普遍現象。

除了違法逾制，人們在社會生活方面還越來越追求新奇、時髦。成化年間，北京忽然出現了一種式樣新穎的裙子，據說是從朝鮮傳進來的。這種裙子是用馬尾毛織成的，所以被稱為「馬尾裙」，也有人稱之為「髮裙」。由於穿著這種裙子看起來比較美觀，所以它首先博得富商、貴公子、歌妓的青睞，並很快成為北京的流行服裝，「無貴無賤，服者日盛」，甚至連朝廷官員也爭相穿服，內閣大學士萬安竟然「冬夏不脫」㉛。由於衣料不敷使用，不少京營軍馬的鬃毛和尾毛都被人偷偷拔去。最令人可笑的是，身負整頓風俗之責的禮部尚書周洪謨，一方面上疏建議「承平日久，俗尚靡麗，宜禁止服用違

㉙戴金，《皇明條法事類纂》卷二二〈申明僭用服飾器用並挨究製造人匠問罪例〉。
㉚劉吉等，《明憲宗實錄》卷八六〈成化六年十二月〉。
㉛陸容，《菽園雜記》卷一〇。

越者，治之如律」㉜；另一方面卻緊追時風，不但穿著馬尾裙，而且還「重服二腰」，特意比別人多穿一層㉝。連禮部尚書都如此熱中於趕時髦、追新潮，世風變化之劇烈，可想而知。

正德元年（一五〇六年），皇帝諭令禮部、都察院查禁奢侈僭越的行為。兩衙門在覆奏題本中，羅列了不少違禁現象。如庶民的房舍，按規定不得超過三間五架、不得使用斗栱和彩繪，但近年庶民建造的房屋，卻盡力追求高大，裝飾過於華麗；無論官民還是庶民家庭，按規定都不得使用金酒爵以及金、銀等器皿，也不得使用龍鳳紋，桌、椅以及其他木器一律不得使用硃紅、金飾，近來卻多有逾分僭用者；舉行冠、婚等禮儀時，本應酒席從儉，近年卻過於豐厚，暴殄天物；民間婚嫁，競為豐盛，帳幔、被褥違例使用大紅、銷金，器具濫用金、銀；在喪事方面，嚴重違反禮制，初喪時扮戲唱詞，出殯時又剪製紗羅人物、幡幢之類，排列於道路之上，並用鼓樂、戲舞導送，到墓地則陳設葷酒，大吃大喝，再加上揚幡設壇、修齋追薦，浪費了大量錢物。尤其是在服飾方面，僭禮、奢侈現象更是十分嚴重。因此，禮部和都察院要求重申舊制，以後軍民僧道常服禁止使用紵絲、綾羅、紗錦、彩繡，婦女衣服、帳幔禁止使用渾金，首飾鐲釧禁止使用寶石，娼妓禁止使用金首飾、銀鐲釧，商販、吏卒、僕從、婦女、倡優皆不許服用貂裘，所用鞍轡也要符合身分，不許僭用盛飾。從這份題本中，可以看出，當時在社會生活的各個方面，都出現了僭禮逾制和奢侈浪費的現象。

通過仔細考察，可以發現，違禁逾奢的社會生活風尚，有一個從中心向邊緣、從上層向下層的傳

㉜劉吉等，《明憲宗實錄》卷二六〇〈成化二十一年正月上〉。
㉝沈德符，《萬曆野獲編補遺》卷四〈大臣異服〉。

播蔓延過程。

作為全國政治中心的首都北京，是勳貴、官僚、商人以及其他各種形形色色的人物匯聚的地方，也是僭越、奢侈現象出現得最早、表現得最明顯的地方。曾經遊歷四方的張瀚曾深刻指出：「京師者，四方之所觀赴，天子者，又京師之所視效也。九重貴壯麗，則下趨營建；尚方侈服御，則下趨組繪；法宮珍奇異，則下趨雕刻。上有好者，下必甚焉。」㉞的確，追根溯源，皇室生活的奢靡化，對京師奢侈風氣的蔓延產生了很大影響。比如，成化年間，憲宗「頗尚玩好」，太監梁芳、韋興、張軒、莫英、陳喜等「先後以獻珍珠得寵，一時後宮器用，以珍寶相尚，京師上下亦然」㉟。正德年間，也有官員上疏指出，「風俗之壞，自上導之，雖有禁令，亦徒為文具耳」㊱。北京作為五方雜湊、四海通達的大都會，與全國各地都保持著比較密切的聯繫，因而其社會風尚的變化也比較容易對其他地區產生影響。例如，弘治末年，社會上流行開一種新式的帽子和靴子：帽子的特點是帽頂又平又圓，像一面小鏡子；靴子的特點是靴尖又寬又扁，像是鯰魚的喙。這種新式帽、靴就是從北京流傳到四方各地的，曾經風靡一時，特別是富家子弟更喜歡穿戴。到正德年間，京城居民忽然又拋棄了帽子，而改戴頭巾，其他地方的人們又群起仿效，就連地位低下的販夫走卒，也有頂戴這種頭巾者。

北京之外，另一個引領潮流變化的風尚源，是以蘇州為中心的江南地區。在元末戰亂中，江南地

㉞張瀚，《松窗夢語》卷四〈百工紀〉。
㉟焦芳等，《明孝宗實錄》卷一〇〈弘治元年閏正月〉。
㊱焦芳等，《明武宗實錄》卷一二四〈正德十年閏四月〉。

區遭到很大破壞，再加上明朝建立後，曾將大量江南富民遷徙到鳳陽等地，致使這一地區的社會經濟陷於凋敝狀態。如一向以富庶著稱的蘇州，竟然是「歷代繁華，可憐焦土，遂使燕巢再毀，麕鹿重遊」㊲。隨著政治秩序趨於穩定，江南的社會經濟逐漸得到恢復和發展。據王錡《寓圃雜記》卷五記述，明朝初期，蘇州城的景象是「邑里瀟然，生計鮮薄」；到正統、天順年間，蘇州的社會經濟已得到初步恢復，但是「猶未盛」；而成化以來，蘇州「迥若異境」、「愈益繁盛」，社會生活也變得奢華鋪張起來。在寫於成化末年的一篇文章中，趙寬也指出，「吳俗尚侈，古則然也，而今為尤甚」。據他描述，在當時的蘇州一帶，出現了「庶人之家而擬諸尊之飾」的普遍性行為：「凡居室、服御、器用之物，婚姻喪葬之禮，交接、餉饋、問遺、饔飧、燕享之事，競為繁麗，以容治淫佚相高，而不恤其費。」㊳逐漸繁榮起來的蘇州，成為全國重要的經濟、文化中心，其風俗好尚對其他地區的影響越來越大。一位士大夫曾評論說：「自昔吳俗習奢華，樂奇異，人情皆觀赴焉。吳制服而華，以為非是弗文也；吳制器而美，以為非是弗珍也。四方重吳服，而吳益工於服；四方貴吳器，而吳益工於器。」㊴

江南其他各府以及鄰近地區的社會生活風尚，也出現了與蘇州相似的變化趨勢。如在松江府，自成化年間以來，風俗逐漸侈靡化，到正德年間更加奢華。松江府下屬的上海縣，居民崇尚奢華，嗤笑樸素，特別是那些財產雄厚的豪族大姓，更是把生活的奢侈當作互相爭勝的手段，而對於他們逾越法

㊲王鏊，〈吳子城賦〉，《吳都文粹續集》卷一。
㊳趙寬，〈素軒記〉，弘治《吳江志》卷一五。
㊴張瀚，《松窗夢語》卷四〈百工紀〉。

定生活標準的種種行為，其他人卻認為是理所當然的。常州府江陰縣的住宅，明朝初年都很儉樸，不超過三間五架的標準，居民穿的都是用布做成的素色衣服，只有老年人才穿紫花長衫，但到成化以後，富裕家庭的住宅可以與官衙相比，衣服務求華麗，飲食務求豐美。在浙江紹興府，成化以前，平民不論貧富，都遵守國家規定的標準，頭戴平定巾，身穿青色的直身衣，鞋子也很樸素；後來逐漸奢侈，士大夫們無不峨冠博帶，就是稍微讀過一點書的儒童，也頭戴方巾，足登彩履，身穿色衣，富室子弟競相仿效，只有貧窮的小民才仍然穿著粗布衣服。在江西建昌府，習俗日趨浮華，婦女衣飾僭擬妃嬪，倡優隸卒之婦亦有黃金橫帶者。在寧國府太平縣，明初因法度嚴密，人們的生活都比較簡樸，到正統年間，法網逐漸疏闊，生活稍奢，再到成化、弘治間，隨著社會經濟的日益繁華，人們的生活也變得奢靡起來：不少普通人家的住宅建有高大的廳堂，與官僚家庭毫無二致；男子穿著精緻的繡衣，裡面的襯衣使用的也是青絹、青綢，腳下的鞋子也用絲綢做成，出門時騎著高頭大馬；女子則身穿五彩繡衣，上面點綴著金、珠飾品。

在這種社會生活普遍奢靡化的情況下，一些家境不太富裕的人，特別是那些比較好面子而家境又不夠富足的人士，往往不得不靠虛張聲勢來維護自己的社會聲譽和地位。南京張允懷就是一個有代表性的例子。張允懷善畫梅花，常年在蘇州、杭州之間活動。他為人極好修飾，旅行時總是帶著很多行裝，各種用品都要攜帶齊全。一天晚上，他泛江而下，見月明風靜，便將小船停在金山腳下，取出酒器，對月獨酌，還吹洞簫自娛，被盜賊發現。夜深後，盜賊殺害了張允懷，將酒器全部拿走，仔細一看，才發現酒器都是用銅做的，只是表面塗了一層金粉。與張允懷類似的「虛誇」之人，在當時以奢華相尚的社會氛圍中，恐怕還有很多。

從成化到正德年間，江南之外的其他地區，社會風尚也逐漸發生了由儉樸到奢侈、由守禮到逾制的轉變，只是變化幅度不像江南那樣大。例如，在湖南長沙府茶陵州，明朝初年居民的穿著很少有錦綺，女子的簪釵往往用骨齒製作，住的房子都很儉樸，不超過三間五架的標準，用的器皿都是陶瓦做成；但到成化以後，人們往往身著錦綺之服、頭戴金珠之飾，富戶們的住宅又高大又華麗，可以和王侯的宮室相比，用的多是金銀器皿或高級陶器。在河南陳州府太康縣，明初城內只有六、七家草房，後人煙漸增，陸續出現了瓦房；到成化以後，瓦房大量出現，稍微富裕的人家還蓋起樓房；到弘治年間，甚至鄉村地區也是瓦房樓宇相望。太康縣居民的衣服在明初也很樸素，其後逐漸變化，「弘治間，婦女衣衫僅掩裙腰，富者用羅綾紗絹，織金彩通袖，裙用金彩膝襴，髻高寸餘；正德間衣衫漸大，裙褶漸多，衫惟用金彩補子，髻漸高；嘉靖初衣衫大至膝，裙短褶少，髻高如宮帽，皆鐵絲胎，高六七寸，口周尺二三寸餘」㊵。在山東兗州府定陶縣，「國初宮室尚樸，服不錦綺，器用陶瓦，成化以後，富居華麗，器用金銀，陶以翠白，市井有十金之產，輒矜耀者有之」㊶。

㊵嘉靖《太康縣志》卷四〈服舍〉。
㊶萬曆《兗州府志》卷三一〈風俗〉。

第十一章 思想文化的轉折變化

第一節 南北兩大儒

明初厲行文化專制政策，將程朱理學奉為官學，科舉考試只能「代聖賢立言」，不能隨意發揮。由此直到明代中葉，儒家學者大多講求躬行實踐，而在學術思想方面甚少發揮創造。當時最受推崇的理學家，是創立了「河東之學」的薛瑄和創立了「崇仁之學」的吳與弼，並稱南北兩大儒。

薛瑄（一三八九－一四六四年），字德溫，號敬軒，山西河津人。他天資聰明，書史過目成誦。永樂十九年（一四二一年）成進士，宣德初授監察御史。內閣大學士三楊欲識其面，派人邀請，薛瑄認為監察官員不宜私謁公卿，加以拒絕。正統初，出為山東提學僉事。當時王振勢力漸強，欲拔擢山西老鄉以自固，問三楊：「吾鄉誰可大用？」三楊深知王振用意，於是向其推薦薛瑄，遂召為大理寺少卿。薛瑄果然耿介不阿，一次集議於東閣，王振至，百官皆跪，獨薛瑄長揖不拜，王振大恨。在審理一件冤案時，薛瑄欲為之平反，王振遂授意都御史王文彈劾薛瑄故出人罪，下獄論死，改戍邊，不久釋放還家。景帝即位，得起用。天順初，陞禮部右侍郎兼翰林學士，入內閣。因學行老成，英宗甚器重之，一日奏對誤稱「學生」，眷注遂衰。當時正值曹吉祥、石亨用事，薛瑄自知其道難行，遂致仕回鄉，專心從事著述和講學，形成「河東之學」。

在政治思想上，薛瑄繼承儒家傳統的民本觀，強調要重視民心。他指出：「自古未有不遂民心而得天下者」，「為政臨民，豈可視民為愚且賤，而加慢易之心哉！」①他自己居官期間，也能為百姓著想。景泰初，任南京大理寺卿，當時蘇州發生饑荒，百姓向富家借貸糧食不得，於是有貧民起而搶掠，並焚燒富家室廬。曾阿從王振彈劾薛瑄的王文，此時已經成為內閣大臣，到蘇州巡視，決定以叛亂罪處罰搶粟饑民，當死者二百餘人。薛瑄力辨其誣，王文恚怒說：「此老倔強猶昔。」饑民遂得減死。

關於薛瑄之學術，《明儒學案》評論說：「河東之學，悃愊無華，恪守宋人矩矱。」其意是說薛瑄謹守程朱之繩墨，在學術上缺乏創見。《明史．儒林傳》亦言：「英宗之世，河東薛瑄以醇儒預機政，雖弗究於用，其清修篤學，海內宗焉。」薛瑄最重要的著作《讀書錄》、《讀書續錄》，都是一些零零碎碎的讀書劄記，「多重複雜出，未經刪削」，難以構成完整的理論體系。從其內容看，薛瑄確實非常推崇朱熹，認為「孔子之後，有大功於聖學者，朱子也」②。當然，他對程朱學說也不是全盤照搬，而是有所修正。比如，他提出「理不離氣」、「理氣無縫隙」和「理只在氣中，決不可分先後」的觀點，就修正了朱熹「理在氣先」的說法。薛瑄最大的特點，是強調篤行踐履，認為「為學於應事接物處，尤當詳審，每日不問大事小事，處置悉使其宜，積久則業廣矣」③。《四庫全書總目》稱譽「明代醇

① 薛瑄，《讀書錄》卷三。
② 薛瑄，《讀書續錄》卷五。

儒，瑄為第一」，主要就是因為「其書皆躬行心得之言」。薛瑄的為學風格，對其後學影響很大，《明儒學案》謂「數傳之後，其議論設施，不問而可知其出於河東也」。就連極度推崇薛瑄的《四庫全書總目》，也不得不肯定其弟子「大抵皆掇拾舊說」。從「河東之學」演化而出的「關中之學」和「三原之學」，也同樣保持了因循守舊的學風。《明儒學案》評論「三原之學」創始人王恕之學術，「大抵推之事為之際，以得其心安者，故隨地可以自見，至於大本之所在，或未之及也」。

吳與弼（一三九一—一四六九年），字子傅，號康齋，江西崇仁人。他自幼聰穎，十九歲到北京探望父親，從洗馬楊溥讀《伊洛淵源錄》，遂慨然有志於道，從此放棄科舉，專心研讀「四書」、「五經」及諸儒語錄，據說兩年中竟未下樓。既然不參加科舉，也就無緣入仕，因此吳與弼一生居鄉講學，躬耕食力，前來從學者甚眾，形成「崇仁之學」。天順初，英宗聞其名，徵召入京，授以諭德之職，堅辭不就，英宗遣人送歸。

吳與弼認為，「宋末以來，箋註之繁，率皆支離之說，眩目惑心，非徒無益，而反有害焉」④，故平生不輕易著述，論學之作，僅有《日錄》一卷，記錄日常學習之所得。他非常推崇朱熹，《日錄》中屢有夢見朱熹之記載，晚年還專程去福建拜謁朱熹墓。吳與弼為學之要旨，是宣導循序漸進的涵養工夫。在他看來，「聖賢所言，無非存天理、去人欲，聖賢所行亦然」，欲學聖賢者，此乃惟一途徑。他

③ 薛瑄，《讀書錄》卷二。
④ 婁諒，《康齋先生行狀》。

主張「學者踐履工夫，從至難至危處試驗過，方始無往不利」，「人須於貧賤患難上立得腳住，克治粗暴，使心性純然，上不怨天，下不尤人，物我兩忘，惟知有理而已」⑤。

儘管總體上謹守程朱之學，吳與弼也受到陸九淵心學的一些影響。比如，他十分重視「主靜」的涵養工夫，提倡「靜坐」、「夜思」的冥悟。在一首題為〈道中作〉的詩中，他寫道：「寸心含宇宙，不樂復何如。」表達了寸心包含宇宙的心學思想。陸九淵與朱熹在鵝湖之會上，曾相互辯難，陸九淵批評朱熹太過「支離」，朱熹則批評陸九淵太過「簡易」。吳與弼反對傳註之支離繁瑣，實與陸九淵之宗旨相合。他這方面的思想，為其弟子陳獻章發揚光大，遂成心學之發端。

第二節　心學的興起

心學這一思想流派，早在宋代就已出現。北宋程顥的思想中，已包含著心學的萌芽；南宋陸九淵則提出比較完整的心學體系，並曾與朱熹激烈辯論。但總體而言，自南宋末年直到明代中葉，由於程朱理學成為官方意識形態，心學思想雖然不絕如縷，但始終隱而不彰，在學術界和社會上都影響不大。明代中葉，心學崛起，很快就成為一股強大的思想潮流，對社會文化影響至深。

明代心學的先驅人物是陳獻章。陳獻章（一四二八－一五〇〇年），字公甫，別號石齋，廣東新會白沙里人，學者稱白沙先生。因白沙里瀕臨西江入海之江門，故其學被稱為「江門之學」。陳獻章的青

⑤黃宗羲，《明儒學案》卷一〈崇仁學案一〉。

少年時代，整個思想界都被程朱理學所籠罩，他自然也深受其影響，曾銳意科舉，但屢考未中。二十七歲時，他跋涉至江西，受教於名儒吳與弼。吳與弼「於古聖賢垂訓之書，蓋無所不講」，陳獻章聽後卻「未知入處」。半年後返回家鄉，杜門不出，發憤苦讀，試圖從書冊中尋出一條「用力之方」，然而「忘寐忘食，如是者亦累年，而卒未得焉」。所謂「未得」，「謂吾此心與此理未有湊泊脗合處也」，亦即書中之理與自己之心未能融會合一。於是他改變用功方向，「舍彼之繁，求吾之約，惟在靜坐」，時間一久，「見吾此心之體，隱然呈露」。以後有人求學，他便「教之靜坐」。他聲明說，靜坐是他歷經艱苦體驗出來的有效方法，絕非故弄玄虛以誤人子弟⑥。

陳獻章的心學，是從理學轉化而來，因而還保留著理學的一些觀點。他認為「道為天地之本」，就與朱熹「理」為「生物之本」的觀點十分相近。但陳獻章並未像朱熹那樣給予「理」（道）以絕對主體的地位，而是進一步提出萬物萬理具於「一心」的觀點，認為「君子一心，萬理完具，事物雖多，莫非在我」⑦。他強調要「收拾此理」，「此理干涉至大，無內外，無終始，無一處不到，無一息不運會，此則天地我立，萬化我出，而宇宙在我矣。」從「天地我立，萬化我出」的心本論出發，陳獻章提倡「為學須從靜坐中養出個端倪來」，反對向外求道，認為「學勞攘，則無由見道，故觀書博識，不如靜坐」。他還進而提出「以自然為宗」的為學宗旨，指出：「人與天地同體，四時以行，百物以生，若滯在一處，安能為造化之主耶？」他提倡人要順乎自然，「出處語默，咸率乎自然，不受變於俗，斯可

⑥陳獻章，《白沙子》卷二。
⑦陳獻章，《白沙子》卷一。

矣」。順乎自然，率性而為，才能體味自然之樂，「自然之樂，乃真樂也，宇宙間復有何事！」⑧

陳獻章的學術主張，對於明初以來「守先儒之正傳，無敢改錯」的陳腐學風，無疑是有益的矯正。他在當時也產生了較大影響，有「真儒復出」之譽。陳獻章收納了不少弟子，再傳弟子為數更多，這些人大多「不盡守師說」，以致相互之間思想傾向差別很大。這種為學宗旨，應當說是繼承了陳獻章的真衣缽，但由此也影響了此派學術之傳承，故《明史．儒林傳序》說：「宗獻章者曰江門之學，孤行獨詣，其傳不遠。」

真正樹起心學之大纛，使心學成為不可阻擋、披靡一時之思想浪潮的，是著名政治家、思想家王守仁。

王守仁像

王守仁（一四七二－一五二九年），字伯安，浙江餘姚人。因曾隱居會稽陽明洞，又創辦過陽明書院，故世稱陽明先生。他於弘治十二年（一四九九年）中進士，授刑部主事，改兵部。正德初，劉瑾矯旨逮捕南京科道官，王守仁抗疏論救，下獄廷杖四十，謫為貴州龍場驛丞。劉瑾誅，起為廬陵知縣，累擢右僉都御史，巡撫南贛汀漳等處，平定當地農民起事。進右副都御史，世襲錦衣衛副千戶。正德末，平定寧王朱宸濠叛亂。嘉靖中，擢南京兵部尚書，封新建伯，

⑧黃宗羲，《明儒學案》卷五〈白沙學案上〉。

又總督兩廣軍務，平定大藤峽瑤壯人民起事。

王陽明之學，「凡三變而始得其門」。青少年時代，他尊崇朱學，遍讀朱熹著作。他曾將朱熹「格物」之說付諸實踐，「窮格竹子」七日而未有得，反而「以勞思致疾」，遂對朱學產生懷疑。此後「出入於佛、老者久之」，但從佛、道二教中，也未能尋得出路。三十七歲那年，被貶到貴州龍場驛，在這荒煙深菁、狸鼯豺虎之區，經過冥思苦想和神祕體驗，他最終「大悟」，逐漸形成一套完整的心學體系。這一思想體系，主要包括「心即理」、「知行合一」和「致良知」三個方面。

在本體論上，王陽明反對程朱理學「心與理為二」的觀點，繼承了陸九淵的「宇宙便是吾心」、「心即理」之說。他提出「心外無物」的命題，把人心視為世界萬物的本源。一次，與朋友出遊，有人指著山中花樹問道：「天下無心外之物，如此花樹在深山中自開自落，於我心亦何相關？」他回答說：「你未看此花時，此花與汝心同歸於寂；你來看此花時，則此花顏色一時明白起來，便知此花不在你的心外。」⑨不僅花樹如此，他認為「充塞天地之間，只有這個靈明」，「天地鬼神萬物離卻我的靈明，便沒有天地鬼神萬物了」。所謂「靈明」即心，天地萬物之存在與否，完全是以人的感覺為轉移的。與「心外無物」相聯繫，他又提出「心外無理」的命題，認為事物的「理」不存在於客觀事物之中，而是存在於人心之中。他說：「夫物理不外於吾心，外吾心而求物理，無物理矣。」⑩

在知行問題上，程朱一派主張「知先行後」，造成知行脫節、空談性命而不躬行實踐的流弊。為了

⑨王守仁，《傳習錄》下。
⑩王守仁，《傳習錄》中。

糾正這種流弊，王陽明提出「知行合一」的觀點。他解釋說：「知行合一之說，專為近世學者分知行為兩事，必欲先用知之功而後行，遂致終身不行，故不得已而為此補偏救弊之言。」對於「知行合一」之旨，他曾解釋說：「知是行的主意，行是知的工夫；知是行之始，行是知之成。若會得時，只說一個知，已自有行在；只說一個行，已自有知在。」⑪需要指出的是，王陽明提出「知行合一」，本是為了糾正「終身不行」之弊，但他過分強調「知」與「行」的統一性，完全泯滅了「知」與「行」的界限，這樣做的結果，卻很容易滑入以「知」代「行」的軌道。

「致良知」是王陽明晚年提出的一個概念，他對這三個字看得很重，曾標榜說：「吾平生講學，只是致良知三字。」⑫還曾說「致良知」是「孔門正法眼藏」、「聖人教人第一義」。從理論淵源上看，「致良知」是把《大學》中的「致知」和《孟子》中的「良知」相結合，熔鑄成一個新的思想範疇。所謂「良知」，就是人性固有的至善的道德意識，「見父自然知孝，見兄自然知悌，見孺子入井自然知惻隱，此便是良知」⑬。王陽明還進一步將這種先驗道德意識抬高到宇宙本體的地位，認為「良知者，心之本體」⑭，「夫心之本體，即天理也，天理之昭明靈覺，所謂良知也」⑮。既然「良知」與生俱有，為何還要「致」呢？這是因為「良知」往往會「昏蔽於物欲」，必須痛下一番「致」的功夫，才能

⑪王守仁，《傳習錄》上。
⑫王守仁，《王文成公全書》卷二六〈寄正憲男手墨二卷〉。
⑬王守仁，《傳習錄》上。
⑭王守仁，《傳習錄》中。
⑮王守仁，《傳習錄》下。

去掉物欲，恢復良知之本性。所謂「致良知」，就是要不斷進行道德修養，以達到「存天理，去人欲」的境界。王陽明也提到「格物」，但他反對像朱熹那樣把「格物」解釋成「即物」，他認為「格者，正也，正其不正以歸於正之謂也」⑯，而「天下物本無可格者，其格物之功只在身心上做」⑰。因此，所謂「格物」也就等於「正心」，成為體認「良知」、實現「良知」的修養工夫。

明朝中葉，人們對陳腐的程朱理學，早就感到厭煩。王陽明學說一出，令人耳目一新，原來「桎梏於訓詁詞章之間」的士人們，「驟而聞良知之說，一時心目俱醒，猶若撥雲霧而見白日」⑱。許多人拋棄程朱理學，轉而追從王氏心學，王學遂出現「門徒徧天下，流傳逾百年」⑲之盛況。

第三節　文學復古運動的初興

當語言典雅、內容空洞的臺閣體風靡文壇之時，也有人起而反對，主張詩文應當表達自然之情。而若想與在政治上占據優勢的主流觀念相抗衡，最好的途徑便是高揚復古旗幟，借助具有典範意義的古代文本，批評、扭轉當世的文風。

⑯王守仁，《大學問》。
⑰王守仁，《傳習錄》下。
⑱顧憲成，《小學齋箚記》卷三。
⑲張廷玉等，《明史》卷二八二〈儒林傳序〉。

最早試圖突破臺閣體之樊籬的是李東陽。李東陽（一四四七－一五一六年），字賓之，號西涯，湖廣茶陵（今屬湖南）人，天順中進士。從弘治八年到正德七年（一四九五－一五一二年），他擔任內閣大學士，但在政治上作為不大。李東陽工詩，在成化、弘治間，主持詩壇數十年，形成一個以他為首的茶陵詩派，成員還包括謝鐸、張泰、陸釴、邵寶、何景明等。李東陽試圖借助擬古變化詩風，主張學詩惟唐可法，強調宗法杜甫。他撰寫的一些反映社會真實和民間疾苦的詩作，深厚含蓄，感情悲愴，較有新意。不過，李東陽「歷官館閣，四十年不出國門」，作品多應酬之作，難脫臺閣體之影響。因此，茶陵詩派只能算是從臺閣體到復古派之間的一個過渡流派。

真正的文學復古運動，是在弘治年間由前七子倡導起來的。所謂前七子，包括李夢陽、何景明、徐禎卿、邊貢、王九思、王廷相、康海。他們都是弘治年間的進士，以才氣自負，崇尚氣節，傲睨當世。他們力求矯正臺閣體庸弱的文風，提出「文自西京，詩自中唐而下，一切吐棄」⑳，這一主張又被概括為「文必秦漢，詩必盛唐」八字。他們的主張提出後，文人學士紛起回應，取代臺閣體成為爭相效仿的文壇主流。

前七子的核心人物李夢陽（一四七三－一五二九年），字獻吉，陝西慶陽（今屬甘肅）人。弘治七年（一四九四年）進士，歷官戶部主事、郎中、江西提學副使等職，因忤上司，罷職閒住，居家益放縱不羈，治園池，招賓客，以詩文自娛，自號「空同子」，名震海內。李夢陽最瞧不上宋人之詩，在〈缶音序〉中曾批評說：「宋人主理，作理語，於是薄風雲月露，一切鏟去不為，又作詩話教人，人

---

⑳張廷玉等，《明史》卷二八五〈文苑傳〉。

不復知詩矣。」也就是說，宋代「無詩」的原因，是將理學滲入詩歌，從而導致詩歌之本質的喪失。李夢陽自己的詩作，刻意模仿唐人，他最擅長七言詩，清人沈德潛評論其五言古體詩「過於雕刻，未極自然」，而其「七言古詩雄渾悲壯，縱橫變化，七言近體詩開合動盪，不拘故方」，「故當雄視一代」。李夢陽的散文，也樹立了一種新模式，記事述情，洗鍊逼真，感情真摯。

另一位核心人物何景明（一四八四－一五二二年），字仲默，號大復山人，河南信陽人。弘治十五年（一五〇二年）進士，歷官中書舍人、吏部員外郎、陝西提學副使等職。在提倡復古的基本立場上，何景明與李夢陽並無不同，但他不像李夢陽那樣主張「尺寸古法」，而提出「舍筏登岸」，強調以學古為手段，以獨創為目的，所以《明史．何景明傳》有「夢陽主摹仿，景明則主創造」之說。何景明志操耿介，崇尚節義，其詩對時政之昏暗多有揭露。他的詩風俊逸秀麗，並不一味拘守「古法」，得到後人很高評價。朱庭珍《筱園詩話》云：「有明前七子中，以何信陽為最。以信陽秀骨天成，筆意俊爽，其雅潔圓健處，非李空同所及。」何景明的散文，不避時忌，縱橫恣肆，頗有秦漢文章之雄健風骨。

由於前七子的崛起，弘治、正德年間出現了一個詩文創作高潮。他們以復古相號召，反對臺閣體，希望恢復漢文唐詩的優良傳統，打破了文壇的沉悶空氣，拉開了詩文革新運動的序幕，無疑具有重要的積極意義。但前七子模擬有餘，創新不足，缺少陶冶熔鑄之功，也產生了不少流弊。

與前七子約略同時，在江南的蘇州也出現了一個文學集團，成員包括祝允明、唐寅、文徵明、徐禎卿，被稱為「吳中四才子」。祝允明、唐寅、文徵明三人，都是著名畫家，所以詩中常有畫意。他們在生活上狂放不羈，賦詩作文也率性而為，以抒寫性情為第一義，常雜用俗言俚語。他們的詩風清新平易、瀟灑俊逸，不依傍門戶而卓然自立，但有時過於綺靡，或過於戲謔。徐禎卿詩初仿白居易、劉禹錫，弘治末中進士，在京師為官，加入李夢陽、何景明為首的文學群體，成為「前七子」之一，詩風也改而模仿漢魏盛唐。總起來看，吳中四才子或無緣入仕，或擔任過低級官職，政治地位都不高，影響範圍也比前七子小得多，但他們生活於城市經濟特別繁盛的蘇州，與市民階層息息相通，不少作品的內容和形式都很新穎，成為明代中葉文學復興的一個重要組成部分。

第四節　繪畫與書法風格的轉變

明代各種類別的繪畫，以山水畫最為發達。明初的山水畫流派複雜，其中較有影響的風格，是延續「元四家」（黃公望、王蒙、倪瓚、吳鎮）的流風餘韻，注重筆墨技巧，講究意境神韻，畫面偏於淡遠、蕭疏、冷寂、幽深，充滿文人隱士的荒率趣味。對於這種繪畫風格，明代上層社會不太欣賞，他們喜歡的是工細典雅的南宋院體畫。在上層社會品味好尚的影響下，宮廷畫家大多取法於南宋院體山水之代表馬遠、夏圭，流風所及，民間畫家也競相仿效。

這種畫風的著名代表人物是戴進。戴進（一三八八－一四六二年），字文進，號靜庵，又號玉泉山人，浙江錢塘（今杭州）人。關於其出身有二說：一說其父係職業畫家，戴進繼承家學，於永樂末年隨父應詔入京，成為宮廷畫家；一說其原為金銀器工匠，因不為世俗所重，憤而學畫，赴京賣畫為生，宣德年間被召入宮廷。後因同行進讒言，被放歸，窮老以死。戴進工山水、人物、花卉，無一不精。其山水畫能吸收眾家之長，但主要是繼承南宋院體的工細、雄健和水墨淋漓的畫風，代表作有《春山積翠圖》、《風雨歸舟圖》等。戴進生前和死後，都有很多追隨者。因他是浙江人，故所開創的畫派被

戴進《春山積翠圖》

沈周《虎丘送客圖》

稱為「浙派」。戴進之後，浙派的代表人物為吳偉（一四五九－一五〇八年），代表作有《漁樂圖》、《松風高士圖》等。因吳偉是湖廣江夏（今湖北武漢）人，故他與傳人亦有「江夏派」之稱。其他浙派傳人，還有張路、蔣嵩、汪肇、鄭文林、朱邦、史文等。

到明代中葉以後，山水畫風格大變，「吳派」取代「浙派」成為畫壇主流。「吳派」亦稱「吳門畫派」，其代表人物沈周、文徵明、唐寅、仇英，合稱「吳門四家」。因他們都是蘇州人，而蘇州為古吳都城，有吳門之稱，故名。吳派強調「畫有士氣」，其山水畫法上探北宋董源、巨然諸家，近追元四家，講求文人的風味與情調，與浙派風格迥異。

吳派的創始人沈周（一四二七－一五〇九年），字啟南，號石田，晚號白石翁，亦作玉田翁，長洲（今江蘇蘇州）人。他出身書香門第，終身未仕，家居讀書、吟詩、作畫，優遊林泉。沈周先輩皆以詩文書畫聞名鄉里，書畫乃家學淵源。沈周精於各種形式的繪畫，尤以山水為工。其山水畫早年承繼家學，後出入於宋元各家，主要繼承北宋董源、巨然以及元四家中的黃公望、王蒙、吳鎮的水墨淺絳體系，並參以南宋李唐、劉松年、馬遠、夏圭四家勁健的筆墨，融會貫通，剛柔並用，卓然自成一家，形成粗筆水墨的新風格。沈周早年多作小幅，畫法嚴謹細秀，「所為率盈尺小景」，因得「細沈」之稱；四十歲以後多作大幅，「粗枝大葉，草草而成」，粗簡豪放，清新雅逸，氣勢雄強。傳世作品有《仿董巨山水圖》、《仿黃公望富春山居圖》、《滄州趣圖》等。

文徵明（一四七〇－一五五九年），初名璧，以字行，更字徵仲，號衡山、衡山居士，長洲（今江蘇蘇州）人。早年專心詩文書畫，正德末始以歲貢生薦試吏部，授翰林待詔，時已年過五十，數年後力請還鄉。文徵明學畫於沈周，但又不為沈周所囿，而是廣學宋元諸家，並能融會貫通，形成自己的藝術風格。其畫風早年細緻清麗，中年用筆粗放，晚年則粗細兼具，而得清潤自然之致。後人對其粗放之作尤為推崇，故有「粗文」之說。傳世作品有《山雨圖》、《古木寒泉圖》、《萬壑爭流圖》、《真賞齋圖》等。

唐寅（一四七〇－一五二三年），字伯虎，又字子畏，號六如居士、桃花庵主、魯國唐生、逃禪仙吏等，吳縣（今江蘇蘇州）人。弘治十一年（一四九八年）參加應天鄉試，中頭名解元。次年赴京會試，被牽連進科場案，下獄，旋謫為吏，於是放浪形骸，玩世不恭，漫遊山川，以詩酒書畫為事。唐寅山水、花鳥、人物皆精，工筆寫意俱佳。其山水畫師承南宋畫風，但不墨守陳規，自成一路。造景不分雄偉險峻、平遠清幽，都是小中見大，粗中有細，行筆秀潤縝密，具瀟灑清逸的韻度。代表作有《山路松聲圖》、《騎驢歸思圖》等。

仇英（約一四九三－一五六〇年），字實父，號十洲，太倉（今江蘇太倉）人，寄居蘇州。初為漆匠，後學畫，山水、人物、仕女皆精，設色清麗，構圖繁密，意境深邃。其山水畫以青綠山水見長，無論大幅小幅，無不結構謹嚴，筆墨細潤，色彩濃麗，風骨勁峭。代表作有《劍閣圖》、《觀瀑圖》等。

吳門畫派推崇的繪畫風格，很快風靡於世，取代浙派成為畫壇主流。由於追隨者眾多，相互之間的畫風差異越來越大，嘉靖以後分成許多小流派，如盛時泰的江寧派、趙左的蘇松派、沈士充的雲間派、蕭雲從的姑孰派、藍瑛的武林派、項聖謨的嘉興派等。影響最大的一個流派，是晚明以董其昌為代表的華亭派。董其昌（一五五五－一六三六年），字玄宰，號思白、思翁，別號香光，松江華亭（今上海松江）人，官至南京禮部尚書。專長山水，融董源、巨然、倪瓚、黃公望諸家於一體，講究筆致墨韻，所作山川樹石，清雋雅逸，煙雲流動，平淡自然。除了用作品體現文人畫的韻致外，董其昌還

敬齋箴
正其衣冠尊其瞻視潛心
以居對越上帝足容必重
手容必恭擇地而蹈折旋
蟻封出門如賓承事如祭
戰戰兢兢罔敢或易守口
如缾防意如城洞洞屬屬
無敢或輕不東以西不南
以北當事而存靡它其適
弗貳以二弗參以三惟心
惟一萬變是監從事於斯
是曰持敬動靜無違表裏
交正須臾有間私欲萬端
不火而熱不冰而寒毫釐
有差天壤易處三綱既淪
九法亦斁於乎小子念哉
敬哉墨卿司戒敢告靈臺
永樂十六年仲冬至日
翰林學士雲間沈度書

沈度《敬齋箴》

借用唐代禪宗南北二宗之分，提出「南北宗」的說法，將水墨渲淡畫法的文人畫家比作南宗，將以青綠勾填畫法的職業畫家視為北宗，並極力推崇南宗為畫家正統，貶斥北宗為行家畫。這種說法存在一些偏頗之處，但對明末、清代乃至當代的中國畫創作都產生了重大影響。

在繪畫風格發生轉變的同時，明代書法風格也出現了類似的風格變化。明朝開國之初，繼承了元代的書法風格，被稱為「三宋」的宋克（一三二七－一三八七年）、宋璲（一三四四－一三八〇年）、宋廣（生卒年不詳），都是由元入明的人物，他們的書法雖然有所創新，但基本上還是元代風貌。

永樂以後，國勢承平，統治者留意翰墨，曾徵召大批善書者入宮。因他們的職責是書寫制誥，要求字體方正、光潔、均勻、美觀，從而形成被稱為「臺閣體」的書法，一時間影響很大。臺閣體書法的代表人物是「二沈」，即沈度和沈粲。沈度（一三五七－一四三四年），字民則，號自樂，松江華亭（今上海松江）人，洪武時以文學優長被薦舉，未肯出仕，永樂時以善書選為翰林典籍，深為成祖喜愛，擢中書舍人、侍講學士。擅長篆、隸、真、行諸體書，代表作有楷書《敬齋箴》、楷隸書

《四箴》、行書《詩頁》等。沈粲（生卒年不詳），字民望，號簡庵，為沈度之弟。永樂時，以善書選入宮，歷翰林待詔、中書舍人、侍讀學士、大理少卿等職，與沈度並稱「大小學士」。善楷、行、草諸體書，尤以草書見長，代表作有楷行書《應制詩》、《草書千字文》等。沈氏兄弟的書法風格不盡相同，沈度「以婉麗勝」，沈粲則「以遒逸勝」，但他們都很重視法度，講究書體的外在美態，體現了「雍容矩度」的臺閣風尚。

隨著時間推移，臺閣體書法日益僵化，成化、弘治以後，遂呈現沒落之勢。許多書法家厭棄臺閣體的陳腐面貌，紛紛探索書法藝術的新風格。在這些領風氣之先的書法家中，名氣和影響最大的，是以祝允明、文徵明、王寵為代表的吳門書法。祝允明（一四六〇－一五二六年），字希哲，號枝山，長洲（今江蘇蘇州）人。他廣泛師法歷代書法名家，楷書風格早年精謹渾樸，晚年則不注重點畫的形似，而結構疏密，轉運遒逸，神韻益足；草書功力深厚，尤其晚年作品，重視變化，風骨爛漫，天真縱逸，奔放不羈。文徵明的書法，亦博取前人精華，為集古之大成者，楷、行、草、隸諸體皆佳，尤精小楷，人稱有「二王」風骨。王寵（一四九四－一五三三年），字履仁，後改履吉，長洲（今江蘇蘇州）人。擅長楷、行、草書，廣泛取法前人，而能融會貫通，書品神韻超逸，簡遠空靈。

吳門書法興起後，取代臺閣體成為書壇主流。其後書法家代不乏人，風格多樣，出現百花齊放的活躍局面。

第二篇

明朝的整頓期

一五二二—一五八二年

導言

從明武宗正德十六年（一五二一年）至神宗萬曆十年（一五八二年），是明朝的整頓期。武宗猝然早逝，為政治改良與革新創造了機會。自武宗去世到世宗入承大位，有三十七天皇位空缺期，內閣首輔楊廷和總攬朝政，推出一系列改革措施。世宗即位後，繼續推行改革。但為時不久，就發生了「大禮議」風波。世宗斥逐舊臣，大權獨攬，而其求治之心卻日益消磨，越來越深地沉迷於方術和齋醮之中。終嘉靖之世，雖未像前代那樣出現宦官專權局面，但內閣中的混鬥卻持續不斷。「南倭北虜」問題在嘉靖朝也空前嚴重，所幸戚繼光等名將奮勇抗擊，將倭寇勢力擊潰。穆宗至神宗初年，在內閣首輔高拱、張居正等人主持下，澄清吏治，加強邊防，整頓賦役，推行了一系列改革措施，並實現了俺答封貢和開放海禁，創造了難得的和平局面。本期經濟發展十分迅速，農業、手工業和商業都達到空前繁榮，以江南為中心興起了一大批工商業市鎮，當然隨著經濟的繁華，社會生活也出現極度侈靡的風氣。思想方面，王陽明心學繼續傳衍，並依師承和地域關係分化為幾大學派。與此同時，出現了一些對心學和理學進行反思和批評的思想家。本期的文壇也比較活躍，先是有唐宋派起而反對前七子的復古文風，而復古派也不甘示弱，在後七子的鼓動下又掀起一個高潮。戲曲和小說創作進入繁榮期，出現了《寶劍記》、《浣紗記》、《鳴鳳記》三大傳奇和《西遊記》這樣一部神魔小說傑作。科技方面也有所進步，最突出的成就是李時珍完成了藥物學巨著《本草綱目》。

第十二章 嘉靖初政與大禮紛爭

第一節 世宗即位前後的革故鼎新

正德十六年（一五二一年）三月十二日，明武宗猝然死於「豹房」。他既無兒子，又無同父兄弟，生前也未選立皇儲，因此擺在朝廷面前最急迫的事務，便是挑選一位皇位繼承人。此時朝堂上較有威望的大臣，是內閣大學士楊廷和。楊廷和（一四五九－一五二九年），字介夫，四川新都（今屬成都）人，成化十四年（一四七八年）進士，正德二年（一五〇七年）以文淵閣大學士入閣預機務。對於武宗的荒唐舉措，楊廷和屢加勸諫，在士大夫中贏得不少聲譽。在討論繼位人選時，楊廷和援引《皇明祖訓》「兄終弟及」之條，提出：「興獻王長子，憲宗之孫，孝宗之從子，大行皇帝之從弟，序當立。」此議得到大學士梁儲、蔣冕、毛紀以及其他朝臣的廣泛贊同，遂令內監入啟皇太后張氏，「頃之，中官奉遺詔及太后懿旨，宣諭群臣，一如廷和請，事乃定」①。

①張廷玉等，《明史》卷一九〇〈楊廷和傳〉。

楊廷和所說興獻王長子，名叫朱厚熜。明憲宗共有十四子。其中長子未名而殤；次子朱祐極，成化七年（一四七一年）十一月立為皇太子，十二月病故；三子即明孝宗；四子朱祐杬，成化二十三年（一四八七年）封興王，藩國在湖廣安陸州（今湖北鍾祥），正德十四年（一五一九年）去世，謚獻，所以被稱為興獻王。朱厚熜是興獻王的獨子，作為憲宗之孫、孝宗之侄、武宗之從弟，看起來確是「倫序當立」。但實際上，楊廷和等人的這一決策存在很大疏失：第一，《皇明祖訓》設計的「兄終弟及」的繼統方案是針對同父兄弟而言，武宗去世後，恰當的做法是從近支宗室中挑選一個輩分相當的人以武宗嗣子的身分繼承皇位，楊廷和實際上是錯誤地理解了「兄終弟及」的含義；第二，楊廷和想當然地認為繼統和繼嗣是一件事情不可分割的兩個方面，而未在武宗遺詔中說明新君應承繼孝宗的宗系。正是這些疏失，為大禮紛爭的興起埋下了導火線，並最終導致楊廷和等人遭到政治迫害。

安陸距北京較遠，朱厚熜四月二十二日才抵達京城，即皇帝位，史稱明世宗。從武宗去世到世宗即位，出現了三十七天的皇位空缺期。武宗時期，皇帝行為怪誕，宦官和佞臣當道，楊廷和空有救時之心，卻難收匡救之效。現在，他充分利用皇位空缺這一時機，大力革除武宗弊政。

武宗甫一去世，楊廷和在張太后支持下，就以遺旨和遺詔的形式發出許多指令。有些指令屬於軍事性的安排，目的是保證朝廷對軍事指揮權的絕對控制和消除京師發生兵變的可能性；另一些指令的目的是通過革除幾種「中外素稱不便」的秕政以樹立「新政」形象，這包括革除大為民害的皇店，遣返長期居留京師的藩屬和外國貢使，遣散豹房裡的僧人，放還滯留京師的工匠、水手、教坊司樂人，放遣四方進獻的女子，停止京師的各種不急工程等。此外，武宗去世後的第四天，楊廷和等人在張太后和幾名太監的幫助下，順利逮捕了手握重兵的武宗佞臣江彬，消除了一大隱患。這些遺旨和遺詔起到安定和振奮人心的作用，但在革除秕政方面做得很不夠。這一方面是由於當時的權力格局錯綜複雜，宦官集團的勢力十分強大，楊廷和受到諸多牽制；另一方面是因為遺旨的主要目標是穩定局勢，不適合過多地推出革弊條款。

這一缺憾，通過起草世宗登極詔部分地得到彌補。明朝從成祖到熹宗諸帝的登極詔，除世宗外，款數最多者不過四十餘條，惟獨世宗登極詔多達八十款，充分反映了楊廷和「革故鼎新」的願望和決心。登極詔對武宗時期的荒亂政局提出含蓄的批評，宣佈了一系列「與民更始」的除弊措施：如正德年間因上疏言事被治罪的官員，死者予以優卹，生者予以錄用；通過傳陞、乞陞等非正常程序獲得官職的人員全部革職；冒籍、投充、私自頂補以及額外招收的官軍、旗校、勇士、軍匠人等全部清退；正德十五年（一五二〇年）十二月以前各處實徵稅糧等項，凡未徵者一律蠲免，已徵在官者照舊起解，用以抵充本戶以後年分應該交納的數額；免除還籍復業的流民一年的賦役等等。

在起草登極詔的過程中，楊廷和受到宦官集團的很大壓力，他們要求刪去一些對他們不利的條款。楊廷和堅決拒絕了這種要求，並表示若強迫更改詔草，他將向新天子辭職，並奏請新天子解釋更改詔書的理由。雖然如此，詔書在涉及宦官問題時仍很謹慎：此前的憲、孝、武三位皇帝的登極詔，都有關於召還、裁減或嚴格管理鎮守中官的條款，但世宗登極詔對這一在武宗時期變得空前嚴重的政治問題竟然未提出解決辦法。儘管如此，登極詔還是得到朝野的廣泛認可，「中外稱新天子聖人，且頌廷和功」；但也有一些既得利益受到損害的人對楊廷和極為痛恨，甚至有人想對他行刺②。世宗即位後，

---

②吳伯與，《內閣名臣事略》卷三〈楊文忠公祠堂碑〉；張廷玉等，《明史》卷一九〇〈楊廷和傳〉。

與楊廷和一樣具有「革故鼎新」的強烈願望，這保證了這份登極詔未像此前某些皇帝的登極詔那樣淪為具文。正如談遷所說：「凡新主之詔，多旋行旋格，美意不終；惟世宗初所興除，靡不力也。」③

嘉靖新政對前代積弊進行了比較全面的清除。針對那些引起廣泛非議和民憤的政治弊端，更是推出一系列強有力的整頓和限制措施。例如，從英宗以來，宦官擅權成為長期困擾著王朝統治的一大政治痼疾。由於武宗時期宦官的勢力極盛，所以在楊廷和主持朝政的皇位空缺期，只是對宦官稍加裁抑，並未過分觸動他們的利益。等到世宗即位後的次月，政治局勢基本穩定下來，於是接受朝臣們的強烈呼籲，下令逮治「性皆凶悖」的宦官「三張」（張銳、張雄、張忠）以及吳經、劉允等，但谷大用、魏彬等宦官卻得到皇帝的優容。對於世宗懲治宦官的不徹底態度，一些朝臣提出尖銳批評。在朝廷輿論的促動下，世宗加強了對宦官的限制和懲治力度，並「盡撤天下鎮守內臣及典京營、倉場者，終四十餘年不復設，故內臣之勢，惟嘉靖朝少殺」④。

冗官冗員問題是明中葉的另一大政治痼疾。如在正德年間，武宗打破正常的銓選程序委任了大量文武官員，在京官軍、旗校、勇士、軍匠等的人數也空前膨脹，不但嚴重影響了官僚隊伍和京衛官軍的素質，還給國家財政造成很大負擔。據統計，正德十六年（一五二一年）四月以前，在京官軍、旗校、勇士、軍匠等的在冊人數已達三十七萬餘名，每年需要支取食米近四百萬石。當時漕運總額只有四百萬石，其中還要海運三十五萬石供給邊軍，因此運到北京的全部漕米都不夠支付食米。世宗即位

③談遷，《國榷》卷五二。

④張廷玉等，《明史》卷三〇四〈宦官傳一〉。

後，很快落實了登極詔的有關條款，查革清退各類冗濫人員十四萬八千七百餘人，每年可節省漕米一百五十餘萬石。

明中葉莊田的惡性膨脹以及管莊人員對佃戶和周邊百姓的殘酷掠奪，受到朝野上下的廣泛詬病並引起尖銳的社會矛盾。世宗即位後，曾下令「各宮仍置皇莊，遣官校分督」，署理部務的戶部左侍郎秦金上疏勸諫，要求「勘正德間額外侵占者，悉歸其主，而盡撤管莊之人」，世宗欣然採納⑤。嘉靖元年（一五二二年）十月，派遣兵科給事中夏言等人查勘北直隸八府莊田，規定「凡侵占者，盡數查出，給主召佃，還官歸民」⑥。經過數月清查，八府共有各項莊田二十萬餘頃，其中二萬餘頃屬於侵占來的民田，予以退還。嘉靖六年（一五二七年）十一月，世宗接受大學士楊一清等人的建議，又令推選侍郎及御史、給事中各一員前去查勘莊田，敕令「不問皇親勢要，凡係冒濫請乞及額外多占，侵奪民業，曾經奏訴者，查冊勘還」⑦。

除上述幾項外，嘉靖初期還有其他一些值得稱道的新舉措。比如，明中期內苑飼養了許多禽獸供皇帝賞玩（據記載，弘治年間這些禽獸每年至少需要食用豬、羊肉和皮骨三萬五千九百餘斤，肝三百六十副，綠豆、粟米等四千四百八十餘石），世宗即位後下令將這些禽獸縱放或處理掉，並嚴令以後不得再進獻；為了減輕百姓負擔，諭令停罷各種「額外之徵」；鼓勵官員們上疏陳說民間利病等等。

⑤張廷玉等，《明史》卷一九四〈秦金傳〉。
⑥徐學聚，《國朝典彙》卷一九〈莊田〉。
⑦徐階、張居正等，《明世宗實錄》卷八二〈嘉靖六年十一月〉。

第二節　大禮議

世宗即位不久，圍繞其生父興獻王的尊稱和祀典問題，就掀起一場傾動朝野的「大禮議」，在一定程度上影響了「革故鼎新」展開和深入，並對此後明朝政治的演進造成很大的負面影響。

楊廷和等人在確定皇位繼承人方面的疏失，很快被世宗抓住和利用。剛一抵達京師，他就堅持以皇帝應享用的禮儀入城和登基，而不肯接受楊廷和為他預定的相當於太子的身分。登基後的第四天，就派使臣去安陸州迎接母親蔣氏。又過兩天，下詔書命禮部召集大臣商議興獻王祀典和尊稱。「大禮議」從此開始。

正德十六年（一五二一年）五月七日，禮部尚書毛澄在楊廷和的支持下，召文武群臣集議，並疏請效法漢定陶王子嗣成帝、宋濮王子嗣仁宗的故事，「宜稱孝宗為皇考，改稱興獻王為皇叔父興獻大王，妃為皇叔母興獻王妃，凡祭告興獻王及上箋於妃，俱自稱侄」⑧。這種變易父母的做法，世宗當然不能接受，氣憤地說：「父母可更易若是邪！」命令再議。楊廷和、毛澄等堅持初議，世宗則屢次拒絕這種建議，但卻苦於提不出有力的反駁根據。他試圖把楊廷和一派拉攏過來，「每召廷和，從容賜茶慰諭，欲有所更定，廷和卒不肯順帝指」⑨。世宗還曾遣中官向毛澄諭意，中官甚至「長跪稽首」，

⑧徐階、張居正等，《明世宗實錄》卷二〈正德十六年五月〉；張廷玉等，《明史》卷一九〇〈楊廷和傳〉。
⑨張廷玉等，《明史》卷一九〇〈楊廷和傳〉。

傳世宗之言曰：「人孰無父母，奈何使我不獲伸，必祈公易議。」毛澄憤然曰：「老臣悖耄，不能隳典禮，獨有一去，不與議已耳。」⑩

七月三日，觀政進士張璁上疏，世宗終於找到了有力的理論武器。張璁（一四七五－一五三九年），字秉用，浙江永嘉人，正德十六年（一五二一年）進士。此前，他曾七試不第，舉進士時年已四十七歲。張璁是一個有抱負的人，如果依附楊廷和一派，循序漸升，恐怕很難致身高位。他洞察到世宗的意圖，很想通過議禮驟貴。經過深思熟慮，張璁提出一套嶄新的禮儀主張。他上奏說，「廷議執漢定陶、宋濮王故事，謂為人後者為之子，不得顧私親」，但漢成帝、宋仁宗是先將定陶、濮王子「預立為嗣，養之宮中，其為人後之義甚明」。當今情況卻較然不同，陛下是因「倫序當立而迎立之」，遺詔中也直言「興獻王長子」，「未嘗著為人後之義」。因此，「陛下謂入繼祖後，而得不廢其尊親則可；謂為人後，以自絕其親則不可」。他還解釋說，「夫統與嗣不同，非必父死子立也」，不能強行「奪此父子之親，建彼父子之號」，並建議「別立聖考廟於京師，使得隆尊親之孝」。世宗看到這個奏疏，如獲至寶，高興地說：「此論出，吾父子獲全矣。」⑪當即下詔，要尊父為興獻皇帝，母為興獻皇后。可是楊廷和等封還手詔，拒不受命，並且指使言官彈劾張璁。

九月二十五日，世宗生母興獻王妃蔣氏從安陸抵達通州（今屬北京），以尊號未定，不肯入國門。世宗聞訊，遂提出「避位奉母歸藩」，以要脅朝臣和張太后。於是張璁又著〈大禮或問〉，聲稱「議禮

⑩張廷玉等，《明史》卷一九一〈毛澄傳〉。
⑪張廷玉等，《明史》卷一九六〈張璁傳〉。

立制，權出天子」，建議世宗「應奮獨斷，揭父子大倫，明告中外」。迫於形勢，張太后只得同意尊興獻王為帝，興獻王妃為興獻后。蔣氏見到這個決定，才同意入京。但楊廷和也授意吏部，把張璁調任南京刑部主事，並寄語張璁說：「子不應南官，第靜處之，勿復以大禮說難我耳。」⑫

十二月十一日，世宗又提出興獻帝后宜加稱「皇」字。內閣楊廷和封還手敕，尚書毛澄等據理力爭，又偕同九卿勸諫。嘉靖元年（一五二二年）正月十一日，清寧宮發生火災，楊廷和等遂以天變進言，稱火災係因廢禮失言所致。世宗只得暫時接受他們的意見，稱孝宗為皇考，張太后為聖母，興獻帝后為本生父母，不加「皇」字。不過，張璁的主張，也得到桂萼、方獻夫、席書、霍韜等人的贊同，其中除帶有右副都御史頭銜的湖廣巡撫席書外，其他都是低級官員。這些人紛紛上疏或寫信支持張璁的見解，並進一步完善了他的論證邏輯。

楊廷和憑藉內閣權勢極力阻撓世宗的意圖的實現，並對與自己意見相左的官員進行排擠和打擊，但這只能激化他與世宗之間的矛盾。官僚集團分裂成壁壘分明的兩派：楊廷和派在人數上占有絕對優勢；張璁派人數雖少，但卻擁有政治天平上最重的砝碼——皇帝。因而，隨著鬥爭日趨白熱化，皇帝和張璁派的觀點必然會逐漸占據上風。絲毫不肯妥協的楊廷和於嘉靖三年（一五二四年）正月黯然離職，而席書於三月被任命為禮部尚書，多數派陣營呈現出明顯的頹勢。四月，追尊興獻帝為本生皇考恭穆獻皇帝，上興國太后尊號為本生皇母章聖太后。五月，張璁、桂萼聯合上疏，提出去掉世宗生母尊稱中「本生」二字。護禮派朝臣得知此事，群情激昂，準備效仿景泰時朝臣打死馬順的故事，將二

⑫谷應泰，《明史紀事本末》卷五〇〈大禮議〉。

人在朝廷上擊斃。張璁得到武定侯郭勳的庇護。郭勳是開國功臣郭英的曾孫，在勳貴中頗有影響。另外宗室楚王、棗陽王也先後上疏附和議禮。七月十二日，世宗在左順門召見群臣，宣詔生母章聖皇太后去「本生」二字。

為了扭轉被動局面和維護綱常倫理，七月十五日，護禮派舉行了一次聲勢浩大的伏闕請願運動，楊廷和之子修撰楊慎鼓動說：「國家養士一百五十年，仗義死節，正在今日！」當日共有二百二十九名官員跪伏左順門，包括九卿二十三人、翰林二十二人、給事中二十一人、御史三十人，諸司郎官吏部十二人、戶部三十六人、禮部十二人、兵部二十人、刑部二十七人、工部十五人，大理寺屬十一人。群臣不停地高呼：「高皇帝！孝宗皇帝！」在朝臣的影響下，內閣大學士毛紀、石寶也跪伏左順門。世宗多次令內官宣諭群臣退出，但百官跪伏不起，從辰時跪至午時，大有不達目的誓不甘休之勢。在勸說無效後，世宗決定採用鎮壓手段平息這場運動。他下令錦衣衛把為首的豐熙、張翀、余寬、黃侍顯、陶滋、相世芳、毋德純等八人下獄。但此舉未能制止群臣繼續伏諫，楊慎等更撼門大哭，百官也伏哭不止，哭聲震動闕廷。世宗怒不可遏，命內臣將跪伏官員名字全部錄下，馬理等一百九十三人被下詔獄，從而彈壓了左順門跪伏事件。幾天後，世宗開始處理此事。豐熙等八人嚴加拷訊，充軍邊疆。四品以上官員奪去俸祿，五品以下官員一百八十餘人被廷杖，結果編修王相等十七人被杖死。

左順門跪伏事件可謂大禮議的轉捩點，皇帝和張璁派取得決定性勝利。張璁和他的主要支持者都獲得有實權的高級職位，而他的主要反對者們則被清除出官場。九月，世宗決定稱孝宗為皇伯考，張太后為皇伯母，獻皇帝為皇考，章聖皇太后為聖母，並詔示天下。不過，兩派的鬥爭並未完全結束，此後「議禮新貴」張璁等人仍經常利用「大禮議」作為打擊和排斥異己的工具，嘉靖五年（一五二六年）發生的故意顛倒黑白的「李福達獄」，就是典型事例之一。李福達，山西代州人，曾參加彌勒教起事，敗後改名張寅，入京師「用黃白術干武定侯郭勳，勳大信幸」。後蹤跡顯露，返回山西，因仇家告發被捕。巡按山西御史馬錄經審訊，確定張寅即李福達。郭勳寫信向馬錄求情，馬錄遂彈劾郭勳「庇奸亂法」，許多官員上疏回應，謂郭勳「罪當連坐」。郭勳為擺脫困境，「以議禮觸眾怒為言」，張璁、桂萼亦同類相護，「謂諸臣內外交結，藉端陷勳，將漸及諸議禮者」。世宗怦然心動，命將李福達取至京城，重新審理，因對審訊結果不滿意，乾脆令張璁、桂萼、方獻夫分署三法司事再審。於是案件完全翻盤，原來參與審理此案者，自刑部尚書顏頤壽以下近五十人或論死，或遠戍，或革職閒住⑬。護禮派再一次遭到大規模清除，而議禮派則進一步鞏固了地位。

嘉靖六年（一五二七年）十月，張璁被任命為禮部尚書兼文淵閣大學士，參預機務。嘉靖七年（一五二八年）六月，《明倫大典》書成進呈，世宗親製序文，命宣付史館，刊佈天下。又「敕定議禮諸臣之罪」，世宗在敕諭中說：

> 比者命官纂修《明倫大典》，書成進覽，其間備述諸臣建議本末，邪正俱載。奉天行罰，以垂戒後之人，乃朕今日事也。然猶不欲為已甚之舉，姑從輕，以差定罪：楊廷和為罪之魁，懷貪天之功，制脅君父，定策國老以自居，門生天子而視朕，法當戮市，特大寬宥，革了職為民。次則毛澄病故，削其生前官職。又次蔣冕、毛紀、喬宇、汪俊俱已致仕，各革了職，冠帶閑住。

⑬張孚敬，《欽明大獄錄》；谷應泰，《明史紀事本末》卷五六〈李福達之獄〉。

林俊亦革去生前職銜。何孟春雖佐貳，而情犯特重，夏良勝雖係部屬，而釀禍獨深，都發原籍為民。其餘兩京翰林、科道、部屬，大小衙門官員，附名連僉入奏，然有彼人代署而已不與聞者，有心知其非而口不敢言者，事干人眾，情類脅從；間有四五黨助之者，亦原於勢利所奪，俱從寬不究。其間實有出輔臣之門，受其指使，號召眾人，以濟其惡者，當時已正法典，或邊戍充軍，或削職為民，茲不再究。⑭

世宗命令禮部將上述敕諭大書一道，揭於承天門外，「俾在位者咸自警省」。至此，大禮紛爭才基本結束。此後世宗便隨心所欲地將生父擠入帝系並不斷提升他的祭祀規格，而無人再敢有異議。

第三節 更定祀典

中國古代有「國之大事，在祀與戎」之說，祭祀禮儀一向很受重視。明太祖建國伊始，經過仔細斟酌，確定了各類祀典。這套典禮儀式，從成祖直到武宗，一直代代沿用，而未敢做較大改動。但世宗在獲得大禮議的勝利後，又用十多年時間，陸續對各種祭典進行更定。這些祭禮改制，實際上是在大禮議基礎上的邏輯展開，「仍是議大禮之意也」⑮。更定祀典的目的，主要有兩點：一是宣示皇帝具

⑭徐階、張居正等，《明世宗實錄》卷八九〈嘉靖七年六月〉。
⑮佚名，《明事斷略．更定祀典》。

建於永樂十八年的天壇祈年殿

有制禮作樂的無上權威，二是在禮儀上把興獻帝徹底納入帝系。

在各種皇家祀典中，以祭祀天地最為隆重。明太祖最初遵依「冬至祀天於南郊之圜丘，夏至祀地於北郊之方澤」之古制，實行天地分祀，建圜丘於鍾山之陽，建方丘於鍾山之陰。但到洪武十年（一三七七年），因水旱頻仍，太祖認為乃天地分祀所致，遂改合祀，在圜丘舊址為壇，以屋覆之，名曰大祀殿。祭祀天地例以祖宗配享，太祖奉其父仁祖配享天地，建文帝改奉太祖配享，仁宗時又以太祖、太宗並配。世宗認為合祀天地，不合古禮，乃於嘉靖九年（一五三〇年）初向張璁透露改制意向，不料遭到反對。世宗「卜之太祖，復不吉」[16]。正當世宗沮喪之時，吏科都給事中夏言上疏，請恢復皇后親蠶北郊之禮。此議雖未言及天地

[16] 徐階、張居正等，《明世宗實錄》卷一一〇〈嘉靖九年二月〉。

分祀，卻正合乎南北郊之義。世宗令人向夏言透露欲改分祀的想法，夏言遂上疏請分祀天地，並稱此舉為「中興大業」。世宗特將奏疏留中，以觀朝臣反應。禮科給事中王汝梅見奏疏留中，以為皇帝不贊成此議，上疏表示反對。世宗嚴厲斥責王汝梅，並令各官表明態度。議禮諸臣嫉妒夏言得寵，乃由霍韜出面駁斥，謂夏言引以為據的《周禮》，乃是「(王) 莽賊偽書，不足憑據」⑰。夏言疏辯，遭霍韜致書痛罵。世宗大怒，將霍韜下獄，又訓斥禮部態度不明。群臣不敢再阻撓，天地分祀、太祖獨配之制，遂於嘉靖十年實現。

或許是感到在更定郊祀典禮上沒有跟上形勢，嘉靖九年（一五三〇年）十一月，張璁上疏請改先師孔子祀典。此議果然大得世宗歡心。張璁根據世宗的旨意，提出具體的更改方案，主要內容包括：「孔子宜稱先聖先師，不稱王。祀宇宜稱廟，不稱殿。祀宜用木主，其塑像宜毀。籩豆用十，樂用六佾。」⑱自漢代以來，孔子的地位越來越高，元朝時已被尊為「大成至聖文宣王」，祭禮規格很高。張璁的改制方案，使祭孔規格大幅度降低，自然會引起很大爭議。翰林院編修徐階首先反對，被謫為福建延平府推官。世宗親作〈正孔子祀典申說〉和〈御制孔子祀典論〉，宣揚更改祀典之合理性，並稱此舉是為了更好地維護祖制成法。但朝野上下仍議論紛紜，世宗乃再施殺一儆百之策，以攻擊大禮議為口實，將持有異議的御史黎貫削職為民。於是眾人緘口，新祀典按照世宗意圖確定下來。

中國歷代皇帝皆建太廟以祭祀祖宗，但廟制卻不盡相同，主要有多廟制與同廟異室制兩種。明代

⑰徐階、張居正等，《明世宗實錄》卷一一一〈嘉靖九年三月〉。
⑱張廷玉等，《明史》卷五〇〈禮志四〉。

的廟制，採用的是同廟異室制。世宗尊崇其父為獻皇帝，但廟制問題尚未解決。嘉靖四年（一五二五年），光祿寺丞何淵請立世室，崇祀獻皇帝於太廟。世宗令廷臣會議，沒想到議禮新貴張璁、桂蕚、席書等堅決反對，認為何淵之言「上干九廟之威監，下駭四海之人心」，並謂「獻皇帝由藩王追稱帝號，未為天子，未有廟號」，不可「立世室以祀於太廟」⑲。世宗無奈，只得接受張璁等之議，於太廟之外，在京師別立世廟以祀之。嘉靖十年（一五三一年）九月，世宗召見閣臣，面諭曰：「天地百禮祀典已釐正，宗廟之制尚未盡善。夫父子兄弟同處一堂，在禮非宜。我太祖初立四親廟，後因合祭天地，始定同堂之制，今當復之。」⑳朝臣雖未明確反對，但卻皆謂困難重重，禮部尚書夏言建議在同堂異室的基礎上稍作變動。世宗不願因陋就簡，只好先把計畫擱置起來。嘉靖十三年（一五三四年），南京太廟燬於火災，群臣一致同意世宗不再重建的旨意。夏言還奉迎說，京師宗廟將復古制，南京太廟遭火災，說明皇天列祖都贊成更改廟制。世宗大喜，立命大修九廟，同時在太廟旁修建世廟，遂使世廟擠入太廟系列。嘉靖二十年（一五四一年），九廟燬於火，世宗又恢復同廟異室之制，並將獻帝神主正式奉入太廟。至此，世宗才算心滿意足。

改正祀典之舉，今天看來似無足輕重，但在當時卻是引發許多爭議的大事。嘉靖朝兩個重要人物，夏言以逢迎改制而得寵，徐階以抗言而揚名，改正祀典實是他們發跡的起點。世宗置國計民生於不顧，為滿足個人私欲，醉心於改制，也反映了他由勵精圖治滑向虛飾自蔽。改制告一段落後，世宗的興趣

⑲徐階、張居正等，《明世宗實錄》卷五〇〈嘉靖四年四月〉。
⑳徐階、張居正等，《明世宗實錄》卷一三〇〈嘉靖十年九月〉。

又轉移到齋醮和玄修上，致使政治局面日益腐朽。

第四節　大禮議和改祀典的實質

大禮議是一個複雜的政治事件，學者們曾從不同角度加以觀察和分析。有人將它解讀為以張太后、楊廷和為代表的舊勢力和以世宗、張璁為代表的新勢力之間的鬥爭，也有人將它解讀為程朱理學與陽明心學之間的碰撞。這些對立和矛盾，的確可以從這場政治紛爭中辨識出來。然而，大禮議以及其後的更定祀典所體現出來的更加根本的問題，是「道」與「勢」之間的對抗，也就是說，它實質上是儒家之道與帝王之勢的一場激烈較量。

在中國歷史上，儘管相對於「勢」來說，「道」的地位日漸式微，但士大夫試圖以「道」規範和約束帝王行為的努力從未停止。大禮議中楊廷和集團之所以絲毫不肯妥協，就是想在世宗羽毛未豐之際，將其納入儒家軌範之中。世宗則想利用這一事件，極力張揚君權。他一方面不斷提高生父的祭祀規格，另一方面通過更定儀禮——毀塑像用木主、去王號稱先師、改八佾為六佾、減籩豆十二為十——降低孔子的祭祀規格，從而宣示了帝王之勢對儒家之道的支配地位。對於這一點，世宗本人並不諱言，他宣稱「君父有兼師之道，師決不可擬君父之名」，在〈敕議或問〉中指責反對者說：「孔子稱王咸謂可者，徇私意耳。借之以制壓君於上，威服人於下。雖曰尊孔子，實是自尊也。」晚明學者沈德符也深刻地指出：「孔廟易像為主、易王為師，尚為有說。至改八佾為六佾、籩豆盡減，蓋上素不樂師道與君並尊。」㉑

在大禮議中，一批官員（絕大多數是具有進士身分的年輕官員）表現出頑強的抗爭精神，「人人不之移，猶堅其故舌，愈沸愈忤，愈忤愈戇」，「群抵於震霆之下」㉒，除了出於衛「道」的熱情之外，也與明代中葉的政治和社會氛圍有關。明朝初年對社會和思想控制較嚴，人們不敢隨便議論時政，但到明代中葉，政治和社會氛圍已趨於寬鬆，心學思潮興起，社會上出現了一股僭禮越制的風氣，士人當中充溢著追求個性解放的氣息。在這種政治和社會氛圍中成長的青年士人，自然更容易為了維護自己的信仰，彰顯自己的個性，而淋漓盡致地展現出「威武不能屈」的精神。

大禮議雖然使官僚集團分成勢不兩立的兩大陣營並以一派的全面勝利告終，但從「道」與「勢」的角度觀察，最終勝利的只是皇帝：這次政治紛爭的結果，再一次證明和強化了皇帝至高無上和獨斷專行的威權；「議禮新貴」們宣揚的「緣人情以制禮」的禮制原則，最終演化成「非天子不議禮」的獨裁政治。有史家評論說，在「攬乾綱」方面，明代只有太祖、成祖能與世宗相提並論㉓。皇權的張揚與世宗剛愎、猜忌的性格融合在一起，造成一種諂媚奉迎的政治氣氛，士大夫階層的士氣和骨氣都陷入萎靡不振的狀態。

㉑沈德符，《萬曆野獲編》卷一四〈祀典〉。
㉒談遷，《國榷》卷五三。
㉓談遷，《國榷》卷六四。

第十三章 世宗失道與隆萬改革

第一節 世宗玄修與宮婢之變

明人霍與瑕曾評論說：「嘉靖初政，自洪武、永樂以後，百年僅見。」①這一評論是符合實際的：一方面，嘉靖初年清除了許多禍國殃民的宿弊，大大緩解了腐化期的統治危機；另一方面，這次改革僅在世宗「初政」時期展開，持續時間較短。事實上，世宗雖有做中興之主的願望，但缺乏實現中興大業的耐心、氣度和毅力，即位不久就顯現出荒怠的跡象。嘉靖二年（一五二三年），南京禮部尚書秦金率諸臣上疏，指出世宗在詔令、任賢、聽納、慎名器、謹國法、卹民瘼、崇正道、嗇精神八個方面都已「不能如初」。嘉靖四年（一五二五年），四川副使余珊也論及「時事漸不克終者十」，即：紀綱漸頹，風俗漸壞，國勢漸輕，夷狄漸強，邦本漸搖，人才漸凋，言路漸塞，邪正漸淆，臣工漸睽，災異漸臻。余珊雖聲稱「此十漸者，率由首相非人」所致，實際上不過是委婉批評皇帝。隨著時間推移，

①霍與瑕，《霍勉齋集》卷一六〈讀陸子余與友人書〉。

世宗越來越腐朽荒唐，其程度並不亞於武宗。

明代皇帝多信佛，但世宗希求長生，迷信道教，寵佞道士。早在嘉靖二年（一五二三年），世宗就聽信太監崔文之言，在宮中建醮（道場），「乾清、坤寧諸宮，西天、西番、漢經諸廠，五花宮兩暖閣、東次閣，莫不有之」②。大學士楊廷和引歷史上梁武帝、宋徽宗崇奉道教之教訓進行勸導，世宗表面接受，實際依然故我。禮科給事中劉最上章勸諫，並彈劾崔文侵耗內庫金銀，世宗遂命劉最查覈侵耗數字。按照定制，戶部不得稽查內庫銀，何況禮科。這實際上是故意刁難劉最。結果劉最被降調為廣德州（今安徽廣德縣）判官，不久又逮下詔獄，被處充軍。從此以後，世宗沉湎日深，恣行己志，齋醮無虛日。

世宗最初崇信龍虎山上清宮道士邵元節，嘉靖三年（一五二四年）將其召入京城，專司禱祀，極為寵信，不久封為清微妙濟守靜修真凝玄衍範志默秉誠致一真人，「統轄朝天、顯靈、靈濟三宮，總領道教，錫金、玉、銀、象牙印各一」③。此後邵元節屢得賞賜，世宗還為他在京師建真人府。嘉靖十五年（一五三六年），拜為禮部尚書。世宗崇信的另一個方士是陶仲文。他初名典真，湖廣黃岡縣人，「嘗受符水訣於羅田萬玉山，與邵元節善」。通過邵元節的引薦，他也受到世宗信賴。嘉靖十八年（一五三九年），世宗往湖廣承天府（今湖北鍾祥縣）謁顯陵（興獻王陵寢），行至河南衛輝府（今汲縣），「有旋風繞駕」，陶仲文聲稱「主火」，「是夕行宮果火，宮人死者甚眾。帝益異之，授神霄保國宣教高

②張廷玉等，《明史》卷二〇六〈鄭一鵬傳〉。
③張廷玉等，《明史》卷三〇七〈邵元節傳〉。

士，尋封神霄保國弘烈宣教振法通真忠孝秉一真人」。嘉靖十九年（一五四〇年），世宗患病，陶仲文日夜祈禱。世宗病癒，特授少保、禮部尚書，又加少傅、少師，仍兼少保，「一人兼領三孤，終明世，惟仲文而已」。後授特進光祿大夫柱國兼支大學士俸，廕子世恩為尚寶丞，旋又給伯爵俸，可見受寵篤深④。

除上述二人外，以燒煉符呪受到世宗信用的方士，還有段朝用、龔玉佩、藍道行、王金、胡大順、藍田玉等。如段朝用看到「世宗好神仙」，即通過武定侯郭勳，以所煉百餘件白銀器進獻，自稱「所化銀皆仙物，用為飲食器，當不死」，又「獻萬金助雷壇工費」，世宗「嘉其忠，授紫府宣忠高士」⑤。其實段朝用所煉銀器及以後多次進獻的白銀，都是由郭勳資助。郭勳在大禮議中庇佑張璁，深得世宗愛幸，後進封翊國公，加太師銜。此人擅作威福，罔利虐民，僅「京師店舍多至千餘區」⑥。為了取媚世宗，鞏固權勢，才投其所好，買通方士，幹此等欺騙勾當。可惜郭勳作惡太多，樹敵太眾，最後還是受到彈劾，下獄瘐死。

世宗在迷信方士的同時，對各種祥瑞極為喜愛。嘉靖七年（一五二八年）三月，靈寶縣黃河清，世宗遣使往祭河神，內閣大學士阿順其好，疏請慶賀。御史周相抗疏言：「河未清，不足虧陛下德。今好諛喜事之臣，張大文飾之，佞風一開，獻媚者將接踵。願罷祭告，止稱賀，詔天下臣民毋奏祥瑞，

④張廷玉等，《明史》卷三〇七〈陶仲文傳〉。
⑤張廷玉等，《明史》卷三〇七〈段朝用傳〉。
⑥張廷玉等，《明史》卷一三〇〈郭英附郭勳傳〉。

水旱蝗蝻即時以聞。」世宗大怒，將周相下詔獄，「拷掠之，復杖於廷，謫韶州經歷」⑦。從此阿諛獻媚之徒，紛紛獻瑞。嘉靖九年（一五三〇年），河南、四川等地獻瑞麥。十年，鄭王朱厚烷獻白雀，薦之宗廟。十三年，河南巡撫吳山獻白鹿，二十四年，永和王朱知焕獻白鹿上壽，世宗皆告鹿瑞於太廟。三十七年四月、五月，總督胡宗憲先後獻白鹿兩隻，命告謝玄極殿、太廟，以胡宗憲忠敬，陞一級。三十九年，胡宗憲又獻芝草五本、白龜兩個，世宗大悅，名龜曰玉龜、芝曰仙芝，賜宗憲銀五十兩、金鶴衣一襲。四十三年五月十四日夜，世宗坐庭院中，於御幄後獲一桃，左右侍從謂桃自空中墜。世宗大喜，修迎恩典五日。次日，又降桃，當晚白兔生二子，世宗更喜，為之「謝玄告廟」。不久，壽鹿亦生二子，群臣表賀，世宗「以奇祥天瑞，手詔褒答」。四十四年八月，又有人在世宗御座上偷偷放置「仙藥」，世宗謂之「天賜」，「親奏謝於太極殿，遣官分告壇廟」。實際上哪有天降「仙桃」、「仙藥」，分明是左右「詐飾以誤之」，而世宗卻篤信不疑，執迷不悟。

世宗的迷信活動，對朝章大政頗有負面影響。首先，給皇室內部帶來不安定的因素。世宗有八子，長子、五子、六子、七子和八子俱未逾歲而殤。二子朱載壡，嘉靖十八年（一五三九年）立為太子。第二年，世宗想從段朝用學修攝術，避位讓年僅五歲的太子監國，經太僕寺卿楊最勸諫，才放棄避位的想法，但楊最卻被廷杖致死。二十八年，朱載壡死去，論序當立三子裕王朱載坖為太子，但世宗聽信方士「二龍不相見」之言，遷延不立太子。而四子景王朱載圳與裕王同歲，僅小一月，其母盧靖妃受世宗寵倖，思謀奪位。於是朝臣在二王間各有所右。直至四十四年景王死去，這種不安定局面才告

⑦張廷玉等，《明史》卷二〇九〈楊爵傳〉。

終結。

其次，影響大臣之進退。當時大臣能否進用，要看是否贊助修玄，善寫青詞。青詞是道教做法事時祭告「天神」的奏章表文，一般為駢儷體，因用硃筆寫在青藤紙上，故稱「青詞」。「自嘉靖中年，帝專事焚修，詞臣率供奉青詞。工者立超擢，卒至入閣。」李春芳、嚴訥、郭朴、袁煒等俱以撰寫青詞入閣，人稱「青詞宰相」。其中尤以袁煒「才思敏捷，帝中夜出片紙，命撰青詞，舉筆立成，遇中外獻瑞，輒極詞頌美」，「以故帝急枋用之，恩賜稠疊，他人莫敢望」⑧。袁煒撰寫的一副青詞，「最為時所膾炙」，其文云：

> 洛水玄龜初獻瑞，陰數九，陽數九，九九八十一數，數通乎道，道合元始天尊，一誠有感。
> 岐山丹鳳兩呈祥，雄鳴六，雌鳴六，六六三十六聲，聲聞於天，天生嘉靖皇帝，萬壽無疆。⑨

由此可知，青詞的內容，「皆諛妄不典之言」。世宗喜愛貓，宮中有一隻獅子貓，毛捲曲呈淡青色，雙眉潔白如玉，世宗封牠為「虯龍」。一日「虯龍」死，世宗「為製金棺，葬之萬壽山麓，又命在值諸老為文，薦度超陞」。諸人俱以題窘不能發揮，而袁煒在祭詞中寫出「化獅為龍」一語，深得世宗賞識⑩。袁煒就是靠寫這類東西，在不到六年的時間裡，由侍讀連陞侍郎、尚書，最後入閣。

---

⑧張廷玉等，《明史》卷一九三〈袁煒傳〉。

⑨沈德符，《萬曆野獲編》卷二〈嘉靖青詞〉。

世宗最為荒唐的舉動，是為煉出長生不老藥，竟聽信方士之言，通過摧殘少女獲取煉藥原料。用這種方法煉出來的藥，稱為「先天丹鉛」。王世貞在〈西城宮詞〉中寫道：「兩角鴉青雙結紅，靈犀一點未曾通。自緣身作延年藥，憔悴春風雨露中。」詞中所說「延年藥」，即指「先天丹鉛」。嘉靖二十一年（一五四二年）十月二十一日夜，宮中發生了一件震動朝野的事件：當晚世宗住在曹端妃宮中，楊金英、蘇川藥、楊玉香、邢翠蓮、姚淑翠、楊翠英、關梅秀、劉妙蓮、陳菊花、王秀蘭等十六名宮女，乘世宗睡熟，齊心協力以黃帶勒世宗至昏。但在慌亂中，繩子打成死結，世宗昏而不死。十六人中有一個叫張金蓮的宮女，因膽怯跑去報告了方皇后。方皇后趕來，被姚淑翠迎面打了一拳，陳菊花立刻把燈吹滅。隨方皇后而來的宮女幾次點燈，都被打翻，直到管事太監帶人趕到，才把十六人拿獲。當時世宗奄奄一息，諸御醫皆不敢用藥，惟獨太醫院使許紳冒死「急調峻藥下之」，「辰時下藥，未時忽作聲，去紫血數升，遂能言，又數劑而愈」。不久，許紳患病，對家人說：「吾不起矣。曩者宮變，吾自分不效必殺身，因此驚悸，非藥石所能療也。」⑪這個太醫院長官，竟因驚悸致死。

對於這次宮變，朝鮮《李朝實錄．中宗實錄》評論說：「蓋以皇帝雖寵宮人，若有微過，少不容恕，輒加棰楚，因此殞命者多至二百餘人，蓄怨積苦，發此凶謀！」其實，若僅僅因為害怕得罪遭誅，決不會抱著必死之心去幹此「凶謀」。宮女們肯定是遭受世宗摧殘，覺得生不如死，才決心與世宗同歸於盡，可惜功敗垂成。事後，十六名宮女都被殘酷處死。但她們不畏強暴、誓死拼鬥的精神，卻永垂

⑩朱權等，《明宮詞》，北京古籍出版社一九八七年版，第一六九頁。
⑪張廷玉等，《明史》卷二九九〈許紳傳〉。

史冊，受到後人尊敬。

發生史無前例的「宮婢之變」，並未能使世宗汲取教訓。他聲稱：「朕非賴天地鴻恩，遏除宮變，焉有今茲！」從此由乾清宮移居西內（即西苑，指今北海、中南海），與大臣隔絕。世宗變本加厲，更加沉溺於修玄與煉藥。嘉靖三十一年（一五五二年）冬，「命京師內外選女八至十四歲者三百人入宮」，三十四年九月，「又選十歲以下者一百六十人」，這些幼女都是「供煉藥用也」⑫。選用幼女，是因為年齡小易於控馭，以防再次發生宮婢之變。世宗對於方士言聽計從，當時奏章有前朝、後朝之說：「前朝所奏者，諸司章奏也；他方士雜流有所陳請，則從後朝入，前朝官不與聞，故無人摘發。」⑬朝中大臣只有與方士相結，才能鞏固自己的地位。世宗還為其父母和自己都加了道號。他自己的道號先後有：「靈霄上清統雷元陽妙一飛玄真君」、「九天弘教普濟生靈掌陰陽功過大道思仁紫極仙翁一陽真人元虛玄應開化伏魔忠孝帝君」、「太上大羅天仙紫極長生聖智昭靈統元證應玉虛總掌五雷大真人玄都境萬壽帝君」。

第二節　閣臣傾軋與嚴嵩擅權

世宗自崇信方術後，就開始懈怠政事，加上「性剛好自用」，聽不進逆耳之言，結果朝政越搞越

⑫沈德符，《萬曆野獲編》補遺卷一〈宮詞〉。
⑬張廷玉等，《明史》卷三〇七〈田玉傳〉。

糟。初即位時，他曾宣佈「廣開言路」。所謂言路，是指輿論上達的管道。從廣義上講，就是要擴大言論的來源，包括臣下和庶民均可進言；從狹義上講，就是要言官暢所欲言。言官指六科給事中和都察院御史。給事中有封駁權，即有權封還皇帝失宜之詔令，駁正臣僚違謬之章疏。御史不僅對中央各部門有監察權，而巡按地方，體察民情，對朝章大政也有建議權。言官的言論往往體現朝野的輿論。大禮議時，言官多站在護禮派一邊，所以世宗「厭薄言官，廢黜相繼，納諫之風微矣」⑭。這是大禮議留下的後遺症。

嘉靖中年，世宗深居西內修玄，更厭惡言官，「給事中顧存仁、高金、王納言，皆以直諫得罪」。御史楊爵上疏，批評他任用匪人、興作未已、朝講不親、信用方術、阻抑輿論等，世宗不僅不反思，反而把楊爵「立下詔獄搒掠，血肉狼籍，關以五木，死一夕復甦」。巡按陝西御史浦鋐上疏援救，指出：「臣惟天下治亂，在言路通塞。言路通，則忠諫進而化理成。言路塞，則奸諛恣而治道隳。」世宗見奏大怒，令錦衣衛立即逮捕浦鋐，陝西民眾「遠近奔送，舍車下者常萬人」，皆號哭曰：「願還我使君。」浦鋐下獄後，「搒掠備至，除日復杖之百，錮以鐵柙」，七日即死。戶部主事周天佐也因疏救楊爵下詔獄，體弱不勝杖，獄吏又絕其飲食，不三日即死，大興（治今北京市）百姓有到柩前哭祭者，有人問之，回答說：「吾傷其忠之至，而死之酷也。」⑮由此可見，當時言官的正義言論，獲得民眾的廣泛支持。

⑭張廷玉等，《明史》卷二〇七〈鄧繼曾傳〉。
⑮張廷玉等，《明史》卷二〇九〈楊最傳〉、〈楊爵傳〉、〈浦鋐傳〉、〈周天佐傳〉。

由於言路蔽塞，正直臣僚難以立朝，而那些柔媚逢迎之徒，卻如魚得水，趁機傾陷他人，依媚固寵。當時朝臣角逐競爭的最高職位是內閣首輔。嘉靖以前，內閣輔臣地位較為平等，並無首、次之別。自武宗去世到嘉靖初年，楊廷和以救時宰相自任，總攬朝政，形成「新都嶷然，三輔鼎承」，「相形而首、次遂大分」的格局。這是明朝內閣制度發展的一個轉捩點。楊廷和雖不久即因「大禮議」失勢離職，但內閣地位已定，從此在內閣輔臣之中，首輔一枝獨秀，成為外廷的權力中心。不過，由於世宗剛愎自用，在用人上「忽功忽罪」，要想穩固地占有首輔位置，就必須曲意逢迎，窺伺帝顏。嘉靖朝先後簡用閣臣二十八人，首輔八人。除楊廷和外，影響較大的首輔還有張孚敬、夏言、嚴嵩和徐階。張孚敬以議禮起家，夏言、嚴嵩、徐階則都以善撰青詞得寵。

張孚敬即議禮新貴張璁。其名與世宗之名厚熜音形相近，嘉靖七年（一五二八年），為邀恩固寵，他奏請更名，世宗遂賜其名孚敬，字茂恭。張孚敬做首輔後，「果於自用，休休之量」，對「大禮議」中的反對派「報復相尋」，因而常常受到言官彈劾。世宗一方面對他「眷顧之厚，始終不替」，另一方面又厭惡他「自伐其能，恃寵不讓」。在這種矛盾心理的支配下，張孚敬四起四落，最終在嘉靖十四年（一五三五年）春因病重去職。總地說來，張孚敬「剛明峻法，一心奉公，慷慨任事，不避嫌犯」，「時進讜言」，在任期間還算有所作為，「若清勳戚莊田，罷天下鎮守內臣，先後殆盡」⑯。與他同時另一以議禮起家的大學士席書，則曾提出賦役改革的建議，雖未能認真實行，但為以後一條鞭法的推行奠定了基礎。

⑯張廷玉等，《明史》卷一九六〈張璁傳〉；鄧士龍編，《國朝典故》卷三七〈世宗實錄三〉。

張孚敬之後，夏言深受世宗寵信。夏言（一四八二－一五四八年），字公瑾，江西貴溪人。正德十二年（一五一七年）進士，嘉靖初為兵科給事中。夏言勇於任事，如「奉詔偕御史鄭本公、主事汪文盛覈親軍及京衛冗員，汰三千二百人，復條九事以上，輦下為肅清」；「偕御史樊繼祖等出按莊田，悉奪還民產」⑰。世宗自議大禮後，以制禮作樂自任，認為「天地合祀非禮，欲分建二郊」，張孚敬猶豫不敢輕決，世宗「卜之太祖亦不吉，議且寢」。恰好這時夏言疏請「帝親耕南郊，后親蠶北郊，為天下倡」，世宗覺得夏言此議正合己意，自此對夏言大加寵眷，凡有郊壇工程，往往派夏言監工。夏言一方面窺測帝旨，悉心撰寫青詞以邀寵於世宗，另一方面折節下士，對「大禮議」受到打擊的護禮派官員表露同情，因而在公卿朝臣中博得聲望。張孚敬去職後，夏言入閣，並於嘉靖十七年（一五三八年）成為首輔。但其宦途並不順暢，而對他威脅最大的人物，則是工於心計的嚴嵩。

嚴嵩（一四八〇－一五六五年），字惟中，江西分宜人。弘治十八年（一五〇五年）進士。嘉靖七年（一五二八年）任禮部右侍郎。奉命去湖廣承天府祭告顯陵，還朝後獻媚說：「臣恭上寶冊及奉安神牀，皆應時雨霽。又石產棗陽，群鸛集繞，碑入漢江，河流驟漲。請命輔臣撰文刻石，以紀天眷。」此語深得帝心，當即擢陞為吏部左侍郎，又陞任南京禮部尚書、吏部尚書，改任禮部尚書兼翰林學士。嚴嵩與夏言為江西同鄉，科第早於夏言，而位居其下。他表面上對夏言畢恭畢敬，暗中卻尋機取而代之。世宗因奉道，嘗戴香葉冠，並刻沉水香冠以賜夏言等人。夏言不奉詔，聲稱「非人臣法服，不受當」。而嚴嵩在召對時則特意戴上，並籠以輕紗，從此世宗更加親信嚴嵩，嚴嵩則極力傾陷夏言。嘉靖

⑰張廷玉等，《明史》卷一九六〈夏言傳〉。

二十一年（一五四二年）七月，夏言被削職。八月，嚴嵩以禮部尚書、武英殿大學士入值文淵閣。當時嚴嵩已年過六十，但「精爽溢發，不異少壯，朝夕直西苑板房，未嘗一歸洗沐，帝益謂嵩勤」⑱。兩年後，嚴嵩終於成為首輔，改兼吏部尚書、謹身殿大學士。

夏言被削職後，心有不甘，思謀起復。他怕皇帝忘了自己，「遇元旦、聖壽，必上表賀，稱草土臣」，以此討好世宗。世宗「亦漸憐之，復尚書、大學士」。嘉靖二十四年（一五四五年），夏言再次入閣，從嚴嵩手中奪回首輔職位。夏言盛氣以淩嚴嵩，「凡所批答，略不顧嵩，嵩噤不敢吐一語。所引用私人，言斥逐之，亦不敢救」。嚴嵩只得暫且忍耐。夏言、嚴嵩都以善寫青詞得幸。嚴嵩曲意結交內監，向他們探聽消息，並讓他們在皇帝面前稱譽自己而詆毀夏言。世宗的喜怒哀樂，嚴嵩都能及時得到通報，夏言卻不得先知，所以夏言所撰青詞多失帝旨，處境漸危。最後，嚴嵩終於藉「議復河套」事件，置夏言於死地。當時蒙古勢力已深入河套地區，陝西總督曾銑主張把蒙古勢力趕走，夏言大力支持，世宗亦表示贊同。但世宗反覆無常，忽然降旨詰責曾銑，「語甚厲」，嚴嵩「揣知帝意，遂力言河套不可復」，並疏攻夏言。嘉靖二十七年（一五四八年）正月，夏言被奪官，以尚書致仕。嚴嵩勾結咸寧侯仇鸞，繼續危言聳聽，誣陷夏言，最後曾銑坐「交結近侍律斬」，夏言竟被棄市⑲。嚴嵩再任首輔，而且一任就是十四年。

嚴嵩專權的十四年，是嘉靖朝最黑暗的一個時期。世宗在西苑一心奉道，除方士外，與大臣很少

⑱張廷玉等，《明史》卷三〇八〈嚴嵩傳〉。
⑲張廷玉等，《明史》卷一九六〈夏言傳〉。

議復河套

蒙古韃靼部首領俺答入據河套，屢為邊患。嘉靖二十五年（一五四六年），以巡撫山西兵部右侍郎曾銑總督陝西三邊軍務。是年底，曾銑上疏，建議增築邊牆，收復河套地區，得到首輔夏言的大力支持。世宗起初亦表贊成，但後來又怕開啟邊釁，態度大變，降旨詰責曾銑。大學士嚴嵩素與夏言有隙，欲奪其首輔之位，遂力言河套必不可復，並唆使黨羽彈劾曾銑、夏言。嘉靖二十七年（一五四八年），世宗令逮曾銑下獄，並勒令夏言致仕。不久，以莫須有之「結交近侍」罪名，將曾銑處斬，並逮捕夏言，旋棄市。自此，無敢再言收復河套事者。

接觸。只有嚴嵩「獨承顧問，御札一日或數下，雖同列不獲聞」。嚴嵩大權在握，於是遍引私黨，盤踞要職。嚴嵩之子嚴世蕃，以父蔭入仕，由太常寺卿進工部左侍郎，兼掌尚寶司事。嚴世蕃「剽悍陰賊，席父寵，招權利無厭」，但他「頗通國典，曉暢時務」，嚴嵩晚年票擬多出其手。義子趙文華，浙江慈溪人，累官至工部右侍郎，嚴嵩委以抗倭重任，侵剋軍餉，恣行無忌，養寇貽患。鄢懋卿，江西豐城人，官至左副都史，「嚴嵩柄政，深附之，為嵩父子所暱」，嚴嵩用其總理鹽政，「所至市權納賄」，「歲時饋遺嚴氏及諸權貴，不可勝紀」。嚴嵩還大搞賣官鬻爵，吏部文選司郎中萬寀、兵部職方司郎中方祥，甘聽嚴嵩指使，每逢選官，二人持選簿到嚴嵩家填註，時人稱為嚴嵩之「文武管家」。至於尚書吳鵬、歐陽必進、高耀、許論輩，無不「惴惴事嵩」⑳。今傳世《天水冰山錄》一書，收錄有嚴嵩被抄家時的財產清單，家中金銀寶物之多，令人咋舌。當時雖有正直官員，如謝瑜、葉經、童漢臣、趙錦、王宗茂、何維柏、王曄、陳愷、厲汝進、沈煉、徐學詩、楊繼盛、周鈇、吳時來、張翀、董傳策等，先後彈劾嚴嵩，結果都受到嚴嵩迫害，有些官員還因此丟了性命。

嚴嵩所作所為，引起越來越多朝野人士的反對。在「倒嚴」活動中，徐階是核心人物。徐階（一五〇三－一五八三年），南直隸華亭（今上海松江）人，也因善寫青詞，受到世宗信任。嘉靖三十一年（一五五二年），徐階入閣。世宗對徐階寵信日隆，而對嚴嵩寵信漸衰。但嚴嵩真正失勢，是在嘉靖四十年（一五六一年）五月喪妻之後。其時嚴嵩年已八十，「耄而昏智」，票擬多倚嚴世蕃。嚴嵩妻死後，嚴世蕃喪服在身，不能入值房代擬。嚴世蕃「日縱淫樂於家」，嚴嵩受詔不能解，遣人去問，嚴世蕃「方耽女樂，不以時答」。中使相繼到值房催促，嚴嵩無奈，只能自擬，往往失帝旨，「所進青詞，又多假手他人，不能工，以此積失帝歡」。是年十一月，西苑永壽宮失火，世宗徙居玉熙宮。玉熙宮湫隘，地曠近水，世宗想重新營建永壽宮。當徵求嚴嵩意見時，嚴嵩建議暫居南城離宮。南城是明英宗為太上皇時住所，當時實同幽禁，世宗聞言當然不悅。徐階則阿順帝意，建議重修永壽宮。次年新宮建成，改名萬壽宮。方士藍道行一向厭惡嚴嵩，此時乘機落井下石，「假乩仙言嵩奸罪」。世宗問：「果爾，上仙何不殛之？」答曰：「留待皇帝自殛。」世宗心動㉑。御史鄒應龍在宦官家中避雨，得知世

⑳張廷玉等，《明史》卷三〇八〈嚴嵩傳〉、〈趙文華傳〉、〈鄢懋卿傳〉；卷二一〇〈董傳策傳〉。

㉑張廷玉等，《明史》卷三〇七〈藍道行傳〉。

宗心意，遂上疏彈劾嚴嵩父子。嘉靖四十一年（一五六二年），嚴嵩被勒令致仕，嚴世蕃被充軍遠邊，鄒應龍擢陞通政司參議，成為「倒嚴」英雄。嚴嵩既去，世宗「追念其贊玄功」，頗存思念。次年，南京御史林潤彈劾嚴世蕃收納江洋巨盜，誹謗時政，在徐階主使下，嚴世蕃被斬首，嚴嵩被黜為民，「寄食墓舍以死」㉒。

嚴嵩之後，徐階為首輔。世宗把以前嚴嵩當值的房子賜給徐階，徐階特地寫了三句話掛在壁上以為座右銘：「以威福還主上，以政務還諸司，以用舍刑賞還公論。」這三句話意在表明自己對上不欺罔，對下不專橫。為了避免專擅之嫌，又請召其他閣臣共同擬旨，並勸世宗行寬大之政。一時朝局頗由嚴苛而趨寬緩，「言路益發舒」，徐階則「採輿論利便者，白而行之」。《明史》曾論其功曰：「嘉靖中葉，南北用兵。邊鎮大臣小不當帝指，輒逮下獄誅竄，閣臣復竊顏色為威福。階當國後，緹騎省減，詔獄漸虛，任事者亦得以功名終。於是論者翕然推階為名相。」㉓這種局面，一直維持到世宗去世。稱徐階為「名相」，頗言過其實。他對積弊已深的經濟、軍事問題，並未拿出積極對策。

第三節　隆慶新政及其侷限

嘉靖後期朝政腐敗，百姓窮困，明王朝再次瀕臨崩潰邊緣。親身經歷過那個時代的張居正，在寫

㉒張廷玉等，《明史》卷三〇八〈嚴嵩傳〉。
㉓張廷玉等，《明史》卷二一三〈徐階傳〉。

給福建巡撫耿定向的一封信中，指出嘉靖中年「百姓嗷嗷，莫必其命」，其時的景象已無異於「漢唐之末世」㉔。嘉靖四十五年（一五六六年）十二月，世宗去世，其子裕王朱載垕繼位，史稱明穆宗。隨著世宗漫長統治的結束，明王朝再次迎來改革的時機。

皇帝去世後，第一件事就是發佈遺詔。世宗的遺詔，是由內閣首輔徐階和翰林學士張居正起草的。在這份遺詔中，他們讓死去的世宗對其「禱祀日舉，土木歲興」等荒怠行為做出自我批評，並宣佈：在他統治時期因進諫得罪的官員，生者召用，死者卹錄，監押者釋放復職；誑惑他齋禱求仙的方士人等根據情節輕重治罪；齋醮、土木工程、採買等各項勞民傷財的事情全部停止。此詔「培國脈，回元氣，反四十多年之誤而正之」㉕，使朝野上下看到了改革的希望，許多人「號慟感激，比之楊廷和所擬登極詔書，為世宗始終盛事云」㉖。

不過，此詔的貫徹，受到內閣權力鬥爭一些牽制。世宗去世時，內閣中除首輔外，還有李春芳、高拱、郭朴。李春芳為人恭謹溫和，不介入政爭。高拱則與徐階展開爭鬥，試圖奪取首輔之位。高拱（一五一二—一五七八年），字肅卿，河南新鄭人，嘉靖二十年（一五四一年）進士，三十一年為裕邸講官，四十五年與同鄉郭朴一同入閣。高拱為人「負才自恣」，兼與穆宗有師生之誼，入閣後事徐階「稍倨」，郭朴則附和高拱。徐階的同鄉給事中胡應嘉曾彈劾高拱，高拱懷疑是徐階指使，遂「大憾

㉔張居正，《張太岳集》卷三二〈答福建巡撫耿楚侗言致理安民書〉。
㉕海瑞，《海瑞集》下編〈啟閣老徐存翁〉。
㉖張廷玉等，《明史》卷二一三〈徐階傳〉。

之」。世宗去世後，徐階找當時還未入閣的張居正共擬遺詔，而不與高拱、郭朴商議，二人更是忿恚。隆慶元年（一五六七年），胡應嘉被罷職削籍，言官皆謂高拱「修舊郤」，群起彈劾之，高拱、郭朴被迫辭職而去。但徐階的勝利並未維持多久。由於他對穆宗屢加勸諫，「所持諍多宮禁事，行者十八九，中官多側目」，穆宗對他也漸感不滿。隆慶二年（一五六八年），徐階只好自請致仕，李春芳接任首輔。次年，高拱被召回，以大學士兼掌吏部。到隆慶五年（一五七一年），高拱最終擠走李春芳，得到了夢寐以求的首輔職位㉗。

為了打擊徐階，高拱復出後，竟不顧是非，極力為世宗懲罰諫言官員的行為辯護，攻擊徐階起草的遺詔是犯了「仇視先帝」的大罪。穆宗雖未追加徐階之罪，但下旨對高拱的主張表示了明確支持。高拱非理性地為世宗辯護的態度，當然會對革除嘉靖秕政產生一定影響。但作為一位頗有識見和才幹的大臣，他自己也深知只有改革才能挽救危局。在世宗去世前夕撰寫但未及呈奏的一份奏疏中，他提出吏治不修、邊境不靖、財貨不充的局面之所以無法扭轉，是因為「積習之不善」造成的，並具體列舉了「流習於天下」的「八弊」，即壞法、黷貨、刻薄、爭妒、推諉、黨比、苟且、浮言。因此，在他自己主政後，他也推出一些改革措施，「其籌邊、課吏、用人、行政，不數年間，成效卓然」㉘。

總起來說，隆慶新政包括革弊和施新兩個方面。革弊的第一項內容是平反冤獄。穆宗在登極詔書中宣佈：「自正德十六年以後，至嘉靖四十五年（一五六六年）十二月以前，建言得罪諸臣，遵奉遺

㉗參見《明史》卷二一三〈徐階傳〉、〈高拱傳〉、〈郭朴傳〉。
㉘張廷玉等，《明史》卷二一三〈高拱傳〉。

詔，存者召用，歿者卹錄。」㉙他首先將因上疏觸怒世宗而長繫詔獄的海瑞釋放，接著又先後給彈劾嚴嵩、諫止齋醮、大禮議、李福達獄及議復河套等案中被迫害被貶斥的臣僚平反，或恢復名譽，起復官職，或平反昭雪，安撫卹錄。穆宗出於勵世之心，大量平反嘉靖朝冤案，相對緩和了統治階層的內部矛盾，也使嘉靖朝閉塞的言路得到疏通，官員們又開始勇於進言，而對有利於朝廷安定、經濟發展、邊備整飭的建議，他大多也予以採納，收到「群力畢收，眾思咸集」之效㉚。革弊的第二項內容，是削奪已故真人邵元節、陶仲文官爵及誥命；罷除一切齋醮，撤西苑內大高玄殿、圓明等閣、玉熙等宮及諸亭臺匾額；停止因齋醮而開徵的加派及部分織造、採買。清除了這些弊政，使朝綱整肅，法度修明，同時也減輕了百姓的負擔。

至於施新，穆宗在登極詔書中概括為「正士習、糾官邪、安民生、足國用」等項。實際上，這四句話可視為隆慶新政的綱領。

「正士習，糾官邪」就是要整肅吏治。穆宗重視吏治，他敕諭天下朝覲官說：「顧四方萬國，豈朕一人所遍察？所冀承流宣化，乂安元元，實賴爾藩臬郡縣諸臣，與朕分理，共圖至治。」㉛各級官吏是否忠君報國，廉潔奉公，是治理國家的關鍵；而嚴格考察制度，則是吏治清明的保證。明代對官吏的考察有京察和外察之分。京察是考察京官的制度。弘治以後，一般六年舉行一次，於巳、亥之年

㉙張居正等，《明穆宗實錄》卷一〈嘉靖四十五年十二月〉。
㉚張居正等，《明穆宗實錄》卷七〇〈隆慶六年五月〉。
㉛張居正等，《明穆宗實錄》卷五四〈隆慶五年二月〉。

進行；外察又稱朝覲考察，是考察地方官的制度，一般三年舉行一次，於辰、戌、丑、未之年進行。隆慶朝對官吏的考察次數，遠遠超過了制度規定。如隆慶元年（一五六七年）考察京官，二年朝覲考察地方官，三年考察京官，四年考察言官，五年朝覲考察地方官。明朝舊制，王府官不予考察。中期以後，親王在地方上侵田占土，為非作歹，其臣僚也多為不法，助紂為虐。隆慶三年（一五六九年）規定，王府官除良醫、典樂、引禮舍人外，一律參與考察。像隆慶年間這樣重視對官吏的考察，在明朝歷史上是不多見的。

明朝對官吏雖然有嚴格的考覈規定，但在實際運作中也有很多弊病。如地方官每到朝覲之期，大量向京官饋送金帛，就是一例。海瑞曾尖銳地批評這種現象說：「今人謂朝覲年為京官收租之年，故外官至期，盛輦金帛以奉京官。上下相率而為利，所苦者小民而已。」㉜隆慶二年（一五六八年）適逢朝覲之年，陝西按察司副使姜子羔上言：「入覲官各有道里費及饋遺私齎，宜令進獻羨餘，以佐國計。」並建議布政司官進獻三百兩，按察司官二百兩，苑馬、行太僕二寺官一百兩，鹽運司及各府正官二百五十兩、佐貳官一百兩，州縣正官二百兩、佐貳官五十兩，首領官及邊遠者量進。姜子羔的建議表面上是要增加國庫收入，實際上是要使地方官員借朝覲以苛斂百姓、賄賂京官的做法合法化。穆宗斷然拒絕此議，並下令「自後進表朝覲官，更不得派給累民」。他敕諭考察留用官員，「務在廉以律己，仁以撫民，公以存心，勤以蒞事」。在用人上，注重選拔急公進取的官吏充任要職，而不主張任用平庸無為的官吏。他還特別重視對官吏的賞罰，對有功的官吏，多次表示「朕豈無爵祿以勸乎？」對

㉜海瑞，《海瑞集》上編。

於貪官污吏，則嚴懲不怠。隆慶二年（一五六八年），針對考察中「貪官止於罷黜」的慣例，穆宗認為「不足示懲」，令「今次考察諸司，贓多跡著者，部院列其罪狀，奏請處治」[33]。通過整頓，在明朝中後期，隆慶朝的吏治比較清明，士風也相對純正。

在推行新政中，還注意採取一些「安民生，足國用」的措施。主要有三個方面：

蠲免救濟。穆宗即位後，立即宣佈蠲免隆慶元年（一五六七年）全國一半田賦，同時免除百姓拖欠的嘉靖四十三年（一五六四年）以前的田賦。據統計，隆慶元年減免天下錢糧九百餘萬石，以後每年蠲免額也在二三百萬石左右。隆慶年間自然災害較多，特別是河患、地震頻仍。災害發生後，政府一般能夠及時救濟。在救濟中，也注意「委用得人，給散有法，俾小民得沾實惠」[34]。這對於災後的百姓多少起到了一些安撫作用。

抑止兼併。明朝中期以來，大土地所有制惡性發展。世宗初年，曾一度清理莊田，對勳貴外戚無限度地擴充土地有所限制，但土地兼併的趨勢並未從根本上扭轉。如黔國公沐朝弼，不僅在雲南有莊田一百七十四所，而且在甘肅平涼界內也占有大量的草場土地。大地主階層一方面兼併土地，另一方面想方設法隱瞞田土，逃避賦稅，把各種名目的加派轉移到貧苦農民身上。隆慶年間，針對這一問題，採取了兩項措施。其一是限田。隆慶二年（一五六八年），根據御史王廷瞻的建議，制定了勳戚宗室依世次遞減的制度，勳臣五世限田二百頃，外戚七百頃至七十頃不等。又著令：「宗室買田不輸役者沒

[33] 張居正等，《明穆宗實錄》卷一六〈隆慶二年正月〉、一七〈隆慶二年二月〉。

[34] 張居正等，《明穆宗實錄》卷二一〈隆慶二年六月〉。

官，皇親田俱令有司徵之，如勳臣例。」《明史》評論說：「雖請乞不乏，而賜額有定，徵收有制，民害少衰止。」其二是清田。清田又包括兩個方面。一是清查詭寄、花分田糧，僅蘇州、松江、常熟、鎮江四府就清出詭寄田近二百萬畝，花分田三百三十餘萬畝。二是清理皇室勳戚莊田。如「世宗時，承天六莊二湖地八千三百餘頃，領以中官，又聽校舍兼併，增八百八十頃，分為十二莊」，隆慶年間「始領之有司，兼併者還民」㉟。清田遇到很大阻力，隆慶三年（一五六九年）戶部在回覆御史劉世曾查理莊田五事疏中說：「清隱地謂丈量，昔嘗行之。而卒不能清者，凡以委非其人，行不盡法耳。」㊱其實，清田受阻的真正原因，是大地主階層的反對。以後張居正繼承了這種做法，在萬曆初年對全國土地進行清丈，才又把清田向前推進一步。

體卹商人。重農抑末，是中國封建社會傳統的國策。在明朝皇帝中，穆宗比較注意卹商。隆慶三年（一五六九年），穆宗敕諭戶、工二部：「近聞京城百姓為僉報商人，負累困苦，朕甚憫之。其急議處以聞。」於是不少科道官疏言卹商事宜，京城百姓「聞者忻然若更生焉」㊲。可見朝廷撫卹商人的做法，得到廣泛擁護。在京師，對中小商人「橫索多門，剝膚錐髓」的，主要是宦官控制的各監局。他們公開索取鋪墊錢，而戶、工二部不能據理而爭。對此，穆宗多次親加訓飭，使「商困少紓」。隆慶四年（一五七〇年），穆宗又批准了戶部條議卹商事宜，其中規定各監局「有需求抑勒者，悉治其

㉟張廷玉等，《明史》卷七七〈食貨志一〉。
㊱張居正等，《明穆宗實錄》卷二八〈隆慶三年正月〉。
㊲張居正等，《明穆宗實錄》卷三二〈隆慶三年五月〉。

罪」㊳。當時還屢次下詔禁革官府私自在橋樑、道路、關津路口抽稅。這些做法都有助於促進商品經濟的發展。尤其值得一提的，隆慶年間開放海禁，准許私人遠販東西二洋，使海內貿易發展打開了新的局面。

隆慶新政雖然取得一些成績，但卻存在著很大的侷限性。明代中葉以降，皇族大地主集團日益腐朽，穆宗也不可能擺脫這一趨勢。在他剛即位時，尚能崇尚節儉。《明實錄》記載說：「潛邸時，嘗食驢腸而甘。及即位，間以問左右，左右請詔光祿。上曰：『若爾，則光祿必日殺一驢，以備宣索，吾不忍也。』乃止。歲時游娛行幸諸供膳，光祿必先期以請，候上旨為豐約，上常裁取最約者，歲省光祿費以鉅萬計。其恭儉如此。」㊴《明史·食貨志》也記載說：「穆宗朝，光祿少卿李健奏十事。帝乃可之，頗有所減省，停止承天香米、外域珍禽奇獸，罷寶坻魚鮮。凡薦新之物，領於光祿寺，勿遣中官。又從太監李芳請，停徵加增細粳米、白青鹽，命一依成、弘間例。御史王宗載請停加派。部議悉準原額，果品百七萬八千餘斤，牲口銀五萬八千餘兩，免加派銀二萬餘。未行，而神宗立，詔免之。世宗末年，歲用止十七萬兩，穆宗裁二萬，止十五萬餘，經費省約矣。」但是，這種節儉是很有限的，《明史》又談到：「隆慶中，數取太倉銀入內庫，承運庫中官至以空劄下戶部取之。廷臣疏諫，皆不聽。又數取光祿太僕銀，工部尚書朱衡極諫，不聽。」可見穆宗是以內庫與國庫爭銀，並無損上益下之意，所節省光祿寺微末之銀，亦是意在為內庫增加聚斂。

㊳張居正等，《明穆宗實錄》卷四六〈隆慶四年六月〉。
㊴張居正等，《明穆宗實錄》卷七〇〈隆慶六年五月〉。

一般說來，穆宗在政務方面能傾聽臣下意見，但涉及君德則諱莫如深。初即位時，他信任內宮監太監李芳。李芳曾侍奉穆宗於裕邸，持正敢言，每每勸導穆宗向善，引起穆宗不悅，先被勒令閒住，隆慶二年（一五六八年）又下刑部獄監禁待決。從此，穆宗沿著腐化的趨勢下滑。隆慶四年（一五七〇年），給事中李己、陳吾德上疏勸諫：「陛下奈何以玩好故，費數十萬貲乎！」結果李己被杖一百，下刑部獄，陳吾德被斥為民，「自是供億寖多矣」⑩。穆宗也逐漸怠於政事，對上朝理政很不熱心，而對於各種玩樂活動都很熱中，「司禮諸閹滕祥、孟沖、陳洪方有寵，爭飾奇技淫巧以悅帝意，作鰲山燈，導帝為長夜飲」⑪。據內官監透露，穆宗從戶部調取的銀兩，「盡以創鰲山、修宮苑、製鞦韆、造龍鳳艦、治金櫃玉盆」。穆宗還沉湎聲色，「游幸無時，嬪御相隨，後車充斥」⑫。對於上疏進諫者，穆宗常予以嚴懲。如隆慶二年（一五六八年），吏科給事中石星疏請穆宗「養聖躬」，謂「夫為鼇山之樂，則必縱長夜之飲；縱長夜之飲，則必耽聲色之欲」。疏入，穆宗怒，「以為惡言訕上無禮，命廷杖六十，黜為民」⑬。隆慶三年（一五六九年），尚寶司丞鄭履淳勸諫穆宗「移美色奇珍之玩，而保瘡痍」，結果亦觸怒穆宗，被杖一百，在刑部獄被押數月⑭。可以說，與世宗朝相比，穆宗朝的治政有所改觀，但變化不大。

⑩張廷玉等，《明史》卷二一五〈陳吾德傳〉、卷八二〈食貨志六〉。
⑪張廷玉等，《明史》卷三〇五〈李芳傳〉。
⑫張廷玉等，《明史》卷二一五〈詹仰庇傳〉、〈周弘祖傳附鄧洪震傳〉。
⑬張居正等，《明穆宗實錄》卷一六〈隆慶二年正月〉。
⑭張廷玉等，《明史》卷二一五〈鄭履淳傳〉。

第四節　張居正改革

隆慶六年（一五七二年）五月，明穆宗去世，年僅九歲的皇太子朱翊鈞繼位，史稱明神宗。當時內閣中有高拱、張居正、高儀三人。高儀（一五一七－一五七二年），字子象，浙江錢塘人，雖是一位資深大臣，但一月前剛剛入閣，無甚勢力。張居正（一五二五－一五八二年），字叔大，號太岳，湖廣江陵（今屬湖北）人，嘉靖二十六年（一五四七年）進士。張居正早在隆慶元年即進入內閣，起初與高拱合作尚好，後齟齬日深。

除閣臣外，還有另一股強大的政治勢力，這就是宦官馮保。馮保，北直隸深州人，自幼入宮，嘉靖中出任司禮監秉筆太監。司禮監是宦官二十四衙門之首，設掌印太監一員，秉筆和隨堂太監數員。其中地位最高的是掌印太監，其次是兼掌東廠事務的秉筆太監。隆慶初，司禮監掌印太監空缺，按資序應由馮保遞補，但高拱卻推薦御用監太監陳洪代補。陳洪忤旨被罷後，高拱又推薦尚膳監太監孟沖繼任，仍不用馮保。因此，馮保與高拱積怨甚深。若論人品，陳洪、孟沖不及馮保，穆宗沉湎酒色，即是受到二人引導。陳皇后和神宗生母李貴妃對陳、孟二人頗存不滿，而對馮保則頗為賞識，張居正與馮保也交往密切。

穆宗病重時，張居正「察知上色若黃葉，而骨立神朽，慮有叵測，為處分十餘條，劄而封之，使小吏持以投馮保」，高拱得知後，曾當面詰責張居正㊺。穆宗彌留之際，召閣臣到乾清宮受顧命，遺詔閣臣「同司禮監協心輔佐，遵守祖制，保固皇圖」㊻。對於這份遺詔，史家多認為非穆宗本意，係李貴妃、馮保、張居正所擬。但無論如何，遺詔為司禮監干政提供了合法依據。穆宗去世後，宮中旋即傳旨斥罷司禮監掌印太監孟沖，而以馮保代之。對此高拱感到如鯁在喉。神宗即位當日，他就上疏要求「一應章奏俱發內閣看詳，擬票上進」，試圖限制司禮監權力。此疏批回，其建議未被接受，高拱氣憤地說：「安有十歲天子而能自裁乎？」馮保聞知此言，更是惱怒。高拱很想將馮保除去，他支使言官彈劾馮保，準備自己「從中擬旨逐之」。高拱雖浮沉宦海三十年，但為人粗直無城府。他明知張居正與馮保相結，竟天真地認為可用「君國大義」的名義把張居正分化過來，派人將攻逐馮保事告知張居正。張居正表面贊成，暗中卻迅速密報馮保，並為馮保想好對策。馮保為激怒陳皇后和李貴妃，稱高拱揚言「十歲孩兒安能決事」。兩宮左右深恐高拱擅權專政，遂決計逐之。

六月十六日，在會極門召見群臣。高拱欣然而往，以為是要驅逐馮保。待他往上一看，不禁愕然。少年天子端然穩坐，侍立身旁的正是馮保。馮保宣讀了以陳皇后、李貴妃和皇帝名義發佈的旨諭：

皇后懿旨、皇貴妃令旨、皇帝聖旨：說與內閣、五府、六部等衙門官員：大行皇帝賓天先一日，召內閣三臣在御榻前，同我母子三人親受遺囑，說東宮年少，要他們輔佐。今有大學士高拱，專權擅政，把朝廷威福都強奪自專，通不許皇帝主管，不知他要何為？我母子三人驚懼不寧。高拱便著回籍閒住，不許停留。你每大臣受國厚恩，當思竭忠報主，如何只阿附權臣，

㊺王世貞，《嘉靖以來首輔傳》卷七〈張居正傳〉。

㊻張居正等，《明穆宗實錄》卷七十〈隆慶六年五月〉。

蔑視幼主？姑且不究。今後都要洗心滌慮，用心辦事，如有這等的，處以典刑。㊼

高拱聽罷，驚惶無措，匍伏在地，幾乎暈了過去。最後由張居正挾掖而起，狼狽趨出，「於是緹騎兵卒踉蹌迫逐，（高）拱僦騾遄行，囊篋奪攘無遺。大臣去國，蓋未聞狼籍至此者」㊽。張居正旋即奏上一疏，為高拱評功請宥，並稱自己願意與高拱「一體罷斥」，明眼人皆知其不過是故作姿態罷了。高拱被逐後，馮保和張居正仍然耿耿於懷，曾策劃冤案，企圖致高拱於死地，但因遭到其他大臣抵制，此案只得不了了之。

驅逐高拱後，張居正順理成章出任首輔。神宗年幼，凡事依賴生母李貴妃。按照慣例，皇帝即位後，都要尊嫡母和生母為皇太后，但嫡母的徽號，在文字上要多於生母，以示區別。七月的一天，神宗面諭張居正：「皇后是朕嫡母，皇貴妃是朕生母，尊號上先生可多加幾字！」張居正對於歷朝舊制當然是一清二楚，但為了討好李貴妃，鞏固自己的地位，竟不惜破壞祖制，建議尊皇后曰仁聖皇太后，皇貴妃曰慈聖皇太后，兩宮遂無分別。李貴妃被尊為皇太后，便搬到乾清宮居住，「撫視帝，內任（馮）保，而大柄悉以委（張）居正」。張居正也「勇於任事」，「以天下為己任」㊾，大刀闊斧地發動了一場改革運動。事實上，早在隆慶二年（一五六八年），張居正奏上〈陳六事疏〉，提出省議論、振

㊼高拱，〈病榻遺言．矛盾原由〉。
㊽尹守衡，《明史竊》卷四九〈高拱〉。
㊾張廷玉等，《明史》卷二一三〈張居正傳〉。

紀綱、重詔令、覈名實、固邦本、飭武備「六事」，這「六事」反映了他對時弊的深刻洞察，也是他進行改革的政綱。作為明代影響最大也最受後人關注的一次改革運動，張居正改革的積極成果表現在很多方面，尤其是在整頓吏治和財政方面取得的成就最為引人注目。

明中葉以來，官僚集團的貪污腐敗和效率低下問題日益嚴重。嘉靖初年和隆慶年間都曾採取措施改善吏治，但很難將長期形成的官場積習徹底扭轉過來。張居正經過分析，認為「紀綱不肅，法度不行」的根本原因，在於官員們不負責任，敷衍塞責，尤其是部、院等衙門處理公事時，只管轉發文件，而不問效果如何，形式主義風氣十分嚴重。他指出：「天下之事，不難於立法，而難於法之必行；不難於聽言，而難於言之必效。若徇事而不考其終，興事而不加屢省，上無綜覈之明，人懷苟且之念，雖使堯、舜為君，禹、皋為佐，亦恐難以底績而有成也。」為了扭轉公文越積越多而實事越辦越少的吏治政風，張居正於萬曆元年（一五七三年）六月創立了被稱為「考成法」的監督機制。考成法規定，凡六部、都察院奉旨辦理或轉行其他衙門辦理的事情，都要根據距離的遠近和事情的緩急程度規定一個處理期限，並記錄在專門的文簿中，各部、都察院還要設立兩本文冊，一冊送到相應的科註銷，一冊送到內閣以備查考；考成法要求「月有考，歲有稽」，並規定了由內閣覈查六科、六科覈查部院、部院覈查撫按的嚴密監督程序[50]。

通過嚴格實行考成法，從前官場上那種「上下務為姑息，百事悉從委徇，以模稜兩可謂之調停，以委曲遷就謂之善處」的不良風氣，有了明顯的改變。除加強對行政執行的監督外，張居正還堅決果

[50] 張居正，《張太岳集》卷三八〈請稽查章奏隨事考成以修實政疏〉。

斷地解決了官僚機構臃腫問題，裁汰冗員十之二三。張居正還特別重視選用廉潔幹練的官員，主張用人「唯當視其功能，不必問其資格」，打破了只憑資格用人的銓選老套。經過張居正的大力整頓，官僚隊伍的素質和官僚機構的效率都有很大程度的提升，朝廷的政令「雖萬里外，朝下而夕奉行」，形成了各級官員「一切不敢飾非，政體為肅」的政治局面。考成法的實行，還為整頓財政奠定了基礎。張居正曾談到：「近年以來，正賦不虧，府庫充實，皆以考成法行，徵解如期之故。」(51)

「國匱庫竭」是明中期以來另一個長期困擾著統治者的棘手問題。特別是在嘉靖年間，由於南北都面臨著軍事威脅，明朝軍費開支猛增。但世宗卻不顧財政困絀，依然大興土木，而且常常多項工程同時並舉，「役匠數萬人，軍稱之，歲費二三百萬」。這樣，明朝財政就不可避免地陷入嚴重危機狀態。嘉靖二十八年（一五四九年），大倉銀庫歲入二百萬兩，歲出則達三百四十七萬兩，虧空一百四十七萬兩。財政危機最終要轉嫁到人民身上。嘉靖三十年（一五五一年），「京邊歲用至五百九十五萬，戶部尚書孫應奎蒿目無策，乃議於南畿、浙江等州縣增賦百二十萬，加派於是始」。此後，「京邊歲用，多者過五百萬，少者亦三百餘萬，歲入不能充歲出之半」。戶部為了彌補虧空，想盡一切辦法斂財，給百姓造成很大的經濟負擔。《明史》評論說，世宗「勞民耗財，視武宗過之」(52)。嘉靖四十五年（一五六六年），海瑞上疏批評皇帝，其中一條就說世宗「富有四海，不曰民脂膏在是也，而侈興土木」，「今賦役增常，萬方則效，陛下破產禮佛日甚，室如懸磬，十餘年來極矣」。海瑞置個人生死於度外，痛切地

(51) 顧秉謙等，《明神宗實錄》卷一一一〈萬曆九年四月〉。
(52) 張廷玉等，《明史》卷七八〈食貨志二〉。

指出：「天下因陛下改元之號，而億之曰：『嘉靖者，言家家皆淨而無財用也。』……天下之人不直陛下久矣。」[53]隆慶年間，財政危機依然深重。隆慶二年（一五六八年），戶科給事中魏時亮指出：「今天下府庫殫虛，百姓困瘁。」[54]隆慶四年（一五七〇年），穆宗令「市珍寶」，工科給事中陳吾德疏言：「邇時府庫久虛，民生困瘁，司度支者日夕憂危。」[55]

為了緩解財政危機，張居正嚴格實行「節流」政策。他上疏指出：「夫古者王制，以歲終制國用，量入以為出，計三年所入，必積有一年之餘，而後可以待非常之事，無匱乏之虞……夫天地生財，止有此數，設法巧取，不能增多。惟加意樽節，則其用自足。」要求皇帝「一切無益之費，可省者省之；無功之賞，可罷者罷之，務使歲入之數，常多於所出」[56]。張居正採取措施，盡力限制各種冗費支出。例如，以前兩京工部每年要為光祿寺造送器皿一萬二千件，光祿寺還常以不敷使用為藉口提請添造，通過清查整頓，萬曆元年（一五七三年）正月至十一月所用不足五千件，另有庫存一萬五千四百餘件，於是決定次年只造二千件。蘇、松織造每年要糜費許多銀兩，言官上疏請停罷，神宗不聽，張居正當面力請，得減大半。神宗外祖父武清伯李偉奏請撥款修造墳塋，張居正按照慣例決定撥銀二萬兩，神宗要求增加撥款，被張居正勸阻。除盡量減省開支外，張居正還力求擴大財政收入的數額。為了達到

[53] 海瑞，《海瑞集》上編〈治安疏〉。
[54] 張廷玉等，《明史》卷二二一〈魏時亮傳〉。
[55] 張廷玉等，《明史》卷二一五〈陳吾德傳〉。
[56] 張居正，《張太岳集》卷四三〈看詳戶部進呈揭帖疏〉。

「不加賦而上用足」的目標，張居正制定了對徵解錢糧不力官員的罰則：州縣官員必需按時並足額徵運當年的錢糧，同時還要帶徵以前拖欠錢糧的十分之二；凡未完成徵收任務者，視數額多少予以住俸督催、降俸督催、降級調用、革職為民等處罰。此外，張居正認識到「私家日富，公室日貧，國匱民窮，病實在此」[57]，採取措施打擊豪強兼併土地、欺隱田糧，在穩定稅源方面起到一定作用。經過張居正的整頓，財政狀況迅速好轉。據統計，萬曆六年，京通倉支放米一百餘萬石，而當時儲米總額達一千二百萬餘石，可以滿足十一年之需；張居正去世的次年，即萬曆十一年，京通倉存糧達一千八百萬餘石，當時年支放額為二百二十萬石，足資八、九年之用，朝廷為了增加白銀收入，特令今後三年每年改折一百五十萬石漕糧。

除上述兩方面外，張居正在整飭邊防方面也較有成效。張居正對邊防問題一直很關心，進入內閣後，就曾在奏疏中指出：「當今之事，其可慮者莫重於邊防；廟堂之上，所當日夜圖畫者，亦莫急於邊防。」[58]隆慶年間，他雖然不是首輔，但北邊防務多由其主持。出任首輔後，更加強了「內修守備」方面的工作。一方面，張居正以「積錢穀、修險隘、練兵馬、整器械、開屯田、理鹽法、收塞馬、散叛黨」八事督課邊臣，務必使邊防落之實處，行之有效。另一方面，張居正知人善任，大膽任用堪當一面的將領全權處理邊防事務。當時如譚綸、王崇古、方逢時、張學顏、吳兌、鄭洛等，都在北邊防務上發揮了作用。他還選派李成梁鎮守遼東，使北邊和東北邊的防務相當穩固。

[57] 張居正，《張太岳集》卷二六〈答應天巡撫宋陽山論均糧足民〉。
[58] 張居正，《張太岳集》卷三六〈陳六事疏〉。

總的看來，張居正雷厲風行地推行的一系列改革措施，提高了政府的行政效率，緩解了王朝的財政危機，增強了國家的軍事實力，使搖搖欲墜的明朝統治再次穩定下來。

第五節　一條鞭法的推行

明初建立的賦役制度，到明代中葉已遭到嚴重破壞。從政府方面來說，由於開支日益浩繁，往往在正賦之外加徵派納。弘治末，戶部尚書韓文指出：「自景泰至今，國家供用日盛，科需日增，有司應上之求，不得已往往於額外加徵派納。如河南、山東等處之添納邊糧，浙江、雲、廣等處之添買香蠟、金兩，皆先年所無者。」[59]即使田賦額內的項目，也越增越多。弘治時夏稅達二十餘種，秋糧達十餘種，徵收稅糧時還要額外勒索耗米，江南稅糧每石加耗竟達七斗多，農民的負擔要多出正糧數倍。徭役的品種也不斷增加。明中葉後，不僅雜泛名目日多，「中人之產輒為之傾」，正統時在里甲正役和雜泛差役外又增加均徭一種。所謂均徭，實際上是把原來雜泛內的經常性徭役——如各級衙門及儒學、倉庫中額設的庫子、斗級、皁隸、門子、馬夫、齋夫、轎夫、館夫、鋪兵等等——單列出來並使之固定化。

從賦役承擔者方面來說，正德以後，官僚貴族、豪強地主欺瞞田地和戶口的情況越來越嚴重，黃冊和魚鱗圖冊均已嚴重失實，「有地無立錐，而籍田逾頃畝者；有田連阡陌，而版籍無擔石者」[60]。而

[59] 韓文，〈會計天下錢糧奏〉，《御選明臣奏議》卷一〇。

豪強地主逃脫的賦役，只能全部轉嫁到小民身上，以致賦役輕重顛倒，負擔極度不均，「田連阡陌者諸科不與，室如懸磬者無差不至」[61]。就連原由大戶擔當的糧長，也轉由中小戶輪充或朋充，徵收不足額時要賠納，成為一種繁重的差役。

朝廷加重賦役徵派和豪強地主逃避賦役，加速了小民的破產，大量農民拋荒田產，逃移四方，成為流民，致使政府控制的戶口銳減。從洪武末至弘治初的近百年間，登於國家版籍的人口不僅未增加，反而減少了七百萬。「田地拋荒，租稅無徵」[62]，人口流移又反過來造成賦役徵發越來越困難。催徵與逃亡形成惡性循環，這在田賦沉重的東南地區表現得尤為明顯。在這種局勢下，賦役改革勢在必行，一些地方官員和中央大僚為此做出了積極努力。在明代中後期的賦役改革中，有兩個趨勢特別突出：一是將賦和役合併起來綜合徵收，一是用貨幣稅代替實物稅。而其主導方針，是均平賦役，簡化徵收手續。

賦役改革首先是從地方上發起的。宣德五年（一四三〇年），江南巡撫周忱在蘇松地區實行「平米法」，用「餘米」支付修圩、築堤等水利工程所用民夫的工資；另外，「戶丁之差役，物料之科派」，也「皆取餘米」[63]。這實際上開了把力役攤入地畝的先河。此後，應天府的「里甲銀」，福建的「綱銀」，

[60] 傅維麟，《明書》卷六七〈土田志〉。
[61] 羅倫，〈與府縣官論上中戶書〉，《明經世文編》卷八四。
[62] 陳文等，《明英宗實錄》卷一七五〈正統十四年二月〉。
[63] 何瑭，〈均徭私論〉，《明經世文編》卷一四四。

浙江、廣東等地的「均平銀」等，都是由州縣按丁、糧的不同比率分攤，統一折銀徵收，用以承當原屬里甲負擔的各種雜稅。在差役方面，夏時於正統初在江西推行「均徭法」，編造「鼠尾冊」，把力差、銀差中的丁糧之數，區別輕重難易為等次，然後根據丁糧多少，把大戶、殷實戶編在前面以當重役，小戶、貧戶編在後面以當輕役。天順年間，福建又創行「十段錦法」，通計一縣各里甲之丁、田，按一定比例統一折算成民田，平均分編成十段，每年輪派一段應役。這一方法不久即推廣到南直隸各府縣。

到嘉靖年間，在吸收明中葉以來包括均平法、均徭法、十段錦法在內的賦役改革成果的基礎上，出現了被稱為「一條鞭法」的賦役改革。最早建議推行「一條鞭法」的是大學士桂萼。嘉靖九年（一五三〇年），他在一份奏疏中要求「編審徭役」，戶部討論後提出具體的實施辦法：「將十甲丁糧總於一里，各里丁糧總於一州一縣，各州縣丁糧總於一府，各府丁糧總於一布政司。布政司通將一省丁糧，均派一省徭役。內量除優免之數，每糧一石編銀若干，每丁審銀若干，斟酌繁簡，通融科派。」(64)次年，御史傅漢臣在上疏中明確稱這種新制度為「一條鞭法」(65)。儘管戶部奏准將此法「行令各府州縣永為遵守」，但從嘉靖到隆慶年間，只有少數地方官員曾予實行，如王宗沐在江西、潘季訓在廣東、龐尚鵬在浙江、海瑞在應天、王圻在山東曹縣都推行過「一條鞭法」。「一條鞭法」把部分徭役負擔攤入田糧，並對優免權做出一些限制，顯然對縉紳地主不利，當然會引起他們的激烈反對，因而「忽行忽

(64) 陳夢雷，《古今圖書集成．食貨典》卷一四二〈賦役部〉；桂萼，〈請修復舊制以足國安民疏〉，《明經世文編》卷一八〇。

(65) 徐階、張居正等，《明世宗實錄》卷一二三〈嘉靖十年三月〉。

止」，難以長期實行下去。

萬曆初年張居正柄政後，為了穩定稅源，下令清丈土地。清丈始於萬曆六年（一五七八年），由戶部尚書張學顏主持，先在福建進行試點。萬曆八年，福建完成清丈，巡撫上疏稱「閩人以為便」，於是張居正題請清丈全國田地，「凡莊田、屯田、民田、職田、養廉田、蕩地、牧地，皆就疆理，無有隱奸，其撓法者，下詔切責，天下奉行懍懍焉」[66]。張居正主持的這次清丈，基本達到了預期目的，大量隱占土地被清查出來。關於清丈資料，未留下完整記錄，根據《明神宗實錄》有關記載統計，山東等十布政司、南直隸十五府州、北直隸保定府清丈後新增田土數額，共計一百四十四萬餘頃，成績是很可觀的。隱占田地清查出來，就容易抑制勳貴、縉紳的漏稅現象，減少小民賠納虛糧的數量。如在北直隸滄州，「清丈之後，田有定數，賦有定額，有糧無地之民得以脫虎口矣」[67]。在山東，「清丈事極其妥當，糧不增加，而輕重適均，將來國賦既易辦納，小民如獲更生」[68]。

在清丈土地的同時，張居正還積極推動一條鞭法的實行。鑑於一條鞭法「有極言其便者，有極言其不便者，有言利害半者」，張居正最初採取慎重態度，主張「果宜於此，任從其便，如有不便，不必強行」[69]，即要求根據具體情況，因地制宜，不強求一律。隨著一條鞭法在局部地區的推廣和成功，

[66] 談遷，《國榷》卷七〇。
[67] 萬曆《滄州志》卷三〈田賦志〉。
[68] 張居正，《張太岳集》卷三三〈答山東巡撫何來山言均田糧覈吏治〉。
[69] 張居正，《張太岳集》卷二九〈答少宰楊二山言條鞭〉。

張居正越來越相信一條鞭法利多弊少，南北皆宜，值得全面推廣。萬曆五年（一五七七年），山東東阿知縣白棟因推行一條鞭法，遭到戶科給事中光懋彈劾，張居正擬旨答覆說：「法貴宜民，何分南北。各撫按悉心計議，因地所宜，聽從民便，不許一例強行，白棟照舊策勵供職。」(70)給予白棟支持。他還致書白棟的支持者山東巡撫李世達說：「條鞭之法，近旨已盡事理。其中不便，十之一二耳。法當宜民，政以人舉。民苟宜之，何分南北。」(71)

儘管張居正並未頒佈政令要求全國都實行一條鞭法，但由於他明顯支持此法，因而各地方官員紛紛推行。到萬曆二十年（一五九二年）左右，一條鞭法已推及全國。一條鞭法的內容，《明史．食貨志》概括如下：

> 一條鞭法者，總括一州縣之賦役，量地計丁，丁糧畢輸於官。一歲之役，官為僉募。力差，則計其工食之費，量為增減；銀差，則計其交納之費，加以增耗。凡額辦、派辦、京庫歲需與存留、供億諸費，以及土貢方物，悉併為一條，皆計畝徵銀，折辦於官，故謂之一條鞭。

但事實上，這一定義表述的只是一種「理想類型」，完全符合這一標準的現實事例很少。儘管各地的做法不一，但也體現出一些共同特徵，主要有以下四點：

(70) 顧秉謙等，《明神宗實錄》卷五八〈萬曆五年正月〉。

(71) 張居正，《張太岳集》卷二九〈答總憲李漸庵言驛遞條鞭任怨〉。

第一，合併了賦役項目，簡化了徵收手續。明初制定的賦役制度，隨著時間推移越來越繁複，在田賦方面，除了米麥之徵外，還有布帛之徵、折收錢鈔之徵等；在役法方面，明初只有里甲和雜泛兩種，後從雜泛中又衍生出均徭一項，且雜泛由地方官任意指派，名目繁多。賦役「端緒既多，奸詭叢生，即精通算數、習理錢穀者，亦難究其弊竇，矧服田力穡之民，又安知害之所從來哉」[72]。實行一條鞭法後，賦役除繁趨簡，皆有定額，在一定程度上限制了貪官污吏上下其手，中飽私囊。

第二，將戶丁負擔的部分徭役攤入田畝。明代前中期賦和役是分別徵發的，役由戶丁負擔。許多地區把人戶分為三等九則，按等應役。豪強地主大多勾結里書，降低戶等，把負擔轉嫁於小民。實行一條鞭法後，大部分地區「按畝而徵」，個別地區雖保留了丁銀，但規定了數額，除丁銀外其他徭役均攤入地畝。有人評論說：「一條鞭之法，一切差役計丁田而收其庸，稱最便矣。第丁多苦貧，田易取辦。故萬曆十五年以後，議丁止徵銀二錢，其加意窮甿非渺。」[73]

第三，廢止了里甲排年輪役制。明代前中期徭役每十年一輪，很不適宜役重民疲的現實狀況，加劇了小民的貧困化過程。實行一條鞭法後，徭役編審由十年一次改為每年一次，編審單位由里擴大至縣，這樣負擔較為均平，差輕易辦。如福建漳州從前均徭輪甲，「則遞年十甲充一歲之役，出驟而多困；條鞭則合一邑丁糧，充一年之役，所以少易辦」[74]。

---

[72] 顧炎武，《天下郡國利病書》原編第一五冊〈山東上〉。

[73] 顧炎武，《天下郡國利病書》原編第八冊〈江寧廬安〉。

[74] 光緒《漳州府志》卷一四〈賦役上〉。

第四，賦役折銀徵收。明代前中期的田賦徵收雖有折色銀，但數額較少，以徵本色（米、麥等）為主；徭役雖有銀差、力差之分，但力差占有很大比重。實行一條鞭法後，「諸方賦入折銀者幾半」，折銀成為賦稅徵收的主要方式，力役之徵更是基本上折銀，由官府根據需要募人應役。張棟對此大加讚賞：「夫條鞭之稱善，正以其徵銀在官，凡百用費，皆取於官銀。民間有本戶糧差之外，別無徭役。自完本戶糧差之外，別無差使。吏胥無所用其苛求，而民相安於無擾矣。」⑮

一條鞭法的推行，不僅是明代，也是中國賦役制度史上的重大變革。它將賦與役合而為一，大大簡化了賦役的項目和徵收手續，有利於減少官吏在徵收過程中的營私舞弊。徵收對象由戶、丁變為丁、田，有利於賦役的均平，也減輕了商人的負擔。賦和役一概徵銀，既是商品經濟發展的結果，又反過來促進商品經濟進一步發展，同時也削弱了農民對國家的人身依附關係。可以說，一條鞭法的推行既是明朝政府解決財政危機、穩定社會經濟的迫切需要的結果，又適應了社會經濟長期發展的客觀要求。

當然，也應看到，一條鞭法存在很大侷限性。它沒有規定每年的徵收總額，這本身又給官吏作弊提供了機會。隨著官府需索的增加，在一條鞭法之外，後來又出現了一些雜役讓里甲值年者承擔。一律折銀徵納，也加重了缺銀地區人民的負擔。

---

⑮張棟，〈國計民生交絀敬伸末議以仰裨萬一疏〉，《明經世文編》卷四三八。

第十四章 「北虜南倭」問題及其解決

第一節 庚戌之變

天順、成化年間，蒙古韃靼部興起，進入河套地區，時常侵犯明朝邊境。弘治時，達延汗統一蒙古各部，稱「小王子」，南下搶掠更加頻繁。這種局面一直持續到嘉靖時期。達延汗有三子勢力較強，即阿爾倫、阿著和滿官嗔。達延汗死後，阿著、阿爾倫之子卜赤相繼為「小王子」，後卜赤向東遷徙。阿著有二子勢力強大，一為吉囊，一為俺答。嘉靖二十一年（一五四二年），吉囊死去，其子吉能等散處勢分。於是俺答雄於諸部，成為明朝北邊的主要對抗力量。

世宗即位後，曾對北方邊防進行大幅度整頓。自正德十六年（一五二一年）起，多次給九邊將士增發軍餉，雖杯水車薪，卻穩定了正德時動搖敗壞的軍心。大修遼東、宣府、大同、延綏、寧夏邊牆，其規模超過歷朝。為邊軍大量配備新近傳入中國的佛郎機火器，也使明軍在對抗韃靼騎兵時取得一定主動性。此外，設立總督陝西三邊軍務一職，開府固原，也便於西北戰場的協調作戰。不過，這些措施不能從根本上解決衛所制度廢弛、邊軍生活無著的問題，也就不能有效地扭轉戰爭局勢。韃靼騎兵一次次深入邊牆之內，給陝晉各地帶來了深重災難。但是，戰爭並不能割斷明朝與蒙古各部的經濟聯繫。蒙古各部對中原地區的糧食、絲織品、鍋釜等的需求量很大，即使在雙方交戰的情況下，也還要悄悄地與明朝守邊士卒交易。蒙漢人民都希望能結束戰爭狀態。嘉靖二十年（一五四一年），蒙古地區發生自然災害，人畜死亡十分之二。俺答求問神官（指善卜者），神官勸他與中原和好。這實際上反映了蒙古各部廣大人民的心願。這年七月，俺答派遣使臣石天爵、肯切到大同陽和塞請求通貢。世宗以「假詞求貢」、「虜情叵測」為理由，「絕彼通貢」。結果，石天爵被遣返，肯切被拘留。次年閏五月，俺答再次派石天爵等為使臣，到大同鎮邊堡請求通貢。結果，石天爵與肯切均被斬殺，傳首九邊。明朝的這種做法，激化了本來可以緩和的民族矛盾。

明朝拒絕通貢，卻又不能採取措施阻止俺答侵邊。嘉靖二十五年（一五四六年），陝西總督曾銑疏請恢復河套，加強北部邊防，他的建議得到首輔夏言支持。可惜他很快就成為內閣紛爭的犧牲品，曾銑及其支持者夏言都遭嚴嵩陷害被殺。從此，明廷再無一人敢言收復河套事，俺答入侵的次數越來越多，規模越來越大，最終發生了「庚戌之變」。

庚戌為嘉靖二十九年（一五五〇年）。這年六月，俺答糾集所部進犯大同，宣大總兵仇鸞本由賄賂嚴世蕃而得高職，慌懼無能，只好以重金賄賂俺答，「令移寇他塞，勿犯大同」。俺答於八月移兵東攻薊鎮，佯攻重關古北口（今北京市密雲縣東北），主力由偏西的黃榆溝突入長城，一舉攻占薊鎮，兵鋒直達通州（今北京通州區），薄近京城。當時京營兵僅有四、五萬，半為老弱，半為大臣家占役，根本無戰鬥力。而兵器庫的宦官，此時竟還向來領兵器的軍士索取賄賂。京城防務陷於癱瘓。直到此時，兵部尚書丁汝夔才不得不奏報蟄居西內一心煉丹的世宗。世宗大驚，飛檄各地勤王。各處兵馬在幾天內便有五萬聚集京師，但糧草無著，多生騷亂。世宗任命本為罪魁禍首的仇鸞為平虜大將軍，仇鸞畏戰不前。嚴嵩則說：「塞上敗或可掩也。失利輦下，帝無不知，誰執其咎？寇飽自颺去耳。」①於是俺答在城外大肆搶掠。世宗登城四望，只見火光沖天，束手無策。這時俺答提出通貢請求，又以攻城相威脅。徐階獻緩兵之計，要求俺答退出長城，正式遣使來請，俺答揮軍北去。世宗鬆了一口氣，相隔十年後首次召見大臣，痛斥臣下無能誤國，大失眾望。不過明朝的恥辱還沒有結束。俺答本欲從白羊口（居庸關南）出塞，但為守關明軍所阻，乃折回東南，恰好遇上在後遙遙尾追的仇鸞軍。仇鸞大敗，殺了幾十個百姓冒功，眼睜睜地看著俺答從古北口揚長而去。

俺答退出京畿後，繼續請求通貢互市。世宗為人極其虛榮，很想挽回些面子。他一面尋找代罪羔羊，將兵部尚書丁汝夔、侍郎楊守謙處斬，一面想整頓京營，把十二團營復改為三大營，設戎政府以總其事，並調邊兵入京營。世宗在虛榮心的驅使下，甚至還打算「北征」。這種脫離實際的計畫當然不可能實行。世宗為找臺階下，乃於嘉靖三十年（一五五一年）春同意通貢，派兵部侍郎史道赴宣府、大同總理其事。史道頗有作為，迅速促成了宣大、陝西馬市的開放。據史道奏報，舉辦馬市時，「俺酋約束部落，終始無敢有一人諠嘩者。南向黃幃香案叩頭，極恭，跡頗馴順。其番奏所云，皆為悔罪自懲之言。」②此語肯定不無誇大，但也可看出俺答對改善與明朝關係確有一定誠意。但嚴嵩不諳邊情，竟對世宗說：「今徵兵四集，正宜決戰以挫虜鋒，不宜任其要脅，祇以示弱耳。」③八月，世宗改變

① 張廷玉等，《明史》卷二〇四〈丁汝夔傳〉。
② 徐階、張居正等，《明世宗實錄》卷三七三〈嘉靖三十年五月〉。

初衷，召回史道，中止馬市。結果史道被殺於大同。此後，俺答不斷派人到明廷請求互市，均被拒絕，於是戰火再起。嘉靖三十二年（一五五三年），俺答突破外長城防禦，進逼紫荊關（今河北易縣境內）。嘉靖三十三年（一五五四年），韃靼騎兵進攻薊鎮，「京城戒嚴」。嘉靖四十二年（一五六三年），韃靼兵從牆子嶺（今北京密雲縣東）入犯，大掠京東，庚戌之變險些重演。終嘉靖之世，俺答部的侵擾一直是明朝北邊的一大禍患。

第二節　俺答封貢

穆宗即位後，北邊防務仍然吃緊，他需要解決兩個問題。第一，明朝中期以後，政治腐敗，軍事積弱，蒙古瓦剌、韃靼部相繼揮戈南下，形成嚴重邊患。明朝必須加強軍事實力，起衰振靡，才能在解決北邊問題時掌握主動權。第二，明朝與蒙古各部的戰爭，並不能割斷蒙、漢人民之間經濟上的相互需求。從嘉靖中期起，稱雄於蒙古各部的俺答汗多次請求與明朝通貢互市，而世宗卻斬殺來使，「絕彼通貢」，喪失了一個緩和民族衝突的機會。明朝只有改變國策，才能適應蒙漢關係的新形勢。隆慶年間，正是在這方面頗有建樹。

當時主要採取了三項舉措。第一項是選拔優秀軍事將領充任北方邊防總督、巡撫、總兵官等職務。隆慶元年（一五六七年），陸王崇古為兵部右侍郎兼右僉都御史，總督陝西、延綏、寧夏軍務，四年正

③徐階、張居正等，《明世宗實錄》卷三七六〈嘉靖三十年八月〉。

月又改調總督山西、宣府、大同軍事。隆慶二年（一五六八年），陞譚綸為兵部左侍郎兼右僉都御史，總督薊州、遼東、保定軍務。隆慶元年，召福建總兵戚繼光入京協理戎政，第二年五月改命總理薊州、昌平、保定三鎮練兵事。譚、戚是明代著名的軍事家，在抗擊倭寇的戰爭中戰功卓著。王崇古也曾參加抗倭戰爭，立有軍功，嘉靖四十年（一五六一年）調任寧夏巡撫，親歷行陣，善修戰守，功勞顯聞。此外，用李成梁鎮守遼東，方逢時為大同巡撫，都可以說委任得人，足當一面。世宗用人「忽功忽罪」，穆宗用人則信而不疑。無論是譚綸、戚繼光，還是王崇古、方逢時，都多次被人彈劾，穆宗始終不改變初衷，對他們正確的主張，即使有人非議，也支持到底。如譚、戚曾提出在居庸關、山海關間修建三千座墩臺，加強邊塞防守，他當即批准。這是明朝繼成化後又一次修長城。在建臺過程中，「流言京師，轉相傳播，謂建臺無益阻虜入」。譚、戚對此惶恐不安，不知所措。張居正則去信表示支持，謂「築臺守險，可以遠哨望，運矢石，勢有建瓴之便，士無露宿之虞，以逸待勞，為不可勝，乃策之最得者。」穆宗亦批復說：「修築墩臺，已有明旨，（譚）綸宜堅持初議，盡心督理，毋惑人言。如有造言阻擾者，奏聞重治。」④於是流言始得平息。其後墩臺修成，又募浙兵九千餘人守禦，「邊備大飭，敵不敢入犯」⑤。王崇古、譚綸、戚繼光等都注重練兵，經過近兩年的整頓，邊防守禦明顯加強。

第二項是舉行大閱。大閱是一種軍禮，亦稱閱武，指皇帝親自檢閱武裝力量。洪武、永樂、宣德、正統、天順、成化幾朝都曾舉辦，規模不大。成化十一年（一四七五年）後，已有九十餘年未行此典。

④張居正等，《明穆宗實錄》卷三六〈隆慶三年八月〉。
⑤張廷玉等，《明史》卷二二二〈譚綸傳〉。

隆慶二年（一五六八年），張居正提出在京師舉行大閱，檢閱京軍。其目的主要是整頓京營，振興武備，扭轉明朝軍隊積弱之勢。張居正的建議曾受到部分言官責難，穆宗力排異議，決定舉行大閱，並限期一年整頓京營。次年九月二十日，大閱在京城北郊舉行，《張太岳行實》記其盛況云：「是日，天子躬擐甲冑……選卒十二萬，戈鋋連雲，旌旗耀日。天子坐帳中，觀諸將士為偃月五花之陣。已，乃閱騎射，簡車徒。禮畢，三軍之士皆呼萬歲，歡聲如雷。都城遠近，觀者如堵。軍容之盛，近代罕有。」大閱雖說是一種禮儀形式，但在整飭軍務方面還是收到一定實際效果，加強了京營的戰鬥力，振奮了軍心和民心。嘉靖二十九年（一五五〇年）庚戌之變，嚴嵩不准京軍出戰，軍心、民心無不為之沮喪。穆宗大閱，親臨校場，不僅京營士氣大振，而且「邊海之區，咸知朝廷銳意武事，喁喁然亦思所以自效矣」⑥。從隆慶三年（一五六九年）九月起，至五年二月俺答封貢前，韃靼各部雖不時南下騷擾，皆被明軍拒卻，邊境得以無事。後來王崇古在與俺答的談判中，即以大閱為例，宣傳明朝軍事的振興，促進了談判順利進行。從此，明朝在處理北方蒙古問題上逐步改變了被動局面，取得了一定的主動權。

第三項舉措，是調整對蒙古各部的政策。首先調整對板升政策。「板升」是蒙語，當時人解釋為「房屋」、「城」、「堡」之類。它是蒙古地區以漢族為主要居民的區域。漢族居民的來源：一是蒙古各部每次入侵中原擄掠去的人口，天長日久，在塞外定居；二是山西、宣府、大同等地軍民不堪忍受朝廷的剝削和壓迫，逃亡塞外謀生。大批漢人到蒙古地區後，對開發蒙古地區起了積極的作用，「開雲中

⑥張居正等，《明穆宗實錄》卷三三〈隆慶三年六月〉。

豐州地萬頃，連村數百」。俺答也日益依賴板升，「皆仰食板升收穫」。板升內部也不斷分化。上層分子實際上是新貴族，如趙全、李自馨等，一方面依附俺答，鞏固對板升的統治；另一方面幫助俺答練兵習武，並充任嚮導，深入內地燒殺搶掠，在蒙古各部與明朝的抗衡中獲取利益。嘉靖時，明政府對板升居民雖然也下達過招徠的命令，但實效不大。穆宗即位後，要求邊方文武官員「多方招徠，如有率眾來歸者，厚加撫卹」，降人「不問老幼男婦」，「動支官銀，分別查給為家之資，仍復其身，行之九邊皆如例」⑦。隆慶二年（一五六八年）八月，逃民白春等五人，聞風各率所部前來歸附，穆宗當即予以獎賞。此事影響很大，據王崇古統計，繼此之後，僅山西、宣府、大同三鎮，一年之間歸降人數就超過二千人，其中不僅有漢族居民，而且也有蒙古族人民。板升的分化，使趙全等少數上層分子陷於孤立，俺答也不得不進一步考慮改善與明朝的關係。

明朝調整與蒙古的政策，更主要表現在把漢那吉降明事件上。關於此事，史籍記載頗多歧異，較通行的說法是：把漢那吉是俺答第三子鐵背臺吉之子，幼年喪父，由俺答之妻撫養。成年後，娶俺答婿比吉女為妻，不久又下聘兔扯金之女，準備迎娶。俺答外孫女三娘子已接受襖兒都司的聘禮，俺答見其貌美，奪為己有。襖兒都司聞訊憤怒，準備起兵與俺答為敵。俺答為平息其怒，將把漢那吉所聘兔扯金之女嫁給襖兒都司。把漢那吉因此與俺答結怨，於隆慶四年（一五七〇年）十月率眾投奔明朝。對於如何處置把漢那吉，明朝內部頗有爭論。王崇古、方逢時主張接收把漢那吉，御史饒仁侃、武尚賢、葉夢熊等則以敵情叵測，反對收留。穆宗、高拱、張居正都支援王崇古、方逢時，於是下詔優撫

⑦張居正等，《明穆宗實錄》卷一〈嘉靖四十五年十二月〉、二三〈隆慶二年八月〉。

把漢那吉，封他為指揮使。這時葉夢熊再次上疏反對。為了平息異議，表明朝廷對王崇古的支持，穆宗令將葉夢熊降二級，調外任。經過王崇古、方逢時的調解，把漢那吉與俺答重歸於好。隆慶四年十二月，俺答把趙全、李自馨等執獻明朝，明朝也勸說把漢那吉重回俺答部。雙方在改善關係方面都主動向前邁出了一步。

俺答很希望與明朝實現封貢互市。他對王崇古表示：如果自己被明朝封為王，「藉威靈長北方諸酋，誰敢不聽？誓永守北邊，毋敢為患。即不幸死，吾孫當襲封，彼衣食中國，肯背德乎？」⑧隆慶五年（一五七一年）二月，王崇古上疏提出封貢互市的具體建議，結果在朝臣中引起爭議。兵部召集廷議，定國公徐文璧、吏部左侍郎張四維等二十二人同意，英國公張溶、戶部尚書張守直等十七人反對，工部尚書朱衡等五人贊同通貢但不贊同互市，只有都察院僉都御史李棠力言應允許封貢互市。兵部尚書郭乾「淆於群議，不知所裁」，只能姑且條為數事塞責。穆宗「以為未當，令部臣更議以聞」⑨。在穆宗和閣臣高拱、張居正等人的堅決支持下，明朝封俺答為順義王，封把漢那吉為昭勇將軍，其他蒙古諸首領也先後封為都督同知、指揮同知、指揮僉事、千戶、百戶等官職，馬市也陸續開設。

俺答封貢的實現，具有重要意義。首先，結束了蒙古各部與明朝近二百年兵戈相加的對立局面。大學士高拱等曾上疏指出：嘉靖時拒絕開放馬市，造成北邊「三十餘年迄無寧日，遂使邊境之民肝腦

⑧張居正等，《明穆宗實錄》卷五一〈隆慶四年十一月〉。
⑨張居正等，《明穆宗實錄》卷五五〈隆慶五年三月〉。

塗地，父子夫妻不能相保，膏腴之地棄而不耕，屯田荒蕪，鹽法阻壞，不止邊方之臣重苦莫支，而帑儲竭於供億，士馬罷於調遣，中原亦且敝矣，此則往歲失計之明驗也」；今因把漢那吉來降，「朝廷處置得宜，彼遂感恩慕義，請貢稱藩，此實天以安攘之機與我也。我遂因而受之，則不惟名義為美，而可以愈境土之蹂踐，可以免生靈之荼毒，可以省內帑之供億，可以停士馬之調遣，而中外皆得以安」⑩。其次，促進了蒙漢人民之間經濟、文化的交流。隆慶時的互市不同於以前的馬市。馬市是官市，不准軍民、生儒、閒雜人員入市。互市則既有官市，也有私市，私市准許邊民貿易，於是交易擴大到民間。隆慶六年（一五七二年）冬又開月市，每月交易一二日。互市、月市深受蒙漢人民的歡迎，成為連結兩族人民友好關係的紐帶。第三，再一次確立了蒙古各部與中央政權的從屬關係，從長遠看對我國統一多民族國家的進一步鞏固有重大意義。如果說後來滿族建立的清朝對我國統一做出了貢獻，那麼早在清朝以前，俺答封貢就已經為這一歷史趨勢的發展打下了基礎。清人魏源評價此事說：「不獨明塞息五十年之烽燧，且為本朝開二百年之太平。」⑪

第三節　葡萄牙人入居澳門

鄭和下西洋時代，葡萄牙人也已開始從事海洋探索活動。經過持續不斷的努力，最終取得突破性

⑩ 張居正等，《明穆宗實錄》卷五九〈隆慶五年七月〉。
⑪ 魏源，《聖武記》卷一二。

進展。一四九八年，即明弘治十一年，達·伽馬 (Vasco da Gama) 繞過好望角，橫渡印度洋，開闢了西方通向東方的新航路。正德六年（一五一一年），葡萄牙人攻占了位於馬來半島的滿剌加（麻六甲），這裡地處東西方貿易之咽喉要道，是明朝朝貢體系中的重要一環。對於新接觸到的葡萄牙人，明朝稱之為佛郎機。《明史·滿剌加傳》記載，滿剌加「自為佛郎機所破，其風頓殊，商舶稀至，多直詣蘇門答剌。然必取道其國，率被邀劫，海路幾斷」。可以說，滿剌加被葡萄牙人占領，標誌著以明朝為中心的朝貢體系開始遭到破壞。

葡萄牙人對中國懷有極大興趣。正德八年（一五一三年），若熱·阿爾瓦雷斯 (Jorge Alvares) 在明朝商人指引下到達廣東珠江口的屯門貿易，成為第一個到達中國的葡萄牙人。正德十年（一五一五年），葡萄牙國王委派費爾南·安德拉德 (Fernao Peres de Andrade) 率領一支艦隊前往東方，並命令新任印度總督挑選一名使節，由安德拉德護送到中國去，印度總督挑中的人選為托梅·皮雷斯 (Tome Pires)。皮雷斯曾在印度、麻六甲等地居住，撰有《東方記》一書，對東方有一定程度的了解。安德拉德率領由四艘船組成的船隊，於正德十二年（一五一七年）七月抵達屯門，並溯江駛入廣州。他們向明朝地方官員說明，此行目的是護送國王使臣前來覲見中國皇帝。葡萄牙人派遣使臣到中國的目的，是與中國建立官方聯繫，開闢貿易途徑；而明朝習慣於朝貢體系，自然將他們視為前來朝貢人員。在明朝的朝貢國名單中，並無佛郎機之名。明朝地方官員一方面讓葡萄牙人暫留下來，一方面將此事奏報朝廷。經過禮部商議，決定不予接納，「諭令還國，其方物給與之」[12]。

[12] 費宏等，《明武宗實錄》卷一五八〈正德十三年正月〉。

葡萄牙人當然不願無功而返，繼續留在廣州等待機會。他們透過通事火者亞三買通鎮守太監，最終使朝廷改變了初衷，允許使臣入京。正德十五年（一五二〇年）初，葡萄牙使團離開廣州北上，五月抵達南京。武宗假借親征寧王朱宸濠南巡，此時適在南京，但他無意接見使團，使團只好繼續北上，到北京等待接見機會。安德拉德在廣州待了一段時間，便起程返國，船隊司令職務由其弟西蒙・安德拉德（Simao Andrade）接替。西蒙於正德十五年九月到達廣東。他生性殘暴，公然占據屯門海澳，「剽劫行旅」，「掠買良民，築室立寨，為久居計」⑬，引起官員和民眾的不滿。在京葡萄牙使團的通事火者亞三，也結交武宗倖臣江彬，驕橫不法。直到這年底，武宗才返回北京，但他已是病入膏肓，不可能接見使團，不久去世。

鑑於葡萄牙人的諸多不法行為，一些官員上疏，強烈要求驅逐葡萄牙使團。御史何鰲指出，「佛郎機最為凶詐」，「留驛者違禁交通，至京者桀驁爭長」，建議「悉驅在澳番船，及夷人潛住者，禁私通，嚴守備，則一方得其所矣」⑭。而且，這時明廷得知佛郎機侵占滿剌加的消息，更加憤怒。世宗即位後，處死火者亞三，令將皮雷斯押赴廣州監禁，並下令驅逐盤踞屯門島的葡萄牙人。正德十六年（一五二一年），明海道副使汪鋐率兵收復屯門。嘉靖二年（一五二三年），葡萄牙船隊又來到中國沿海，並在廣東新會縣西草灣與明軍發生戰鬥，明軍大勝，繳獲了葡萄牙大炮，亦稱之為「佛郎機」。

明朝在驅逐葡萄牙人後，加強了海禁政策，規定「自今海外諸夷及期如貢者，抽分如例，或不齎

⑬張廷玉等，《明史》卷三二五〈佛郎機傳〉。
⑭費宏等，《明武宗實錄》卷一九四〈正德十五年十二月〉。

勘合及非期而以貨至者，皆絕之」⑮。事實上，明朝在禁止葡萄牙人「進貢」的同時，也一併禁止各國海商前來通市，造成「番舶幾絕」的局面。但當時對華貿易利潤豐厚，葡萄牙人不肯輕易放棄。既然在廣東沿海難以立足，他們便把船隻開到福建和浙江沿海，從事走私貿易，成為「倭寇」的一部分。他們主要的活動據點，有浙江寧波府的雙嶼、漳州府的浯嶼等。嘉靖二十六年（一五四七年），朱紈被任命為浙江巡撫，兼提督閩浙海防軍務。朱紈（一四九四－一五五〇年），南直隸長洲（今江蘇蘇州）人，正德十六年（一五二一年）進士。他到任後，大力整頓海防，攻剿倭寇，告捷收復雙嶼、浯嶼、月港等地，葡萄牙人受到重創，只好又回到廣東沿海活動。為躲避明朝軍隊的攻剿，他們經常把船隻開到離海岸較遠的地方停泊，很容易遭到風暴襲擊。

嘉靖三十二年（一五五三年），葡萄牙船長蘇薩 (Leonel de Sousa) 通過賄賂海道副使汪柏，獲准「通市」，從此與明朝建立了正常的貿易關係。以往學術界多把此事作為葡萄牙人入居澳門之始，其實是一種誤解。此年汪柏所答應的事情，只是允許葡萄牙人通商，根本未涉及入居澳門問題。綜合中葡雙方各種史料，可以肯定，葡萄牙人入居澳門的時間，是在嘉靖三十六年（一五五七年）。關於澳門的情況，時人龐尚鵬曾介紹說：「廣州南有香山縣，地當瀕海，由雍陌至濠鏡澳，計一日之程，有山對峙如臺，曰南北臺，即澳門也。州環大海，接於牂牁，曰石硤海，乃番夷市舶交易之所。往年夷人入貢，附至貨物，照例抽盤。其餘番貨私齎貨物至者，守澳官驗實申海道，聞於撫按衙門，始放入澳。候委官封籍，抽其十之三，乃聽貿易焉。」⑯正因澳門是一大外貿港口，葡萄牙人逐漸在此定居下來，

⑮徐階、張居正等，《明世宗實錄》卷四〈正德十六年七月〉。

澳門大三巴牌坊

「築室以便交易」，不數年即達千區以上。

對於葡萄牙人入居澳門，明朝官員看法不一，有人主張盡行驅逐，也有人主張允許留住。經過一番爭論，後一種意見占了上風。萬曆元年（一五七三年），廣東官府在澳門北面香山縣咽喉之地蓮花莖上，設關建閘，置官防守，以加強對澳門的控制和戒備。萬曆十年（一五八二年），兩廣總督陳瑞在居澳葡人答應服從明朝官吏管轄的前提下，對其居澳權予以肯定，澳門成為明朝管轄下的一個特殊的僑民社會。從萬曆初年開始，澳門葡人每年向明朝繳納五百兩地租銀，後有所增加，明末曾一度增至每年十萬兩。

第四節　抗倭戰爭的勝利

早在元末明初，日本倭寇就開始騷擾中國東南沿海。當時日本正處於南北朝時期，各封建割據勢力相互爭戰，並組織武士、浪人和商人結成武裝團體，到中國沿海地區劫掠騷擾，中國人稱之為「倭

⑯龐尚鵬，《百可亭摘稿》卷一〈陳末議以保海隅萬世治安疏〉。

寇」。明太祖原希望與日本建立睦鄰友好關係，開展官方貿易，曾屢次遣使至日本，要求禁止倭寇來侵，但這些外交努力得不到日本方面的積極回應。於是明太祖一方面厲行海禁，不許日本通市，另一方面在沿海建置衛所，修築城堡，列兵戍守，處處有備。由於明朝加強了海防，所以倭寇不敢大肆侵犯。洪武二十五年（一三九二年），日本南北統一。建文三年（一四〇一年），日本遣使來中國，兩國恢復邦交。明成祖即位後，進一步與日本建立了勘合貿易關係，明朝政府給與足利幕府貿易勘合（憑證）百道，約定十年進貢一次，每次限二百人、船二艘，不得攜帶軍器。日本為了多得財物，往往以朝賀、謝恩、獻俘、告訃等各種名義，遣使問聘，突破十年一貢之限制。與此同時，仍有倭寇侵擾中國沿海。永樂十七年（一四一九年），倭寇二千餘人攻掠遼東望海堝，被明軍幾乎全部殲滅。倭寇大懼，自此不敢輕易來犯，明朝沿海一直比較平靜。

到嘉靖年間，倭寇問題突然又變得嚴重起來。其原因有以下方面：第一，日本自應仁元年（一四六七年）起，進入了歷時百餘年的戰國時代，各大名擁兵割據，互爭雄長。在戰亂中，大名們支持向外掠奪，以此彌補戰費的不足。同時日本經濟的發展，也刺激了大名們的奢求，他們需要中國的物品，而明朝與日本的貿易主要由幕府將軍掌握，其他大名很難分享，於是便組織人力到中國沿海從事掠奪。這是倭寇形成的主要原因。第二，葡萄牙人東來後，未能與明朝建立正常的貿易關係，他們在中國沿海從事走私貿易，與倭寇整合在一起，壯大了倭寇力量。第三，中國沿海地區工商業日益發達，許多豪族大姓及海商巨賈都私自出海貿易，並且與倭寇相勾結。在走私貿易中，逐漸形成了一些亦商亦盜的海盜集團，著名海盜頭子有許棟（徽州歙縣人）、李光頭（福建人）、汪直（或作王直，徽州歙縣人）、徐海（徽州人）等，他們莫不建造巨艦，結穴於海中島嶼，不僅武裝走私，又兼行劫掠，而且都與倭寇相勾結。第四，明朝方面政治腐朽，邊防廢弛。如明初沿海防倭各軍，每衛約五千餘人，至此無一足額，有的僅餘一半軍士，且多老弱。防倭戰船也多年失修，存者僅十之一二。因此，倭寇所至，難以抵禦。

倭寇問題爆發的導火線，是嘉靖二年（一五二三年）發生的「爭貢之變」。是年五月，日本大內氏使臣宗設和細川氏使臣瑞佐、宋素卿先後來到寧波通貢。按照慣例，「番貨至，市舶司閱貨及宴坐，並以先後為序」。但宋素卿本為明朝人，熟知訣竅，便賄賂市舶太監，得以先驗貨，宴會座位亦在宗設之上。宗設大怒，殺瑞佐，追宋素卿直至紹興城下。明軍前來阻擋，結果被打得大敗，備倭都指揮劉錦、千戶張鏜等皆被殺。這次事件使明軍的無能和官吏的腐敗暴露無遺，激發了倭寇的貪心。而當時世宗正忙於為生父興獻王爭名分，根本無心認真對待此事。一些官員也認為「倭患起於市舶」，於是明朝罷市舶司，寸板不許下海⑰。這樣做並不能起到防倭的作用，相反卻阻斷了正常的貿易活動，給沿海地區經濟發展和人民生活造成很大損害，不少走私者投入倭寇隊伍，倭寇日益猖獗。

嘉靖二十六年（一五四七年），朱紈受命提督浙閩海防軍務後，了解到當地豪族多與倭寇交通，「不革渡船，則海道不可清，不嚴保甲，則海防不可復」，於是毅然採取措施，「革渡船，嚴保甲，搜捕奸民」，並捕殺勾結倭寇的豪紳奸商及海盜頭領李光頭等九十六人。「閩人資衣食於海，驟失重利，雖士大夫家亦不便也」。朱紈「整頓海防，稍有次第」，但卻觸犯了「閩浙大姓」的利益。閩浙籍官員紛紛上疏攻擊朱紈，世宗令將其革職按問。朱紈慷慨流涕曰：「縱天子不欲死我，閩浙人必殺我。吾

⑰谷應泰，《明史紀事本末》卷五五〈沿海倭亂〉。

死，自決之，不須人也。」遂服毒自殺。朱紈死後，「罷巡視大臣不設，中外搖手不敢言海禁事」，以致「海寇大作，毒東南者十餘年」⑱。

嘉靖三十一年（一五五二年），明朝以僉都御史王忬提督軍務，經略閩浙地方。此後兩年，倭寇連續大舉入寇，「連艦數百，蔽海而至，浙東、西，江南、北，濱海數千里，同時告警」⑲，所到之處，焚殺劫掠，無惡不作。王忬受到彈劾，改任大同巡撫。嘉靖三十三年（一五五四年），明朝任命南京兵部尚書張經總督東南諸省軍務，「便宜行事」。張經（一四九二—一五五五年），福建侯官（今福州市）人，正德十二年（一五一七年）進士，曾總督兩廣軍務，具有一定的軍事經驗。此時首輔嚴嵩的親信趙文華，因受命祭祀海神，也來到東南。張經自以為地位高於趙文華，「心輕之」。趙文華再三催促張經出擊，張經「守便宜不聽」。於是趙文華密疏彈劾張經「糜餉殃民，畏賊失機，欲俟倭飽颺，剿餘寇報功，宜亟治，以紓東南大禍」⑳。嚴嵩在朝也附和挑唆，世宗遂下令逮捕張經。正當諂害張經的幕後活動悄悄進行之時，張經和副總兵俞大猷一起，在王江涇打了一場漂亮仗，史稱「防倭以來第一功」。可是世宗竟認為張經是「聞文華劾，方一戰」，罪上加罪。嘉靖三十四年（一五五五年）五月，張經被逮至京，十月被殺。是年倭寇勢益蔓延，流劫數省，並深入內地，攻掠徽州、蕪湖、南京等地。

正當倭寇問題無法解決之時，明軍出現了一位傑出將領戚繼光。他和俞大猷等抗倭將領訓練新軍，

⑱張廷玉等，《明史》卷二〇五〈朱紈傳〉。
⑲張廷玉等，《明史》卷三二二〈日本傳〉。
⑳張廷玉等，《明史》卷二〇五〈張經傳〉。

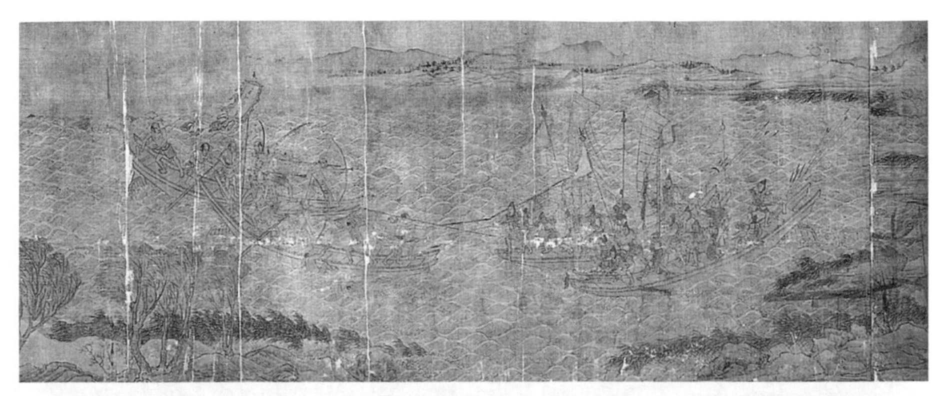

《抗倭圖卷》(局部)

奮勇作戰，在當地人民的大力支持下，終於蕩平了倭寇。

戚繼光（一五二八－一五八七年），字元敬，號南塘，山東蓬萊人，將門之後，世襲登州衛指揮僉事。原在山東防倭，嘉靖三十四年（一五五五年）調往浙江，鎮守臺州等地，不久陞任參將。戚繼光見衛所官軍不習戰，便到民風剽悍的金華、義烏山區召募新兵三千人，組成一支新軍，人稱「戚家軍」。戚繼光軍事思想中最突出的特點，是依靠當地人民抗倭，即「以浙人保浙土」。他十分重視練兵。首先，對士兵進行「殺賊保民」教育。戚繼光鼓動說：「兵是殺賊的，賊是殺百姓的。百姓豈不是要你們殺賊？設使你們果真殺賊，守軍法，不擾害他，如何不奉承你們！」其次，注重軍紀建設。他把軍中的紀律、號令編印成冊，發給士兵，要人人熟記。所以戚家軍所到之處，百姓以手加額說：「今日始見仁義之師矣！」第三，要求武藝精強。他教育士兵，武藝「是當兵防身、立功、殺賊、救命，本身上貼骨的勾當」，「若不學武藝，是不要性命的獃子」㉑。第四，注意整體作戰。針對倭寇多亡命之徒，個人作戰能力較強的特點，他創造了「鴛鴦陣法」，將兵士十二人分為一隊，長短兵器互相搭配，以便於短兵相接，有效殺敵。根據具體情況的變化，「鴛鴦陣」還可變化為「兩儀陣」、「大三才陣」、「小三才陣」等。嘉靖四十年（一五六一年），倭寇大掠浙東的台州等地，戚繼光率軍與戰，連戰皆捷，殲敵二千二百餘人，救回被擄男婦數千名，於是浙東倭寇被平定。

倭寇在浙東失敗後，把侵掠目標轉向福建沿海，戚繼光奉命率部入閩剿寇。當時倭寇結大營於寧德的橫嶼、福清的牛田、興化（今莆田）的林墩，互為聲援。戚繼光首先擊破橫嶼，又乘勝破牛田，然後襲破林墩，痛殲倭寇。蕩平倭寇三大穴後，戚繼光班師回浙。不久，新倭又大量來到福建，攻陷興化府城，占據平海衛（在興化城東南臨海處）作為巢穴。明廷鑑於形勢嚴峻，陞副總兵俞大猷為總兵，陞參將戚繼光為副總兵，令馳赴福建救援。廣東總兵官劉顯也奉命入閩。嘉靖四十二年（一五六三年），戚繼光率軍趕到，與俞大猷、劉顯合力進攻平海衛，戚家軍首登敵壘，其他兩軍相繼突入，遂攻克平海衛，接著又收復興化城。事後戚繼光陞為總兵官，俞大猷調入廣東。嘉靖四十三年（一五六四年），戚繼光再敗倭寇，福建倭寇完全平定。浙、閩倭寇悉平，倭寇殘部多集結於廣東，廣東倭患轉

㉑戚繼光，《紀效新書》卷四〈禁令〉。

烈。俞大猷此前曾在福建汀州、漳州一帶招募農民入伍，調任廣東總兵官後，又招收山區農民及礦夫組成新軍，還調集汀、漳等地官兵，先後大戰於海豐等地，將廣東的倭寇基本肅清。

通過明朝軍隊和百姓的共同努力，困擾東南沿海多年的倭患終於完全平定，抗倭戰爭取得最後勝利。東南沿海一帶重新獲得安寧，人民的生命財產有了保障，為社會經濟的發展提供了平穩環境，為開放海禁、鼓勵民間海外貿易政策奠定了基礎。

第五節　隆慶開關

明代前期，對外貿易皆在朝貢框架內進行，不准海外各國船隻私來交易。到正德四年（一五〇九年），暹羅船隻遭風漂至廣東境內，鎮巡官為了補充軍需，徵收所載貨物稅，准其交易。這是准許非朝貢的外國船隻入口貿易之始。其後，這一做法作為制度肯定下來，海外各地船隻不拘年分，不驗勘合，隨到隨抽分，因而前來貿易者很多。海外商船還與沿海居民勾結在一起，逃避抽分納稅，大大刺激了走私貿易的發展。但到嘉靖年間，由於葡萄牙人為害，倭寇活動猖獗，朝廷遂厲行海禁政策，造成「番船幾絕」的局面，不僅大大損害了民間貿易，也使國家財政受到損失。

對於海禁政策的加強，不少官員表示贊成，但也有不少了解實際情況的官員，對這種做法提出質疑。如廣東巡撫林富曾上疏批評說：「夫佛郎機素不通中國，驅而絕之，宜也。《祖訓》、《會典》所載諸國，素恭順與中國通者也，朝貢貿易盡阻絕之，則是因噎而廢食也。」㉒福建巡撫譚綸也要求「寬海禁」，指出：「閩人濱海而居，非往來海中則不得食。自通番禁嚴，而附近海洋魚販一切不通，故民貧而盜愈起，宜稍寬其法。」㉓有人還分析說，海禁政策正是導致寇亂昌熾的根源。如唐樞指出，「中國與夷，各擅土產，故貿易難絕，利之所在，人必趨之」，沿海人民依恃「私相商販」生活，已相沿一百多年，「內外傳襲，以為生理之常」，但嘉靖六七年後，地方官員奉命嚴禁，「商道不通，商人失去生理，於是轉而為寇，嘉靖二十年後，海禁愈嚴，賊使愈盛」㉔。

儘管存在著開放海禁、實現互市的呼聲，但當時倭寇活動猖獗，朝廷的主要關注點是如何平定倭寇，不少官員還把通市視為召寇之端，所以這種呼聲並未受到重視。到嘉靖末年，倭寇基本平定，從而為政策調整創造了條件。隆慶元年（一五六七年），福建巡撫涂澤民上疏請求開放海禁，朝廷予以批准，「准販東、西二洋」㉕，史稱「隆慶開關」。這標誌著明朝對外政策發生了重大改變。

開海的具體地點，是在福建漳州月港。明代中葉，隨著私人海上貿易日益興盛，沿海出現了許多交易據點。地處九龍江入海處的月港，就是其中較大的一個，並逐漸發展成為繁盛的港口城市。嘉靖九年（一五三〇年），明朝為了禁止私人海外貿易的發展，把巡海道移駐漳州，並在月港東北的海滄設置安邊館，任命各府通判輪流駐紮。嘉靖二十六年（一五四七年），朱紈為切斷沿海豪民與倭寇的聯繫，厲行海禁，巡海道柯喬等人建議在月港地區立縣，未得批准。嘉靖三十年（一五五一年），柯喬在

㉒黃佐，《黃泰泉先生全集》卷二〇〈代巡撫通市舶疏〉。
㉓徐階、張居正等，《明世宗實錄》卷五三八〈嘉靖四十三年九月〉。
㉔唐樞，《禦倭雜著》卷一〈復胡梅林論處王直〉。
㉕張燮，《東西洋考》卷七〈餉稅考〉。

月港設立靖海館，以通判往來巡緝。嘉靖四十年（一五六一年），福建巡撫譚綸「請設海防同知，顓理海上事，更靖海館為海防館」㉖。倭患平定後，地方官員再次要求設縣，得到批准。嘉靖四十四年（一五六五年），開始籌措建縣事宜，決定從龍溪、漳浦二縣各割取部分都圖，湊成一縣。隆慶元年（一五六七年），取「海疆澄清」之意，正式設立海澄縣（今福建龍海市），月港成為縣治。

開放海禁，准販東、西洋後，海防館便成為中國商民出海貿易的管理機構。因其主要職責是徵收海外貿易餉稅，所以到萬曆年間，將海防館更名為督餉館。督餉館的主要官員是漳州府海防同知，萬曆二十一年（一五九三年）改為各府委官輪流監督餉務。萬曆二十七年（一五九九年），明神宗向各地派遣礦監稅使，福建餉務操於稅監高寀之手，督餉館形同虛設。萬曆三十四年（一六〇六年），督餉館重操餉務，改由漳州府佐官每年一名輪流掌管，直到明末未變。

商民出海貿易，先要到督餉館登記，繳納引稅以換取船引，即出海貿易許可證。商引填寫的項目，包括器械、貨物、姓名、年號、戶籍、住址、嚮往處所、回銷限期等，督餉館留有底簿，商船返回後要將船引齎送查換。商船出港時，督餉館也要查驗船引，以防夾帶違禁貨物出洋。當時東、西二洋以汶萊為界，萬曆十七年（一五八九年）規定，每年准往東、西洋的商船各為四十四隻，共八十八隻，後不斷增加。

對來往商船，要徵收餉稅，共分三種：一為水餉，是向海外商船徵收的商稅，根據船的大小寬狹徵收銀兩；二為陸餉，是向海外進口商品徵收的商稅，根據貨物的數量及其價值徵收銀兩；三為加增

㉖何喬遠，《閩書》卷三〇〈方域志．漳州府〉。

餉，是專門向出洋到呂宋的商船徵收的商稅，因這些船回國時不載貨物，而是裝載大量墨西哥銀元，無法徵收貨物稅，故特設加增餉，每船徵稅銀一百五十兩，後減為一百二十兩[27]。隆慶開關後，對海外貿易一律徵收貨幣稅，完成了關稅從貢舶貿易的實物抽分制到商舶貿易的貨幣制的轉變，並逐步形成從設官建置到徵稅則例等一套管理制度，這可以說是近代海關與關稅制度的萌芽。

[27] 張燮，《東西洋考》卷七〈餉稅考〉。

第十五章 社會經濟的新發展

第一節　農業經濟的發展

明代中後期，農業生產技術獲得明顯進步。生產工具方面，鋤、鍬、鐮等小型農具陸續採用「生鐵淋口」的方法製作，即利用熔化的生鐵作熟鐵的滲碳劑，使熟鐵農具的刃口表面蒙上一定厚度的生鐵熔覆層和滲碳層。用此方法製造農具，方便、省時、成本低，而又韌性好、鋒刃快、經久耐用。一些缺乏耕牛的地方，還發明了替代性農具，宋應星曾談到，「若耕後牛窮，製成磨耙，兩人肩手磨軋，則一日敵三牛之力也」①。嘉靖年間，歐陽必進在鄖陽府還組織能工巧匠，「造人耕之法，施關鍵，使人推之，省力而功倍，百姓賴焉」②。

整地方面，特別重視深耕。《沈氏農書》解釋其原理說：「深則肥氣深入土中，徐徐討力，且根脈

①宋應星，《天工開物》卷上〈乃粒第一．稻工〉。
②同治《鄖陽志》卷五〈官師志〉。

深遠，苗稈必壯實，可耐水旱。」江南上農多以牛耕和人耕結合，「大率深至八寸，故倍收」③。中、下農家多無耕牛，但使用鐵搭也可達到深耕效果。鐵搭出現於明代以前，但其廣泛使用，卻是明代開始的。這種農具特別適合土壤黏重的江南水田，《沈氏農書》談到一種「二三層起深」的方法，即用鐵搭劚過一遍後，在原地再墾翻一到二層，以增加深度，這樣可以達到八、九寸深。此外，耘蕩、耘爪雖在元朝就已出現，但到明代後期才推廣開來的，使耘田的速度和品質大為提高。

土壤改良方面，北直隸、浙江、福建、山東等地，在治鹼方面取得明顯成效。如萬曆時利用種稻洗鹽的辦法，通過穿渠灌水，在天津葛白塘一帶的斥鹵之地上開闢出耕地二千餘畝。山東等地農民則利用換土掘溝的方法治鹼，「掘鹼地一方，徑尺深尺，換以好土，種以瓜瓠，往往收成，明年再換」④。浙江新昌、嵊縣等地有很多冷侵田，當時農民遲至夏至前後始插秧，「秧已成科，更不用水，任烈日暴土坼裂」⑤，利用太陽烤曬以改良土壤品質。

施肥方面，要求施足底肥，並在適當時候追肥。如《沈氏農書》指出：「初種時必以河泥作底，其力雖慢而長；伏暑時稍下灰或菜餅，其力亦慢而不迅速；立秋後交處暑，始下大肥壅，則其力倍而穗長矣。」這是根據作物的生長期追加不同肥料的科學方法。當時不僅對於施用追肥的時間、數量、次數以及肥效有了科學了解，對於土壤與肥料結合的認識也加深了，總結出一些規律，如羊糞適宜旱

③徐獻忠，《吳興掌故集》卷一三〈物產類〉。
④呂坤，《實政錄》卷二〈民務·小民生計〉。
⑤陸容，《菽園雜記》卷一二。

地，豬糞適宜水田，土質貧瘠堅硬之田宜用草木灰肥和牛糞，土性帶泛漿之田宜用灰蘸秧根、石灰淹苗足等等。

培育和選用良種方面，宋代傳入的占城稻粒大味甘，是早稻中的佳品，到明代這一品種的播種地域大為擴展，甚至北方也種者甚多。由於傳統選種技術的發展，培育新品種的速度加快，明代中後期的水稻品種已相當豐富。據嘉靖年間的一項記載，南直隸、浙江等地的水稻品種已有三十八個，其中粳稻品種二十五個，糯稻品種十三個，不少屬於優良品種。除本土選育的作物品種外，明代中後期還有一些新作物傳入中國，主要有番薯、玉米、花生、菸草等，其中番薯和玉米是高產糧食作物，深受農家歡迎，傳播速度很快。

農田灌溉方面，也總結出一些新經驗。如《農政全書》談到：要保障小麥豐產，在秋冬麥的苗期應適當灌水，這樣可以調節地溫，利於小麥安全過冬；春天小麥拔節與孕穗時期，應保證田中水分充足；抽穗以後，則要求日光充足，雨量較少，倘若雨過多，必須及時排出。《沈氏農書》也提到，種植水稻必須適時灌水或排水才會有好收成，即從芒種至立秋之間田中必須保持一定的水位；接近立秋的幾日必須排水烤田，田地乾得裂縫才好；立秋過後，又需要立即灌水，一直到水稻收割，田中絕不可斷水。

病蟲害防治方面，總結出一些利用栽培技術和耕作方法防治害蟲的經驗。《農政全書》提到，對危害棉花的地蠶可用翻耕或「冬灌春耕」的辦法防治。《沈氏農書》提出：「種田之法不在乎早，本處土薄，早種每患生蟲。若其年有水，種田則芒種前後插蒔為上。若旱年，車水種田，便到夏至也不妨。」這一辦法是針對浙西三化螟為害單季晚稻而提出的，通過調節播植時期，可以避免一部分第一代螟蛾在本田產卵，從而減輕螟害。也有農民採用藥物防治蟲害。《天工開物》記載，當時南北普遍使用砒石，「晉地菽麥必用拌種，且驅田中黃鼠害，寧、紹郡稻田必用蘸秧根，則豐收也」。

種植模式方面，一年二作制得到進一步普及，《天工開物》謂「南方平原，田多一歲兩栽兩穫者」。如蘇州吳江等地，「秋獲之後，隨即布種菜麥。至春末時，黃綠相間，洲景堪畫。至四五月間，則菜薹可食，菜子作油，菜萁可薪，麥可磨麵。農家至此時，賴以續食，名曰春熟」⑥。嘉興、湖州一帶的農民，為了解決小麥與晚稻爭時、爭地的矛盾，還創造了小麥移栽的新方法，《沈氏農書》記載：「八月初，先下麥種，候冬墾田移種，每棵十五、六根，照式澆兩次，又撒牛壅，鍬溝蓋之，則稈壯麥粗，倍穫厚收。」正是由於普遍採用這種復種制，明末出現了「春花」一詞，用以統指麥、油菜、蠶豆等春熟作物。據研究，水稻與麥、油菜、蠶豆輪作復種的一年二作制，最適合江南水田，這種耕作方式能夠合理利用土壤中的營養元素，有利於提高施肥效果和土壤肥力，消除土壤中有毒物質，減少病、蟲、雜草為害。

隨著農業生產技術的進步，糧食產量也有所提高。關於各地糧食產量，只留下一些十分零散的記載，而且產量數值相差很大。綜合各種記載，明代後期南方糧食平均畝產量當在二石以上，北方約在一石左右。表面看來，明代後期南方的平均畝產石數，與南宋時期大體持平。但宋畝合今〇．九市畝，宋石合今〇．六六四一市石；明畝合今〇．九二一六市畝，明石合今一．〇二二五市石。經過折算，與南宋時期相比，明代畝產量至少增加了百分之五十以上。不少學者認為，明代的畝產量，已達到傳

⑥弘治《吳江志》卷六〈風俗〉。

統技術條件下的最高點。

除農業技術的改進和糧食產量的提高外，明代中後期農業經濟的進步，還突出體現在商品性農業的發展上。各地農民因地制宜，廣泛種植經濟作物，越來越深地捲入商貿網絡之中。

棉花種植在宋元時期開始推廣，進入明代後，由於政府的鼓勵，在地域上推廣更快，成化、弘治時已是遍佈天下。不過，此時棉花在各地農產品中所占比重均不高，所產原棉除交納賦稅外，主要是作為家庭紡織業原料供自家使用。到明代中後期，棉花種植不僅在地域上繼續擴展，更重要的是，在一些地區，棉花在農產品中的比重不斷增加，產品主要銷往市場。據《農政全書》記載，松江一帶墾田大半種棉，總面積在百萬畝以上；萬曆《嘉定縣志》謂當地種稻之田只占十分之一左右，其餘皆種植棉花和豆類。在這些地區的農作物配置結構中，棉作已完全壓倒稻作。江南之外，也有不少地方廣種棉花。如河南「中州沃壤，半植木棉」⑦。山東六府皆種棉花，「東昌尤多，商人貿於四方，其利甚博」⑧。

桑蠶業的發展，主要限於江南，此外四川閬中的蠶桑也較盛。浙江杭嘉湖地區桑樹種植最為發達，某些地方已超過稻米種植。如湖州「以蠶為田，故勝意則增饒，失意則農困」，「尺寸之堤，必樹之桑」⑨。崇德「田地相埒，故蠶務最重」⑩。嘉興植桑之多，至「不可以株數計」⑪。農家植桑主要

⑦鍾化民，〈救荒圖說〉，俞森《荒政叢書》卷五。
⑧嘉靖《山東通志》卷八〈物產〉。
⑨謝肇淛，《西吳枝乘》。
⑩顧炎武，《天下郡國利病書》原編第二二冊〈浙江下〉。
⑪光緒《嘉興府志》卷三二引〈石門鄺志〉。

供自家養蠶之用，有剩餘則出售，也有專門植桑以出售桑葉者，養蠶多而種桑少或不種桑的農戶則在很大程度上依賴桑葉市場，當地人稱為「葉市」。當時還出現了桑葉的期貨交易方式，朱國楨《湧幢小品》記載：「湖之畜蠶者，多自栽桑，不則豫租別姓之桑，俗曰秒葉。凡蠶一斤，用葉百六十斤。秒者先期約用銀四錢，既收而償者約用五錢，再加雜費五分。……本地（烏程）葉不足，又販於桐鄉、洞庭。」

隨著紡織業的發達，染料作物的種植獲得快速發展，其中最重要的是藍和紅花。藍分茶藍、蓼藍、馬藍、吳藍、莧藍等品種。莧藍是明代新培育的品種，它比蓼藍葉子小，「種更佳」。種藍最多的省分是福建和江西。《天工開物》說：「閩人種山皆茶藍，其數倍於諸藍，山中結箬簍，輸入舟航。」《閩大記》亦謂：「靛出山谷中，種馬藍草為之，……利布四方，謂之福建青。」江西萬羊山跨連湖廣、福建、廣東之地，「各省商民亦嘗流聚其間，以種藍為業」⑫。紅花的種植之處也較多。《農政全書》謂紅花「一名紅藍，一名黃藍，以其花似藍也，今處處有之」。陝西、四川種植紅花最盛。康熙《盩厔縣志》載：「盩邑之產，以紅花為第一，故賈人有盩花之號。」《二刻拍案驚奇》卷四記載，四川新都縣有一個紅花種植場，廣衍一千餘畝，每年可收入八百餘兩銀子。

果木的專業種植在明代也有顯著發展。廣東、福建、浙江、江西、四川、南直隸等省多有種橘之處。王鏊《震澤編》記載，蘇州洞庭山人以種橘為業，「多者千樹，凡栽橘可一樹者值千錢，或二、三千，甚或至萬錢」。福建、廣東盛產荔枝、龍眼。何喬遠《閩書》謂泉州「園有荔枝、龍眼之利，焙而

⑫張居正等，《明穆宗實錄》卷二六〈隆慶二年十一月〉。

乾之行天下」。王世懋《閩部疏》談到，福州出南門入山，「行數十里間，荔枝、龍眼夾道交蔭」；興化「楓亭驛荔枝甲天下，彌山被野」。廣東荔枝所在多有，《廣東新語》談到：「東粵故多荔枝，問園亭之美，則舉荔枝以對，家有荔枝千株，其人與萬戶侯等。」北方果樹品類也很多，種植亦廣。如北京市場上可以很方便地購買到棗、梨、杏、桃、蘋果等水果以及榛、栗、松子等硬果，都是城郊及附近山區所出產。

除上述幾種外，明代中後期廣泛種植的經濟作物，還有甘蔗、菸草、茶樹、花生、豆類、蔬菜、花卉等等，不一一詳述。

為了提高田地的利用效率，明代南方部分農民還因地制宜，採用農林牧副漁綜合生產的辦法，形成了一種較有特色的生態農業 (ecological agriculture) 經營模式。這方面最有名的例子是蘇州常熟的譚曉。譚曉「居湖鄉，田多窪蕪，鄉之民逃農而漁、田之棄弗闢者以萬計」。頗有經濟頭腦的譚曉趁機賤價購買了大量田地。他雇傭百餘名鄉民為其勞動，將低窪處皆鑿為池，四周圍以高塍，「闢而耕之，歲之入視平壤三倍」。開挖出來的水池「以百計，皆畜魚」，池上築舍養豬、雞，魚食其糞易肥。「塍之平阜，植果屬，其汙澤，植菰屬，可畦植蔬屬，皆以千計」。連鳥梟昆蟲之屬也不放過，「悉羅取而售之，亦以千計」。上述出賣魚、果、蔬菜、鳥梟昆蟲等的收入「視田之入復三倍」⑬。譚曉「家故起農」，是個以農起家的富農，後來大量購置低窪荒蕪的土地，綜合利用，全面發展，巧妙利用水陸資源和各種農業生物之間的互養關係，把土地利用提高到一個前所未有的新高度。

⑬李詡，《戒庵老人漫筆》卷四〈談參傳〉；光緒《常昭合志稿》卷四八〈軼聞〉。

在廣東，一種稱為「果基魚塘」或「桑基魚塘」的生態農業模式得到廣泛採用。從明初開始，就有農民把地勢低窪、水潦頻仍的土地深挖為塘，將泥土堆於四周成基，在水塘中養魚，在基面上種植果樹，稱為「果基魚塘」，也有的在基面上專門種植桑樹，稱為「桑基魚塘」。由於整體經濟狀況的制約，這種生產形式在明代前期發展不快，但到了明代後期，在商品經濟發展的促動下，這種經營方式得到較廣泛的推廣。嘉靖年間，霍韜在《霍氏家訓》中規定，「池塘養魚須要供糞草，築塘牆，桃李荔枝，培泥種草，人無遺力，則地無遺利」。到明代後期，在比較利潤的驅動下，許多果樹都被桑樹取代，「桑基魚塘」成為主流經營方式。《廣東新語》談到：「廣州諸大縣村落中，往往棄肥田以為基，以樹果木。荔枝最多，茶、桑次之，柑、橙次之，龍眼多樹宅旁，亦樹於基。基下為池以蓄魚，歲暮涸之，至春以播稻秧。大者至數十畝，其築海為池者，輒以頃計。」這種農業體系能夠很好地把養魚業和蠶桑業的生產結合起來，大大提高了土地利用的效率和農民家庭的經濟收入。

明代中後期，在農業從單一經營向多種經營變化的過程中，在商業性農業發展的刺激下，農業經營方式也出現引人注目的新變化。一些土地所有者不再滿足於把土地出租，而親自經營全部或部分土地，並很注意綜合經營，以充分發揮土地的潛力。如南陽李義卿「家有廣地千畝，歲植棉花，收後載往湖湘間貨之」⑭。蘇州崑山周子嘉家「耕田常數百畝」，其妻需要「日饁百餘人」⑮。徽商阮弼在蕪湖置業，「築百廛以待僦居，治甫田以待歲，鑿洿池以待網罟，灌園以待瓜蔬，媵臘饔飧不外索而足，

⑭張履祥，《楊園先生全集》卷四三〈近古錄〉。

⑮歸有光，《震川先生集》卷二一〈周子嘉室唐孺人墓誌銘〉。

中外傭奴各千指，部署之悉中刑名」⑯。

萬曆年間生活於松江府的潘允端，為我們提供了一個經營地主的典型事例。在他遺留下來的《玉華堂日記》中，反映租佃關係的記事僅見四條，而反映雇傭關係的記事卻有十五條，可見在其擁有的一二千畝土地中，有相當一部分是雇工經營的。在日記中，關於墾田、耘田、挑泥、蒔秧、斫稻、撻花、種麥等往往有發給「工本」和「工銀」的記載，這不僅說明是由雇工來耕作，也說明付給雇工的是貨幣工資。田莊裡種植的作物品種多樣，包括稻、麥、豆、菜籽、棉花、蔬菜，以及西瓜、棗、桃、柿、櫻桃、橘、李、梅、香圓等果品，木樨、桂花、梅花、牡丹、薔薇、竹、柏、松、冬青、檜、棕櫚等花木。田莊產品除自用外，也有一部分投入市場。潘允端對田莊生產非常關注，從買穀種、浸稻種、買牲畜、置農具、下種、蒔秧到收割，從耕作到農莊的修理、水利設施的改善等，樣樣都參與管理。在明代後期，像潘允端這樣雇人經營並親自管理農業生產、注意作物配置和生產安排合理化的土地所有者越來越多。明末漣川《沈氏農書》對這種情況就有所反映，其中的〈逐月事宜〉就是為具有相當規模的田莊設計的工作方案，它按照月分、節氣、天氣等自然條件，把全年每月的生產程式都作出精密安排。

除經營地主增加外，明代後期還出現了向地主租佃土地從事經濟作物種植的「佃富農經濟」。廣東有租地種植排草香者，《廣東新語》對此有記載：「予沙亭鄉江畔，有沙地二三十畝，其種宜排草。農民以重價佃之，春以播秧，至六月始種排草，十月收之。……農人喜種排草，其利甚厚。」佃富農經

⑯汪道昆，《太函集》卷三五〈明賜級阮長公傳〉。

濟的典型形式，往往存在於山區開發中。熊人霖《南榮集．防菁議》曾記載福建上杭一帶山區的經營情況：「山主者，土著有山之人，以其山俾寮主执（執）之，而徵其租者也。寮主者，汀之久居各邑山中，頗有資本，披寮蓬以待菁民之至，給所执（執）之種，俾為鋤植，而徵其租者也。菁民者，一曰畲民，汀、上杭之貧民也，每年數百為群，赤手至各邑，依寮主為活，而受其傭值；或春去冬來，或留過冬為長雇者也。」在這個事例中，山主、寮主和雇工之間的關係是比較清楚的。山主是土地擁有者，寮主是「頗有資本」的土地承租者，菁民「受其傭值」，是純粹的雇工，這其間不存在任何超經濟的人身依附關係。寮主的經營目的也很明確，種植純粹作為商品的經濟作物。許多學者認為，寮主交給山主的地租是利潤的一部分，已是帶有資本主義性質的地租形態。不過，「佃富農經濟」在當時是一種很少見的經營方式，對其意義不應估計過高。

第二節　手工業生產的進步

明代中後期，官營手工業日益衰落，民間手工業則日益興盛，不但生產技術取得明顯進步，生產關係也出現了一些值得注意的新變化。

絲織業方面，早在明代前期，就存在著不少民間機戶，尤以江南的蘇、松、杭、嘉、湖地區為盛。機戶不僅存在於城市，也存在於鄉村，並促使一批絲織業市鎮的形成。張瀚《松窗夢語》卷四謂：「大都東南之利，莫大於羅綺絹紵，而三吳為最。即余先世，亦以機杼起，而今三吳之以機杼致富者尤眾。」如「居民稠廣」的吳江縣盛澤鎮，「俱以蠶桑為業」，「絡緯機杼之聲通宵徹夜」⑰。嘉興王江涇鎮「多織綢收絲縞之利，居者可七千餘家，不務耕績」⑱。山西潞安府則是北方的絲織業中心，「其登機鳴杼者，奚啻數千家」⑲。朝廷使用的絲織品，明代前期基本上都依賴於官營絲織作坊，但從天順四年（一四六〇年）開始，朝廷不斷下令額外增造，遠遠超出官營絲織作坊的生產能力，各地方織染局為了完成任務，便紛紛實行「機戶領織」制度，這是一種通過中間包攬人，利用民間機戶進行「加工定貨」的生產形式。可以說，明代中葉以降，民間機戶已經成為絲織業的主體。

與前代相比，明代絲織工具和技術都有所改進。繅絲普遍採用足踏二人繅車，在進行過程中還注意「出水乾」，即從繭鍋中抽出絲上車時，用適度炭火烘乾，使繅出的絲更加潔淨光瑩、堅韌有力。牽經工具使用溜眼、掌扇、經耙、經牙等裝置，完善程度遠超前代。開織所用工具有腰機和花機兩種：腰機規制較小，只能織平面紋；花機規制很大，可織花紋。當時花機的構造已非常複雜，由門樓、澀木、老鴉翅、鐵鈴、花樓、衢盤、衢腳、疊助、眠牛木、稱莊等部件構成，需要兩人同時工作，一人司織，一人提花。提花技術巧變百出，其中「兩梭輕，一梭重，空出稀路者，名曰秋羅」⑳，是明代才發明的技術。

早在元末明初，江南絲織業中已出現純粹的雇傭關係，但在當時這還是零星的現象。明代中後期，

⑰馮夢龍，《醒世恆言》卷一八〈施潤澤灘闕遇友〉。
⑱顧秉謙等，《明神宗實錄》卷三六一〈萬曆二十九年七月〉。
⑲乾隆《潞安府志》卷八。
⑳宋應星，《天工開物》卷二〈乃服〉。

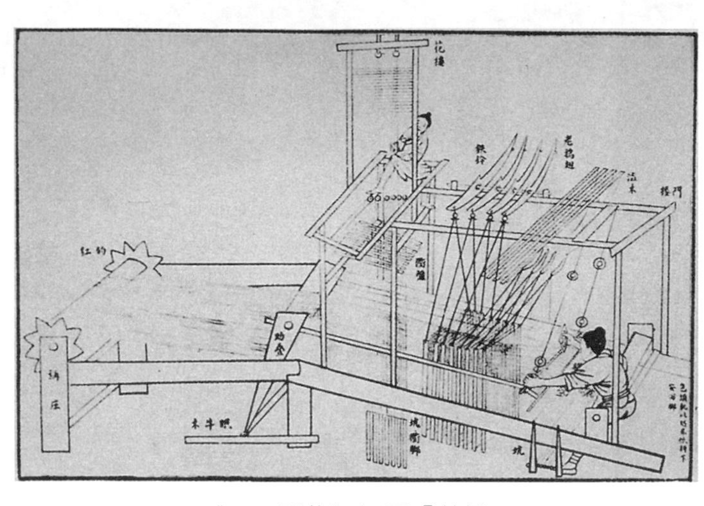

《天工開物》插圖「花機」

機戶中大戶與小戶的分化日益嚴重，為自由雇傭關係的廣泛發展創造了條件。萬曆二十九年（一六〇一年），應天巡撫曹時聘談到，蘇州「生齒最繁，恆產絕少，家杼軸而戶纂組，機戶出資，機工出力，相依為命久矣」㉑。蔣以化《西臺漫記》記載，蘇州市民「罔籍田業，大戶張機為生，小戶趁織為活……大戶一日之機不織則束手，小戶一日不就人織則腹枵，兩者相資為生久矣」。也就是說，其時「機戶」（「大戶」）雇傭「機工」（「小戶」）從事絲織生產，已是非常普遍的現象。機工皆「自食其力之良民」，他們「朝不謀夕，得業則生，失業則死」㉒，完全脫離了生產資料，依靠出賣勞動力為生，但與雇主之間基本上不存在人身依附關係。

由於棉花種植面積迅速擴展，明代中後期棉紡織業和棉布加工業發展很快。儘管仍以家庭勞動為主，但在一些地區，棉紡織業已發展成為專業性的商品生產。如

㉑顧秉謙等，《明神宗實錄》卷三六一〈萬曆二十九年七月〉。
㉒顧秉謙等，《明神宗實錄》卷三六一〈萬曆二十九年七月〉。

松江「家紡戶織，遠近流通」㉓。蘇州太倉、嘉定「比閭以紡織為業，機聲軋軋，子夜不休，貿易惟棉布」㉔。本地產棉較少的浙江海鹽也從外地購買棉花，「而紡之為紗，織之為布者，家戶習為恆業，不止鄉落，雖城中亦然」㉕。生產工具也有較大改良。如去籽所用的攪車，在元代需要三人同時投入生產，明代則把攪車裝上四足，增加了輾軸以及踏條裝置，效率大為提高，「以一人當三人」。彈鬆棉花所用的彈弓在明代後期改為「以木為弓，蠟絲為弦」，振動力加大，比元代「竹弧繩弦」的彈弓進了一步。紡紗用的紗車在元代要用手轉動，明代後期創造了足踏紡車，一般以三維為常，明末松江已有使用四維紡車者，江西安樂還出現了五維紡車。

棉紡織業商品化程度的提高，為棉布加工業的發展拓寬了道路。當時棉布加工業多數是個體生產的家庭手工業，但商人對生產環節的介入程度比以往大為提高。據范濂《雲間據目鈔》記載，松江原本沒有夏天穿用的襪子，後來有人使用尤墩鎮所產棉布製成單暑襪，「極輕美，遠方爭來購之，故郡治西郊，廣開暑襪店百餘家，合郡男婦皆以做襪為生，從店中給籌取值」。很明顯，暑襪店的店主把原料尤墩布分發給當地男婦縫紉成襪，已是由商業資本轉變為工業資本的包買主；為店主縫紉暑襪的男婦以「從店中給籌取值」為生，成為在自己家中為店主工作的雇傭工人。

民營礦冶業在明代中後期也發展較快，出現了不少規模較大的冶鐵手工工廠。如在徽州，有資本

㉓徐光啟，《農政全書》卷三五。
㉔陳夢雷，《古今圖書集成．職方典．蘇州府部》。
㉕天啟《海鹽縣圖經》卷四。

的富戶「租賃他人之山」，尋找礦穴，「既得礦，必先烹煉，然後入爐，煽者、看者、上礦者、取鉤砂者、煉生者，而各有其任，晝夜番換，約四五十人」㉖。廣東潮州「礦冶出海陽等五縣，每年聽各縣商民採出置冶。每冶一座，歲納軍餉銀二十三兩，前去收礦煉鐵，各山（煉鐵爐）座數不等，計通共餉銀一千兩」㉗。羅定等地鐵冶規模更大，「凡一礦場，環而居者三百餘家，司爐者二百餘人，掘鐵礦者三百餘，汲者、燒炭者二百有餘，馱者牛二百頭，載者舟五十艘」㉘。福建龍溪鐵礦較富，有貲財者往往「招集四方無賴之徒，來彼間煉鐵，每一爐多至七百人」㉙。所謂「無賴之徒」，大多是失去土地的農民。

採冶技術較前代有所改進。採礦由鐵錘敲擊普遍改為燒爆，有的地方還採用火藥爆破技術。煤的採用技術也獲得了空前提高，工匠們熟練地掌握了露天找煤、把煤煉成焦炭的方法。將煤用作冶鐵的燃料，提高了煉鐵爐的溫度，加速了冶煉進程。鼓風裝置也有了改進，由簡單的木風扇改為活塞式的木風箱，提高了風壓和風量。煉鐵用的土高爐的容量也增大了，遵化的「大鑑爐」高一丈二尺，一爐可容礦砂二千多斤。明代已發明由生鐵到熟鐵的連續生產工藝，即煉鐵爐與炒鋼爐串聯使用，減去了炒煉熟鐵時的再熔化過程，可以節約時間和成本。

㉖顧炎武，《天下郡國利病書》原編第九冊〈鳳寧徽〉。

㉗顧炎武，《天下郡國利病書》原編第二九冊〈廣東下〉。

㉘屈大均，《廣東新語》卷一五〈鐵〉。

㉙張萱，《西園聞見錄》卷四〇。

不少冶煉工廠，使用的是自由雇工。據嘉靖《廣東通志初稿》卷三〇記載，廣東「韶惠等處係無主官山，產生鐵礦」，本地有財力的「山主礦主」，「招引福建上杭等縣無籍流徒」，每年於秋收之際，「越境前來，分佈各處山峒，創寮住紮。每山起爐，少則五六座，多則一二十座。每爐聚集二三百人，在山掘爐，煽鐵取利。山主礦主利其租稅，地鬼總小甲利其常例，土腳小民利其雇募」。很明顯，這裡的「山主礦主」是土地的占有者，上杭等縣前來的「無籍流民」從山主礦主那裡租下礦山，再雇傭「土腳小民」進行生產。「土腳小民」與雇主之間不存在依附關係，純粹是「利其雇募」而來的自由勞動者。

陶瓷業方面，直到明代中葉，景德鎮還是以官窯占主導地位。但嘉靖以後，民窯急劇增加，官窯卻出現萎縮之勢，到萬曆後期，官窯基本上停止了活動。明代後期景德鎮民窯的數目無正式記載，據《浮梁縣志》記載，隆慶、萬曆年間有人提議均編民匠以代官匠，窯三座共編一名。其時官匠人數為三百餘名，則須有九百餘座民窯方可派足匠額，可見數量之多。王世懋在《二酉委譚摘錄》中記述說，景德鎮「天下窯器所聚，其民繁富，甲於一省……萬杵之聲殷地，光火燭天，夜令人不能寢，戲目之日『四時雷電鎮』。」景德鎮民窯大量使用雇工，「鎮上傭工，皆聚四方無籍遊徒，每日不下數萬人」[30]。所謂「遊徒」，顯然是喪失了生產資料的自由勞動者。景德鎮之外，其他地區也有一些著名民窯，如福建建陽的「建窯」，江蘇宜興的「歐窯」，浙江處州的「處窯」，江西橫峰的「橫峰窯」，都有獨具特色的陶瓷製品。

製瓷技術取得了輝煌成就。明代以前一直沒有旋坯的器具，只以竹刀旋之，明代改用陶輪旋坯，

[30] 蕭近高，〈參內監疏〉，康熙《西江志》卷一四六。

並用鐵刀隨轉隨削，既提高了工效，又能增加瓷器內外的光平度。在施釉方法上，宋元多為蘸釉，釉汁往往不能到底足，以致一半有釉，一半無釉，明代發明了吹釉與澆釉的方法，可使器物裡外的釉都上得很均勻。明代以前無法燒製大型瓷器，經過工匠們的反覆試驗，到萬曆年間成功掌握了燒製大型瓷器的技巧。此外，裝飾技法方面的進步尤為突出。明代前期以單色釉瓷的製作為主，宣德年間景德鎮燒造的青花瓷器，成就很高。此外還有紅、藍、翠青、綠、黃等單色釉瓷，其中尤以鮮紅色的最為著名，稱為「祭紅」（亦稱「霽紅」）。成化時期，發明了「鬥彩」技法，即先在素坯上用青花顏料勾畫花紋輪廓，入窯燒製，然後再用紅、綠、黃、褐等顏料在青花輪廓線內填繪，再經烘烤而成。稍後不久，又在鬥彩的基礎上發展出「五彩」技術，其彩繪方法與鬥彩基本相同，只是釉下青花不僅是勾畫輪廓，多數還繪成完整或部分圖案，甚至不用青花作為線描，而直接在上釉的白瓷上加彩。

明代造紙業的發展，達到了手工造紙的高峰。當時造紙業廣泛存在於南北方，尤以南方為盛。萬曆年間，僅江西鉛山縣石塘鎮一地，就有「紙廠槽戶不下三十餘槽，各槽幫工不下一二千人」。這些幫工「皆係他方餬口之人，稍不如意，便率眾停槽」㉛，屬於自由雇工。明代紙張品種很多，較著名者有產於閩浙贛三省交界山區的「竹紙」，產於南直隸宣城、涇縣、寧國一帶的「宣紙」等。江西信陽府製造的欞紗紙、四川出產的薛濤箋，品質也極精。其他還有桑穰紙、躅榏紙、揭帖紙、火紙、冥紙、包裹紙、皮紙、桑皮厚紙等等。造紙技術方面的進步，是開始利用石灰和植物灰的鹼性來處理紙漿。王宗沐《江西省大志》記載：「（把粗加工原料）甑火蒸爛，剝去其骨，扯碎成絲，用刀銼斷，攪以石

㉛康熙《鉛山縣志》卷一。

灰，存性月餘，仍入甑蒸。」這種化學處理法大大提高了紙的品質，一直沿用到近代。

造紙業的發展為印刷業打下堅實基礎。明代印刷書籍之多是前此各代無法相比的。明代的書籍分為官府刻本和書坊刻本。官府以刊印儒家經典以及文學、歷史等書為主，如南國子監以宋元舊版為基礎補刻的《十七史》，北國子監刊行的《二十一史》、《十三經註疏》等都很著名。書坊刊行的以類書為多，嘉靖以後，翻刻宋元舊書日盛，唐宋人的文集亦刊刻不少新版。萬曆以後，戲曲、小說類書籍的刊印越來越多。明初的書坊以福建為最盛，杭州、四川亦為刻書中心。嘉靖以後，湖州、徽州的刻書工藝也迅速發展，刊印了不少精品。徽州歙縣的刻工隊伍人數眾、技術精，他們大多移居南京、蘇州、杭州、常熟等地，使這些地方的坊刻盛極一時。

明代前期，官府造船業較發達，但到中葉日趨衰落。服役於官府造船廠的工匠不滿於人身束縛，經常採取逃亡、怠工、故意降低船隻品質等方式進行反抗，以致下水後經常發生事故，連本應要求很高的水軍戰艦的堅固程度也不能與私人商船相比。嘉靖十三年（一五三四年），陳侃出使琉球，不得不訪求民間工匠造船。有些民間造船廠規模很大，擁有數百名工匠，其中不少是原官營船廠的工匠，這使民間船廠可以熟練運用官營船廠的高超技術。船廠分工細緻，有船木工、艌工、篛蓬工、櫓工以及鐵工、索工、漆工等。當時的鐵工能製千斤重的鐵錨，索工能製「圍尺許、長百丈」的棕索。每隻海船的造價，大約需要白銀一千兩至二千五百兩。由於船主、商主的生命財產都寄託在船隻上，所以對船隻的堅固、設備的齊全、航行的便捷、艙位的寬暢都有明確規定，品質要求很高。明代後期所造海船的規模，都比鄭和所用寶船要小，但這絕非造船技術有所衰退，而是朝廷嚴禁民間製造大船。

農村和城鎮，很早就有榨油作坊存在，但一直規模很小，並且大多屬於家庭副業。直到明代後期，才出現了一些擁有鉅資、雇工很多的大型油坊。這方面最突出的例證是浙江嘉興府崇德縣石門鎮的榨油業。據記載，萬曆年間，該鎮共有油坊二十家，「坊須數十人，間日而作。鎮民少，輒募旁邑民為傭。其就募者，類赤身亡賴，或故髡鉗而匿名畏罪者。二十家合之，八百餘人。一夕作，傭直二銖而贏」㉜。很明顯，油坊中的工人都是雇傭而來，所謂「赤身無賴」云云，正說明這些雇工已喪失了土地，脫離了官府戶籍的束縛，成為純粹依靠出賣勞動力為生的無產者。記載中還曾提到，對於這些雇工，「即坊主亦畏之」，可見他們與坊主沒有形成任何人身上的依附關係。每個油坊平均雇工達四十人，規模相當大。類似這樣的大榨油作坊，其他地區亦有，蘇州府吳縣新郭及橫塘一帶，就有不少人開設榨油作坊以謀利。

第三節　商業的空前繁榮

明代中葉以後，明初規定的商引、店曆等制度已廢格不行，官府對商人的控制已很鬆弛，商業經營獲得越來越大的自由。隨著商品性農業的發展，手工業生產的進步，商人的活動範圍和經營規模越來越大，出現了不少擁貲百萬乃至千萬的富商大賈。

當時商業經營者的足跡遍佈全國各地以及海外，江南地區、東南沿海地區和運河沿岸地區尤為商賈聚集之處。據姜良棟《鎮吳錄》記載，蘇州「為江南首郡，財賦奧區，商販之所走集，貨財之所輻

㉜賀燦然，〈石門鎮彰憲亭碑記〉，康熙《石門縣志》卷七。

《南都繁會景物圖卷》（局部）

轃，游手遊食之輩，異言異服之徒，無不托足而潛處焉」。南京店鋪日增，謝肇淛《五雜俎》卷三談到，店鋪常常「侵官道以為廛肆」，「於是層疊構架，曩之通衢，化為夾巷」。從傳世的《南都繁會景物圖卷》看，這裡有許多來自外地和外國的商品，招牌上寫有「東西兩洋貨物俱全」、「川廣雜貨」、「南北果品」等字樣。《五雜俎》卷三還描述北京「市肆貿遷，皆四遠之貨，奔走射利，皆五方之民」。作於明代後期的《皇都積勝圖》，描繪了北京的繁華景象。畫面上，入城以前是一條運輸貨物的隊伍，馬馱、車載、肩挑、手提，絡繹不絕；城內則描繪了正陽門和大明門之間的市場，布棚高張，貨攤鱗集。山東臨清「東西南北之人貿易輻輳」，據萬曆前期的不完全統計，臨清共有綢緞店三十二家、布店有七十二座[33]，其他店鋪可想而知。揚州「人煙浩穰，遊手眾多」，「四民自士農工賈而外，惟牙儈最多」[34]。上海有「小蘇州」之稱，陸楫《兼葭堂雜著》謂「游賈之仰給於邑中者，無慮數十萬」。

受商品經濟發展影響，全國各省區都產生不少大小商人。呂坤《去偽齋集》卷二指出：「今天下鹽商不止數萬家，天下鹽店不止數萬處。」他還指出，當時人民「貧者十常八九」，「或給帖充斗秤牙行，或納穀作糶糴經紀，皆投身市井間，日求升合之利，以養妻孥，此等貧民天下不知幾百萬矣」。正是由於這些商人的活動，當時的國內各地方市場連為一體，「燕趙秦晉齊梁江淮之貨，日夜商販而南，蠻海閩廣豫章南楚甌越新安之貨，日夜商販而北」[35]。在商業資本十分活躍的背景下，還崛起了一些地區性的商人集團，其中較著名的有徽商、西商、福建海商以及江蘇洞庭山商人、浙江龍游商人、河南武安商人等。謝肇淛《五雜俎》卷四評論，「富室之稱雄者，江南則推新安（徽州），江北則推山右」。宋應星《野議．鹽政議》也說「商之有本者，大抵屬秦、晉與徽郡三方之人」。可見徽商和西商在地區商人集團中占據首要地位。以徽商為例，他們活動範圍很廣，「詭而海島，罙而沙漠，足跡幾半宇內」[36]。其中以業鹽起家者尤多，淮揚鹽業大半操於徽人之手，浙海鹽商也以徽人居多。開設典當鋪、旅館、倉庫的徽商也為數極多。徽州因商致富者比比皆是，《五雜俎》卷四謂「藏鏹有至百萬者，

[33] 顧秉謙等，《明神宗實錄》卷三三四〈萬曆二十七年閏四月〉、三七六〈萬曆三十年九月〉。
[34] 萬曆《揚州府志》卷二〇〈購物志〉。
[35] 李鼎，《李長卿集》卷一九。
[36] 萬曆《休寧縣志》卷一。

其他二三十萬，則中賈耳」。

由於商業資本的大量積聚，在明代後期，有些商人還把部分商業資本轉入手工業生產領域。如在礦冶業中，《肇域志．湖廣》記載耒陽上堡市產錫，「四方之賈群萃其中，操其奇贏，役使大眾開坑三十餘場」。據汪道昆記載，徽州朱雲治在福建經商，「課鐵冶山中」，徽商鄭天鎮、詹處士也均以鐵冶起家；徽商阮弼在蕪湖設立染坊，「召染人曹治之」[37]。當然，商業資本與手工業生產的結合，在明代還處於初始階段，流入手工業部門的商業資本為數較少，大量資本始終在商業領域循環，在購買土地、社會交往、奢侈生活等方面耗費的商業資本為數甚大。但是，商業資本轉入手工業生產，是一種新的經營方式，它為商業資本開闢了一條新的出路。

明代市場上的商品種類極其豐富。景泰二年（一四五一年），北京大興、宛平二縣曾召集各行商人，根據當時的市場價格制訂出一個「收稅則例」，列舉商品二百三十餘種，包括羅緞布絹絲棉、巾帽衣服、陶瓷製品、文具紙張、礦冶產品、各種砂糖、日用雜貨、藥材以及各類農副產品。很顯然，這份商品名單只是當時北京市場上的主要產品，遠遠不能包括所有類別的商品，如民生必需的糧食就未列其中。其實，在商品貨幣關係已十分發達的明代，任何東西都可能出現在市場上。不過，從遠途販運的角度來看，糧食、棉花、棉布、絲、絲織品、鹽和茶這七類商品占據了市場流通總額的絕大部分，其他商品的流通和交易額相對較小。

前已指出，明代中後期，江南等地農業經營發生了明顯變化，經濟作物播種面積大大提高，這必

[37] 汪道昆，《太函集》卷四七、四六、二八、三五。

然導致稻米播種面積減少，糧食不敷需要。一向號稱魚米之鄉的江浙地區，因桑、棉的種植致使糧食緊缺，需要從湖廣、江西等地運入，「夏麥方熟，秋禾既登，商人載米而來者，舳艫相接也」㊳。明代最大的商人集團的故鄉徽州，因地多山嶺且土質貧瘠，所產糧食不能滿足本地需要，也必需從江西、湖廣轉輸稻米，「轉他郡粟給老幼，自桐江自饒河自宜池者，艦相接肩相摩也」㊴。山多地少的福建本來糧食產量就不豐富，由於甘蔗、茶、蔴、苧等種植業的發展，使糧食供應更加緊張，「仰粟於外，上吳越而下東廣」㊵。廣東米雖大量運銷福建，其實本地亦不充裕，需要廣西稻米的接濟。

江浙地區是棉紡織業的中心，棉花播種很多，但仍供不應求。北方的河南、山東是新發展起來的植棉區，產量亦很可觀，但由於紡紗織布需要保持一定的濕度，而北方地區氣候過於乾燥，所以棉紡業並不發達。鍾化民〈救荒圖說〉談到，河南「棉花盡歸商販，民間衣服率從貿易」。當時南北方出現棉花和布匹的對流，《農政全書》描繪說：「吉貝（即棉花）則泛舟而鬻諸南，布則泛舟而鬻諸北。」葉夢珠《閱世編》卷七提到，松江府在明後期生產的標布大量銷往華北和西北邊境地區，「富商巨賈操重貲而來市者，白銀動以數萬計，多或數十萬兩，少亦以萬計」。萬曆《嘉定縣志》卷六記載，當地所產棉布，「商賈販鬻，近自杭、歙、清、濟，遠至薊、遼、陝、山」。嘉靖《常熟縣志》卷四亦記載本地棉布，「捆載舟輸行賈於齊魯之境者常什六」。除北運外，江浙棉布還有一部分銷往福建、廣東。

㊳顧炎武，《天下郡國利病書》原編第六冊〈蘇松〉。
㊴顧炎武，《天下郡國利病書》原編第九冊〈鳳徽寧〉。
㊵何喬遠，《閩書》卷三八〈風俗志〉。

在談到絲織業分佈情況時，《農政全書》曾引郭子章之言曰：「東南之機，三吳、越、閩最夥，取給於湖繭；西北之機，潞最工，取給於閬繭。」湖是指湖州，這裡在明代中後期是著名的蠶絲產地，「絲有合羅絲、串伍絲、經緯絲，屬縣俱有，惟出於菱湖、洛舍者第一」㊶。湖絲每年都大量北運蘇州、南運杭州，閩商又在蘇州購買湖絲運往福建。潞是指山西潞安，閬是指四川保寧府一帶。潞安是因入貢而發展起來的絲綢織造中心，本地產絲甚少，主要從四川輸入。閬絲除運往潞安外，也往江、浙運銷，「吳越人鬻之以作改機綾絹，歲夏，巴（州）、劍（州）、閬（中）、通（江）、南（江）之人，聚之於蒼溪，商賈貿之，連舟載之南去」㊷。浙江的杭州、嘉興、湖州是絲織品貿易中心，「秦、晉、燕、周大賈，不遠數千里而求羅、綺、繒、帛者，必走浙之東也」㊸。南京、蘇州絲織品也大量北運，潞綢則「舟車輻輳者轉輸於直省」㊹。

鹽和茶都是政府控制較嚴的商品。明代建國後沿襲元代舊制，將部分人戶僉派為灶戶。灶戶生產的鹽一部分以鹽課形式交給政府，稱正鹽或引鹽，另一部分用來維持灶丁自身和家庭的需要，稱餘鹽。同時，推行「開中法」，令商人輸糧於邊境糧倉以換取鹽引，然後將鹽販運各地。在明代前期，政府對正鹽之外的餘鹽的控制也極嚴格，不准私賣。中期以後，政府因財政困難無法收換餘鹽，只得有條件

㊶萬曆《湖州府志》卷三〈物產〉。
㊷嘉靖《保寧府志》卷七〈食貨志〉。
㊸張瀚，《松窗夢語》卷四。
㊹順治《潞安府志》卷一。

地准許商人收購販運。同時，一些鹽場的鹽課改折銀兩徵納，原來的正鹽由灶戶掌握，也轉化為商品。明代陝西、四川及長江以南的許多山區均產茶，政府在各產茶區設立茶課司徵收茶課並收買部分餘茶，稱為官茶，每年都將大量茶葉輸往西部少數民族地區以換取馬匹。但除官茶外，商人私自轉販者極多，「有禁茶之名而無禁茶之實，商賈滿於關隘，而茶船遍於江河」㊺。除了官辦茶馬貿易之外，內地民間茶的貿易也占相當數量，如安徽產茶地區霍山「土人素不辨茶味，惟晉、趙、豫、楚需此日用，每隔歲，輕千里挾資裝裹糧，投牙預質」㊻。

在民族貿易方面，明代中後期也出現了新局面。除官辦的馬市外，民市日益興旺，到隆慶年間，民市上交易的商品種類和數量都已大大超過官市。如隆慶五年（一五七一年），大同得勝堡、宣府張家口堡、山西水泉堡等處馬市，官市成交馬六千九百五十匹，民市貿易牛羊馬等牲畜共達二萬頭。而且，馬在交易總額中的比重越來越小，生活用品和生產工具的交易量卻迅速上升。萬曆十一年（一五八三年）七月至次年八月，海西女真在廣順關和鎮北關的互市中，出售人參三千四百六十七斤，貂皮四千九百二十八張，蘑菰三千七百四十二斤，蜜糖一千四百六十斤，馬一百七十九匹；購入耕牛五百四十六頭，鏵四千八百四十八件，鍋二百五十二口，靴二百一十五雙，襖六百五十六件等。可見在馬市交易中，馬已處於次要地位，民生日用品和生產工具占據了重要地位。萬曆四年，在清河、寬甸、靉陽三地建立的馬市，幾乎完全不出售馬匹，只是進行日用品交易。馬市上的商品，不少是內地商人長途

㊺王廷相，〈呈盛都憲公撫蜀七事〉，《明經世文編》卷一四九。
㊻順治《霍山縣志》卷二〈土產〉。

販運而來，如大量鐵鍋就是從遙遠的廣東佛山運來。

海外貿易方面，正統以後，海上走私貿易日趨興盛。到嘉靖年間，「漳閩之人，與番舶夷商貿販方物，往來絡繹於海上」㊼。活動於沿海的倭寇，漳、泉之人幾占其半。沿海大姓大多都參與走私貿易，「凡夷舶至，爭致其家，虛值轉鬻其貨，牟利潤己」㊽。隆慶元年（一五六七年）開關後，民間海外貿易的發展速度更快。當時將現在的南洋分為東洋和西洋，兩處的分界在汶萊。西洋的大體範圍在今中南半島、馬來半島、蘇門答剌、爪哇以及南婆羅洲一帶，東洋大體指今天的菲律賓群島、馬魯古群島、蘇祿群島以及北婆羅洲一帶。開海禁後，限定了每年總的船隻數量，萬曆十七年（一五八九年）限為八十八艘，至二十五年增至一百三十七艘，但未限定航行地點，商人只要申請到引票，就可自由到東、西洋貿易。但由於西洋各地路途遙遠，前去貿易的商船並不很多，許多領有西洋引票的船隻往往潛行東洋，因而雖然每年按限額給引，但到達西洋的商船均不如額，而到達東洋的船隻則每每超過限制。據統計，從萬曆時期開始，每年到達馬尼拉的中國商船常在二十至六十艘之間，天啟年間達到一百餘艘。

與民間出海貿易日盛的同時，海外各地來中國貿易的商人也逐漸增多。嘉靖二十七年（一五四八年）朱紈搗毀雙嶼港時，僅在外洋往來的走私船就達一千二百九十餘艘，可見走私貿易之盛。至十六世紀上半葉以來，特別是在占據澳門之後，葡萄牙人在中國的海外貿易中逐步取得了壟斷地位。以後，

㊼ 張時徹，〈招寶山重建寧波府知府鳳峰沈公祠碑〉，《明經世文編》卷二四三。
㊽ 許重熙，《憲章外史續編》卷三。

西班牙人、荷蘭人也乘機侵入中國。這些西方殖民商人雖然有的從事一些正常交易，如到廣州採辦商品，按規定交納稅款，但更多的人和更多的時候是從事非法的走私貿易，還時常對中國商船進行海盜式的搶劫，中國與外界的經濟聯繫管道逐漸被西方殖民者所壟斷。

從中國輸往海外的商品，有絲綢、生絲、瓷器、銅器、鐵器、食品、各種日常用具以及牲畜等，其中尤以生絲和絲織品、瓷器為大宗。一位西方商人面對運到馬尼拉的中國生絲和絲織品，不由得讚頌：「沒有任何東西可比之更白，雪都沒有它白，在歐洲沒有任何絲織品可比得上它。」外貿商人將生絲和絲織品運到國際市場上，可以賣到很高價格，獲得豐厚收入，利潤要比波斯絲高百分之五十。據估計，在十七世紀初期，由各種商人每年從中國運到西方的生絲達一千五百至二千擔，由荷蘭東印度公司運走的絲織品達數千匹，出口到印尼的數量為一至二萬匹。葡萄牙人從澳門運往印度果亞的生絲量每年有三千餘擔，一六三五年甚至多達六千擔。出口到日本的生絲和絲織品也很多，有人估計僅一六一二年輸入日本的中國絲即達五千擔。明代製瓷工藝進一步改進，燒製的瓷器在品質和數量上都有很大提高，成為重要的外銷產品。到十七世紀初期，中國瓷器的美名在歐洲廣泛傳播，西方人不僅驚歎中國瓷器的精美，還認為有解除食物毒性的作用，因而成為深受歡迎、供不應求的商品。據估計，在十七世紀，僅荷蘭船隻運到歐洲及東方各國的中國瓷器就達一千五百多萬件。

從海外輸入中國的商品，以土特產和香料為主。萬曆《大明會典》卷一〇五記載了各國進貢物品四十餘種，包括犀角、象牙、玳瑁、瑪瑙珠、鶴頂、珊瑚樹、黑猿、自麂、白必布、薑黃布、撒都細布、西洋細布、薔薇露、梔子花、蘇合油、片腦、沉香、乳香、降真香、紫檀香、丁香、樹香、木香、沒藥、烏木、蘇木等。萬曆十七年（一五八九年）規定的「陸餉貨物抽稅則例」，共列舉了一百餘種商品，性質與《大明會典》所列基本相同，除少量的暹羅紅紗、番被、竹布、嘉文席、交阯絹、西洋布等手工業品外，絕大多數還是胡椒、蘇木、象牙、檀香、犀角、沉香等香料和奢侈品。明代後期，白銀流入的數量也很大。據一六一八年荷蘭官員估計，西班牙政府每年從中國絲經菲律賓轉運美洲的貿易中，就可徵到大約五十萬西元的商稅；另有一項估計，在一五八〇年代，葡萄牙人每年把大約一百萬杜卡(ducat)——約合白銀三萬二千公斤——運到遠東，其中二分之一以上流入中國。此外，葡萄牙人開闢的中國澳門至日本長崎的貿易線，為日本銀外流提供了主要通道，在一五九九至一六三七年間，日本共輸出五千八百萬兩白銀，其中大部分運入中國。中國本地產銀很少，如果沒有國外白銀的大量流入，以銀為主的貨幣體系很難正常運轉下去。

第四節　工商業市鎮的勃興

工商業市鎮的大量興起和繁榮，是明代中後期非常引人注目的新現象。這一現象的出現，無疑是商品經濟發展的產物。同時，由於工商業市鎮在城市和鄉村之間起到仲介作用，它們的成批湧現，又促進了商業性農業的進一步發展，推動了鄉村的都市化過程。

中國鄉村都市化進程的淵源可以追溯到宋代。從那時開始，鄉村地區的定期集市及州縣城外的草市開始興起，其後日漸繁盛，到明代中後期，已遍及全國各地。這些定期集市的目的，是便利鄉村居民獲得生活必需品和交往，因而在空間分佈上，呈現出規律性的網絡結構；相鄰集市的開集日期一般都相互錯開，以免爭奪有限的顧客和商品來源。集市的普遍出現，說明以自然經濟為主並以商品經濟為不可缺少的有機補充的傳統經濟模式進入成熟階段，它為自然經濟範圍內的剩餘產品和日用品的調節交換提供了最簡便有效的方式。隨著農村商品經濟水準的提高，特別是商業性農業大規模的發展，在明代中後期，一批鄉村市鎮脫穎而出，成為手工業和商業中心。這類市鎮在全國各地均有，但以商品性農業和手工業發達的江南地區數量最多，最為密集。

松江府是植棉集中區域，也是棉織中心。顧彧在一首竹枝詞中描繪說：「平川多種木棉花，織布人家罷緝蔴。昨日官租科正急，街頭多賣木棉紗。」㊾可見，棉花種植和家庭紡織業成為這一地區重要的農業補充手段。棉紡織業的發達，促進了原有鄉村市鎮的成長和新商業市鎮的出現。如松江府華亭縣的朱涇鎮號稱「小臨清」，「居民數千家，商賈輻輳」，「雖都會之盛，無以加茲」㊿，是明代後期重要的棉布生產和集散地。分屬華亭、嘉善二縣的楓涇鎮，「戶口日繁，市廛日盛」(51)，亦為棉紡織業重鎮，與朱涇鎮齊名。清顧公燮《消夏閑記摘鈔》卷中說：「前明數百家布號，皆在松江楓涇、朱涇樂業，而染坊、踹坊商賈悉從之。」分屬華亭、青浦二縣的七寶鎮，「商賈蝟集」，也是一大棉布集散地，所產棉布在明清之際是暢銷各地的精品。青浦縣的朱家角鎮也是與朱涇鎮、楓涇鎮並駕齊驅的標布貿易中心，「商賈湊聚，貿易花布，京省標客往來不絕，今為巨鎮」(52)。

㊾萬曆《上海縣志》卷一。

㊿嘉慶《朱涇志》卷一〈疆域志〉、卷三〈水利志〉。

(51)沈祥龍，〈重輯楓涇小志序〉，光緒《楓涇小志》卷首。

(52)崇禎《松江府志》卷三〈鎮市〉。

蘇州府也是重要棉產地，出現了一些棉業市鎮。常熟縣的璜涇鎮「商賈駢集，貨財輻輳，若土地所產，與夫他方水陸之物，靡不悉具」(53)。這裡種植最多的是棉花，「元至正間始傳此種，太倉東鄉土高最宜，今常熟東鄉高田皆種之」(54)，來這裡的商人大都從事棉花販運。嘉定縣的南翔鎮「百貨填集，甲於諸鎮」，居民的經濟來源「首藉棉布，紡織之勤，比戶相屬」，「商賈販鬻，近自杭、歙、清、濟，遠至薊、遼、山、陜」(55)。同屬嘉定縣的婁塘鎮，四鄉以種棉為業，棉紡織業極盛，所產斜紋布「勻細堅潔」，很受消費者歡迎，「精者每匹值銀一兩」，商人絡繹而來爭相採購，陳述〈婁塘曉市詩〉曾描寫其盛況云：「曉星殘月入婁東，坐賈行商處處通。燈影亂明河影外，市聲遙隔水聲中。」嘉定縣的外岡鎮「男勤於耕，女勤於織」，在萬曆年間成為「邑之咽喉，商賈輳集，舟楫停泊」的重鎮，「四方之巨賈富駔貿花、布者，皆集於此」，是一個棉花、棉布貿易中心。與之毗鄰的錢門塘市，有很多徽商僦居於此，收買棉布，遂有「錢鳴塘市」之稱，也是一處重要的棉布集散地(56)。

蠶桑和絲織業中心也集中在江南一帶，且分佈較廣，太湖流域和浙西杭州、嘉興、湖州等地都出現了絲織業市鎮。蘇州府吳江縣的盛澤鎮原為青草灘一荒村，弘治初年居民也不過五、六十家，其後居民開始從事絲織業，到嘉靖年間發展成市，後來又由市升為鎮，「居民乃盡逐綾綢之利，有力者雇人

(53) 李傑，〈璜涇趙市碑記〉，弘治《太倉州志》卷一〇〈藝文〉。
(54) 乾隆《蘇州府志》卷一二〈物產〉。
(55) 萬曆《嘉定縣志》卷一〈疆域考〉、卷六〈田賦〉。
(56) 崇禎《外岡志》卷一〈兵防〉、〈沿革〉；卷二〈物產〉。

織挽，貧者皆自織，而令童稚挽花，女工不事紡績，日夕治絲」[57]，成為全國聞名的絲業巨鎮。馮夢龍《醒世恆言》中有一篇〈施潤澤灘闕遇友〉，曾描述盛澤鎮之繁華云：「鎮上居民稠廣，土俗淳樸，俱以蠶桑為業。男女勤謹，絡緯機杼之聲，通宵徹夜。那市上兩岸綢絲牙行，約有千百餘家，遠近村坊織成綢匹，俱到此上市。四方商賈來收買的，蜂攢蟻集，挨擠不開，路途無佇足之隙，乃出產錦繡之鄉，積聚綾羅之地。江南養蠶所在甚多，惟此鎮處最盛。」同縣震澤鎮明初亦僅有居民數十家，明中葉增至三、四百家，到嘉靖年間，已是「地方三里，居民千家」[58]，成為有名的絲織業市鎮，尤以出產「蘇經」（即供應蘇州府城機戶織緞所用的經絲）聞名。

嘉興府的濮院鎮由嘉興、秀水、桐鄉三縣分轄，到萬曆年間，已是「人可萬餘家」的大鎮，「肆廛櫛比，華廈鱗次，機杼聲軋軋相聞，日出錦帛千計，遠方大賈攜橐群至，眾庶熙攘於焉集」[59]。這裡的絲織業在萬曆年間曾有一次重大改變，張文韓《濮川記略》云：「改土機為紗綢，製造絕工，濮綢之名遂著遠近，自後織作尤盛。」從而確保了絲織業的穩定發展和絲織巨鎮的地位。王店鎮也以絲織聞名，《嘉興新志》上編記載說：「明中葉漸盛，民物殷阜，俗尚淳樸，已成一巨鎮。」王江涇鎮界於秀水、吳江兩縣之間，明初已由市升為鎮，到萬曆年間「居者可七千餘家」，亦是絲織業巨鎮。

湖州是著名的蠶絲產地，「蠶絲物業饒於薄海，他郡邑咸籍以畢用，而技巧之精，獨出蘇、杭之

[57] 乾隆《吳江縣志》卷三八〈風俗〉。
[58] 嘉靖《吳江縣志》卷一〈疆域〉。
[59] 李培，〈翔雲觀碑記〉，《濮川所聞記》卷四〈文〉。

下」⑥⓪，故有「湖絲遍天下」之譽。烏程縣南潯鎮由於地理的便利，成為湖絲集散中心，「各直省客商雲集貿販，里人賈鬻他方，四時往來不絕」⑥①。另一蠶桑業巨鎮烏青鎮由烏程縣的烏鎮和嘉興府桐鄉縣的青鎮合聚而成，宋元時代已較繁華，入明之後因絲織業的發達更日益昌盛，嘉靖年間地方官員曾上疏請求在此分立縣治，疏中描述青鎮說：「地僻人稠，商賈四集，財賦所出甲於一郡……本鎮地厚土沃，風氣凝結，居民不下四五千家，叢塔宮觀周布森列，橋樑闤闠，不煩改拓，宛然府城氣象。」烏鎮也是「浙西壟斷之所，商賈走集四方，市井數盈於萬戶」⑥②。烏青鎮四鄉「所賴者專在於桑」，「立夏之日，無少長採桑貿葉，名日葉市，舟人輻輳」⑥③，南潯、鎮澤等絲織業市鎮常有大批蠶戶來此購葉。烏青鎮所產蠶絲也很多，但本地不自織，均銷往他處。歸安縣的菱湖鎮明初成鎮，至明代中後期，「第宅連雲，闤闠列螺，舟航集鱗，桑蔴環野，西湖之上無隙地、無剩水矣，遂為歸安雄鎮」，

烏鎮街景

⑥⓪徐獻忠，《吳興掌故集》卷一三〈物產類〉。
⑥①乾隆《湖州府志》卷四一〈物產〉。
⑥②張園真，《烏青文獻》卷一〈建置〉。
⑥③乾隆《湖州府志》卷三九〈風俗〉。

「四方舟航所湊，水陸奇深，異貨百物所環，廛市之徒摩肩轇轕」(64)。這裡的主要產業亦為蠶桑絲織，所產絲綢在湖州府名列前茅，萬曆《湖州府志》卷三〈物產〉說：「絲有合羅絲、串伍絲、經緯絲，屬縣俱有，惟出於菱湖、洛舍者第一」；「綢有水綢，有紡絲綢，出菱湖者為佳」。雙林鎮也是歸安縣的蠶織大鎮，明後期有居民三千餘戶。這裡出產的絹在明中期已遠近聞名，「四方之商賈咸集以貿易焉」(65)。

由於商品性農業發展，糧食種植面積減少，江南有些地區出現缺米現象，需要在地區內或地區間進行調劑，於是出現一些糧食業市鎮。蘇州府吳江縣的平望鎮，「耕桑食貨熙攘盈繁，屹為吳江巨鎮」(66)。其經濟支柱便是米業，商人由湖廣、江西運入大米，再由米行轉賣到鄰近各城鎮。黎里鎮在嘉靖年間已是「地方四里，居民二千餘家，貨物貿易不減城市」(67)的重要市鎮，其後人口日增，居民經營範圍較廣，以米業為大宗，鎮上遍佈米行、米棧。湖州府德清縣的新市鎮，居民近萬戶，「街衢市巷之盛，人物屋居之繁，琳宮梵宇之壯，蠶絲粟米貨物之盛」，居全縣第一，四鄉盛產稻米，附近長興縣的大米也運到這裡出售，「販夫商客糴而轉賣他郡者，絡繹於道」(68)。此外，其他專業市鎮中，有的也存在米市。

(64)光緒《菱湖鎮志》卷一〈輿地略〉。
(65)張廉，〈重建化成橋碑銘〉，民國《雙林鎮志》卷一二〈碑碣〉。
(66)道光《平望志》卷一〈沿革〉。
(67)嘉靖《吳江縣志》卷一〈疆域〉。
(68)正德《新市鎮志》卷一〈物產〉。

除上述棉織業、絲織業和糧食業市鎮外，還有一些其他專業市鎮。如松江府上海縣的新場鎮，「以鹽場新遷而名，賦為兩浙之最，四時海味不絕，歌樓酒肆，賈衒繁華」(69)，是著名鹽業市鎮。華亭縣的青村鎮地近海，「海漁者得魚，悉於此鬻」(70)，為漁業市鎮。蘇州府嘉定縣的清浦鎮亦為漁業市鎮，「多魚鹽蘆葦之利，田土豐腴，人民殷富，為通邑諸鄉之冠」(71)。杭州府餘杭縣的瓶窯鎮為製陶業市鎮，居民「自農桑外多以埏埴為業，故市廛之與陶穴相望如櫛比」(72)。嘉興府嘉善縣的千家窯鎮也以窯業為支柱產業，自明後期以來，「民多業陶，廛居聯絡，甓埴繁興，三吳貿遷勿絕」(73)。

江南地區的工商業市鎮不僅專業性強，而且在地域上十分密集。正德《姑蘇志》所載該府市鎮竟達七十三個之多，萬曆《湖州府志》所載該府市鎮也有二十多個。以蘇州府吳江縣盛澤鎮為例，東南至新杭市五里，東至王江涇鎮六里，北至平望鎮十五里，西南至新城鎮三十里，至濮院鎮五十里，西至震澤鎮三十里，至南潯鎮五十里。它們構成了密集的市鎮網絡，又各具專業特色，在商業上可以相互支持。

明代中後期江南市鎮的勃興所表現出來的鄉村都市化過程，是商品經濟發展的必然產物。這些市鎮充分發揮了商品集散中心的作用，大大促進了地區間的經濟分工與合作，加強了地方市場與全國市

(69) 弘治《上海縣志》卷二〈鎮市〉。
(70) 正德《金山衛志》卷一〈鎮市〉。
(71) 萬曆《嘉定縣志》卷一〈市鎮〉。
(72) 萬曆《杭州府志》卷三四〈市鎮〉。
(73) 康熙《嘉善縣志》卷二〈鄉鎮〉。

場的聯繫，推動了經濟一體化的進程，代表著中國經濟的未來趨勢和發展方向。

第五節　社會風尚的浮華奢靡

伴隨著社會經濟的繁榮發達和商業資本的發展，傳統以儉樸為主的消費觀念受到越來越大的衝擊，高消費意識在人們心中迅速滋生。正德以前，社會生活中就已開始出現奢靡之風。嘉靖以降，這股風氣日益激蕩。沈朝陽《皇明嘉隆兩朝聞見記》談到：「嘉靖以來，浮華漸盛，競相誇詡。」范濂《雲間據目鈔．記風俗》指出：「嘉、隆以來，豪門貴室，導奢導淫。」屠隆《鴻苞節錄》亦云：「由嘉靖中葉以至於今，流風愈趨愈下，慣習嬌吝，互尚荒佚，以歡宴放飲為豁達，以珍味豔色為盛禮。」從這些議論可以看出，在晚明士大夫的心目中，不加節制的奢靡風氣，在嘉靖年間得到空前的膨脹和擴張，因而這一時期應是明代風俗奢靡化的一個重要階段。

與此前一樣，嘉靖以來奢靡風氣的迅猛傳播，是在中心城市和豪門富室的主導和影響下發生的。歸有光《莊氏二子字說》曾總結說：「始於城市，而後及於郊外；始於衣冠之家，而後及於城市。」也就是說，奢華逾度的生活方式，往往首先出現在居住城市的士大夫家庭，爾後影響到城市中的普通百姓，再後則由城市傳播到郊區和農村。

從總體上看，嘉靖年間以降，所有中心城市以及經濟比較繁榮地區的生活方式，都變得比以前更加奢華了。伍袁萃《漫錄評正》卷三比較了嘉靖年間與此前的生活風氣的差異，得出「正德以前，風俗醇厚，而近則澆漓甚矣」的結論。換言之，在這些士大夫看來，儘管到弘治、正德年間，明初形成

《皇都積勝圖》（局部）

的儉樸風氣已所存無多，但與嘉靖以後的情景相比，那已應當算是「風俗醇厚」的時代了。以北京為例，這個對全國生活風尚有著重要影響的大都會，在正統年間就已初露奢靡之端倪，到嘉靖中後期，奢靡風氣已然十分熾烈，社會各階層普遍出現了侈華逾制行為。禮科給事中查秉彝在一封奏疏中指出：「頃歲以來，風俗浸侈，都城為極。職官則輿馬無制，貴戚則第宅、服用無章，士庶則冠婚喪祭宴會之禮逾式。」(74)在明朝的另一個政治、經濟和文化中心南京，嘉靖年間則是生活風尚的一個重要的轉捩點，王錡《寓圃雜記》卷五記敘說：「嘉靖十五年（一五三六年）以前，富厚之家，多謹禮法，居室不敢淫，飲食不敢過；後遂肆然無忌，服飾器用，宮室車馬，僭擬不可言。」一向引領時尚潮流的蘇州，因商品經濟特別繁榮，居民生活的奢靡程度更是驚人，「大率吳民不置田畝，而居貨招商，閭閻之際，望如錦繡，豐筵華服，競侈相高」(75)。對於「土田肥美」的江南地區的奢華生活方式，歸有光曾描述說：「俗好

(74)徐階、張居正等，《明世宗實錄》卷二九五〈嘉靖二十四年閏正月〉。

(75)嘉靖《吳邑志》卷首〈吳邑城郭圖說〉。

偷靡，美衣鮮食，嫁娶葬埋，時節饋遺，飲酒燕會，竭力以飾觀美。富家豪民，兼百室之產，役財驕溢，婦女、玉帛、甲第、田園、音樂，擬於王侯。」(76)

特別值得注意的是，從嘉靖年間開始，奢靡風氣的蔓延速度和幅度都比以前大大擴張，一些相對偏僻落後的地方也出現了奢靡化的現象。據記載，嘉靖年間，湖廣衡州府耒陽縣有不少人經營商業，生活方式開始追求浮華，就是地位低下的奴僕、隸卒和傭工，也往往以侈靡互爭雄長，僭禮逾分而無所畏憚。山西榆次縣的居民，明初以來一直是崇尚儉樸，勤奮耕耘，但從嘉靖、隆慶年間開始，士風越來越輕薄，民俗越來越奢侈。北直隸趙州的生活習俗，成化、弘治年間尚且比較勤儉，男子努力耕田讀書，女子努力採桑養蠶，衣服只要能遮蔽身體即可，房屋只要能遮蔽風雨即可，婚嫁不論財產，宴席不求豐厚，衣飾打扮非常樸素；但到嘉靖年間，社會風尚明顯趨於奢靡，大量財富消耗於不必要的奢侈性消費，民間積蓄很少，一旦遇到災荒年頭，就是號稱「富室」的人家，也往往靠舉債生活。河南鄢城縣的居民，到嘉靖年間也大多生活奢華，不事積蓄以備不時之需，就是擁有百頃土地的大戶人家的蓄積，一般也不能滿足三年的用度，遇到旱災時許多人只好背井離鄉，出外求食。河南鄧州的居民，到嘉靖年間也是輕視儉樸，崇尚奢華，豪門大族之間往往展開奢靡競賽。地處北方邊境地區的寧夏，雖然社會經濟比較落後，但到嘉靖年間，衣服、飲食也是大力追求華麗、奢靡，大量社會財富都消耗在這種炫耀性消費上。

除在地域上廣泛蔓延外，奢靡的生活風尚也已滲透到社會生活的各個領域。

---

(76)歸有光，《震川先生集》卷一一〈送昆山縣令朱侯序〉。

服飾方面，嘉靖以前，南直隸吳江縣居民的衣飾尚能安守本分，但到嘉靖年間，不少普通百姓的妻子都穿上了命婦的服飾。江西永豐縣嘉靖以前也一直保持著素樸風氣，男子的衣服都用綢布或土縑縫製，富裕人家有時穿著文綺，但必用土布做襯裡，只有達官貴人才敢穿用紵絲；女子的服飾雖因家境貧富不同而有鮮豔與樸素之分，但都恪守本分，士人的妻子如未受到朝廷敕封，也不敢穿著長衫束帶；但到嘉靖時期，當地居民的生活標準不再按照身分高下區別，而是按照財富多寡區分，許多人逾越禮度，炫耀奢侈。四川洪雅縣居民的服飾，以前都很樸素，到嘉靖後期，情景大變：婦女好為豔妝，髮髻高聳，衣袖又寬又長，衣衫幾乎拖在地面上；士人頭冠方巾，其餘男子均戴瓦楞帽，這種帽子被稱為「涼帽」，大多是用麻布做成的，與喪服非常相似。在福建建寧縣，男子頭戴瓦籠帽，衣服、鞋子都用紵絲製作，式樣時常翻新；女子則穿錦綺，佩珠翠，黃金橫帶，個個都像是命婦夫人。北直隸隆慶州居民的衣飾原本比較樸素，到了嘉靖年間，無論是有身分的士人，還是普通的百姓，以至鄉村婦女，都競相穿著華麗服裝以炫耀鄉里。

飲食方面，嘉靖年間也變得十分奢侈。據松江士大夫何良俊在《四友齋叢說．正俗》中回憶，他年幼的時候（即正德年間），人家請客，不過果五色、肴五品而已，只有宴請貴客，或舉辦婚宴時，才增添蝦、蟹、蜆、蛤等三四種水產品；到嘉靖後期，普通的宴會也要有十個菜，而且是水陸畢陳，有人為了誇耀爭勝，還不惜重金搜羅遠方珍品。在江西永豐縣，以前舉辦宴會，果品、菜肴不過四、五種，果品都用土產，菜肴都用家畜；但到嘉靖時，一次宴會動輒要花費數十兩銀子，果品、菜肴多至數十種，其奢華可與京師相比。在福建建寧，以前宴客只有五、六種菜肴，到嘉靖年間，習俗日益奢侈，平常的宴飲也架碗疊盤，先後要上三十多道菜，稱為「春臺席」；每年收穫季節過後，冬日清閒，各家內眷相互邀請，殺牛宰豬，大吃大喝，桌上的菜碗疊至一尺有餘，舉辦婚宴時當然就更加奢華，所以當地有諺語說：「千金之家，三遭婚娶而空；百金之家，十遭宴賓而亡。」[77]在河南通許縣，成化以前，人心古樸，飲的酒都是自家所釀，吃的菜都是當地土產；後來生活逐漸趨於奢靡，一桌菜往往多至二、三十種，喝的酒都是南方商人販運來的，而不願再飲用家釀酒。

住宅方面，嘉靖以前雖然不少地方就已出現了奢華的現象，但其奢華的程度遠不能與嘉靖以來的情景相比。如在陪都南京，正德以前，房屋都比較矮小，廳堂多建在後面，偶或有人對住宅加以雕畫裝飾，也都以樸素為原則；到了嘉靖末年，不必說士大夫之家，就是普通百姓，也有耗費千金建造三間客廳者，金碧輝煌，重簷獸脊，看起來就像是一處官衙，有些百姓的住宅還帶有私家園林，其豪華程度可與公侯家的園林相媲美。住宅變得越來越高廣華麗，家中的器具自然也越來越精緻侈靡。嚴嵩被抄家時，各種高級器物極多，純金器皿就有三千一百八十五件；單是吃飯用的筷子，就有金筷二雙、鑲金牙筷一千一百一十雙、鑲銀牙筷一千零九雙、象牙筷二千六百九十一雙、玳瑁筷十雙、烏木筷六千八百九十一雙、斑竹筷五千九百三十一雙、漆筷九千五百一十雙。何良俊談到，當時松江士大夫所用酒器，惟清河、沛國最號精工：沛國所用為玉器，都是漢朝古物；清河所用為金器，都是聘請優秀工匠仿照古器打造，極為精美。何良俊還談到，他曾到嘉興訪問一位朋友，其家待客，用的是銀水火爐、金滴嗉；當天約有二十多位客人，每客皆有一副金臺盤，重約十五、六兩；留宿齋中，次早洗臉用的是梅花銀沙鑼。何良俊不由地感歎說：「此其富可甲於江南，而僭侈之極，幾於不遜矣。」[78]

[77] 嘉靖《建寧縣志》卷一〈地理〉。

在奢靡風氣彌漫的情況下，受炫耀性消費心理驅動的人們，對於婚喪嫁娶這類具有展示作用的儀式性活動，當然更是傾力而為，以求在鄰里間贏得一點聲譽。比如，河南開封府鄢陵縣，成化以前風俗儉樸，宴會所用都是普通菜肴，但到嘉靖年間，凡舉辦婚筵、喪奠活動，無不追求侈靡，廣招親朋以聚斂禮物，甚至根據禮物多少來決定宴席厚薄，賞賜廚師、樂人也力求豐厚，藉以顯示自家的闊綽。在南直隸儀真縣，凡是舉辦婚、喪宴會，居民也競相追求華靡。在山東兗州府滕縣，居民也以侈靡爭勝，無論是辦婚禮還是辦喪事，都要請伎樂，婚姻之彩禮妝奩、殯葬之冥物儀品，都以多為美。奢靡風氣不但表現於婚喪嫁娶務求豐華，還改變了人們對待婚姻的態度。如在江西豐城縣，純樸的風俗到嘉靖年間已不易見到，嫁女者一味要求多給彩禮，娶婦者則一味要求多帶嫁妝。在山西翼城縣，嘉靖年間興起一種新潮流，就是「婚娶論財」，「求婦聘女之徒，但問富家，其門第清白漸不論也」[79]。

由於奢靡之風彌漫日甚，越來越多的士大夫開始對這種社會現象和生活方式表示擔憂。在寫於嘉靖年間的一份奏疏中，何瑭對日益奢靡的生活風尚提出猛烈抨擊，認為這種不良風氣是造成「民財空虛」的重要原因之一。據他分析，奢靡風氣的蔓延，是「起自貴近之臣，延及富豪之民」，這些有錢有勢的富貴人們，日常生活的各個方面都講求奢華，一處住宅要用銀數百兩，一身衣服、一次宴席要用銀數十兩；家境並不太豐裕的人們，也不再顧及上下之分，起而仿效富貴人家的生活做派；風俗既成，民心迷惑，閭巷貧民遇到婚姻、喪葬、宴會、賻贈等事情，害怕親友譏笑，只好竭力營辦，自己沒錢

[78] 何良俊，《四友齋叢說》卷三四〈正俗一〉。
[79] 嘉靖《翼城縣志》卷一〈地理志〉。

則向別人借貸[80]。袁袠《世緯》卷下也批評說，當時無論士大夫還是平民家庭，喪葬、婚娶很少有恪守禮法者，特別是京城的勳貴世家、兩浙的富商大賈，越禮逾制，僭擬王者，中產家庭起而效仿，往往導致破產。

在眾多士大夫認為奢靡風氣導致人們的消費水準超過家庭支出能力，加劇了社會的貧困化，因而對這種風氣持嚴厲的批評態度的同時，也有一些士大夫經過深入考察和思考，認為奢靡具有刺激消費、繁榮市場、擴大就業的正面作用。松江士人陸楫就是其中的一位代表人物。陸楫雖然出身於富貴家庭，他自己的生活卻一直很儉樸。他雖然「自奉如寒素」，但並不認同官員們慣常採用的「禁奢」措施。在他看來，一人一家堅持勤儉，或許可以免於貧困，但就整個社會而言，則是「大抵其地奢，則其民必易為生；其地儉，則其民必不易為生」。因為「所謂奢者，不過富商大賈、豪家巨族，自侈其宮室、車馬、飲食、衣服之奉而已」，而這些人的奢侈正好為貧民提供了生計機會：「彼以粱肉奢，則耕者、庖者分其利；彼以紈綺奢，則鬻者、織者分其利。」他舉例說：「只以蘇杭之湖山言之，其居人按時而遊，遊必畫舫、肩輿、珍羞、良醞、歌舞而行，可謂奢矣，而不知輿夫、舟子、歌童、舞妓，仰湖山而待爨者，不知其幾。」[81]在嘉靖、隆慶年間，有類似看法的並非只有陸楫一人。如葉權《賢博編》中也針對杭州西湖奢華的旅遊業指出：「城中人不事耕種，小民仰給經紀，一春之計全賴西湖」，「其愈遊愈盛，小民愈安樂」，「若禁其遊玩，則小民生意絕矣」。

[80] 何瑭，〈民財空虛之弊議〉，《明經世文編》卷一四四。
[81] 陸楫，《蒹葭堂稿》卷六〈雜著〉。

第十六章 思想文化的新樣貌

第一節 王學的分化傳衍

王陽明之心學提出後，很快就在士大夫中間傳播開來。但王學本身包含著一些含糊和矛盾之處，還在他生前，其弟子對其學說就產生了不同理解。王陽明晚年，每與門人論學，常提四句為教法：「無善無惡是心之體，有善有惡是意之動，知善知惡是良知，為善去惡是格物。」對這「四句教」，王陽明極其重視，曾說：「此四句，中人上下無不接著。我年來立教亦更幾番，今始立此四句。」①可見這是王陽明經過長期思索，對其學說做出的自認為比較妥貼恰當的總結。

但王門兩大弟子錢德洪（一四九六－一五七四年）和王畿（一四九八－一五八三年），對「四句教」的理解卻迥然有異。王畿認為：「此恐未是究竟話頭。若說心體是無善無惡，意亦是無善無惡的意，知亦是無善無惡的知，物是無善無惡的物矣。若說意有善惡，畢竟心體還有善惡在。」錢德洪則

① 王守仁，《王陽明全集》卷三五。

認為：「心體是天命之性，原是無善無惡的。但人有習心，意念上見有善惡在，格、致、誠、正、修，此正是復那性體功夫。若原無善惡，功夫亦不消說矣。」二人請老師指點，王陽明說自己「接人原有此二種」：「利根之人」，就讓他「直從本源上悟入」；其次之人，「不免有習心在，本體受蔽，故且教在意念上實落為善去惡」。王畿之見，「是我這裡接利根人的」；錢德洪之見，「是我這裡為其次立法的」。他勸勉說：「二君相取為用，則中人上下皆可引入於道。若各執一邊，跟前便有失人，便於道體各有未盡。」②很顯然，王陽明的解釋，並未能使自己的學說前後貫通、圓融無礙，也不可能使王畿與錢德洪達成一致意見。

王陽明去世後，其學說繼續傳衍四方，依師承和地域之不同，分成許多門派。黃宗羲《明儒學案》所列，有浙中、江右、南中、楚中、北方、粵閩、泰州等七個學案。在這些門派中，影響較大的是浙中、江右和泰州三派。但各派內部，意見也不盡一致，有時爭論還相當尖銳。

浙中王門的代表人物，就是上面提到的錢德洪和王畿。錢德洪，名寬，號緒山，浙江餘姚人。王畿，字汝中，號龍溪，浙江山陰（今紹興）人。二人自拜王陽明為師後，專心治學，曾兩次放棄科舉機會。四方學者前來向王陽明問學者甚眾，一般都先由二人輔導，因此被稱為「教授師」。王陽明去世後，二人於嘉靖十一年（一五三二年）同中進士，但為官時間均不長。他們以恢宏師說為己任，孜孜致力於講授王學，南北兩京以及浙江、江西、湖廣、福建、廣東等地，都曾留下他們講學的足跡。

如前所述，還在王陽明生前，二人對王學的理解就發生分歧。其師去世後，他們依然相互批評詰

②王守仁，《傳習錄》下。

難。錢德洪的宗旨，是盡力防止王學流入虛幻空疏，他在〈復王龍溪〉信中曾說：「吾黨於學未免落空，初若未以為然，細自磨勘，始知自懼。日來論本體處，說得十分清脫，及徵之行事，疏略處甚多，此便是學問落在空處。」錢德洪謹守師說，在思想上缺乏創新，所以黃宗羲《明儒學案》評論他是「把纜放船，雖無大得，亦無大失」。王畿深受禪學影響，在學術思想上天馬行空，決不肯囿於師說。他認為，「雖盡將先師口吻言句，一字不差，一一抄謄與人說，只成剩語，誑人誑己」，宣稱「一生若要做個千古真豪傑，會須掀翻籮籠，掃空窠臼」③。在為學方法上，錢德洪強調道德修養，主張「君子之學，必事於無欲」；王畿則主張「以良知致良知」，認為良知是「天然之靈竅，時時從天機運轉，變化云為，自見天則，不須防檢，不須窮索」④。可以說，正因為學術宗旨存在根本性差異，所以兩人互不相讓，王畿譏諷錢德洪為「隨人腳跟轉」，錢德洪則譏諷王畿為「養成一種枯寂之病」。

江右王門的著名人物，主要有鄒守益（一四九一－一五六二年）、歐陽德（一四九六－一五五四年）和聶豹（一四八七－一五六三年）等。鄒守益，字謙之，號東郭，江西安福人。正德進士，授翰林編修，因直言罷歸。世宗即位，復職，累官南京國子監祭酒，再以直言罷歸。鄒守益先是宗法程朱，後來改師王陽明。在王陽明去世後，他廣泛講學，足跡遍於江南各地，「凡以弘師之傳，廣與人為善之量，心獨苦矣」⑤。他在傳播師說方面成績很大，但與錢德洪一樣缺乏理論創新。鄒守益「生平自精

③王畿，《龍溪先生全集》卷八〈大學首章解義〉、〈答李克齋〉。
④分見《明儒學案》卷一一〈員外錢緒山先生德洪〉、卷一二〈郎中王龍溪先生畿〉。
⑤耿定向，《耿天臺先生文集》卷一四〈東廓鄒先生傳〉。

神心術之微，以達於人倫事物之著，皆不離良知一脈運用」⑥。在他看來，程頤、程顥的「寡欲」，周敦頤的「主靜」，以及子思、孟子的「戒懼」，都是良知之別名，「蓋其名雖異，血脈則同」⑦。鄒守益的學術宗旨，是「主敬」，「敬也者，良知之精明而不雜以塵俗也」⑧。他強調要「修己以敬」，要「戒慎恐懼」，以保持自己的良知不為物欲所障蔽。歐陽德，字崇一，號南野，江西泰和人。嘉靖進士，累官禮部尚書。歐陽德的學術宗旨，與鄒守益相近，「能守其師傳而不疑，能述其師說而不雜」⑨，理論方面亦建樹不大。

聶豹，字文蔚，號雙江，江西永豐人。正德進士，累官兵部尚書，忤旨罷歸。聶豹原本並非王陽明弟子，在與王陽明辯難之後，始信服其說，王陽明死後始稱弟子。聶豹的為學宗旨，與鄒守益、歐陽德判然有別，其理論核心是「歸寂」，認為「良知本寂，感於物而後有知」，「故學者求道，自其主乎內之寂然者求之，使之寂而常定」。對於聶豹的學說，不論是江右的鄒守益，還是浙中的王畿，都表示反對，指責他背離師門，類似禪學。聶豹反駁說，自己的「歸寂」與禪學的「寂滅」絕然不同：「夫禪之異於儒者，以感應為塵煩，一切斷除而寂滅之。今乃歸寂以通天下之感，致虛以立天下之有，主靜以該天下之動，又何嫌於禪哉！」江右王門另一重要人物羅洪先，卻很贊成聶豹的見解，稱譽說：

⑥鄒守益，《東廓鄒先生文集》，「序」。
⑦鄒守益，《東廓鄒先生文集》卷五〈復黃致齋使君〉。
⑧黃宗羲，《明儒學案》卷一七〈文莊歐陽南野先生德〉。
⑨徐階，《世經堂集》卷一九〈歐陽公神道碑〉。

「雙江所言，真是霹靂手段，許多英雄瞞昧，被他一口道著，如康莊大道，更無可疑。」⑩

泰州學派源於王學而又特色鮮明，帶有強烈的「異端」色彩。該派的創始人王艮（一四八三－一五四一年），初名銀，字汝止，號心齋，南直隸泰州安豐場（今江蘇東臺）人。王艮出身灶丁，早年以商販為生，三十八歲始就學於王陽明門下。王陽明去世後，他回到家鄉講學，徒眾甚多，形成泰州學派。王艮雖然繼承了王學的一些基本理論和命題，但他在學習過程中，「時時不滿其師說」，「往往駕師說之上」，提出一些頗具獨創性的看法。其中最為人稱道的，是「百姓日用之學」和「淮南格物」。王艮講學，「多指百姓日用，以發明良知之學」，認為「聖人之道，無異於百姓日用。凡有異者，皆謂之異端。」⑪通過這種解釋，將儒學家常常談論的帶有神聖性的「道」與百姓的穿衣吃飯等日常生活聯繫起來。王艮的「格物」是以「安身立本」為核心，他指出：「物格，知本也。知本，知之至也。故曰『自天子以至於庶人，壹是皆以修身為本』也。修身，立本也；立本，安身也。」在此基礎上，他還進一步提出「尊身」的觀點：「身與道原是一件。至尊者此道，至尊者此身。尊身不尊道，不謂之尊身；尊道不尊身，不謂之尊道。須道尊身尊，纔是至善。」⑫這種思想，包含有維護個體生存權利和人性尊嚴的意義。

泰州學派傳播較廣，後學眾多，門人中既有下層老百姓，也有上層士大夫，思想觀點十分龐雜。

⑩黃宗羲，《明儒學案》卷一七〈貞襄聶雙江先生豹〉。

⑪王艮，《明儒王心齋先生遺集》卷一〈語錄〉。

⑫王艮，《心齋先生全集》卷三〈答問補遺〉。

較著名的泰州後學，有王艮的族弟王棟、王艮仲子王襞，以及徐樾、趙貞吉、顏鈞、何心隱、羅汝芳等。《明儒學案．泰州學案》評論說：「泰州之後，其人多能以赤手搏龍蛇，傳至顏山農、何心隱一派，遂復非名教之所能羈絡矣。」的確，泰州學派富有叛逆精神和戰鬥性格，敢於獨立思考，敢於標新立異，發出前所未有之聲光，對明代中後期思想文化影響甚鉅。

第二節 心學與理學的批評者

當王學風靡於世之際，不少程朱學者起而反對，其最著者為呂柟（一四七九－一五四二年）。呂柟，字仲木，號涇野，陝西高陵人。正德三年（一五〇八年）狀元，授翰林修撰，以忤當權宦官劉瑾去職。劉瑾被誅後，復職。嘉靖初，因議大禮下獄，貶為解州判官，累官國子監祭酒、南京禮部侍郎。呂柟是「關中之學」的集大成者，此派係從薛瑄「河東之學」衍出，屬於程朱理學一派。呂柟築書院講學授徒，批評王陽明「致良知」之說，據說其講席「幾與陽明氏中分其盛」。呂柟提倡「學以窮理實踐為主」，任地方官時曾推行《呂氏鄉約》與《文公家禮》，堪稱是一位篤學踐行之士。但他株守程朱，《明儒學案》謂其「以格物為窮理，及先知而後行，皆是儒生所習聞」。《四庫全書總目》雖稱揚「其踐履最為篤實」、「大旨不失醇正」，也不得不承認其學術「多循舊義，少所闡發」，「大抵褒貶迂刻，不近情理」。這其實是當時程朱學者的通病。

當時也有少數學者，既不墨守程朱舊義，也不盲從王氏新說，而是獨立思考，提出一些有價值的觀點。其中貢獻最為突出的，是羅欽順（一四六五－一五四七年）和王廷相（一四七四－一五四四年）。

羅欽順，字允升，號整庵，江西泰和（今江西泰和）人。弘治進士，授翰林編修，累官南京吏部尚書。遭父喪，不再出仕，隱居鄉里二十餘年，潛心著述，足不入城市。從總體思想傾向看，羅欽順屬於程朱派，對王陽明學說批評甚烈。他針對王陽明的「格物」即「正心」等觀點，指出「格物」之物包括宇宙萬物，而人心只是萬物之一種，所以不能把格物等同於格心。羅欽順認為，《大學》提出「致知在格物」之說，是要通過對於「分殊」之物的觀察了解，從中得出「理之一」的普遍性認識，而王陽明卻曲解《大學》之本義，將所格之物、所窮之理，歸結為心中之物、心中之理，是「局於內而遺於外」，屬於禪學觀點⑬。

羅欽順對於心學激烈批判，對於理學則是有繼承、有批評、有修正。他繼承了張載的「氣」一元論思想，批評程朱關於「理先氣後」等說法是將理、氣分為二物，認為「通天地，亙古今，無非一氣而已」，「氣聚而生，形而為有，有此物即有此理，氣散而死，終歸於無，無此物即無此理，安得所謂死而不亡者耶」。對於程朱的「理一分殊」命題，羅欽順也進行了改造。程朱把「理一」（太極）視為最高的精神本原，認為萬物是理之「分殊」，而「理」則是萬物的根本，二者之間是體與用的關係。羅欽順則認為，「理即氣之理」，「蓋人物之生，受氣之初，其理惟一；形成之後，其分則殊。其分之殊，莫非自然之理；其理之一，常在分殊之中」⑭。羅欽順對「理一分殊」的解釋，已經觸及到一般與個

⑬羅欽順，《大學問》。
⑭羅欽順，《困知記》卷上。

別的辯證關係。

王廷相，字子衡，號浚川，河南儀封（今蘭考）人。弘治進士，累官左都御史、兵部尚書，後罷職為民。他博學多才，對於天文、生物、音律都有研究。與羅欽順一樣，王廷相繼承了張載的「氣」一元論，並對這一理論有所完善和發展。他針對程朱「理在氣先」之說提出嚴厲批評：「老莊謂道生天地，宋儒謂天地之先只有此理，此乃改易面目立論耳，與老莊之旨何殊！愚謂天地未生，只有元氣。元氣具，則造化人物之道理，即此而在。故元氣之上無物、無道、無理。」王廷相還認為，「有形亦是氣，無形亦是氣，道其中矣」，「氣為理之本，理乃氣之載」，在「氣」之外不存在「懸空獨立之理」，程朱「不言氣而言理，是捨形而取影」⑮。

在認識論上，宋代理學家曾區分「德性之知」與「見聞之知」，認為前者是「不假聞見」的「大知」，後者是「小知」。王廷相認為宋儒否認思慮見聞之知，是將「無知」奉為「大知」，落入虛空之禪學。對於王陽明所宣揚的「良知不由見聞而有」，他也進行了駁斥，認為「先天良知」是不存在的，而是後天「接習」和「學」的結果，所謂依賴靜坐「求理於吾心」，已流於佛禪之道，「畔仲尼之軌遠矣」。王廷相主張：「夫聖賢之所以為知者，不過思與見聞之會而已。」他不承認有先驗的認識，認為所謂「知」，不過是思維與見聞的結合，如果「物理不見不聞，雖聖哲亦不能索而知之」。王廷相提倡「知行兼舉」，尤其重視「篤行」，認為「講得一事即行一事，行得一事即知一事，所謂真知矣」⑯。

⑮王廷相，《雅述》上篇；《太極辨》；《慎言．道體篇》。
⑯王廷相，《雅述》上篇；《慎言．小宗篇》。

第三節　唐宋派興起與復古派重振

李夢陽等前七子發起的文學復古運動，既得到許多人的回應，也受到不少人的反對。在嘉靖年間文壇上頗有影響的「唐宋派」，就是以反對復古派為主要目標的文學派別。此派的代表人物，前有王慎中、唐順之，後有歸有光、茅坤。

王慎中和唐順之嘉靖初先後中進士，在京師與李開先、陳束、趙時春、任翰、熊過、呂高切磋文學，有「八才子」之稱。他們起初是前七子的熱忱追隨者，後來思想發生劇變，對復古派持激烈批評態度。前七子主張「文必秦漢，詩必盛唐」，王、唐則針鋒相對，推崇宋代之詩文。唐順之〈與王遵岩參政〉云：「三代以下之文，莫如南豐（曾鞏）；三代以下之詩，未有如康節（邵雍）者。」王慎中〈曾南豐文粹序〉亦云：「由西漢而下，（文章）莫盛於有宋慶曆、嘉祐之間，而粲然自名其家者，南豐曾氏也。」值得注意的是，曾鞏、邵雍在宋人中文學成就並不高，王、唐之所以推尊他們，實際上並不是因為他們的詩文，而是因為他們的道學。茅坤在文學理論上附和王、唐，但不像他們那樣極端。為了推廣唐宋文學，茅坤編纂了《唐宋八大家文鈔》一百六十四卷，「其書盛行海內，鄉里小生無不知有茅鹿門者」⑰。

總起來看，王、唐重道學而薄文學，茅坤以唐宋文為窠臼，帶有八股氣息，他們的文學成就都不

⑰張廷玉等，《明史》卷二八七〈茅坤傳〉。

高，詩文多無足觀。但他們提出的一些觀點，如唐順之提倡「直攄胸臆，信手寫出」，王慎中提倡「道其中之所欲言」，雖然本旨在於展露道學家的內心世界，但對於糾正句擬字模的擬古風氣，還是有一定積極意義的。

在唐宋派中，以歸有光的文學成就最高。歸有光（一五〇七－一五七一年），字熙甫，號項脊生，學者稱為震川先生，南直隸崑山（今屬江蘇）人。嘉靖十九年（一五四〇年）中舉，八次參加會試皆落第，直到六十歲才中進士。在文學主張上，歸有光與王慎中、唐順之一樣，猛烈抨擊復古派，諷刺他們「頗好剪紙染采之花，遂不知復有樹上天生花也」，但他也並不完全認同王、唐的觀點，所以董其昌〈鳳凰山房稿序〉評論他的古文是「前非李（夢陽）、何（景明），後非晉江（王慎中）、毗陵（唐順之），卓然自為一家之書」。歸有光特別強調文學的抒情作用，為文博採唐宋諸家之長，而又獨樹一幟。他善於抒情、記事，能把瑣屑的事委曲寫出，不事雕琢而風味超然。如〈項脊軒志〉、〈先妣事略〉、〈寒花葬志〉、〈女汝蘭壙志〉、〈思子亭記〉等，都是即事抒懷的名篇，語言清淡自然，娓娓道來而別具神韻。歸有光的文章，頗受後人追崇，被譽為「明文第一」。清王鳴盛《鈍翁類稿》云：「明自永、宣以下，尚臺閣體，化、治以下，尚偽秦漢，天下無真文章者百數十年。震川歸氏起於吾郡，以妙遠不測之旨，發其淡宕不收之意，掃臺閣之膚庸，斥偽體之惡濁，而於唐宋七大家及浙東道學體，又不相沿襲，蓋文之超絕者也。」

儘管受到唐宋派的猛烈抨擊，復古派並未銷聲匿跡，嘉靖後期到隆慶年間，又掀起一個高潮。約在嘉靖二十七年（一五四八年），以進士出身在京任職的李攀龍、王世貞，相互討論文學，他們有感於「海內稍馳騖於晉江（王慎中）、毗陵（唐順之）之文，而詩或為臺閣也者，學或為理窟也者」⑱，決定重振前七子文學復古之旗鼓。後二年，徐中行、梁有譽、宗臣中進士，與李、王結成詩社，後謝榛、吳國倫亦加入進來，時稱為「後七子」。他們相互鼓吹，彼此標榜，聲勢比前七子還要浩大。

與前七子一樣，後七子強調文必秦漢、詩必盛唐。關於文章流變，王世貞指出：「西京之文實，東京之文弱，猶未離實也。六朝之文浮，離實矣。唐之文庸，猶未離浮也。宋之文陋，離浮矣，愈下矣。元無文。」⑲這實際上是將漢以後文章一筆勾銷，與唐宋派可謂針鋒相對。關於詩，王世貞〈徐汝思詩集序〉云：「盛唐之於詩也，其氣完，其聲鏗以平，其色麗以雅，其力沈而雄，其意融而無跡，故曰盛唐其則也。」李攀龍尤為褊狹，「謂文自西京、詩自天寶而下，俱無足觀，於本朝獨推李夢陽」。李攀龍的許多詩文，專求摹擬逼真，製造出一批「假古董」，《明史．李攀龍傳》評論說：「其為詩，務以聲調勝，所擬樂府，或更古數字為己作，文則聱牙戟口，讀者至不能終篇。」後七子本欲糾正唐宋派之弊，但卻尋不出一條新路，只是踵襲前七子，一味提倡復古，反而把文章弄得全無生氣了。

在後七子中，謝榛相對要開放、靈活一些。他雖然也認為詩「至盛唐極矣」，提倡為詩以盛唐為藍本，但反對刻板模擬，強調真情。在《詩家直說》中，他曾批評當時之詩風說：「今之學子美（杜甫）者，處富而言貧愁，遇承平而言干戈，不老曰老，無病曰病，此摹擬太甚，殊非性情之真也」。但他後來不為李攀龍、王世貞所容，被排除出後七子之列。在李攀龍去世後，王世貞主盟文壇將近二十年之久，「聲華意氣，籠蓋海內，一時士大夫及山人、詞客、衲子、羽流，莫不奔走門下，片言褒賞，聲價

⑱王世懋，《王奉常集》文部卷五〈賀天目徐大夫子與轉左方伯序〉。
⑲王世貞，《藝苑卮言》卷三。

驟起」⑳。隨著時間推移，王世貞對復古主義之弊病也有所覺察，曾自悔其四十歲前所著《藝苑卮言》。晚年所作〈歸太僕贊〉云：「千載有公，繼韓歐陽。余豈異趨，久而自傷。」對唐宋派歸有光的文學理論和實踐表示一定程度的認同。

第四節　戲曲三大傳奇

明代前期，沿襲元代風習，流行的戲曲品種是雜劇，其內容大多是教忠教孝、神仙釋道，充滿陳詞濫調，缺乏生活氣息。到明代中葉，雜劇趨於消沉，而南戲則漸漸興盛起來，當時習稱南戲為傳奇。嘉靖以後，隨著社會經濟的發展，社會思想的活躍，傳奇創作進入繁榮期，內容也開始面向社會現實。嘉靖後期到萬曆初年，出現了三部優秀的傳奇作品，即《寶劍記》、《浣紗記》、《鳴鳳記》。

《寶劍記》創作於嘉靖二十六年（一五四七年），作者李開先（一五〇二－一五六八年），字伯華，號中麓，山東章丘人。嘉靖進士，官至太常寺少卿。因不滿朝政，抨擊權貴，四十歲時罷職歸里，閒居以終。《寶劍記》敘寫林沖被「逼上梁山」的故事，雖取材於小說《水滸傳》，但對故事情節作了較大改動。在小說中，林沖被逼上梁山，是因為高衙內垂涎於林沖妻子張貞娘之美色，故設計陷害；而在劇本中，卻改成林沖兩度上疏彈劾奸臣高俅、童貫，而遭到陷害，朝廷將「封侯萬里班超，生逼作叛國的紅巾，背主的黃巢」。這一改動，是為了突出忠奸之間的鬥爭，塑造林沖的忠臣義士形象，正如

⑳張廷玉等，《明史》卷二八七〈王世貞傳〉。

劇本開首〈鷓鴣天〉曲所言：「誅讒佞，表忠良，提真托假振綱常。」這一主旨雖然使劇本蒙上相當深厚的道德說教色彩，但因融入了作者對黑暗政治的親身體驗和滿腔憤慨，帶有一定的反抗意味，從而有別於純粹教忠教孝的作品。

《寶劍記》對主要人物的塑造比較成功，描繪林沖被「逼上梁山」的心理較為細膩，刻畫了林沖「專心投水滸，回首望天朝」的矛盾心理，抒發了「丈夫有淚不輕彈，只因未到傷心處」的悲憤情懷。但對一些次要人物的塑造，則比較草率，其形象顯得模糊，性格不夠突出。此劇曲詞綺麗典雅，其中「夜奔」一出，蒼涼渾厚，感動人心。但劇本結構鬆散，唱詞亦不完全合於音律，是其缺點。此劇流傳後，得到高度評價。雪蓑隱者〈寶劍記序〉云：「是記則蒼老渾成，流麗款曲，人之異態隱情，描寫殆盡，音韻諧和，言辭俊美，終篇一律，有難於去取者。」王九思〈書寶劍記後〉亦曰：「至圓不能加規，至方不能加矩，一代之奇才，古今之絕唱也。」

《浣紗記》大約創作於隆慶年間，作者梁辰魚（約一五二一—一五九四年），字伯龍，號少白、仇池外史，南直隸崑山（今屬江蘇）人。以例貢為太學生，一生落魄，未嘗入仕，遂寄情於聲樂，任俠好游。王伯稠曾賦詩描寫其生活狀態：「斗酒清夜歌，白頭擁吳姬。家無儋石儲，出多年少隨。」[21]《浣紗記》取材於東漢趙曄所撰《吳越春秋》，描寫春秋時期吳越爭雄的故事。此劇以范蠡和西施的愛情故事為線索，串絡起吳越兩國的興衰變化。作者雖描寫了范蠡和西施之間的悲歡離合，但主旨並非謳歌愛情，而是讓愛情絕對服從於政治。范蠡為了擊敗吳國，主動將未婚妻西施獻給吳王，西施為了

[21] 錢謙益，《列朝詩集小傳》丁集中。

復仇大業，亦甘願獻身供吳王恣意荒淫。當滅吳大業實現後，范蠡又毅然遠離政治是非，攜西施登舟遠遁，遨遊五湖。通過這一故事，作者既揭露了昏君和權奸的醜惡，又抒發了文人忠君報國、功成身退的理想。

《浣紗記》故事曲折，語言藻麗華美。清李調元《雨村曲話》云：「自梁伯龍出，始為工麗濫觴。蓋其生嘉隆間，正七子雄長之會，詞尚華靡。」看來梁辰魚這種研煉工麗的文風，受到後七子復古文風的一些影響。不過，《浣紗記》雖然講求詞藻的雕鏤修飾，但並非一味模古，而是雅麗中透著生動。其中不少曲段，或抒發感情，或烘托環境，或刻畫人物，都很精彩。《浣紗記》主要缺點，是結構鬆散，徐復祚《曲論》曾評論此劇「關目散緩，無骨無筋，全無收攝」。全劇平鋪直敘，缺乏高潮，給人冗長雜亂之感。

《鳴鳳記》大約產生於隆慶年間或萬曆初年，或謂王世貞所作，或謂其門生所作，迄無定論。它是我國戲劇史上第一部取材於現實的政治劇，描寫的是以夏言、楊繼盛為首的朝臣與嚴嵩父子鬥爭的過程。該劇把「奸黨」和「忠臣」向兩個方向作了極端化的描繪，揭露了嚴嵩及其黨羽結黨營私、專權納賄、趨炎附勢、禍國殃民的醜惡行徑，塑造了一系列忠臣賢良的形象。其中〈燈前修本〉、〈夫婦死節〉兩場，描寫楊繼盛夫婦之事跡，尤為感人，長演不衰。該劇的缺點是人物紛繁，結構鬆散，語言也過於駢儷雕琢。此劇開政治劇之先河，對後來的戲曲創作產生了很大影響。

第五節　神魔小說傑作《西遊記》

永樂以後，明代小說創作進入低潮，坊間雖有「小說雜書」流行，但是並無真正優秀的作品問世。直到明代後期，才出現了《西遊記》這樣一部小說傑作。關於該書的作者，歷來存在爭議，通常將其歸於吳承恩名下。吳承恩（約一五〇〇—一五八二年），字汝忠，號射陽山人，南直隸淮安府山陽縣（今江蘇淮安）人。他自幼好學，以文名著於鄉里，卻屢次參加科考不中，嘉靖二十三年（一五四四年）始補歲貢生。六十歲出任浙江長興縣丞，仕途蹇躓。隆慶初辭歸鄉里，放浪詩酒，貧老以終。吳承恩酷愛稗史奇聞，「善諧劇」，他在〈禹鼎志序〉中曾談到：「雖然吾書名為志怪，蓋不專明鬼，時紀人間變異，亦微有鑑戒寓焉。」可見他是要藉奇聞怪談以針砭現實。《西遊記》的創作，亦是基於這一指導思想。

吳承恩塑像（江蘇淮安吳承恩故居）

與《三國演義》和《水滸傳》一樣，《西遊記》的成書，也經歷了數百年的積累過程。《西遊記》的故事藍本，是唐朝高僧玄奘赴天竺（今印度）取經的史實。玄奘歸國後，口述西行見聞，由弟子辯機寫成《大唐西域記》。後來其弟子慧立、彥悰寫成《大唐大慈恩寺三藏法師傳》，對取經事跡作了誇張的描繪，並插入一些帶神話色彩的故事。大約在晚唐五代，出現了《大唐三藏取經詩話》，猴行者取代唐僧成為故事主角，玄奘取經由歷史事實轉化成了神魔故事。到元末明初，已出現比較完整的小說《西遊記》。原書已佚，但《永樂大典》中所引《夢斬涇河龍》故事，標題即為《西遊記》，其內容與現存百回本第九回前半部分基本相同。古朝鮮漢語教材《朴通事諺解》中，也曾引述「車遲國鬥聖」的故事片斷，書中還有八條註文，介紹了取經故事的主要情節，與今傳百回本《西遊記》十分接近。吳承恩以前人作品為基礎，進行改編和創作，使其成為一部結構優美完整的神魔小說，並且賦予小說諷刺幽默的藝術風格。現存的《西遊記》刊本，以明萬曆二十年（一五九二年）金陵唐氏世德堂本為最早，後來則版本眾多。

《西遊記》包含著兩個基本的文學母題。第一個母題揭示「成人不自在，自在不成人」這樣一種矛盾處境。孫悟空本是一個天生地長的石猴，獲得了無邊的神通和法力。但他出生後，不可能超脫於三界的各種規範，這些規範對其天性構成約束，他當然不可能自願接受，於是便發生各種矛盾和衝突，有時還很激烈，他曾大鬧天宮、鬧地府、探龍宮，把三界攪得一塌糊塗。但最終的結果，是孫悟空被壓在五行山下，並被迫答應保護唐僧前往西天取經。經過一番番磨難，孫悟空修成正果，完成了「成人」的過程，但也從「自在」變成了「不自在」。在描寫這一過程時，作者對孫悟空難以拘束的一面著墨頗多，流露出對人性自由的嚮往。第二個母題是描繪唐僧師徒的歷險過程。它通過一個個離奇故事，給唐僧師徒設置了重重艱險和考驗，他們戰勝了一個個困難，經受住一個個考驗，終於取得真經，揭示了人生只有經歷千難萬險，才能獲得最終的完善和幸福。

《西遊記》是一部傑出的浪漫主義作品，充滿了天馬行空的臆想，神祕莫測的情節，縹緲離奇的幻境。但在浪漫主義之中，又沉潛著現實主義的情懷。書中所寫的天庭、地獄，帶有官府衙門的影子，書中所寫的神、佛、鬼、怪，都具有人的性格特徵。以主角孫悟空為例，他具有超人的能力，又有猴子機靈好動的天性，同時還集中了人類的正義、勇敢、力量和自信等優秀品格，機敏勇敢，率真幽默，令人感到既可敬又可愛。書中對唐僧、豬八戒、沙和尚等人物的描繪，也都個性鮮明，給人以深刻印象。

《西遊記》問世後，產生了廣泛影響，明代後期神魔小說的創作極為興盛，比較著名的有許仲琳的《封神演義》、余象斗的《南遊記》、羅懋登的《三寶太監下西洋》、董說的《西遊補》等。

第六節　藥物學巨著《本草綱目》

有著悠久歷史的中醫藥學，在明代獲得前所未有的大發展，其標誌就是嘉靖後期到萬曆初期，傑出的醫藥學家李時珍經過艱苦努力，編成《本草綱目》這樣一部藥物學巨著。

李時珍（一五一八－一五九三年），字東璧，號瀕湖，晚號瀕湖山人，湖廣蘄州（今湖北蘄春）人。出身於世代行醫之家，自幼喜好醫藥，隨父診病抄方。十四歲中秀才，後連續三次參加鄉試，均未中，遂棄舉子業，專心讀書，於子、史、經、傳、聲韻、農圃、醫卜、星相、樂府諸家無所不窺，為其後醫藥研究打下堅實基礎。在行醫過程中，李時珍注意總結經驗，並常向民間人士請教，先後編纂《瀕湖醫案》、《瀕湖集簡方》等書。因醫術高超，被楚王府聘用，又被舉薦到京師太醫院任職，官至院判，但一年後便託病回鄉。

在醫學實踐中，李時珍認識到「本草一書，歷代都有著述，但其中差訛遺漏，不可枚數」，遂「奮編摩之志」。從嘉靖三十一年（一五五二年）起，以宋代《經史證類備急本草》為基礎，參考歷代本草、醫籍和相關典籍八百餘種，歷時二十六年，經三次修改，至萬曆六年（一五七八年）寫成《本草綱目》。為了寫好這部著作，他先後在家鄉及江西、南直隸、河南、北直隸等地進行科學考察，採集標本，摹繪圖像。

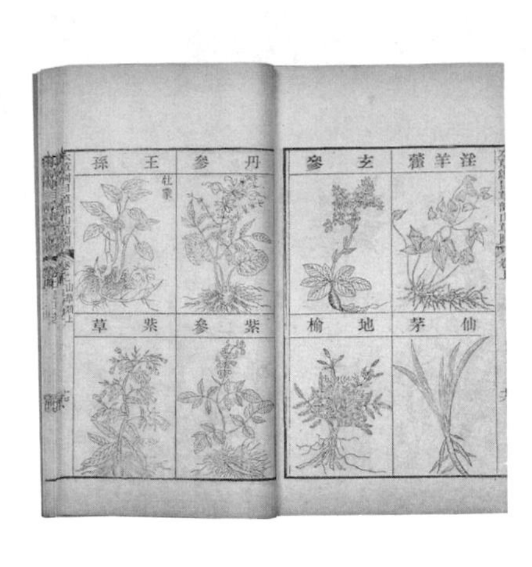

《本草綱目》書影

《本草綱目》凡五十二卷，分為水、火、土、金石、草、穀、菜、果、木、服器、蟲、鱗、介、禽、獸、人十六部，有的部又分若干類，如草部分山草、芳草、隰草、毒草、蔓草、水草、石草、苔、雜草等六十類。共記載藥物一千八百九十二種，附圖一千一百六十幅，每藥標正名為綱，綱之下列目，各藥又分釋名、集解、辨疑、修治（炮炙）、氣味、主治、發明、附方諸項解說，共附驗方一萬一千零九十六則。全書綱目清晰，內容詳備，是一部集大成的藥物學巨著，具有多方面的科學貢獻。

《本草綱目》對此前我國藥物學進行了相當全面的總結，並新增加了三百七十四種藥物，其中一些藥物，如三七、番紅花、山柰、半邊蓮、淡竹葉、曼陀羅花、土伏苓等，在後世得到廣泛應用。通過實際考察和文獻考證，李時珍發現了以往本草中的許多錯誤，如葳蕤和女萎實為兩物而誤作一物，南星與虎掌實為一物而誤作兩物，蘭花誤為蘭草，卷柏誤為百合，生薑誤列為草類，薯蕷誤歸為菜類等等，都一一予以更正。水銀自古被視為「長生之藥」，《大明本草》稱其「無毒」，明代統治者多有服食水銀以求長生者，李時珍經過研究，指出水銀「入骨鑽筋，絕陽蝕腦，陰毒之物，無似之者」。

李時珍衝破「心為君主之官」的傳統觀念，創造性地提出「腦為元神之府」，對中醫臟腑理論的發展是一大貢獻。他勇於進行科學實驗，曾自服曼陀羅花以觀察其治療效果和麻醉作用，還曾解剖鯪鯉、蛇等多種動物以觀察其內部結構之異同，這在當時科學界可以稱得上是一個創舉。《本草綱目》書中收錄了一萬一千多則方劑，其中八千多則是李時珍自己收集或擬定的。在製藥化學方面，《本草綱目》也成績斐然，載有蒸餾、蒸發、昇華、重結晶、風化、沉澱、乾燥、燒灼、傾瀉等許多化學反應的方法。

在分類學方面，《本草綱目》取得突出貢獻。書中的植物藥，是作者根據一千零九十四種植物的根、莖、葉、花、果的特點及性味、外形、皮核以及生態習性、生長過程、地理環境與人類生活的關係等各種因素，綜合分析、歸納比較而進行分類的，具有一定的科學性。書中把四百四十四種動物藥分成蟲、鱗、介、禽、獸、人六部，其中蟲類相當於無脊椎動物，鱗類相當於魚類和部分爬行類，介類則相當於兩棲類和少數軟體動物類，禽類則為鳥類，獸類係哺乳類動物。這種所謂「從賤至貴」的分類排列順序，幾乎完全符合現代動物學的分類系統，也蘊含著非常寶貴的動物進化思想。書中載有二百六十五種礦物藥，分類亦較科學，所記單體元素共有鈉、鉀、鈣、鎂、金、銀、銅、鋅、錫、汞、鋁、錳、鉛、鐵、硼、碳、矽、砷、硫十九種，而化合物多至數十種，對每一種物質的來源、鑑別與化學性質都有詳細介紹。

《本草綱目》最先於萬曆二十一年（一五九三年）由金陵胡承龍刊刻，其後多次翻刻，影響極其巨大。這部書出版十幾年，即傳至日本，不久又傳至越南、朝鮮等國。大約在十八世紀初，《本草綱目》傳入歐洲，開闊了西方醫藥學界的視野，對其生物學研究產生了很大影響。十九世紀英國著名生物學家達爾文在奠定進化論、論證人工選擇原理的過程中，即曾參閱《中國百科全書》（即《本草綱目》）之內容。英國著名科學史家李約瑟給予《本草綱目》以極高評價，指出：「毫無疑問，明代最偉大的科學成就，是李時珍那部在本草書中登峰造極的著作《本草綱目》。」「李時珍作為科學家，達到了同伽利略、維薩里的科學活動隔絕的任何人所能達到的最高水準。」

第四篇

明朝的衰敝期

一五八二——一六四四年

導言

從明神宗萬曆十年（一五八二年）至思宗崇禎十七年（一六四四年），是明朝的衰敝期。

張居正身死名敗，其後歷任首輔大多明哲保身，內閣權威大幅度下降。神宗親政之初，還試圖有所作為，但時隔不久，其懶惰個性便發露無遺，引起憂國憂時之士的批評。因神宗遲遲不肯冊立太子，引發長達十幾年的「爭國本」。黨派衝突日益加劇，到萬曆後期，形成東林黨及其對立面兩大政治派別，相互之間展開激烈爭鬥。在邊疆與民族方面，出現了一些新挑戰，雖取得「三大征」的勝利，但耗費國力甚大；特別是努爾哈赤統一女真各部，建國稱帝，對明朝構成嚴重威脅。神宗之後，光宗僅做了一個月皇帝，繼位的熹宗昏庸愚昧，最終導致魏忠賢專權，東林黨人受到殘酷迫害。到思宗即位時，明王朝已病入膏肓，無藥可治，最終在農民軍和滿洲軍的雙重打擊下走向覆亡。儘管朝局日趨混亂衰敗，晚明社會依然充滿活力，民間力量日益壯大，商品經濟繼續發展。生活風尚仍然華奢侈靡，但又萌發了一股返樸求雅的新趣味。思想界十分活躍，既出現了驚世駭俗的異端思想，也出現了崇尚實踐的實學思潮。文學方面，公安派、竟陵派相繼而起，提倡「獨抒性靈」，促進了小品文的興盛；戲劇和小說創作空前繁榮，出現了《牡丹亭》、《金瓶梅》、「三言二拍」等一大批優秀作品。科學技術也蓬勃發展，出現了《樂律全書》、《農政全書》、《天工開物》、《徐霞客遊記》等科技巨著；隨著傳教士來華，許多西方科學技術傳入中國，並得到初步應用。

第十七章 神宗貪怠與東林黨議

第一節　張居正身後受到清算

張居正柄政期間，雷厲風行地革弊佈新，把明王朝暫時從危機中挽救過來。為了有力地推進改革，他必須獨擅大權，排斥異己，維護自己的權威地位；而他專擅的政治作風，也招致不少朝臣的反對。萬曆二年（一五七四年）底，南京守備少監張進醉辱給事中王頤，遭到言官彈劾，朝廷不予處理。給事中趙參魯遂上疏要求懲治張進，並要求連帶懲處張進的上司申信。申信是馮保的親信，張居正為了鞏固自己與馮保的聯盟，竟擬旨嚴厲斥懲趙參魯等人，引起科道官的普遍憤慨。次年二月，南京戶科給事中余懋學連疏彈劾張居正，要求「政令依於忠厚，而不專尚刻覈之實」①。余懋學先前因批評張居正獻祥瑞，早已引起張居正不滿，此次上疏後，遂被革職為民，永不敘用。這種處理方法，不僅未能堵塞言路，反而引起更多抨擊，就連張居正的門生、遼東巡按御史劉臺，也上疏彈劾他「擅作威福，

①談遷，《國榷》卷六九。

蔑祖宗法」。對於這些批評者，張居正一律嚴加打擊，將他們清除出官場。

萬曆五年（一五七七年）九月，張居正父親去世的訃告傳到北京。依據明代丁憂制度，官員自聞喪日起，必須守制二十七個月，期滿方可起復。張居正不願離開政壇，神宗母子也離不開張居正的輔弼，遂下旨讓張居正「奪情視事」。所謂「奪情」，就是要求遭喪官員留任辦事，准其穿著素服，不參加朝廷各種吉慶活動。「奪情視事」之舉，在明代雖有先例，但為數不多，許多人都認為這是大不孝之舉。張居正的門客、貢生宋堯愈為張居正的名譽著想，說：「相公留，天下蒼生幸甚；相公去，天下萬世幸甚。」②勸他離職終喪。張居正當然不肯放棄緊握在手的權位，拒絕回原籍守制終喪。於是，朝堂上響起一陣反對奪情的聲浪，許多官員上疏彈劾張居正。張居正用暴力鎮壓了這場抗議運動，保住並鞏固了自己的權位。但他在道義和人格上卻廣受卑視，當然也無法真正壓制朝野輿論。刑部主事艾穆指責張居正「愎諫誤國，媚閹欺君」，被廷杖八十，發配充軍，被押出京城之時，「猶厲聲大罵江陵（即張居正）、馮保不絕口」③。

除遭到部分朝臣反對外，張居正專擅的作風，也逐漸引起神宗的不滿。神宗即位之初，馮保朝夕侍奉左右，神宗小有缺失，馮保即稟奏慈聖太后，慈聖太后則嚴厲斥責，並說：「使張先生聞，奈何！」因此神宗「甚憚居正，及帝漸長，心厭之」。張居正用了很大心力逢迎慈聖太后，拉攏太監馮保，卻忽視了這個少年皇帝日益增長的逆反心理。萬曆八年（一五八〇年）十一月，內廷發生了一起

②談遷，《國榷》卷七〇。
③艾穆，《艾熙亭先生文集》卷四〈恩譴記〉。

小風波，更在神宗心裡播下仇恨的種子。是年，神宗已經十八歲，閒來無事，開始尋求消遣。乾清宮管事太監孫海、客用，常引導神宗尋歡作樂。一天夜晚，神宗來到西城，酒後要小內監唱曲子，小內監曲調未諧，神宗惱怒，在鞭撻之後，還把小內監的頭髮割了下來。慈聖太后得知後，將神宗召到慈寧宮申斥，將孫海、客用「杖而逐之」。張居正「復條其黨罪惡，請斥逐，而令司禮及諸內侍自陳，上裁去留」④。這名義上是由神宗裁定，實際上是馮保、張居正作主。神宗迫於太后的壓力，不得已而同意，但心裡也產生了圖謀報復的念頭。

張居正逐漸失去神宗信任，而他自己對此卻渾然不覺。神宗有一個寵信的太監名叫張誠，因與馮保不合被排斥，神宗遂讓他在外祕密偵察馮保和張居正的活動。張居正奪情後，「益偏恣，其所黜陟，多由愛憎，左右用事之人多通賄賂」⑤。這些情況，神宗當然有所了解。他已對張居正的諫諍日益感到厭倦，一味敷衍塞責。但神宗將對張居正的厭憤情緒，一直壓抑在內心。直到張居正去世前兩天，他還曾遣人持手敕問疾，似乎十分顧念師生君臣之情。張居正自知樹敵過多，對身後事也有所考慮。他在與馮保商議後，決定密薦原禮部尚書潘晟入閣。潘晟是張居正中進士時之座主，隆慶及萬曆初曾兩度出任禮部尚書，但因為人庸碌猥瑣，且有不廉之名，兩次均受劾罷職，此時正在原籍浙江新昌閒住。他一直對張、馮恭敬馴順，張居正密薦他入閣，顯然是覺得由他接任，可以免除後顧之憂。

萬曆十年（一五八二年）六月二十日，張居正溘然長逝。張居正密薦潘晟的遺疏上報神宗，神宗

④張廷玉等，《明史》卷二一三〈張居正傳〉。
⑤張廷玉等，《明史》卷二一三〈張居正傳〉。

表示同意，遣人召取潘晟盡快赴京任職。此時在內閣的張四維、申時行，自然明白張居正的用意，遂唆使御史雷士禎、給事中王繼光等相繼上疏，力言潘晟不可用。潘晟在途得知這種情況，只得上疏請辭，張四維擬旨允准，神宗詔可。據說馮保知情後，曾頓足大罵：「我小恙，遽無我耶？」⑥看來馮保對失去政治盟友張居正之後的情況，缺乏正確的估計。他並未意識到自己不利的處境，「猶肆橫如故」。太監張鯨早就對馮保心懷忌妒，「謀去之」；另一太監張誠，因與馮保交惡，被斥逐於外，「至是復入」。兩人不斷在神宗面前讒毀馮保，「發其與張居正交結狀，請令保閒住」，神宗隱忍未發。是年底，御史江東之彈劾馮保同黨錦衣衛指揮徐爵，徐爵被勒令致仕。接著，御史李植參劾馮保「當誅十二罪」。神宗見時機成熟，遂下旨：「保欺君蠹國，罪惡深重，本當顯戮。念係皇考付託，效勞日久，姑從寬降奉御，發南京閑住。伊弟侄馮佑等，都革職，發原籍為民。」⑦

馮保受懲，朝臣們看清神宗的心意，張居正也就不可避免地成為被攻擊的對象。御史楊四知率先上疏，論張居正十四罪，「大略言其貪濫僭奢，招權樹黨，忘親欺君，蔽主殃民」，神宗下旨：「居正朕虛心委任，寵待甚隆。不思盡忠報國，顧乃怙寵行私，殊負恩眷。念係皇考付託，侍朕沖齡，有十年輔理之功，今已歿，姑貸不究，以全始終。」並命錦衣衛將張居正門客龐清、馮昕、游七逮下詔獄打問⑧。所謂「姑貸不究」，不過是權宜之辭，因為此時「倒張」的氣氛還不夠濃烈，神宗不想主動出

⑥張廷玉等，《明史》卷三〇五〈馮保傳〉。
⑦顧秉謙等，《明神宗實錄》卷一三一〈萬曆十年十二月〉。
⑧顧秉謙等，《明神宗實錄》卷一三一〈萬曆十年十二月〉。

擊，讓人覺得自己太過絕情。朝臣們自然對這一點也都心知肚明，御史李植接著上疏，謂張居正「挾權闇之重柄，藐皇上於沖齡，殘害忠良，荼毒海內」，要求予以嚴懲，「即斬棺斷屍，尚有餘罪」⑨。御史江東之、羊可立也上疏力詆張居正。神宗下旨稱他們「摘發大奸有功」，將他們自從七品的御史，一下子擢陞為正四品的京堂官。在神宗的誘導鼓勵下，彈劾張居正的奏疏紛至遝來，掀起一股非理性的「倒張」運動。為國家立下不世功勳的張居正，最終身死遭禍：官爵被剝奪，家產被抄沒，長子自殺，其他子孫全部被發到邊遠的煙瘴地面充軍。隨著張居正的名敗家破，他致力進行的大部分改革也宣告終結。

張居正死後，嘉靖以來出現的閣權膨脹趨勢出現逆轉，內閣的權力急劇萎縮，地位急劇下降。從神宗一方來說，為了防止再次出現張居正那樣的權臣，他有意挑選依阿隨附之人入閣，甚至為了避免「大臣植黨」，特意起用「林居及久廢者」⑩；而對性格戇直、敢於直諫的閣臣，往往不能容忍，使其難於久安其位。如王家屏「性忠讜，好直諫」，屢次激怒神宗，「柄國止半載」即「以戇直去國」；沈鯉「遇事秉正不撓」，神宗嫌其「方鯁」，也令其致仕⑪。從閣臣一方來說，他們鑑於嘉靖以來首輔多不得善終的教訓，也奉行明哲保身的策略，「以陰柔為和平，以憒眊為老成」⑫，不求有功，但求無

⑨李植，《言事紀略》卷一〈懇乞聖明獨斷以昭臣鑑以振朝綱事題本〉。
⑩張廷玉等，《明史》卷二一九〈朱賡傳〉。
⑪張廷玉等，《明史》卷二一七〈王家屏傳〉、〈沈鯉傳〉。
⑫錢謙益，《牧齋初學集》卷三〇〈少保梁公卹忠錄序〉。

過。在一次召對中，申時行曾表白說：「臣等才薄望輕，因鑑前人覆轍，一應事體，上則稟皇上之獨斷，下則副外庭之公論，所以不敢擅自主張。」⑬申時行能長期擔任首輔，就是因為他「務承帝指，不能大有建立」⑭。王錫爵、趙志皋、張位、沈一貫等人在閣，亦莫不如此。對於這些首輔，《明史》曾作出這樣的評論：「外畏清議，內固恩寵，依阿自守，掩飾取名，弼諧無聞，循默避事。」⑮內閣地位大幅衰落，不僅不能有效地處理政務，也使皇權失去了一道應有的約束。

第二節　神宗怠政斂財與城市民變

張居正去世後，神宗得以親攬乾綱，起初亦想有所作為。萬曆十二年（一五八四年）秋至次年春，京師地區大旱，神宗親詣南郊禱雨，往返二十餘里，堅持步行以表虔誠，實屬難能可貴。萬曆十三年（一五八五年）五月，他在視朝之後召見輔臣，磋商政務，這種「召對之典」，自孝宗以來已將近百年未舉行過。萬曆十四年（一五八六年），海瑞曾稱讚神宗：「自張居正刑犯後，乾綱獨斷，無一時一事不惟小民之念。」⑯海瑞以性格剛直著稱，此說縱有虛譽，當也有些事實的影子。

---

⑬顧秉謙等，《明神宗實錄》卷二二九〈萬曆十八年正月〉。
⑭張廷玉等，《明史》卷二一八〈申時行傳〉。
⑮張廷玉等，《明史》卷二一八，「贊」。
⑯顧秉謙等，《明神宗實錄》卷一七一〈萬曆十四年二月〉。

但神宗天性疏懶，無法持久。從萬曆十四年（一五八六年）起，對待政務越來越漠不關心。他長期不肯臨朝聽政，甚至連輔弼大臣也不願接見，申時行擔任首輔九年，只被召對三次。對於官員們的奏疏，他也懶於處理，大多數奏疏，特別是那些不合乎他心意的奏疏，都被「留中」，即留在宮中不予批復。大學士葉向高曾無奈地指出：「國家多事，朝政不行……皇上深居日久，如天之穆無聲嗅，聽萬籟之爭鳴；如水之漫無堤防，任百川之自潰。典禮當行而不行，章疏當發而不發，人才當用而不用，政務當修而不修，議論當斷而不斷。」⑰明代大小事務均須請旨而行，內閣以及六部、都察院都無最終決策權，神宗不肯批復章奏，勢必使政務陷於停頓狀態。

除不視朝聽政、不批答章奏外，神宗對於各級衙門的官缺，也往往不予及時選補。以直接向皇帝負責的部院大臣為例：萬曆二十六年（一五九八年），兩京現任尚書、都御史只有六員，不及定額十四員的一半；三十四年，六部、都察院堂上官只存五員，其中還有四人因受到彈劾閉門不出；三十七年，北京九卿衙門竟無一員正官理政；四十年，兩京部院應有正卿十四員，現任只有四員，佐貳官應有二十一員，現任只有九員，其中都察院已長達八年沒有正官；四十三年，尚書、侍郎總共只存五人，其中三人杜門不出、一人逕自離職，進部辦事者只剩一人。再如科道官：二十四年，六科只有掌科一人、署印五人，十三道竟無一人主印；二十八年，南、北兩京科臣額設五十七人，實存八人，道臣額設一百四十人，實存五十二人；三十年，兩京缺科道官九十四員，天下應派御史巡行差務共有十三處，竟有九處未差派；三十六年，北京科臣只有數人、道臣只有二人，南京科、道各只一人，外差多缺，但

⑰顧秉謙等，《明神宗實錄》卷五一〇〈萬曆四十一年七月〉。

無人可派；四十六年，現任科臣五員，缺四十五員，現任道臣十員，缺一百員。再如總督、巡撫和各級地方官員：二十九年，布、按兩司共缺七十餘員，知府共缺二十二員，加上「遷轉未到」及「奉差未還」者，正好缺官一半；三十年，天下缺巡撫五員、布按監司六十六員、知府二十五員；三十三年，督、撫經年虛席，藩臬缺至五六十員，郡守缺至四五十員；四十三年，各省司道官缺至四十九員。這種嚴重的缺官現象，實際上使從中央到地方的各級衙門，基本上都處於癱瘓或半癱瘓狀態。

神宗越來越無心處理政務，而他本人以及整個皇室的生活卻越來越奢侈腐化。當時採木、燒造、織造、採辦等項，名目越來越多，數目越來越大。採木之役，始於明成祖營建北京。萬曆中期，宮中連遭大火，神宗為此大興土木，變本加厲。他命人從湖廣、四川、貴州等地採運楠木杉木，耗費白銀達九百三十餘萬兩。萬曆朝的燒造包括瓷器和磚瓦兩項，景德鎮的陶瓷尤其為皇家所重。萬曆十九年（一五九一年）神宗下令製造瓷器十五萬九千件，隨後又增八萬件。自從張居正去世後，宮廷織造的數量也迅速膨脹。「蘇、杭、松、嘉、湖五府歲造之外，又令浙江、福建，常、鎮、徽、寧、揚、廣德諸府州分造，增萬餘匹。陝西織造羊絨七萬四千有奇，南直、浙江紵絲、紗羅、綾綢、絹帛，山西潞紬，皆視舊制加丈尺。二三年間，費至百萬，取給戶、工二部，搜括庫藏，扣留軍國之需。」⑱至於採辦，更是名目繁多。神宗尤好珠寶。萬曆二十六年（一五九八年），給事中吳文燦批評說：「買珠之價，動至四十萬。及戶部執奏，僅姑緩進其半，而尤嚴續進之旨。非所以明儉德也。」⑲宮內的各種

⑱張廷玉等，《明史》卷八二〈食貨志六〉。
⑲顧秉謙等，《明神宗實錄》卷三二四〈萬曆二十六年七月〉。

典禮儀式，神宗也務求奢華。神宗所耗銀兩，主要是索自戶部銀庫。萬曆末，戶部尚書李汝華疏陳太倉匱乏，並開列歷年「內供」銀兩數，自萬曆六年到三十三年，進銀多達五百餘萬兩。

除不斷「傳索帑金」從國家財政中分割金錢外，神宗還通過掠奪工商業的辦法，擴大自己的私庫。從萬曆二十四年（一五九六年）開始，神宗派遣大批宦官為礦監稅使，到全國各地搜刮民財。所謂礦監，其實不完全是開礦或以礦徵稅，而往往是妄指民間良田美宅之下有礦脈，肆意敲詐勒索；所謂稅使，則是在全國重要的城鎮、關津、路口設置稅卡，盤剝工商業者和城市居民。所以當時人說：「礦不必穴，而稅不必商，民間丘隴阡陌，皆礦也，官吏農工，皆入稅之人也。」⑳神宗為這種舉措找出的藉口，就是緩解國家的財政危機。他多次表白說：「朕以連年征伐，庫藏匱竭，且殿工典禮方殷，若非設處財用，安忍加派小民！」首輔沈一貫也曾附和說：「今國計告絀，皇上不忍加派小民，而欲取足商稅，誠不得已之心也。」㉑但實際上，開礦榷稅只是出於神宗聚斂財富的個人私欲。據統計，萬曆二十五年至三十四年之間，礦監稅使進奉內庫的有黃金一萬二千多兩，白銀五百六十九萬多兩，此外還有金剛鑽、水晶、珍珠、紗羅、紅青、寶石、人參、貂皮、琥珀等不計其數。不僅如此，礦稅之徵，「大略以十分為率，入於內帑者一，剋於中使者二，瓜分於參隨者三，指騙於土棍者四，而地方之供應，歲時之饋遺，驛遞之騷擾，與夫不才官吏指以為市者不與焉」㉒。據此推算，礦監稅使及其

⑳張廷玉等，《明史》卷二三七〈田大益傳〉。
㉑顧秉謙等，《明神宗實錄》卷三三〇〈萬曆二十七年正月〉。
㉒顧秉謙等，《明神宗實錄》卷三五九〈萬曆二十九年五月〉。

爪牙幫兇們掠奪的財富總數，至少是上交神宗數字的九倍。

礦監稅使為害地域極廣，北到遼東，南及滇粵，西抵陝西，東至沿海，「天下在在有之」。當時廷臣不斷上疏要求罷止礦監稅使以甦民困，但神宗寵愛諸稅監，「廷臣諫者不下百餘疏，悉寢不報，而諸稅監有所糾劾，朝上夕下，輒加重譴。以故諸稅監益驕」㉓。與其說神宗寵愛稅監，不如說他寵愛的是稅監從民間掠奪來的金銀財寶。礦監稅使「始猶取之商稅，既則取之市廛矣；始猶算及舟車，既則算及間架矣；始猶徵之貨物，既則徵之地畝、徵之人丁矣」㉔。也就是說，礦監稅使除了直接向民間敲詐勒索外，還侵奪了地方官府的正常稅源。地方官員為了滿足礦監稅使的派額，有時也不得不「挪借正項錢糧以解」。因此，神宗派遣礦監稅使的行為，不但對國家財政毫無補益，反而損害了地方政府徵收額定賦稅的能力。在礦監稅使的掠奪下，城市商業和手工業遭到嚴重破壞。萬曆三十年（一六〇二年），戶部尚書趙世卿曾上疏言及商業破壞的情況：

查各關監督預呈文案，在河西務關，則稱稅使徵斂，以致商少，如先年布店計一百六十餘名，今止三十餘家矣。在臨清關，則稱往年夥商三十八人，皆為沿途稅使抽罰折本，獨存兩人矣。又稱臨清向來叚店三十二座，今閉門二十一家，布店七十三座，今閉門四十五家，雜貨店今閉門四十一家，遼左布商絕無矣。在淮安關，則稱河南一帶貨物，多為儀真、徐州稅監差人挨

㉓ 張廷玉等，《明史》卷三〇五〈高淮傳〉。
㉔ 顧秉謙等，《明神宗實錄》卷五五三〈萬曆四十五年正月〉。

捉，商畏縮不來矣。其他各關告窮告急之人，無日不至，不敢一一陳瀆。大都人情熙熙攘攘，競尺寸之利，今乃視為畏途，舍其重利，不通往來。無乃稅使之害，尤有甚於跋涉風濤者？則苛政猛於虎之說也。㉕

礦監稅使「吮髓吸血，民不聊生」，不僅使當地工商業遭到嚴重打擊，也使普通民眾飽受禍害。官員們對這種竭澤而漁的掠奪政策提出許多激烈批評，但神宗不是置之不理，就是公開袒護，許多反對礦監稅使濫徵橫索的地方官員都遭到笞辱或彈劾。在這種情況下，許多地方的商民自發行動起來反抗虐政。據統計，在神宗統治的後半期，全國爆發了三十多起反對礦監稅使的民變，其中影響較大的有臨清民變、武昌民變和蘇州民變。

臨清民變爆發於萬曆二十七年（一五九九年）。臨清位於運河沿岸，是山東乃至華北的著名商業城市。是年三月，神宗命令天津稅監馬堂兼領臨清稅務。馬堂到達臨清後，招集亡命之徒數百人，放縱他們搶奪貨物，抄沒財產，致使「中家以上破者大半」，「販賣俱不進城，小民度日不支」。「以負販為業」的王朝佐對此「不勝其憤」，於四月的一天凌晨「杖馬箠撾馬堂門請見」，州民追隨者多達萬餘人。馬堂令隨從放箭傷人，群眾益發憤怒，在王朝佐的帶動下，放火焚毀馬堂衙署，擊殺其隨從三十四人，馬堂被本州守備救走。神宗得知此事，下詔窮治，王朝佐不願連累多人，挺身而出，獨當其事，「臨刑，引頸受刃，神色不變」㉖。

㉕顧秉謙等，《明神宗實錄》卷三七六〈萬曆三十年九月〉。

同年底，長江中游的工商業重鎮武昌也發生了民變。奉派到湖廣擔任礦監稅使的是陳奉。他招收大批無賴為爪牙，對縉紳和一般商民大肆勒索，凡是家境貧困不能滿足其欲求者，則闖入臥房翻搜，見到有姿色的婦女，便「佯稱藏帶金銀，逼捉脫衣，肆行姦辱，或掠入稅監府內」，就連一些生員的妻女也遭到逼辱。十二月初二日，當地生員齊赴撫按衙門控訴，受害士民萬餘人湧至，群情激憤，打入稅府，後經撫按「曲為勸諭，眾勢稍緩」。但陳奉依然怙惡不悛，終於在萬曆二十九年（一六〇一年）引起更大規模的民變。這年三月，湖廣兵備僉事馮應京因反對陳奉濫徵，被神宗下令逮捕，於是武昌民眾數萬人包圍了稅使衙門，陳奉逃匿於楚王府中，民眾抓住其爪牙十六人投於江，巡撫支可大因一向「曲護陳奉」，府門也被焚燒。不久，江西稅監李道亦彈劾陳奉「病國剝民」，神宗只得將陳奉召還㉗。

萬曆二十九年（一六〇一年），大規模的城市民變又在蘇州爆發。蘇州是江南最繁華的工商業城市，也是全國著名的絲織業中心。當時神宗命蘇杭織造太監孫隆兼管蘇州稅務，當地一些流氓棍痞從孫隆那裡賄買差事，分據水陸要衝勒索商販。孫隆還向機戶、牙行「廣派稅額」，要求每張織機交納稅銀三錢，機戶不堪重負，紛紛「杜門罷織」，致使大批依靠出賣勞動力為生的織工「無所趁食」。這年六月六日，無以為生的織工們推舉葛成（又名葛賢）為首領，發動了民變。孫隆的參隨黃建節被亂石

㉖顧秉謙等，《明神宗實錄》卷三三四〈萬曆二十七年閏四月〉；文秉，《定陵註略》卷五〈軍民激變〉。

㉗文秉，《定陵註略》卷五〈軍民激變〉；張廷玉等，《明史》卷三〇五〈陳奉傳〉；顧秉謙等，《明神宗實錄》卷三五八〈萬曆二十九年四月〉。

擊斃，另有六、七名爪牙被投入河中，稅棍們的住宅多被焚毀，孫隆連夜逃到杭州躲避。到第四日，「諸稅官皆次第芟盡」，民變首領遂貼出榜文：「稅官肆虐，民不堪命，我等倡義為民除害。今大事已定，四方居民各安生理，無得藉口生亂。」當官府追究時，葛成挺身而出，並要求「無株連平民」㉘。

神宗黷貨好財，臣下也貪婪成性。御史錢一本說：「以遠臣（指地方官）為近臣（指京官）府庫，又合遠近之臣為內閣府庫，開門受賄自執政始。」㉙這就是說，從內閣的權臣、京官到地方官吏，都利用職權，上下通同，巧取豪奪、貪贓受賄已成為一種風氣。大學士趙志皋動輒受千金之賄，另一位大學士張位，「黷貨如蠅，每次討缺不下數十，多者千金，少者數百金」㉚。內閣首輔沈一貫以納賄聞名，曾接受楚王黃金一千兩、白銀一萬兩的賄賂。與沈一貫同時的大學士朱賡，家中有金銀八百萬兩，大都是納賄所得。大臣不法，小臣不廉。地方官貪污掠取更是肆無忌憚。吏部官員趙南星曾感慨說：「今有司之貪，固已成風……貪多則酷，既朘其膏血，又加毒痛，民安得不亂……國家之敗，由官邪也！」㉛可以說，萬曆中後期，從皇帝到各級官僚，大多熱中於搜括金錢，成為導致明王朝覆亡的重要原因之一。

㉘文秉《定陵註略》卷五〈軍民激變〉；顧秉謙等，《明神宗實錄》卷三六一〈萬曆二十九年七月〉。
㉙張廷玉等，《明史》卷二三一〈錢一本傳〉。
㉚不著撰人，《萬曆邸抄》，萬曆二十六年戊戌。
㉛趙南星，《味檗齋文集》卷二〈再剖良心責己秉公疏〉。

第三節　東林黨議

明神宗貪婪而無止境，一部分內閣大學士和官吏委容轉圜其間；另一部分中下級官吏，在政治上受到排斥，他們看到明朝政治日趨腐敗，社會危機日益加深，要求改良政治，挽救危機。到萬曆中期以後，最終形成了以東林黨與其對立面各為一方的兩大政治派別，史稱「東林黨議」。

東林黨議的發軔，可以追溯到萬曆十五年（一五八七年）丁亥京察。當時左都御史辛自修主持北察的，得罪了閣臣，被劾罷歸。官員們大多噤聲不語，但也有少數人打抱不平，其中就包括後來成為東林黨首領的顧憲成。顧憲成（一五五〇－一六一二年），字叔時，南直隸無錫（今屬江蘇）人，萬曆八年進士，授戶部主事，後改吏部主事。他關心朝政，與同榜進士魏允中、劉廷蘭「以名相期許，慷慨論列」，「日評騭時事，居然華袞斧鉞一世」，人稱「三元會」㉜。張居正病重時，朝臣群起為之祈禱，顧憲成卻不肯參與，別人替他簽上名字，他竟一筆抹掉。顧憲成此次為辛自修鳴不平，亦無所顧忌，語侵閣臣，皇帝降旨切責，謫為桂陽州判官，遷處州推官，丁母憂服除，補泉州推官。舉公廉第一，擢吏部考功主事，歷員外郎。

萬曆二十一年（一五九三年）癸巳京察，則促成了東林黨的形成。此次主持察典的，是吏部尚書孫鑨、考功司郎中趙南星等人，他們為人正直，在京察中「秉公澄汰」，「一時公論所不予者，貶黜殆

㉜顧與沐，《顧端文公年譜》卷上。

盡」。就連孫鑨的外甥呂胤昌、趙南星的親戚王三餘，因不協人望，也被黜罷。這次考察，「斥政府私人殆盡」㉝，許多依附內閣的官員，包括大學士趙志皋之弟，皆被列入黜退名單，招致以王錫爵為首的內閣勢力的猛烈反擊，王錫爵「遂票旨切責吏部專權結黨」。最後，孫鑨被迫引退，趙南星被削籍為民，一些支持他們的官員也受到處罰。時任吏部員外郎的顧憲成，在考察中大力支持孫鑨、趙南星。趙南星被罷斥後，顧憲成上疏要求同罷，未得答覆。不久，顧憲成陞任文選郎中，他推舉的人，均不

京察

京察指對京官的考察。明代前期，對京官的考察未形成固定制度。弘治十七年（一五〇四年），經吏科給事中許天錫奏定，每六年一次考察京師和南京官員，於巳、亥年進行。屆時，兩京四品以上京官具疏自陳，由皇帝定其去留。五品以下官員，由吏部會同都察院考察，然後具冊奏請。考察由吏部尚書、都察院都御史、吏部考功司郎中共同主持，並密託吏科都給事中、河南道掌道御史咨訪。對被察官員分四等處分：年老有疾者致仕，疲軟無為和素行不謹者冠帶閑住，浮躁和才力不及者酌量調用，貪酷者為民。因於南、北兩京分別進行，故有南察、北察之分。

㉝張廷玉等，《明史》卷二二〇〈李世達傳〉。

東林書院舊址

為執政者所喜歡，次年終因推舉閣臣事，得罪神宗，被削職為民。顧憲成之弟顧允成，也一向直言敢諫，因京察後上疏力詆閣臣，被謫為光州判官，乾脆乞假回鄉，不再復出。癸巳京察是明後期黨爭演化過程中的一次標誌性事件，「門戶之禍堅固而不可拔，自此始也」㉞。

顧憲成自幼有志於學問，罷職回原籍後，更加悉心研究。無錫舊有東林書院，是宋代名儒楊時講道處。顧憲成與弟顧允成倡議修復東林書院，得到常州知府歐陽東鳳、無錫知縣林宰的支持。書院建成後，顧憲成兄弟「偕同志高攀龍、錢一本、薛敷教、史孟麟、于孔兼輩講學其中」，「當是時，士大夫抱道忤時者，率退處林野，聞風響附，學舍至不能容」。東林書院在講學之餘，「往往諷議朝政，裁量人物。朝士慕其風者，多遙相應和。由是東林名大著，而忌者亦多」㉟。近來有人不加細察，以為東林黨只講學問，不談政治，並不合乎歷史事實。

由於東林黨影響日大，前後被歸入其列者甚多。他們大多都獲得舉人以上頭銜並擔任過官職，顯然屬於「鄉紳」。但他們的家庭經濟狀況，卻處在鄉紳地主的中下層。晚明江南文獻中常有富戶、大

㉞張廷玉等，《明史》卷二二四〈孫鑨傳〉、卷二四三〈趙南星傳〉；文秉，《定陵註略》卷三〈癸巳大計〉。

㉟張廷玉等，《明史》卷二三一〈顧憲成傳〉。

戶、上戶、中戶、下戶之類的說法，但很少有人進行嚴格的階層界定，也缺乏統一的劃分標準。對鄉村秩序問題特別關注的晚期東林黨人陳龍正，在〈辛未均役條議〉中曾談到：擁有田地一千畝左右為富戶，二百畝左右為中戶，一百畝左右為中下戶，十五畝左右為下戶[36]。東林黨人擁有的家庭田產，絕大多數田產不過數十以至數百畝，超過千畝的寥寥無幾，不少人家還兼營工商業。參照陳龍正提出的標準，應當說絕大多數東林黨人都屬於中戶和中下戶；他們處在豪強地主和包括自耕農、半自耕農、佃農在內的下層民眾之間，是地域社會裡的「中等階層」。

當時以清流自命的士大夫，大多都希望成為東林黨的一員。而一些聲譽欠佳的官員，不可能為東林黨所接受，或因政見不同，與東林黨無法融洽共處，便也結成一個個黨派，有浙、齊、楚、宣、崑等黨，皆以首領之籍貫而得名。其中浙黨最有勢力，首領有沈一貫、方從哲，都先後出任過內閣首輔，是朝中的當權派人物。而齊黨領袖為亓詩教，楚黨領袖為官應震，宣黨領袖為湯賓尹，崑黨領袖為顧天峻。這些黨派儘管相互之間也會產生一些矛盾，但都「務以攻東林、排異己為事」[37]，在政治品格和攻擊目標方面都具有高度的一致性。

如果按照當時通行的倫理規範細加分辨，東林黨與其對立派的組成人員都有一定的複雜性：東林黨中有少數混入的奸邪之徒，其對立陣營中也有個別的正直之士。但總體看來，東林黨人大多以氣節自負，要求朝廷體恤民情民瘼，屬於政治上的清流派；而東林黨的對立面往往依阿皇帝以及內閣、宦

[36] 陳龍正，《幾亭全書》卷二七〈鄉籌五〉。
[37] 張廷玉等，《明史》卷二三六〈夏嘉遇傳〉。

官等當權勢力，不講是非曲直，屬於政治上的濁流派。正因如此，當時凡有清正之舉，人們便自然而然地將其歸入東林：「言國本者謂之東林，爭科場者謂之東林，攻逆奄者謂之東林，以至言奪情、奸相、討賊，凡一議之正，一人不隨流俗者，無不謂之東林。」[38]

兩大派別形成後，圍繞官員進退問題，曾展開激烈的鬥爭。萬曆三十七年（一六〇九年），內閣缺人，東林黨人建議閣臣不應只用翰林出身者，在外任官者亦可擢用，這實際上是為淮撫李三才入閣作鋪墊。李三才（？—一六二三年），字道甫，順天府通州（今屬北京）人。萬曆二年進士，累擢大理少卿。萬曆二十七年（一五九九年），以右僉都御史總督漕運、巡撫鳳陽諸府。他與顧憲成、高攀龍等東林人士交好，為官頗有膽識和才略，曾多次疏請停罷礦監稅使，關心百姓疾苦，「淮人深德之」。東林黨試圖讓李三才入閣，以更新朝政。但是浙黨反對李三才入閣，上疏彈劾李三才「大奸似忠，大詐似直」，並羅列他有貪、偽、險、橫四大罪。爭議開始後，顧憲成給大學士葉向高、吏部尚書孫丕揚寫信，為李三才延譽。信件被刻在邸抄中發表，於是反對派大嘩，謗議分起。神宗任其爭論，不置一言。李三才連上十五疏請辭，「久不得命，遂自引去」[39]。反對派仍不甘休，攻擊「顧憲成講學東林，遙執朝政，結淮撫李三才，傾動一時」[40]。

萬曆三十九年（一六一一年）辛亥京察，由吏部尚書孫丕揚、侍郎蕭雲舉和副都御史許弘綱主持，

[38] 黃宗羲，《明儒學案》卷五八〈東林學案〉。
[39] 張廷玉等，《明史》卷二三二〈李三才傳〉。
[40] 蔣平階，《東林始末》。

他們為人都比較正直。濁流派試圖藉京察打擊東林黨，「設詞惑丕揚，令發單咨是非，將陰為鉤黨計」。吏部侍郎王圖覺察到他們的陰謀，告知孫丕揚，遂未發單咨訪。孫丕揚等人排除各種阻礙，將許多奸邪官員，包括宣黨領袖湯賓尹、崑黨領袖顧天峻，都列入察單。於是濁流派起而疏攻孫丕揚等，「植黨求勝，朝端哄然」[41]。最終察疏得到批准，湯賓尹等被黜，東林黨獲得勝利。濁流派當然不甘心失敗，伺機報復。萬曆四十二年（一六一四年），浙黨首領方從哲成為首輔，東林黨處境更為不利。到萬曆四十五年丁巳京察，主持察典的吏部尚書鄭繼之、刑部尚書兼掌都察院事李鋕等，皆為浙、楚等邪黨人士，他們聯合打擊東林黨，「一時與黨人異趣者，貶黜殆盡，大僚則中以拾遺，善類為空」[42]。是時「齊、楚、浙三黨鼎立，務搏擊清流」，不但在朝東林黨人盡遭斥逐，「且及林居者」[43]。

東林黨議涉及到很多問題，其中有兩點特別值得重視：

一點是要求朝廷重視「公論」。由於東林黨經常批評內閣的政策，以致有學者認為東林黨就是「反內閣官僚的總稱」。的確，早在萬曆初期，後來成為東林黨人的一些官員就與首輔張居正展開抗爭；張居正時代結束後，雖然內閣的權威日益下降，但仍成為輿論的主要攻擊目標。王錫爵曾向顧憲成抱怨說：「內閣所是，外論必以為非；內閣所非，外論必以為是。」顧憲成則反唇相譏：「外論所是，內閣必以為非；外論所非，內閣必以為是。」[44]足見兩者對立程度之深。然而，如果僅僅將東林黨爭視

---

[41] 張廷玉等，《明史》卷二二四〈孫丕揚傳〉。
[42] 張廷玉等，《明史》卷二二五〈鄭繼之傳〉。
[43] 張廷玉等，《明史》卷二一八〈方從哲傳〉。

為一場反內閣的政治運動，就低估了它的歷史意義。事實上，東林黨人批評和抗爭的核心問題，是皇帝的專權。儘管在批評內閣集權時，東林黨人曾發出「夫權者人主之操柄也」的議論，但這決不意味著他們贊成君主任意專斷地行使權力，他們的理想是使「天下之公論」成為君主制的基本要素和施政基礎。在後面將要談到的「爭國本」中，東林黨之所以極力要求按照倫序冊立太子，就是因為這關乎皇帝是否遵守規則和尊重輿論。顧允成指出：「皇太子，國之本也；忠言嘉謨，國之輔也。兩者天下之公也。鄭妃即奉侍勤勞，以視天下，猶為皇上一己之私也。今也以私而掩公，以一己而掩天下，亦已偏矣。」㊺在東林黨人看來，天下並非是皇帝可以任意處置的私人家產，而是屬於天下人的，因此皇帝的所作所為不應拂逆天下人的意願。

另一點是關注民生疾苦。萬曆後期，神宗派遣礦監稅使到各地搜刮民脂民膏，給國計民生造成極大危害。對於這種肆意違背「公論」的掠奪性行為，東林黨人進行了猛烈抨擊。李三才在諫疏中激憤地質問說：「皇上愛珠玉，人亦愛溫飽；皇上憂萬世，人亦戀妻孥。奈何皇上欲黃金高於北斗，而不使百姓有糠秕斗升之儲？皇上欲為子孫千萬年，而不使百姓有一朝一夕之安？」㊻他還從君主職責的角度提出批評：「夫『天佑下民作之君』，君固民之主也；『得乎丘民而為天子』，則民又君之主也。若休戚不關，威力是憑，孤人之子，寡人之妻，析人之產，掘人之墳……即在敵國仇人有所不忍，況

㊹黃宗羲，《明儒學案》卷五八〈端文顧涇陽先生憲成〉。
㊺顧允成，《小辨齋偶存》卷一〈廷試制科〉。
㊻談遷，《國榷》卷七八。

吾衽席無辜之赤子哉！」⑰像李三才這樣對派遣礦監稅使提出反對意見的東林黨人，據統計有數十人之多。除了上疏諫阻外，一些東林黨人還參與了實際行動。如在湖廣，屬於東林黨的襄陽推官何棟如、與東林黨關係密切的武昌兵備僉事馮應京因反對稅監陳奉殘剝商民，被逮捕入獄；而先後擔任巡撫的支大可、趙可懷都屬於浙黨，他們助紂為虐，結果先後遭民變衝擊，支大可的轅門被焚，趙可懷則被毆殺。

對於東林黨議，自晚明以至當代，始終存在著不同的看法。一些評論者對兩派皆持否定態度，因為在他們看來，東林黨與其對立陣營都是既有君子也有小人，兩派之間的混鬥不過是無補於國事的意氣之爭，根本就沒有是非曲直可言。這種貌似公允的評論，曾被魯迅譏諷為「瑜中求瑕，屎裡覓道」，他深刻地指出：「苛求君子，寬縱小人，自以為明察秋毫，而實則反助小人張目。」⑱客觀地說，儘管東林黨議存在著很大的侷限性，但決不能忽視或否定其正面價值。東林黨反對君主濫用權力，關心吏治和民生問題，支持賦役改革，順應了歷史前進的正確方向。通過東林黨議，「公論」的性質和價值得到深刻闡發，為黃宗羲的《明夷待訪錄》提供了重要的思想資源。

---

⑰顧秉謙等，《明神宗實錄》卷三四九〈萬曆二十八年七月〉。
⑱魯迅，〈題未定草(九)〉，《且介亭雜文二集》，人民出版社，一九五八年。

第四節　爭國本與梃擊案

中國古代有「太子者，國之根本」之說，所以萬曆年間圍繞立太子問題發生的爭議，被稱為「爭國本」。它也是東林黨議的重要內容之一。在這場鬥爭中，要求皇帝保證法定嗣君繼承權的抗爭，與不同政治派別之間的爭鬥交織在一起，其情形錯綜複雜。

神宗的長子朱常洛，是他與宮女王氏一次偶然關係的產物。王氏原為慈寧宮女，萬曆九年（一五八一年）的一天，神宗來到慈寧宮，恰好慈聖太后不在，王氏端水讓他洗手，他一時興起，遂私幸之。王氏受孕，太后察覺後，詢問神宗，他卻不肯承認。太后命人取來《內起居注》，神宗見隱瞞不住，只得勉強承認，後封王氏為恭妃。次年八月生下一子，即皇長子朱常洛。當時宮中稱宮女為「都人」，神宗因朱常洛是「都人子」，對他的出生並未感到欣喜。

此時神宗身邊妃嬪眾多，其中最使他迷戀的是鄭氏。鄭氏萬曆初入宮，早年曾讀書識字，粗通文墨，深得神宗寵愛。萬曆十年（一五八二年）封淑妃，次年進封德妃，不久因誕生皇女進封貴妃。萬曆十四年（一五八六年）正月，鄭氏也生一子，取名常洵。朱常洵按序為神宗三子，但因次子早殤，所以實為第二子。鄭氏生子，神宗大喜，欲進封其為皇貴妃。這與對恭妃的冷淡態度，形成鮮明對比。很快，一個流言就傳播開來，說是神宗與鄭貴妃曾到大高玄殿禱神盟誓，相約立朱常洵為太子，神宗還將密誓御書於紙，封緘在玉匣中，由鄭貴妃保存以作信物。

這種傳言，引起朝臣的極大不安。萬曆十四年（一五八六年）二月三日，首輔申時行上疏，列舉英宗二歲、孝宗六歲、武宗一歲被立為皇太子的先例，要求冊立皇長子為太子，神宗批示說：「元子嬰弱，少俟二三年舉行。」㊾這種答覆加重了群臣的疑慮和不滿，於是科道官紛紛疏請冊立東宮，其中戶科給事中姜應麟措辭尤為激烈，他寫道：

> 禮貴別嫌，事當慎始。貴妃所生陛下第三子，猶亞位中宮；恭妃誕育元嗣，翻令居下。揆之倫理則不順，質之人心則不安，傳之天下萬世則不正，非所以重儲貳、定眾志也。伏請俯察輿情，收還成命。其或情不容已，請先封恭妃為皇貴妃，而後及於鄭妃，則禮既不違，情亦不廢。然臣所議者末，未及其本也。陛下誠欲正名定分，別嫌明微，莫若俯從閣臣之請，冊立元嗣為東宮，以定天下之本，則臣民之望慰，宗社之慶長矣。

此疏遞入後，神宗震怒，將奏疏扔在地上，對身邊宦官說：「冊封貴妃，初非為東宮起見，科臣奈何訕朕！」說罷用手連連拍案。不久降旨：「貴妃敬奉勤勞，特加殊封。立儲自有長幼，姜應麟疑君賣直，可降極邊雜職。」於是姜應麟謫為大同廣昌典史。吏部員外郎沈璟、刑部主事孫如法又相繼上言，也受到處罰。兩京官員紛紛上疏申救，神宗一概不省。三月二日，神宗正式冊封鄭貴妃為皇貴妃，以示不肯退讓。但神宗處罰姜應麟的諭旨，也留下一個口實，「自後言者蠭起，咸執『立儲自有長幼』之旨，以責信於帝。帝雖厭苦之，終不能奪也」㊿。

㊾谷應泰，《明史紀事本末》卷六七〈爭國本〉。

此後官員不斷請求冊立太子，神宗有時不予理睬，有時以「長子猶弱」等為藉口搪塞。萬曆十八年（一五九〇年）十月，朝臣又掀起一個要求立儲的高潮，內閣大臣除合疏以爭外，還杜門請辭，向神宗施加壓力。神宗只好遣內侍向閣臣傳語說：「期以明年春夏，廷臣無所奏擾，即於冬間議行，否則待（皇長子）逾十五歲。」不久又傳諭「二十年春舉行」。神宗並不想真正舉行冊立之典，他這樣說只是緩兵之計，藉以暫時逃避群臣的奏擾。到次年八月，神宗答應的冊立日期臨近，必須有所準備。工部主事張有德疏請「預備儀物」，神宗指責張有德違背不准「奏擾」之約定，罰俸三月，並命冊立「展期一年」。當時首輔申時行正請辭待命，次輔許國等具疏請建儲，循例將申時行之名列於疏首。神宗見疏更怒。申時行急忙另寫密揭辯白，說自己並不知同官上疏事。按照慣例，閣臣密揭皆留中不發，神宗卻破例將密揭發出。這實際上是把申時行陰陽兩面的醜態，暴露於眾人面前。於是科道官交章彈劾申時行，謂其「陽附廷臣請立之議，而陰緩其事，以為自交宮掖之謀」。這些彈劾者雖都受到處罰，但申時行已名譽掃地，無法在首輔位子上待下去，只得辭職回籍(51)。此後數月，凡有疏言此事者，或罷官，或降調，給事中孟養浩則被廷杖一百，削籍為民。

萬曆二十一年（一五九三年），原大學士王錫爵被召回出任首輔。他到任後，勸誡言官不要再涉及建儲事，並說「閣中自當一力擔當」。他具密揭請冊立太子，此時神宗已想出藉口。他派人到王錫爵私宅，援引《皇明祖訓》中「立嫡不立庶」之規定，說自己之所以遲疑不決，是因為皇后年紀尚少，還

㊿張廷玉等，《明史》卷二三三〈姜應麟傳〉。

(51)張廷玉等，《明史》卷二三三〈羅大紘傳〉。

有誕生嫡子之可能，不如將現存三子「俱暫一併封王」，數年後如皇后無出，再行冊立。王錫爵「懼失上指」，立即奉旨草擬了一道諭旨；但他又「外慮公論」，建議仿照漢明帝馬后、唐明皇王后、宋真宗劉后之先例，讓皇后撫育皇長子，也草擬了一道諭旨。神宗採用的自然是第一道諭旨。於是舉朝大嘩，朝臣們紛紛上疏反對，許多人還在朝房或到王錫爵私宅面爭。王錫爵見勢不妙，也偕其他閣臣疏請收回前詔。在強大輿論的壓力下，神宗收回三王並封之諭旨，但同時也令冊立之事「少俟二三年議行」[52]。

神宗不冊立朱常洛為太子，對其教育也漠不關心，遲遲不肯讓他出閣讀書。萬曆二十一年（一五九三年）八月，彗星入紫微垣，這在當時被視為不吉之兆。王錫爵密言「方今禳彗第一義，莫如冊立」[53]。十一月，王錫爵藉被召見機會，力請早定國本。神宗仍以老藉口推搪：「中宮有出，奈何？」王錫爵對曰：「此說在十年前猶可，今元子已十三，尚何待？況自古至今，豈有子弟十三歲猶不讀書者！」神宗聽後有些感動。退後，王錫爵又上疏力請，疏中說：「外廷以固寵陰謀，歸之皇貴妃，恐鄭氏舉族不得安。惟陛下深省。」神宗「心益動」，其他閣臣也上疏力請，數日後，神宗下旨，令皇長子明年春出閣講學。這些舉措，說明「爭國本」已轉入一個新階段：其一，王錫爵由順從神宗到不斷力請，說明外廷輿論在此事上已完全達到一致，「公論」已占據了絕對的道德優勢；其二，神宗允許皇長子出閣講學，說明他認識到冊立皇長子為太子，已成難以逆轉之趨勢。

[52] 張廷玉等，《明史》卷二一八〈王錫爵傳〉。
[53] 顧秉謙等，《明神宗實錄》卷二六三〈萬曆二十一年八月〉。

此後對於冊立太子事宜，神宗仍長期拖延不辦。直到萬曆二十九年（一六〇一年），這一問題才得到解決。神宗答應舉行冊立，除了廷臣不斷疏爭外，還因為他對鄭貴妃產生了不滿。據記載，是年神宗患病曾短暫昏迷，醒後發現枕在王恭妃臂上，王氏面有戚容，淚痕猶濕，派人去偵看鄭貴妃，她正暗中有所佈置，神宗「由是蘊怒貴妃」。以前神宗與諸皇子宴，各有所賜，賜給朱常洛的玉碗，讓鄭貴妃代為收藏。此時神宗想起此事，突然索要玉碗，年月已久，鄭貴妃想不起放在何處；神宗又索要賞賜給朱常洵之物，鄭貴妃竟隨手而進。神宗大怒，遂傳旨禮部速議冊立儀制[54]。不過，事情過後，神宗又有些後悔，藉口典禮未備，想更改冊立日期，時任首輔的沈一貫封還諭旨，不肯奉詔。慈聖太后聽說此事，詢問神宗為何遲遲不肯冊立，神宗脫口而出：「彼都人子也。」慈聖太后也是宮女出身，聞言大怒曰：「爾亦都人子！」神宗惶恐，伏地不敢起，立儲之事遂最後確定下來[55]。是年十月十五日，正式冊立朱常洛為皇太子，封朱常洵為福王，其他皇子也同日封王。

朱常洛雖成為皇太子，日子仍不好過，終日生活在憂懼中。神宗對福王卻寵愛有加，不僅在經濟上厚加賞賜，還長期將他留居京城。於是朝臣又不斷上疏要求福王就藩，神宗則遷就鄭貴妃，一味拖延。萬曆四十一年（一六一三年），錦衣衛百戶王日乾到皇城放炮上疏，聲稱鄭貴妃宮中內侍姜嚴山等，請妖人王三詔詛咒皇太子，並刻皇太后、皇上木像以釘釘之。神宗見疏極為憤怒，繞殿行半日，左右莫敢近前。大學士葉向高上疏，謂此疏「不宜發，發則上驚聖母，下驚東宮，貴妃、福王皆不

[54] 文秉，《先撥志始》卷上。
[55] 張廷玉等，《明史》卷一一四〈孝定李太后傳〉。

安」，建議詔諭法司究治諸奸人罪，速定福王就國之期，神宗盡用其言。鄭貴妃不欲福王離開，稱明年值太后七十大壽，福王宜留京慶賀。神宗令內閣宣諭，葉向高封還手諭。太后得知欲留福王，亦不悅，說：「吾潞王亦可來上壽乎？」神宗和鄭貴妃無奈，只得於萬曆四十二年（一六一四年）令福王出京到洛陽就藩[56]。

一波未平，一波又起。萬曆四十三年（一六一五年）五月初四日，有個叫張差的男子，手持木梃，闖入太子所居慈慶宮，一直打到殿前簷下，被太監韓本等擒獲，史稱「梃擊案」。神宗令有關部門審問。浙黨成員巡視皇城御史劉廷元審問後報告說：張差「止稱吃齋討封，語無倫次，按其跡若涉瘋癲，稽其貌實係黠猾，請下法司嚴訊。」刑部郎中胡士相亦係浙人，且與劉廷元是兒女親家，與員外郎趙會楨、勞永嘉共訊後，附和劉廷元意指，坐實瘋癲之說。東林黨人刑部提牢主事王之寀覺得其中頗有蹊蹺，借職務之便私詰張差，張差說出係受人支使，且有人將他引至宮門。王之寀遂疏奏張差「不癲不狂，有心有膽」。因事關重大，刑部會十三司共鞫，張差供出支使之人，並說出龐保、劉成之名，此二人都是鄭貴妃宮中太監。於是人言恟恟，許多人將矛頭對準鄭貴妃之兄鄭國泰。

事情到了這一步，神宗諭令鄭貴妃善自為計，鄭貴妃無奈，向皇太子乞哀。神宗也親自慰諭太子，讓太子出面宣諭廷臣。是月二十八日，神宗與皇太子一起在慈寧宮召見群臣，諭令將張差、龐保、劉成磔殺，勿牽連他人，並拉著太子之手說：「此兒極孝，我極愛惜。」又表白說：「自襁褓養成丈夫，使我有別意，何不早更置？且福王已之國，去此數千里，自非宣召，能翼而至乎？」又命內侍引三皇

[56] 谷應泰，《明史紀事本末》卷六七〈爭國本〉；《明史》卷二四〇〈葉向高傳〉。

孫至石級上，令諸臣熟視，曰：「朕諸孫俱長成，更何說？」接著問太子有何話說，太子回答：「瘋癲之人宜速決，毋株連。」又責備群臣：「我父子何等親愛，而外廷議論紛如，爾等為無君之臣，使我為不孝之子。」事已至此，也就不可能再深究下去，於是草草結案，將張差磔死，至於龐保、劉成，因事涉鄭貴妃，神宗不願付之外廷，遂在內廷潛斃之[57]。因其疑竇重重，此案結束後，各種議論仍一直不斷出現。

「爭國本」與嘉靖年間的「大禮議」一樣，也是圍繞帝系承傳的宗法原則展開的爭論。但神宗卻無法獲得像「大禮議」中的「孝」那樣的倫理支撐，因而不可能有人冒天下之大不韙公開支持皇帝。所以，神宗最終只好放棄自己的想法，這在某種程度上可以說是儒家之道對帝王之勢的一次勝利。這場政治抗爭的性質，決定了不能將它完全放到黨派對立的框架中加以理解。因為在「國本」問題上，雙方並無什麼原則分歧。但雙方為了壓制對方，往往借題發揮，相互攻擊。因此，「爭國本」加劇了官僚集團的分裂，並在後來成為黨爭的主要口實。這一方面是因為最積極地參與「爭國本」的官員後來大多成為東林黨人，以致有人將東宮太子朱常洛和東林黨分別稱為「大東」和「小東」；另一方面是因為閣臣為維持與皇帝的良好關係，往往表現得態度消極或曖昧，以致引起輿論的強烈指責，從而激化了官僚集團內部的對立情緒。

[57] 張廷玉等，《明史》卷二四四〈王之寀傳〉。

第十八章 邊疆與民族問題的新挑戰

第一節 寧夏之役與播州之役

萬曆年間，有所謂「三大征」之說，指寧夏之役、播州之役和抗倭援朝之役。三次戰爭的性質各不相同，當時人不察，將其硬湊並稱。三次戰役都獲得勝利，但也耗費了大量人力物力，成為國庫空虛、財政拮据的重要原因之一。

隆慶到萬曆初年，明朝國庫充裕，軍事振興，邊疆比較安定。但自神宗親政以來，綱紀廢弛，朝政日非，社會動盪波及到各個階層。邊疆地區潛在的不穩定因素，也逐漸表面化。萬曆十七年（一五八九年）三月，雲南騰衝、姚安二營士兵因將領偏袒、索餉不得，發生了嘩變。他們衝出兵營，沿途劫掠，包圍了永昌城。隨後又轉擊寧州、武定、臨安、尋甸等地。幾個月後，局勢才平定下來。到萬曆中期，在民族關係比較複雜的西北和西南地區，終於爆發了分別以哱拜、楊應龍為首的大規模叛亂。

明代經過穆宗朝和神宗初年的努力，基本上確立了與蒙古的和睦關係。不過這種關係在局部地區又往往相對脆弱。哱拜是蒙古韃靼部人，嘉靖中，因得罪酋長，父兄被殺，投奔明朝。他智勇雙全，屢立戰功，陞至都指揮，萬曆十七年（一五八九年）加授寧夏副總兵。隨著個人勢力的不斷膨張，哱拜逐漸萌生了不臣之心。他的兒子哱承恩、哱承寵等也都是驕悍跋扈的將領。萬曆十九年（一五九一年），哱拜奉調抵禦外族入侵，發現自己的勢力遠在其他諸鎮之上，更加不可一世。巡撫黨馨對哱拜有意裁抑刁難，令他懷恨在心。萬曆二十年（一五九二年）二月，哱拜看到明政府日益腐朽，於是利用軍隊下層的不滿情緒，挑唆激變，殺掉巡撫都御史黨馨、副使石繼芳，據城反叛；同時又假意請求招安，藉以緩和局勢。消息傳到北京，並沒有立即引起神宗的警惕。他下詔安撫叛軍，任命陝西按察副使朱正色為右僉都御史，巡撫寧夏。然而哱拜等人得寸進尺，提出只有按照他們的要求授予官職，世守寧夏，才肯歸降。他們又勾結河套部眾為援，連續進攻，氣焰囂張，整個陝西都為之震動。

神宗接到總督魏學曾的報告後，詔令魏學曾趕赴寧夏，控制局面，並調協守洮岷副總兵董一奎為征西將軍，鎮守寧夏。三月十三日，兵部建議懸賞捉拿叛亂首領，並且允許他們自相擒獻，以此贖罪。明軍在魏學曾的指揮下與叛軍發生激戰，卻沒有很快取得決定性的優勢，對寧夏一城更是久攻不克。朝廷調集了各路軍馬增援。六月，神宗賜給魏學曾尚方寶劍，加重職權，同時也責備他討賊迄無成效，反而引起蒙古入侵。當時，明軍各部剛剛彙齊，缺乏糧餉，士氣不高，戰事進行得並不順利。七月底，神宗力求改觀局面，他罷免魏學曾，改任巡按寧夏右副都御史葉夢熊為兵部右侍郎，總督陝西三邊軍務。提督李如松設伏擊退蒙古騎兵，一直追奔至賀蘭山，從此阻斷了他們與寧夏叛軍的聯繫。九月，明軍全力進攻寧夏城，占領了南城。哱拜諸人事急變生，自相殘殺。最後，哱拜自縊死，葉夢熊「下令盡誅（哱）拜黨及降人二千」，哱承恩等則被縛送京師處死①。

哱拜希圖重新挑起蒙漢對立，破壞俺答封貢後的蒙漢和睦關係，以達到自己割據一方的目的，倒行逆施，不得人心，終於徹底失敗。

明朝政府沿襲元代制度，在雲、貴、兩廣地區設置土司，目的是通過少數民族首領來統治各族人民。但是土司與明政府之間也存在矛盾和摩擦，時而發生叛亂。播州土司楊應龍就是這樣。

播州，秦朝時為夜郎國且蘭地，漢屬牂牁郡，唐貞觀中改稱播州，一度為南詔攻陷，太原楊氏收復其地，世守播州，直到明代。楊氏家族擁眾據險，與中央政府若即若離，內部權力鬥爭也非常激烈。楊應龍在隆慶六年（一五七二年）襲任父職。他為人雄猜，好勇鬥狠，從征多年，戰功顯赫。萬曆十五年（一五八七年），他進貢大木十車，贊助皇家工程，受到神宗的嘉許，特賜大紅飛魚服和都指揮使銜。他看到四川明軍戰鬥力很差，每有戰事，多倚重土司，於是驕傲放縱，專制一方，一味地以殺戮樹立聲威。萬曆十八年（一五九〇年），貴州巡撫葉夢熊上疏，要求發兵征剿楊應龍。但是四川巡撫李尚思和巡按李化龍則持反對意見，因為四川與播州相鄰，地方上還要借重於楊應龍的勢力。地方大員意見不一，朝廷也未能果斷作出決策。楊應龍反而趁此機會，坐大一方，更加兇悍難制。直到萬曆二十一年（一五九三年）十一月，新任四川巡撫王繼光奏報楊應龍抗旨不遵，而且虐待當地百姓，修繕兵器，圖謀不軌；貴州巡撫林喬相也揭發他的罪惡，請求正法。神宗於是下令相機行事，將楊應龍擒拿治罪，而不得濫殺無辜。

次年三月，楊應龍率眾抗拒官兵，反形畢露。神宗命四川、貴州兩省合力進剿。平定播州的戰事正式爆發。王繼光派總兵劉承嗣進攻，別以都司王之翰、副總兵曹希彬、參將郭成分兵至白石關。楊

①谷應泰，《明史紀事本末》卷六三〈平哱拜〉。

應龍狡猾多端，假意投降明軍，然後發起突然襲擊，明軍大敗。與此同時，貴州方面的軍隊也戰敗撤退。明軍出師不利。楊應龍趁機上書，為自己鳴冤，請求戴罪立功。神宗恨他反覆，拒絕了這一要求，以邢玠為兵部左侍郎兼右副都御史，總督四川、貴州軍事。邢玠來到四川，發現形勢極端複雜，不易根治，仍然滿足於對楊應龍革職罰金了事。楊應龍故技重演，偽裝認罪。在這一折衝中，明政府方面沒有任何實質性的收穫。而楊應龍又一次逃脫了嚴懲，氣勢愈加猖獗。他派兵扼守險要，與朝廷抗衡；入侵貴州、湖廣等地，大肆劫掠，蹂躪鄉民，對心懷不滿的人殘酷報復。明政府終於忍無可忍，從萬曆二十七年（一五九九年）開始，組織各路軍隊，對楊應龍展開大規模的全面圍剿。一時名將如劉綎、麻貴等人全部披甲上陣。神宗此次明確表示：「楊應龍怙惡，亟宜問罪。朕心獨斷，更無矜疑。一切兵餉事宜，不時開請裁奪。軍中用人務求實用，談士遊徒、糜財無益之輩，勿得濫收。」萬曆二十八年（一六〇〇年）二月，明軍在總督李化龍的指揮下，分兵八路，分別由四川、湖廣和貴州大舉進攻。劉綎曾經駐川多年，非常熟悉楊應龍的情況，他率部進軍綦江，連戰連捷，與其他各路配合，直搗叛軍巢穴海龍囤。六月六日，明軍一舉攻克海龍囤。楊應龍自殺，播州宣告平定。明政府在當地實行「改土歸流」。十二月，改播州為遵義、平越二府，分屬四川和貴州布政司管轄②。

播州之役歷時十餘年，用兵三十餘萬，耗費國庫銀八百餘萬兩，「幾舉海內之全力」③。但通過這一戰役，明朝也徹底剷除了當地騷亂的禍根。正如瞿九思《萬曆武功錄》中所評價的那樣：「自古西

②谷應泰，《明史紀事本末》卷六四〈平楊應龍〉；張廷玉等，《明史》卷三一二〈四川土司傳〉。

③夏燮，《明通鑑》卷六九。

南夷中，我師未嘗大得志……楊酋流毒土司，血濺千里……督臣運籌決勝，直犁其庭，掃其間，郡縣而置之。此唐宋以來一大偉績也。」

第二節　抗倭援朝戰爭

就在明朝忙於應付國內形勢變化之時，國際形勢也出現了前所未有的危機。自嘉靖末年以來，鄰國日本封建主豐臣秀吉戰勝了四國、北國、奧羽、關東及九州各地諸侯，逐步統一了日本列島。他於日本天正十三年，即明萬曆十三年（一五八五年）出任關白，就是輔佐天皇、總理國政的最高行政長官，實際上就是日本最高統治者。他以強勁的軍事實力作為後盾，萌發了吞併朝鮮、入侵中國，以建立一個龐大帝國的野心。為此他處心積慮，進行了周密策劃。他召問過去的倭寇餘黨，了解到明人畏懼倭人，於是氣焰更加囂張，「益大治兵甲，繕舟艦。與其下謀，入中國北京者用朝鮮人為導；入浙、閩沿海郡縣者用唐（明）人為導」④。他擔心琉球洩露其侵略計畫，不讓琉球人前來入貢。琉球和朝鮮都曾向明朝通報過日本的軍事動向，卻沒有引起明政府的重視。直到戰爭爆發前半年，萬曆十九年（一五九一年）十一月四日，朝鮮國王李昖具報：「本年五月內，有倭人僧俗相雜，稱關白平秀吉（即豐臣秀吉）併吞六十餘州，琉球、南蠻皆服。明年三月間，要來侵犯，必許和方解。」⑤明朝這才有

④張廷玉等，《明史》卷三二二〈日本傳〉。
⑤顧秉謙等，《明神宗實錄》卷二四二〈萬曆十九年十一月〉。

所警覺，下令加強沿海防務。但是，無論中國方面，還是朝鮮方面，備戰工作都遠未充分，以致在日軍的突然進攻下措手不及。

萬曆二十年（一五九二年）四月，豐臣秀吉發動侵朝戰爭，史稱為「壬辰倭禍」。日軍由釜山登陸，迅速攻陷王京，占領平壤，朝鮮八道幾乎全部淪喪。朝鮮國王李昖向明朝告急求救。明廷起初猶疑不定，隨著朝鮮戰局進一步惡化，日軍大有渡過鴨綠江西進之勢，這才感到唇亡齒寒，決定派兵援救。不過，在此期間，寧夏哱拜、播州楊應龍的叛亂相繼爆發。兵部尚書石星是個無能之輩，面對兩線作戰的形勢，感到窮於應付。這種情況從根本上影響了神宗在對日決策方面時戰時和，缺乏一貫性，造成援朝抗日的戰局長期不能明朗。

在明軍入朝作戰的同時，石星委派浙江嘉興人沈惟敬與日軍交涉。八月二十九日，沈惟敬與倭將小西行長會於平壤。行長謊稱希望明朝方面按兵不動，日軍不久即將撤還，並提出以大同江為界，平壤以西屬朝鮮。沈惟敬帶著這個談判結果回到北京。朝議普遍認為日方變詐莫測，應當集中兵力，以求速戰速決。於是以兵部侍郎宋應昌為經略，都督李如松為提督，於十二月二十六日率師東渡鴨綠江。

萬曆二十一年（一五九三年）正月八日，明軍攻克平壤。在這場戰鬥中，李如松身先士卒，將士以一當百，奮勇殺敵，日軍敗逃王京。朝鮮郡縣如黃海、平安、京畿、江原四道全部收復。明軍連勝之後，產生了輕敵的情緒。二十七日，李如松輕信日軍已經撤離王京的消息，帶領少數人馬來到距王京二十里的碧蹄館，遭到日軍圍攻，損失官兵數百名，只得退守開城，重新佈置戰守事宜。他探聽到日軍在龍山屯積了大批糧餉，遂選勇士深入敵後，縱火焚燒，日軍乏食，士氣低落。日軍主將小西行長為求得喘息機會，寫信給沈惟敬，試探明朝態度。兵部尚書石星與經略宋應昌均主張議和，遂派遊擊周弘謨與沈惟敬前去談判。明朝要求日軍「獻王京，返王子」，日軍於四月十八日撤出王京，退至釜山一帶。在與日軍談判時，沈惟敬利用雙方語言不通之便，上下欺瞞，左右討好，因此明朝並不了解真實情況。萬曆二十二年（一五九四年）九月，明朝與日軍簽訂了停戰和約。神宗下令撤還明軍，不少官員表示反對，就連主張議和的經略宋應昌也上疏說：「釜山雖瀕南海，猶朝鮮境。有如倭覘我罷兵，突入再犯，朝鮮不支，前功盡棄。」⑥神宗不理，明軍大部撤回。

日軍假意與明朝議和，實際上是要爭取時間，重新積聚軍事力量。萬曆二十五年（一五九七年），豐臣秀吉增兵朝鮮，再一次挑起戰端，史稱「丁酉倭亂」。神宗令將石星和沈惟敬下獄按問，陞兵部左侍郎邢玠為兵部尚書兼都察院右副都御史，總督薊遼、保定軍務，命僉都御史楊鎬為經略，麻貴為備倭大將軍，再次出兵援助朝鮮。六月，大批日軍乘船渡海，分泊釜山、加德、安骨等地，步步北進。八月，南原、全州相繼失陷，日軍緊逼王京。邢玠親赴王京前線鼓舞士氣，雙方在王京、慶州、蔚山一帶展開拉鋸戰。十二月，邢玠、楊鎬和麻貴共議進兵方略，決定分四萬人為三協，合攻蔚山。楊鎬部裨將陳寅身先士卒，冒彈矢衝擊，已破兩重柵寨，楊鎬卻心生妒嫉，不願裨將立大功，突然鳴金收兵，日軍遂閉城不出，等待援軍。明軍圍攻十晝夜不克，日軍援軍驟至，楊鎬大懼，狼狽而逃，士卒死亡將近兩萬。明軍只得全部退守王京。朝廷罷免楊鎬，以天津巡撫萬世德為經略。

日軍占據朝鮮南海，東西亙八九百里，便於舟師活動，而明軍卻缺乏水師支援。邢玠增募江南水兵，增強水軍力量。內地增派的援軍，也陸續抵達朝鮮。萬曆二十六年（一五九八年）二月，邢玠分

⑥谷應泰，《明史紀事本末》卷六二〈援朝鮮〉。

兵四路，向日軍發動進攻，日軍亦分三路駐紮抵禦，雙方互有勝負。七月九日，豐臣秀吉病死，日本內部權力鬥爭加劇，在朝日軍也無心戀戰。中朝軍隊抓緊時機，攻擊日軍。九月，明軍分兵四路，水陸並進，節節勝利。十一月中旬，明軍副總兵鄧子龍和朝鮮統制使李舜臣，在東南露梁海面邀擊撤退的日軍，雙方展開激戰，日本水師幾乎全軍覆沒，餘者狼狽逃歸日本，而鄧子龍、李舜臣亦壯烈犧牲。抗倭援朝取得了最後的勝利。

在抗倭援朝戰爭中，明朝損失了巨大的人力物力。清人曾評價說：「自倭亂朝鮮七載，喪師數十萬，糜餉數百萬，中朝與屬國迄無勝算，至關白死而禍始息。」⑦面對財政困窘的局面，統治者只能多方搜刮民脂民膏，激化了社會矛盾，加速了明朝的滅亡。

第三節　努爾哈赤的崛起

萬曆三大征後，神宗長時間陶醉於勝利之中，朝政日益荒怠，不問邊計。特別是對建州女真弄兵塞外，蠶食坐大，竟不以為意。

明朝在東北的統治中心是遼東地區。這一地區邊牆近二千里，城鎮一百二十餘處，與蒙古、女真相毗鄰，軍事防務十分重要，當時有「京師肩臂」之稱。從洪武初年至萬曆初年，遼東局勢基本穩定，直到努爾哈赤在建州崛起，形勢才開始緊張起來。努爾哈赤（一五五九－一六二六年），姓愛新覺羅，

⑦張廷玉等，《明史》卷三二〇〈朝鮮傳〉。

努爾哈赤像

號淑勒貝勒，出生在明建州左衛赫圖阿拉城（今遼寧新賓）。他的祖父覺昌安、父親塔克世均為明朝的地方官。努爾哈赤也曾在明遼東總兵李成梁部下贊畫軍務，史書上稱其「多智習兵」。不幸的是，萬曆十一年（一五八三年），明軍在鎮壓建州右衛古勒城主阿臺的叛亂中，誤將隨軍前往招降的覺昌安和塔克世殺死。為了安撫努爾哈赤，明朝給予敕書三十道、馬三十匹作為補償，並命他承襲父職，任建州左衛指揮。努爾哈赤曾八次到北京朝貢，取得了朝廷信任，職務也由指揮陞任都督僉事、左都督，直到龍虎將軍。努爾哈赤用了三十年的時間統一女真各部，並於萬曆四十四年（一六一六年）正月宣佈獨立，建立「大金」（史稱後金）政權，改元天命，定都赫圖阿拉，成為與明朝中央政府相對抗的地方政權。

明朝統治集團內部比較有遠見的人士，早就從努爾哈赤的崛起中覺察出遼東潛在的危機。早在萬曆十五年（一五八七年），遼東巡撫顧養謙就上疏強調：努爾哈赤「益驕而為患，乞行撫按查勘，相機處分。」⑧神宗不以為然，敷衍了事。萬曆三十七年（一六〇九年），東林黨人大學士葉向高指出：「今日邊事，惟建夷最為可憂；九邊空虛，亦惟遼左為甚。」⑨遼東巡撫熊廷弼、淮撫李三才也上疏

⑧顧秉謙等，《明神宗實錄》卷一九二〈萬曆十五年十一月〉。

痛陳「遼弊已極」、「遼左阽危」。對於這些建議，神宗置若罔聞，昏聵如故。萬曆四十五年（一六一七年）丁巳京察後，浙黨控制了朝局，東林黨人盡遭排斥。當時的形勢是浙黨方從哲獨握閣權，齊黨亓詩教、趙興邦分佈要津，「凡疆圉重臣，皆賄賂請托而得」⑩。神宗的昏聵，邪黨的專權，當然不會對遼東局勢有所補救，只會使危機日益加深。

萬曆四十六年（一六一八年）四月，努爾哈赤以「七大恨」告天，聲稱要為祖、父報仇，率先向明朝發動進攻。後金軍很快攻陷撫順，明守將中軍千總王命印戰死，遊擊李永芳投降。撫順失守，才使神宗從醉夢中醒來，認識到「遼左失陷城堡，隕將喪師，損威殊甚」，諭令督撫各官、沿邊將士「亟圖戰守長策，各處城堡，都要用心防守，遇有虜警，並力截殺，務挫狂鋒，旦夕經略出關，援兵四集，即合謀大彰撻伐，以振國威」⑪。此時神宗並不了解實際情況，他過高地估計了自己的力量，過低地估計了後金的力量，以為努爾哈赤不過像哱拜、楊應龍一樣，只要大兵壓境，勢必土崩瓦解。此時內閣中只有浙黨首領方從哲一人，他積極支持神宗的方略，希望速戰速勝，以鞏固自己在朝中的地位。他推薦與自己關係密切的楊鎬為兵部左侍郎兼右僉都御史，經略遼東。楊鎬曾在朝鮮戰場上喪師辱國，缺乏軍事才能。神宗採納了方從哲的建議，並賜給楊鎬尚方寶劍。

表面上看，神宗似乎非常重視遼東戰事，其實不然。遼東用兵，勢必要增加兵餉。戶部尚書李汝

⑨顧秉謙等，《明神宗實錄》卷四六四〈萬曆三十七年十一月〉。
⑩張廷玉等，《明史》卷二三五〈蔣允儀傳〉。
⑪顧秉謙等，《明神宗實錄》卷五六九〈萬曆四十六年閏四月〉。

華請發內帑，被神宗斷然拒絕。李汝華又請借南京部帑，發各省稅銀，亦被拒絕。不得已，戶部援引征倭、征播之例，請加派田賦，除貴州外，每畝增銀三厘五毫，可得餉二百萬。此議一上，神宗當即批准，下詔說：「遼左虜氛未息，軍餉不敷，照例暫於各省直田畝量行加派，事寧即為停止。」⑫此例一開，乃不可止，明年復議益兵增賦如前，又明年畝增二厘，可得銀一百二十萬。總計三次增賦，共徵銀五百二十餘萬，遂以此為歲額，年年如數催徵。「當是時，內帑山積，廷臣請發率不應，計臣無如何，遂為一切苟且之計，苟斂百姓」⑬。可見什麼封疆、什麼民生，都是次要的，神宗關心愛護的只有內庫的金銀財寶。

當時有實際作戰經驗的將領，也都不同意神宗和浙黨的方略。出關前，總兵劉綎就指出，廟堂戰守方略還有待商定，戰爭的部署、士兵的訓練、武器的配備都還要一個過程，反對在條件不成熟的情況下「輕發僨事」。然而，萬曆四十七年（一六一九年）正月，楊鎬在方從哲的一再督促下，確定馬林為北路，杜松為西路，李如柏為南路，劉綎為東南路，四路出兵，進攻後金，師期為三月二日。此時，總兵杜松、劉綎再一次對速戰方略提出異議。杜松以「兵餉未充，士卒未習，將領未協」請求緩師，並派人往京師報告。結果，杜松派去的人被李如柏截回，重責十棍，壓制了杜松的正確意見。劉綎也提出「地形未諳」，建議楊鎬不要輕率進兵。剛愎自用的楊鎬聞言大怒，把神宗所賜尚方寶劍懸掛於軍門前，聲稱：「國家養士，正為今日。若復臨機推阻，有軍法從事耳！」劉綎只得作罷。於是歷史上

⑫顧秉謙等，《明神宗實錄》卷五七四〈萬曆四十六年九月〉。
⑬張廷玉等，《明史》卷二二〇〈李汝華傳〉。

有名的薩爾滸戰役爆發了。

明軍的出師日期和戰略部署，皆為努爾哈赤探得。他經過分析，決定採取「憑爾幾路來，我只一路去」的方針，集中兵力，各個擊破。明軍方面，杜松首先兵出撫順，直抵瀉河，略有斬獲，於是銳意進軍，在二道關陷入三萬後金軍的包圍，力戰而死。馬林駐軍稗子谷，聽說杜松兵敗，軍心大亂，遭到重創後逃回。此時劉綎已長驅直入三百里，連克十五寨，士氣旺盛。後金軍打著杜松的旗號，把他誘入埋伏圈，劉綎陣亡。杜松和劉綎都是一時名將，他們的戰死令明軍士氣一落千丈。四路人馬中只有李如柏苟且首鼠，有意緩行，抱觀望態度，得以保全。整個戰役從三月初一至初五，歷時五天，努爾哈赤取得全勝。明軍死亡文武將吏三百一十餘人，軍士四萬五千八百餘人。

薩爾滸戰役的慘敗，反映了神宗和方從哲等人在戰爭策略上的腐敗無能，從而受到東林黨和一切有正義感的官吏的抨擊。浙江道御史楊鶴談到：「遼事之錯，不料彼己情形，喪師辱國，誤在經略；不諳進止機宜，馬上催戰，誤在輔臣；調度不聞，束手無策，誤在樞部。」⑭御史張新詔彈劾方從哲「諸所疏揭，委罪君父，誑言欺人，祖宗二百年金甌壞從哲手」。其他官員也紛紛上疏彈劾方從哲，神宗一概不理。有人評論說：「明之亡，神宗實基之，而從哲其罪首也。」⑮

楊鎬既喪師辱國，不可再用，遂起用熊廷弼為兵部右侍郎兼右僉都御史，經略遼東。熊廷弼（一五六九－一六二五年），字飛白，號芝岡，湖廣江夏（今湖北武漢）人，萬曆二十六年（一五九八年）

⑭顧秉謙等，《明神宗實錄》卷五八〇〈萬曆四十七年三月〉。
⑮張廷玉等，《明史》卷二一八〈方從哲傳〉。

進士，授保定推官，擢御史。萬曆三十六年（一六〇八年）巡按遼東，素稱「有膽知兵」。他任遼東經略後，決心很大，表示要「灑一腔之血於朝廷，付七尺之軀於邊塞」。抵達遼東後，他「督軍士造戰車，治火器，濬濠繕城，為守禦計，令嚴法行，數月守備大固」。然後他審時度勢，奏陳戰守事宜，「請集兵十八萬，分佈靉陽、清河、撫順、柴河、三岔兒、鎮江諸要口，首尾相應，小警自為堵禦，大敵互為應援，更挑精悍者為遊徼，乘間掠零騎，擾耕牧，更番迭出，使敵疲於奔命，然後相機進剿」。經過熊廷弼一年的整飭，努爾哈赤不敢輕舉妄動，遼東「人心始固」。但是，熊廷弼卻無法得到朝廷的有力支持。熊廷弼要求增加兵餉，廷臣多次請發內帑，神宗均不予理睬。熊廷弼為御史時，與浙江人姚宗文、遼東人劉國縉「意氣相得，並以排東林、攻道學為事」，這時因不肯為姚宗文謀求職位、疏言劉國縉贊畫軍務之過失，將二人得罪。此二人都是奸邪小人，於是極力攻擊熊廷弼，謂其「廢群策而雄獨智」，「軍馬不訓練，將領不部署，人心不親附，刑威有時窮，工作無時止」⑯。熊廷弼屢疏辯解。此時明朝值神宗、光宗相繼去世，政局混亂，根本無暇顧及遼東。遼東面臨著更大的危機。

⑯張廷玉等，《明史》卷二五九〈熊廷弼傳〉。

第十九章　天啟崇禎年間的政治亂象

第一節　紅丸案與移宮案

萬曆四十八年（一六二〇年）是一個多事之年。七月二十一日，神宗這位在明朝歷史上享國最久的皇帝離開了人世，皇太子朱常洛繼承，史稱明光宗。光宗和他的父親恰好相反，在位時間最短，八月一日登極，九月一日死去，時人稱之為「一月天子」。

光宗即位後，面臨的形勢十分嚴峻，朝綱亟待整頓，經濟急需恢復，扭轉遼東戰事局面更是迫在眉睫。當時，朝廷內外，官吏百姓，都希望他一改神宗弊政，重整山河。但是，光宗即位後，卻沒有更新朝政的抱負。如果說他這一朝還有什麼可以稱道的話，那麼只能舉出三件。其一是在他父親去世的第二天，遵奉遺詔，宣佈發內帑銀二百萬兩，犒賞邊方將士，史稱「三軍聞之，歡聲雷動」。其二是起用萬曆年間建言得罪諸臣。萬曆後期，與東林黨對立的浙黨首領方從哲秉政七年，其中最後三年內閣中只有他一人。光宗登極後，召回鄒元標、馮從吾、滿朝薦等人，分別授予大理寺、太僕寺、太常寺等職，一時「各寺皆滿，不可勝記」。光宗還先後起用史繼偕、沈漼、何宗彥、劉一燝、韓爌、朱國祚等人入閣參預機務，並召回萬曆年間曾翊戴過自己、業已致仕的內閣大學士葉向高。這些人不少是東林黨人，為天啟初年東林黨人一度參政創造了條件。其三是罷除天下礦監稅使，將宦官張煜、馬堂、胡賓、潘相、丘乘雲等人召回京師。

光宗致命的弱點是惑於女寵。在做皇太子期間，為了尋求精神寄託，便沉緬酒色，恣情縱欲。光宗即位後，福王生母鄭貴妃自知以前與光宗結怨很深，為了保全自己、鞏固在後宮的地位，就從侍女中挑選幾名美姬進獻。光宗欣然收納，遂把前嫌盡釋。鄭貴妃還竭力籠絡光宗最寵愛的李選侍，兩人一拍即合，由鄭貴妃出面請光宗封李選侍為皇后，李選侍則請光宗封鄭貴妃為皇太后。對於這種違背祖制的要求，光宗竟然答應，只是因為很快就染病不起，鄭貴妃和李選侍的要求才未能實現。光宗患病後，太醫多方調治，不見起色。八月十四日，召崔文昇入診帝疾。崔文昇原為鄭貴妃宮中內侍，光宗即位後陞司禮監秉筆太監、掌御藥房。光宗之病係由縱欲而起，本當用藥培元固本。崔文昇卻診斷為邪熱內蘊，當服通劑藥。所謂通劑藥，就是清內火的瀉藥。光宗身體已極虛弱，自然受不住這殺伐峻劑。服藥之後，頓覺腹痛腸鳴，狂瀉不止，一日夜竟至三、四十起，頭暈目眩，四肢軟弱，難以走動。

光宗身患重病的消息傳出，朝臣無不驚詫。輿論認為崔文昇進藥是受鄭貴妃指使，欲置皇上於死地。光宗已故正妃郭氏和皇長子朱由校生母王才人兩家戚婉，對李選侍專寵早就不滿，這時遍詣朝臣各家，泣訴皇上危急情狀，謂鄭貴妃、李選侍相互勾結，包藏禍心。八月二十日，東林黨人給事中楊漣、御史左光斗倡言於朝，並與吏部尚書周嘉謨一起往見鄭貴妃兄子鄭養性，責之以大義，要他勸說鄭貴妃立即移出乾清宮，收還封后之成命。鄭貴妃見人情洶洶，人言可畏，知道自己的目的難以達到，便移居慈寧宮，請封太后之旨也就作罷。是日，大臣們上疏請求冊立朱由校為皇太子，入居東宮慈慶宮，光宗以朱由校身體虛弱為由不允，還說李選侍有照顧皇長子之功，應封為皇貴妃，再次被群臣拒絕。不久，楊漣上疏彈劾崔文昇「不知醫」，質問說：「皇上初用文昇一劑，泄補倒置若此，有心之誤耶？無心之誤耶？有心則虀粉不足贖，或其無心，一誤寧堪再誤？」①

八月二十四日，光宗在乾清宮召對大臣，皇長子朱由校也侍奉座側。光宗把群臣叫到床前，他注視著楊漣等人，說：「朕見卿等，甚慰。」大臣們忙勸他謹慎用藥。光宗解釋說：朕在東宮時患上寒症，尚未痊癒，近來又值皇考妣相繼大喪，典禮殷煩，悲傷勞苦，已有兩旬沒有進藥了，並再次口諭封李選侍為皇貴妃。可是言猶未畢，屏帷後便傳出李選侍的聲音，原來是她傳呼皇長子入內。工夫不大，皇長子被推搡而出，言說李選侍要求封她為皇后。光宗默然。此情此景，大臣們看在眼裡，心中留下了一道陰影。

三十日，光宗再次召見首輔方從哲等大臣。首先傳諭冊立李選侍為皇貴妃，接著將皇長子朱由校囑託於大臣們，說：「卿等其輔為堯舜！」囑託完畢，光宗問道：「有鴻臚官進藥者安在？」原來，在此之前，鴻臚寺丞李可灼稱有仙丹妙藥可治帝疾。李可灼被宣至，診視後與御醫及諸臣商榷，大家認為此非萬全之藥，不可輕用。但此時光宗已病入膏肓，他盼望奇蹟發生，決計服用。因此藥呈紅色，故稱「紅丸」。光宗服藥後，連稱「忠臣」。方從哲等退到宮外等候消息。不久，有宦官出來宣佈皇帝身體「平善」。日晡時，又服下一丸。方從哲詢問情況，宦官答曰「平善如前」②。大臣們見皇帝病情

①葉向高等，《明光宗實錄》卷七〈泰昌元年八月〉。

有所緩和，如釋重負，遂皆退去。次日五鼓，宮內突然傳出急旨，召大臣們火速入宮。等到大臣們急匆匆趕到宮中時，但聽得哭聲一片，光宗已經一命嗚呼了。到九月六日，皇長子朱由校即皇帝位，史稱明熹宗。

「紅丸」究係何物？何以第一丸服下安然無恙，第二丸服下遽然而亡？這不能不說是一個謎。從當時大臣的奏疏來看，紅丸的成分以紅鉛為主，以參茸為副。紅鉛「乃婦人經水，陰中之陽，純火之精也」。初服一丸，精神一振，兩丸服下，元氣提出，成了脫症。這或許是光宗的真實死因。從鄭貴妃進獻美女，到崔文昇用通劑藥，再到李可灼獻紅丸，這一件件突如其來的事情，使廷臣大為震動。他們聯想到光宗為太子時發生的「梃擊案」，不禁疑竇叢生。有人認為這一系列事件的目的都是為了謀害光宗，所謂「張差之梃不中，則投以女優之惑；崔文昇之藥不速，則促以李可灼之丸」③。按照明朝法律，「誤用御藥，大不敬，當斬」。而時任首輔的方從哲，卻擬旨賞李可灼銀五十兩，於是朝廷上又一次掀起軒然大波。熹宗迫於朝野的輿論壓力，先令方從哲致仕，又將崔文昇發配南京，將李可灼充軍。這一事件，史稱「紅丸案」。

熹宗的即位，也經歷了一場風波。光宗即位後，李選侍、朱由校皆隨同入居乾清宮。光宗死後，李選侍便控制了乾清宮，希圖挾皇長子以自重。毫無疑問，誰控制了朱由校，誰就在未來的朝廷中處於有利地位，這一點，朝臣們心中十分明白，於是當他們知道光宗死訊後，立即前往宮中，一是哭臨

② 張廷玉等，《明史》卷二一八〈方從哲傳〉。
③ 張廷玉等，《明史》卷二六四〈焦源溥傳〉。

光宗，二是請見朱由校。但是，當他們急急忙忙趕到乾清宮門外時，卻被守宮太監以刀棍相攔阻，不得入內，眾人竟一時不知所措。此時，楊漣走向前去，大聲喝斥守門太監：「奴才！皇帝召我等。今已晏駕，若曹不聽入，欲何為！」④太監被這訓斥鎮住了，加上理虧，這才怯怯離去，大臣們蜂擁而入，舉行哀悼儀式。哭畢，大學士劉一燝追問太監：皇長子當柩前即位，今為何不在？太監們支支吾吾，不敢回答。此時，朱由校正被李選侍阻於乾清宮暖閣中。

朝臣見皇長子不出，議論紛紛，越發感到問題嚴重。大學士劉一燝想到光宗去世前李選侍邀封皇后等種種情景，不禁大呼：「誰敢匿新天子？」這聲喧呼，驚動了乾清宮內一名老太監王安。王安，北直隸雄縣（今屬河北）人，萬曆初入宮，後為東宮伴讀。當時光宗處境困難，全靠他善為調護。神宗去世後，陞為司禮監秉筆太監。他與東林黨人來往頻繁，光宗發內帑濟邊，起用東林黨人，多是他的主張。葉向高曾談到，光宗登極不及月，悉行善政，王安貢獻最大。王安對李選侍怙寵欺人，早就忿忿不平，現在聽到劉一燝等的呼聲，便忙上前答：「為李選侍所匿耳。」又對大臣說，公等稍待，千萬不要退去。說完便入白李選侍，假說：「皇長子出見大臣後即可回來。」說罷便挾持朱由校趨出，眾大臣見到朱由校，馬上叩頭，山呼萬歲。李選侍派太監追上，攬衣請還。給事中楊漣急忙上前，厲聲申斥，幾個太監才退了回去。於是劉一燝與英國公張惟賢掖扶朱由校登輦，到文華殿接受群臣禮見，決定本月初六日即皇帝位。禮見畢，李選侍又派人來讓朱由校回去，大臣以為文華殿非久留之地，決定讓朱由校轉移到慈慶宮。劉一燝、楊漣等人對王安說，外面的事由我們負責處理，保衛皇長子的任

④張廷玉等，《明史》卷二四四〈楊漣傳〉。

務就由你負責了。王安等人表示一定要盡職盡責，群臣這才退去。

次日早，李選侍又派人對朱由校說，大臣章奏必須先由她過目。為了使朱由校擺脫李選侍控制，當日吏部尚書周嘉謨等聯名上疏，請李選侍移居宮妃養老之所噦鸞宮。李選侍見疏氣得杏靨改容。她自入居乾清宮以來，夢寐以求登上皇后寶座。光宗去世後，她意欲挾持皇太子，迫令群臣先冊封自己為后，然後令朱由校即位。現在不僅朱由校被王安和朝臣奪去，而且還迫令自己移宮，於是氣急敗壞，決心不搬出乾清宮。御史左光斗得知李選侍拒絕移宮，便慨然上疏：「內廷有乾清宮，猶外廷有皇極殿，惟天子御天得居之，惟皇后配天得共居之。其他妃嬪雖以次進御，不得恆居，非但避嫌，亦以別尊卑也。選侍既非嫡母，又非生母，儼然尊居正宮，而殿下乃退處慈慶，不得守几筵，行大禮，名分謂何？」他還提醒說，如不早做決斷，李選侍「將借撫養之名，行專制之實，武氏之禍再見於今，將來有不忍言者」⑤。李選侍見疏氣急敗壞，數召左光斗入宮謝罪，均被嚴辭拒絕。

初五日，楊漣見李選侍仍居乾清宮，就往催內閣首輔方從哲。方從哲慢悠悠地回說：「遲亦無害。」楊漣急語道：「昨以皇長子就太子宮猶可，明日為天子，乃反居太子宮以避宮人乎？」當時太監來來往往者甚多，稱「選侍亦顧命中人」，受到楊漣斥責，楊漣表示：「能殺我則已，否則今日不移，死不去！」劉一燝、周嘉謨也支持楊漣，「詞色俱厲，聲徹御前」。朱由校派人宣諭，楊漣等才遵諭退出，但又上疏說：「選侍陽託保護之名，陰圖專擅之實，宮必不可不移。臣言之在今日，殿下行之在今日，諸大臣贊決之，亦惟今日。」⑥朱由校遂下「即日移宮」之旨。李選侍計窮，只得移居仁

⑤張廷玉等，《明史》卷二四四〈左光斗傳〉。

明熹宗像

壽殿。當日移宮時，李選侍身邊的太監，乘機盜走許多金銀財寶，被人發覺，遂將李選侍心腹太監李進忠、田詔、劉朝等人收繫。

九月六日，朱由校正式即皇帝位。數日後，御史賈繼春上書閣臣，謂：「先帝賓天，肉尚未寒，宜調護挽回，使選侍得終天年，皇女無虞意外。」給事中周朝瑞駁斥賈繼春「喜樹旌旗，三生題目」，賈繼春疏辯，中有「伶仃之皇八妹入井誰憐，孀寡之未亡人雉經莫訴」之言。熹宗下旨質問賈繼春「雉經」、「入井」等語有何憑據，賈繼春對曰「風聞」，遂被削籍為民。楊漣恐異議滋延，遂上疏詳陳移宮始末。熹宗亦特諭群臣，肯定移宮之必要，謂：「若避宮不早，彼爪牙成列，盈虛在手，朕今不知如何矣。」諭中還談到李選侍「威挾朕躬」、「毆崩聖母」等過失[7]。但移宮一案，並未就此終止。它與梃擊案、紅丸案一起，被並稱「三案」，成為此後長期政爭的主題，迄明亡未已。

⑥張廷玉等，《明史》卷二四四〈楊漣傳〉。

⑦李遜之，《三朝野記》卷二。

第二節　魏忠賢逐步攬權

紅丸、移宮案後，萬曆中期以來的朝局發生了一些變化。內廷鄭貴妃、李選侍的勢力大大削弱，為人正直的太監王安成為最有影響力的人物。外廷的浙黨，早在薩爾滸之戰後就威信掃地，隨著首輔方從哲離開政壇，他們失去奧援，力量相對減弱。萬曆年間罷斥家居的東林黨人，則相繼復官晉職，出現了「東林勢盛，眾正盈朝……中外忻忻望治」的局面⑧。東林黨人開始雷厲風行地整肅吏治，規劃遼東戰事，試圖把明王朝從深重危機中挽救過來。同時，東林黨人繼續追究梃擊、紅丸、移宮三案之是非，要求嚴懲方從哲、崔文昇、李可灼等人，藉此排斥對立派，「與東林忤者，眾目之為邪黨，天啟初廢斥殆盡，識者已憂其過激變生」⑨。果然，時過不久，宦官魏忠賢與熹宗乳母客氏相勾結，逐漸掌握了權柄，東林黨的對立面也紛紛投靠魏忠賢，結成閹黨集團，排斥異己，濁亂朝綱，嚴重動搖了明王朝的統治基礎。

魏忠賢（一五六八—一六二七年），河間府肅寧縣（今屬河北）人，初名進忠，號完吾。「忠賢」之名，是天啟二年（一六二二年）熹宗所賜。他善於騎射，遇事決斷有膽識，然目不識丁，只知打架鬥毆，吃喝嫖賭，是一個遠近聞名的無賴之徒。娶妻馮氏，生一女。因在一次賭博中失敗，被一群賭

⑧張廷玉等，《明史》卷二四三〈趙南星傳〉。
⑨張廷玉等，《明史》卷三〇五〈魏忠賢傳〉。

徒所辱，一怒之下自行閹割，改名李進忠，萬曆十七年（一五八九年）被選入宮。初隸司禮監秉筆太監兼東廠孫暹名下，管理甲字庫。幾年後，孫暹死去，他又通過賄賂王安手下太監魏朝，做了熹宗生母王才人的典膳，得與當時的皇長孫朱由校結識。魏朝是王安的心腹，魏忠賢極力巴結，兩人結拜為兄弟，宮中稱「大魏」、「二魏」。魏朝常在王安面前誇獎魏忠賢，由此引起王安的重視。朱由校即位前一天，楊漣彈劾魏忠賢盜竊宮內財寶，朱由校令司禮監「查明奏請」，是王安出面相救，魏忠賢才免遭大禍。

客氏是北直隸定興縣（今屬河北）民侯二之妻，十八歲入宮做熹宗乳母。兩年後，侯二死，客氏未再嫁，因此很少回家。熹宗幼年失去母愛，客氏伴隨，百般殷勤，甚至把朱由校小時的胎髮、瘡痂及累年剃髮、落髮和剪下來的指甲收藏起來，以黃色龍袱包裹，放入精緻的小匣子裡，妥善保存。朱由校即帝位後，客氏對他的調護更是百倍小心，每天拂曉，她已到達乾清宮殿內，等著服侍皇帝，一直忙到夜晚才回住宅。她還善於烹飪，熹宗膳食必經她親手調治，如客氏幾日不在宮中，熹宗便不思飲食。客氏又是一個美而豔、淫而蕩的女人。她原與魏朝對食。所謂對食，又叫菜戶，是指太監與宮人結為相好。原來，宮中值班太監不准許在宮內做飯，每至吃飯時，只能食自帶的冷餐，而宮女則可以起火，於是，太監們便託宮女代為溫飯，久而久之，結為相好。萬曆前，此事還不敢公開，宮內也多忌諱言談其事，進入萬曆年間，日益盛行起來。有記載說：「內中宮人，鮮有無配偶者，而數十年來為盛。蓋先朝尚屬私期，且諱其事。今則不然，唱隨往還，如外人夫婦無異。其講婚媾者，訂定之後，星前月下，彼此誓盟，更無別遇。亦有暗約偷情，重費不惜。」[10]因魏朝要時時隨王安辦事，少有空閒，客氏便與魏忠賢私結。

客氏與魏忠賢私通的消息傳到魏朝耳朵裡，十分生氣，就在熹宗即位後數月的一天晚上，魏朝在外面喝了酒，到乾清宮想與客氏敘敘舊情，卻碰上魏忠賢正與客氏親熱，魏朝大怒，與魏忠賢對罵起來，聲音越來越大，傳至熹宗的住所。熹宗將二人傳呼榻前，問客氏喜歡誰，並說替她決斷。客氏毫不避諱，直言已厭魏朝儇薄而喜魏忠賢憨猛。熹宗當即允諾，斥退魏朝，成全了客氏與魏忠賢。王安看到魏朝為了一個女人在大庭廣眾之下丟醜，感到自己臉上也無光，於是狠狠揍了魏朝一巴掌，令其告病，離開御前。後魏忠賢矯詔將魏朝發往鳳陽，魏朝聞說後，逃到薊縣北面一座山中破廟裡躲避，但還是被魏忠賢派人抓住，活活勒死。魏忠賢善諂，與客氏並有寵。不久，客氏得封奉聖夫人，魏忠賢遷任司禮監秉筆太監。在明代，秉筆太監掌握章奏文書，對內閣擬票有批復大權，因此，擔任此職必須具有一定的文化素養。魏忠賢雖不識字，以客氏故，仍得以掌此職。一人得志，雞犬升天。客、魏家人也得到恩蔭，客氏子侯國興、弟客光先，魏忠賢兄魏釗，一併被封為錦衣衛正千戶。

魏忠賢要進一步控制熹宗，最大的障礙是王安。他嗾使給事中霍維華彈劾王安專權，又令移宮時獲盜寶罪的太監劉朝、田詔上疏辯白，客氏也從中附和。熹宗毫無主見，下旨革去王安職務。王安被降為南海子淨軍，看守牆鋪。南海子，即南苑，是明朝皇帝遊獵享樂的場所。魏忠賢為防止王安復起，任命劉朝為南海子提督。劉朝原為李選侍「私閹」，移宮時因盜竊財物下獄，後宥出，對王安深懷不滿。到任後，斷絕王安飲食，王安從籬落中摘取蘆菔充飢，「三日猶不死，乃撲殺之」。魏忠賢將原王安名下宦官盡皆斥逐，「用司禮監王體乾及李永貞、石元雅、涂文輔等為羽翼，宮中人莫敢忤」⑪。自

⑩沈德符，《萬曆野獲編》卷六〈內廷結好〉。

王安遭讒害，熹宗身邊就沒有剛直正派的太監了。

熹宗即位前未曾出閣讀書，即位後更不喜讀書。魏忠賢投其所好，「日引帝為倡優聲伎，狗馬射獵」，刑部主事劉宗周首劾之，熹宗大怒，賴大學士葉向高救免⑫。熹宗有許多特殊的愛好。有時喜歡機巧水戲，即用大銅缸盛水放於高處，鑽空設機於下，利用水的壓力，形成各種形態的水噴，或瀉如瀑布，或散如雪霰，或如玉柱高高直下，再置核桃般大小的金色木球於噴處，木球隨水柱上下，盤旋宛轉。秦徵蘭〈天啟宮詞〉記云：「御前呼笑不勝喧，為看君王弄水盤。瀑布噴濺飛雪霽，玉竿高處湧金丸。」熹宗又喜歡油漆木工，常常「自操斧鋸鑿削，即巧工不能及也」，「造成而喜，不久又棄，棄而又成，不厭倦也」⑬。熹宗還愛騎馬射箭。天啟三年（一六二三年），魏忠賢聽從內閣大學士沈漼建議，選武閹三千，在紫禁城內開內操，其目的是威懾朝臣。從此紫禁城內鉦鼓之聲喧天動地，操練之時，刀光劍影，旌旗蔽日。科道官上疏諫止，說內操違反了大明律例中的「擅入宮門」、「向宮殿騎射」等條款，都被拒絕。

魏忠賢、王體乾等每趁熹宗「斫削得意」時，從旁傳奏文書，請求定奪。熹宗草草聽一遍，就說：「我都知道了，你們用心行去。」魏忠賢一班宦官「於是徇其愛憎，恣意批紅施行」⑭。除在內廷廣

⑪張廷玉等，《明史》卷三〇五〈王安傳〉、〈魏忠賢傳〉。
⑫張廷玉等，《明史》卷三〇五〈魏忠賢傳〉。
⑬李遜之，《三朝野記》卷三。
⑭秦徵蘭，〈天啟宮詞〉。

置黨羽、一手遮天外，魏忠賢在外廷也大力發展勢力。自方從哲致仕後，浙、齊、楚等黨失去靠山，見魏忠賢得勢，紛紛投靠，蠅營蚊附，逐漸形成閹黨。其中著名的有五虎、五彪、十狗、四十孫之輩。「五虎」指文臣崔呈秀、吳淳夫、李夔龍、田吉、倪文煥；「五彪」指武臣田爾耕、許顯純、崔應元、楊寰、孫雲鶴；「十狗」指周應秋、曹欽程等人；這些人又各呼朋引伴，稱之「四十孫」。當此之時，內外大權一歸魏忠賢，朝野上下只知有忠賢，不知有皇上；只知尊忠賢，不知尊皇上。

內閣中最早與魏忠賢相結的是沈漼。按慣例，詞臣教習內書堂，所教宦官執弟子禮。沈漼曾任教習，魏忠賢要算是沈漼的弟子。天啟元年（一六二一年）七月，沈漼入閣，遂與魏忠賢勾結。紫禁城中開內操，就是沈漼的主意。閹黨深知內閣是外廷之核心，要控制外廷，首先要完全控制內閣，於是極力攻擊大學士劉一燝。天啟二年（一六二二年）三月，劉一燝被迫去職。此後，他被閹黨多次誣陷，至被削官，追奪誥命，勒令養馬。這是魏忠賢向東林黨人發動的第一次反擊。但當時東林人物在朝的尚多，內閣首輔是剛剛還朝的葉向高。加之沈漼攻去劉一燝後，聲名狼藉，難安於位，不久也只得乞歸。此時閹黨還不敢太肆意妄為。

天啟三年（一六二三年）正月，顧秉謙、魏廣微進入內閣。顧秉謙，南直隸蘇州府崑山（今屬江蘇崑山）人，為人「庸塵無恥」，「曲奉忠賢，若奴役然」。據記載：「秉謙率其子叩首逆閹曰：『本欲拜依膝下，恐不喜此白鬚兒，故令稚子認孫。』璫頷之。時其子方乳臭，即授之以尚寶卿。」⑮魏廣微，北直隸大名府南樂（今屬河南濮陽）人，與魏忠賢同鄉同姓，開始自稱宗弟，後竟自稱侄兒。在

⑮李遜之，《三朝野記》卷二。

內閣與忠賢通信，「皆親筆行書，外題曰：『內閣家報』，訂封鈐文曰：『魏廣微印』。」⑯時人稱之「外魏公」。顧、魏入閣，對內閣首輔葉向高無疑是一種牽制。十二月，熹宗又令魏忠賢提督東廠，用田爾耕掌錦衣衛事，許顯純為鎮撫司理刑。從此，閹黨控制了特刑機構。東林與閹黨之間的決戰勢不可免。

第三節　東林黨與閹黨的鬥爭

對於魏忠賢和客氏的跋扈攬權，東林黨人早有察覺。天啟元年（一六二一年）九月葬光宗於慶陵後，閣臣劉一燝即請熹宗遣客氏出宮。熹宗不得已從之，然思念流涕，至日旰不食，遂復召入。給事中侯震暘疏諫：「幺麼里婦，何堪數昵至尊哉！」⑰熹宗不理。十月，御史周宗建上疏論客氏，言道：「天子成言，有同兒戲。法宮禁地，僅類民家。聖朝舉動有乖，內外防閑盡廢。此輩一叨隆恩，便思踰分，狎溺無紀，漸成驕恣，釁孽日萌，後患難杜。」⑱熹宗大怒，下旨切責。從此客、魏更加有恃無恐。十二月，吏部尚書周嘉謨將交通魏忠賢的給事中霍維華調出京師。魏忠賢清楚地知道，此舉目的是要割斷他伸向外廷的手，於是嗾使給事中孫傑彈劾周嘉謨受劉一燝指使，為王安報仇。明朝慣例，

⑯劉若愚，《酌中志》卷一〇〈逆賢亂政紀略〉。
⑰溫體仁等，《明熹宗實錄》卷十五〈天啟元年十月〉。
⑱張廷玉等，《明史》卷一四五〈周宗建傳〉。

科道官糾劾高級官員，被劾者必須上疏請求辭職，等候皇帝的裁決。周嘉謨遵循慣例，魏忠賢當即矯旨許之。

天啟四年（一六二四年）四月，閹黨傅櫆上疏奏言左光斗、魏大中與內閣中書舍人汪文言勾結亂政。在魏忠賢的影響下，熹宗下詔逮捕汪文言。東林黨人感到魏忠賢拿汪文言開刀，下一步就會將屠刀揮舞到自己頭上。這時，早就對魏忠賢心懷不滿的楊漣，奮然彈劾魏忠賢。楊漣移宮事定後乞歸，天啟二年又起為禮科都給事中，至是陞為左副都御史。楊漣疏中列舉魏忠賢二十四大罪，痛快淋漓，無惡不彰，最後指出：「積威所劫，致掖廷之中，但知有忠賢，不知有陛下；都城之內，亦但知有忠賢，不知有陛下。……陛下春秋鼎盛，生殺予奪，豈不可以自主？何為受制幺麿小醜，令中外大小惴惴莫必其命？伏乞大奮雷霆，集文武勳戚，敕刑部嚴訊，以正國法，并出奉聖夫人於外，用消隱憂，臣死且不朽。」⑲

楊漣奏疏一出，舉朝回應，參疏紛上，一時竟達七十多份。魏忠賢不禁惶恐，決定向內閣次輔韓爌求救，韓爌不應。魏忠賢急趨熹宗前泣訴，要求辭去提督東廠職務。熹宗讓王體乾把楊漣奏疏念給他聽，王體乾把疏中要害之處省去，客氏又從旁歪曲剖析，熹宗懵然不辨，不但沒有責怪忠賢，反而覺得楊漣說得太過分了，於是降旨慰問魏忠賢，並令魏廣微傳旨申斥楊漣。楊漣不服，擬早朝時再當面彈劾。魏忠賢詗知，竟阻熹宗三日不朝。後雖上朝，群閹數百人衷甲夾陛而立，敕令左班官不得奏事，楊漣等始終無緣面劾。東林黨人把希望寄託在內閣首輔葉向高身上，要他面奏魏忠賢罪狀，但葉

⑲張廷玉等，《明史》卷二四四〈楊漣傳〉。

向高態度頗為委婉，打算籠絡魏忠賢，挽回局面。於是具奏魏忠賢勤勞，朝廷寵待甚厚，盛滿難居，宜解事權，聽歸私第，保全始終。葉向高的做法，無疑是與狐謀裘，反而助長了魏忠賢的氣焰。

魏忠賢決計用廷杖立威外廷。最早受杖的是工部郎中萬燝。他上疏彈劾魏忠賢，熹宗令廷杖一百，罷斥為民。魏忠賢的爪牙接奉聖旨後，蜂擁來到萬燝邸宅，先是一頓拳打腳踢，然後將氣息奄奄的萬燝拖至闕廷受杖。萬燝昏死過去，醒來又是一頓踢打，數十名宦官還手拿錐子往他身上亂戳。萬燝被杖後四日死去，死前留詩一首，決心與閹黨誓不兩立。其詩曰：

自古忠臣冷鐵腸，寒生六月可飛霜。
漫言瀝膽多台諫，自許批鱗一部郎。
欲為朝堂扶日月，先從君側逐豺狼。
願將一縷萇弘血，直上天門訴玉皇。

萬燝事件後，東林黨人紛紛上疏攻擊魏忠賢，但此時熹宗已完全信任忠賢，對大臣的奏疏一概不理。這使魏忠賢的膽子更大了，便開始算計內閣首輔葉向高。七月初的一天，葉向高的外甥林汝翥為御史巡城，對犯法的宦官施行杖罰。魏忠賢認為時機已到，便傳旨廷杖林汝翥。消息傳出，科道官氣憤不平，紛紛來到文淵閣爭辯，不料魏忠賢指使數百名宦官擁至，攘臂肆罵，文淵閣內一片混亂。接著這些宦官又去索拿林汝翥，林汝翥鑑於萬燝之事，逃到城外。宦官們便包圍葉向高的府邸，狂呼亂噪。葉向高忍無可忍，上疏熹宗：「國家二百年來，無中使圍閣臣第者。臣今不去，何面目見士大夫？」遂乞休歸去。葉向高之後，韓爌、朱國楨相繼為內閣首輔，不數月亦罷。在此前後，被罷去的東林黨人還有吏部尚書趙南星、侍郎陳于廷、左都御史高攀龍、左副都御史楊漣、僉都御史左光斗等。

天啟五年（一六二五年）正月，顧秉謙為內閣首輔。以後進入內閣的馮銓、黃立極、施鳳來、張瑞圖、李國樒、來宗道等人，都是魏忠賢私人，時稱「魏家閣老」。閣老既屬魏家，其他六部九卿、四方督撫，就更是魏家的人了。有的稱乾兒，有的稱義孫，當時有人將這些義子乾兒編寫成《百子圖演義》。魏家內閣在形成過程中開始為三案翻案。在傳統社會中，「忠君」是官吏立朝的根本。東林黨人作為一個政治集團，要改良政治，曾把希望寄託在皇帝的身上。萬曆年間，他們沒有取得明神宗的信任，就把著眼點轉向未來的皇帝光宗，光宗死去，又把希望傾注在熹宗身上。他們爭三案，質言之就是爭皇帝，爭一個支持他們的皇帝。所以三案發生的過程中，他們一直以「忠君」相標榜。這時閹黨要搞臭東林黨人，自然也要在「忠君」的問題上作文章。

葉向高去位後，熹宗下詔，封光宗李選侍為康妃。其實當初熹宗暴李選侍罪狀之詔諭，實出自王安之手，而這時封康妃之旨，則出自魏忠賢，熹宗一直是傀儡。晉封李選侍為康妃，預示著閹黨準備藉三案打擊東林黨。天啟五年（一六二五年）四月，刑科給事中霍維華上疏，系統地為「三案」翻案，魏忠賢矯旨批示：「這本條議一字不差。所參劉一燝專政為禍，韓爌比護元兇，孫慎行藉題紅丸悅黨陷正，張問達改抹旨意朋比為奸，俱著削了籍。」[20]從而為三案一錘定音。接著，閹黨又決定將三案有關章奏彙編成冊，頒示天下。天啟六年（一六二六年）正月，令顧秉謙修纂《三朝要典》，三月底修

[20] 溫體仁等，《明熹宗實錄》卷五八〈天啟五年四月〉。

成，共二十四卷，起於萬曆四十三年（一六一五年），止於天啟六年，其中梃擊八卷、紅丸八卷、移宮八卷。前有《要典原始》，記述神宗立朱常洛為太子事，後附閹黨崔呈秀所呈〈三案本末〉一疏。當年爭三案的東林黨人，全部被扣上「誣皇祖」、「負先帝」、「欺幼君」的罪名。八月，《三朝要典》刊刻完畢，又命各省大規模刊印，企圖扭轉輿論，之後又重修《光宗實錄》，使之與《三朝要典》的觀點相吻合。

最初，魏忠賢對誰是東林黨人並不了然。閣臣顧秉謙、魏廣微編撰《縉紳便覽》一冊，獻給魏忠賢，以作為進退百官之依據。其中把葉向高、趙南星、高攀龍、楊漣、左光斗等百餘人，目為邪黨，用墨筆圈點，輕者加二點，重者加三點；黃克纘、賈繼春、霍維華、崔呈秀等六十餘人，統稱正人，名字上或加二圈、或加三圈。其他閹黨還進有《同志錄》、《天鑒錄》、《夥壞封疆錄》、《點將錄》等名單者。其中《點將錄》最為可笑，仿《水滸傳》編東林黨人一百零八人，分為三十六天罡、七十二地煞，每人名下繫一綽號。茲錄其前三名，以見這名單款式：

東林開山元帥

托塔天王南戶部尚書李三才　晁蓋

總兵都頭領二員

天魁星呼保義大學士葉向高　宋江

天罡星玉麒麟吏部尚書趙南星　盧俊義

魏忠賢正苦於東林黨人數眾多，記不勝記，有《點將錄》配以梁山泊綽號，容易記住。一日，他把《點將錄》呈與熹宗，熹宗看到「托塔天王」四字，懵然不解。魏忠賢代為解釋，謂「古有托塔李天王，能東西移塔，李三才善惑人心，能使人人歸附，亦與移塔相似」。熹宗好武，聽後不禁心喜，叫道：「勇哉！」魏忠賢一驚，從此再不敢把名單拿出，只是暗中使用。天啟五年（一六二五年）十二月，經熹宗批准，頒佈〈東林黨人榜〉，列東林三百零九人，榜示天下，生者削籍，死者追奪。

魏忠賢大規模地迫害東林黨人，主要有兩次。第一次在天啟五年（一六二五年），是年論干支為乙丑，故稱「乙丑詔獄」。閹黨誣陷楊漣、左光斗等人與汪文言行賄受賂，是年三月，將汪文言逮至京師，下鎮撫司獄，以酷刑拷掠，逼他招供楊漣等人曾受過熊廷弼賄賂。汪文言抵死不肯承認，掌鎮撫司事許顯純無計可施，最後竟偽造了一份口供，將楊漣、左光斗、魏大中、袁化中、周朝瑞、顧大章六人逮捕來京。楊漣等六人在鎮撫司獄中備受折磨，「五毒備具，呼謈聲沸然，血肉潰爛，宛轉求死不得」，「每一人死，停數日，葦席裹屍出牢戶，蟲蛆腐體」㉑。史稱「六君子」。第二次是天啟六年（一六二六年），稱「丙寅詔獄」。這年二月，魏忠賢又矯旨逮繫周起元、周順昌、周宗建、繆昌期、李應昇、高攀龍、黃尊素七人。其中高攀龍聽到緹騎將到，含笑說：「吾將視死如歸！」當晚即投水而死。死前留下的遺書寫道：「大臣受辱則辱國，願效屈平之遺則。」㉒體現了與閹黨薰蕕不同器、邪正不兩立的硬骨頭精神。其他人下鎮撫司獄，均死於非刑，史稱為「七君子」。

㉑張廷玉等，《明史》卷九一〈刑法志三〉。
㉒李遜之，《三朝野記》卷三。

在閹黨的淫威面前，東林黨人表現出視死如歸的高風亮節。楊漣下詔獄後，表示「有命而已」，他鐵釘貫耳，土囊壓身，但寧折不彎，臨終前寫下血書：「大笑，大笑，還大笑，刀砍東風與我何有哉！」「欲以性命歸朝廷，不圖妻子一環泣。」㉓魏大中在刑訊之日，昂首怒目，指著問刑的「明心堂」道：「這是昧心堂。」㉔顧大章「每被拷掠，切齒不發一聲」。遇難前數日，在右手只存食指和大指的情況下，仍奮筆作書：「故作風波翻日月，長留清白照人心。」並叮囑家人以此作為祠堂的楹聯。他受夠了許顯純的折磨，飲毒未死，便投環自盡。周順昌本來不至於牽連詔獄，在魏大中被逮時，他不避個人安危，「周旋累日，臨行涕泗，即以女配其孫」。緹騎語侵周順昌，他張目叱之：「若不聞世間有不畏死男子邪！爾曹歸語忠賢，吾即周順昌也！」因而激怒魏忠賢，被下詔獄，他在獄中身受酷刑，體無完膚，罵不絕口，無一語哀氣。其他東林黨人也都表現出了錚錚硬骨。

值得注意的是，在閹黨鎮壓東林黨的過程中，各地人民以不同方式表達對東林黨人的敬意。楊漣被捕時，數萬人前去慰問，沿途百姓為他焚香建醮，祈禱生還。左光斗被逮時，百姓哭聲震天，就連前來捕人的緹騎也感動得流了淚。有些地方還發生了民變，尤以蘇州民變規模較大。天啟六年（一六二六年）三月，奉命逮捕周順昌的緹騎來到蘇州。開讀聖旨之日，到場聲援周順昌者達數萬人。由於緹騎態度蠻橫，在市民顏佩韋、馬傑、沈揚、楊念如、周文元等人的帶動下，憤怒的民眾向緹騎發起攻擊，當場擊斃緹騎二人。經素得民心的地方官員反覆勸諭，民眾才漸漸散去。這就是歷史上有名的

㉓楊漣，《楊忠烈公文集》卷一〈獄中血書〉。
㉔文秉，《先撥志始》卷下。

「開讀之變」。事變後，蘇州市民為抗議熹宗無道，機匠「不行機織」，「負擔者息肩，列肆者罷市」，「互戒天啟錢不用」，各府州縣紛紛響應，於是一場以聲援東林為目標，以抵制天啟錢為形式的鬥爭在各地延續了十個多月。後來，顏佩韋等人英勇就義，死前挺然說：「我為清官死，死有餘榮。」五人葬於虎丘旁，至今五人墓仍保存完好，供人們瞻仰。

東林黨人被鎮壓後，魏忠賢的權勢達到登峰造極的地步。天啟六年（一六二六年）六月，浙江巡撫潘汝禎為了討好魏忠賢，首先上疏請求在西湖勝地建魏忠賢生祠。熹宗當即允諾，並賜名「普德」。此後，各地寡廉鮮恥的官吏紛紛效尤，不到一年，魏忠賢的生祠幾遍天下。其中薊遼總督閻鳴泰建生祠七所，費銀數十萬兩，其稱頌魏忠賢有「民心依歸，即天心向順」之語。開封建祠，毀民舍二千餘間，創宮殿九楹。巡撫朱童蒙在延綏建祠，用琉璃瓦。巡撫劉詔在薊州建祠，金像冕旒。各地生祠鬥巧競工，所供魏忠賢之像，皆以沉香木雕就，五官四肢，宛然如活人，腹中腸肺皆用金玉珠寶妝成，髻上留一空隙，根據時節簪以香花。每祠落成，必上疏奏聞，疏中譽揚，就像頌揚皇帝一般，稱之「堯天舜德，至聖至神」。以至後來國子監獻媚監生陸萬齡竟然提出以魏忠賢配享孔子。十月，熹宗又封魏忠賢為上公，其侄魏良卿為寧國公。從此，諸邊築隘口成，南京孝陵工竣，法司捕得盜寇，並言魏忠賢區畫方略，熹宗都無例外頒詔獎掖。甚至山東奏產麒麟，大學士黃立極等人也票旨稱：「廠臣修德，故仁獸至。」明朝舊制，內官為司禮監秉筆太監，非公事不得外出。魏忠賢則每年都數次巡視畿輔，出行時，坐文軒，駕四馬，隨從侍衛動以萬計，一路之上笙鼓鐃吹不斷。所過之處，士大夫遮道拜伏，稱之「九千歲」。當時朝廷內外，真的如當年楊漣所說：「只知有忠賢，不知有陛下。」

第四節　思宗求治及其失敗

天啟七年（一六二七年）八月二十二日，明熹宗病死，無子，其弟信王朱由檢繼位，是為明思宗（又稱懷宗、毅宗，清朝謚之為莊烈帝）。思宗雖然早已稔知魏忠賢之奸惡，但當時宮廷內外廣佈魏忠賢私黨，思宗首先需要固位自保。九月，魏忠賢乞辭東廠提督，思宗不准。魏忠賢又請停建生祠，思宗令「其前賜額如故，餘止之」，並在諭旨中大讚魏忠賢：「建祠祝厘，自是輿論之公。廠臣有功不居，更見勞謙之美。准辭免，以成雅志。」㉕在繼續優待魏忠賢、客氏的同時，原信王府侍奉太監「盡易以新銜，入內供事」，逐漸替代了魏忠賢在內廷之羽翼㉖。

思宗雖不動聲色，閹黨們卻感到危險正在迫近，有人決定反戈一擊以保前程。十月，南京通政使楊所修與吏科都給事中陳爾翼合謀，決定上疏彈劾崔呈秀，崔呈秀時任兵部尚書兼左都御史，是公認的閹黨骨幹。楊所修疏先上，崔呈秀詗知其謀，逼迫陳爾翼上疏攻擊楊所修「播弄多端，葛藤不斷」，並稱：「聞東林餘孽，遍佈長安，欲因事生風，憂不在小，乞敕下廠衛、五城緝訪。」思宗批復說：「群臣流品，經先帝分別澄汰已精，朕初御極，嘉與士大夫臻平康之理，不許揣摩風影，致生枝蔓。」㉗崔呈秀是想把閹黨之內狗咬狗的鬥爭，演化為東林「邪黨」的反撲，從而扭轉朝廷的注意目

㉕汪楫，《崇禎長編》卷二〈天啟七年九月〉。
㉖李遜之，《三朝野記》卷四。

標。但他的陰謀未能得逞。不久，閹黨分子御史楊維垣彈劾崔呈秀「內諛廠臣，外擅朝政」，已初步涉及到魏忠賢。但思宗覺得時機不成熟，批評楊維垣「率意輕詆」，但也未予處分。於是楊維垣再次疏揭崔呈秀「貪淫橫肆」之狀。崔呈秀辯白請辭，思宗先是不允，後溫旨令其回家守制。

楊維垣的上疏引起連鎖反應，工部主事陸澄源、兵部主事錢元慤等接連上疏，揭露魏忠賢之罪惡。其中貢生錢嘉徵疏言尤為犀利，列舉魏忠賢有並帝、蔑后、弄兵、無二祖列宗、克剝藩封、無聖、濫爵、邀邊功、朘民脂膏、通同關節十大罪。思宗閱罷，批道：「魏忠賢事體，朕心自有獨斷。青衿書生，不諳規矩，姑饒這遭。」錢嘉徵僅為一貢生，此旨看似薄責，實含有肯定之意。思宗命內侍將此疏讀給魏忠賢聽，他聽後「震恐喪魄」，遂以患病為由請求辭職，思宗命其回家「調理」。朝臣紛紛彈劾魏忠賢，思宗見時機已到，遂於十一月初一日發佈諭旨，歷數魏忠賢「逞私植黨，盜弄國柄，擅作威福」諸罪，宣佈將魏忠賢安置鳳陽，客氏交浣衣局收管，「二犯家產，籍沒入官，其冒濫宗戚，俱煙瘴永戍」[28]。魏忠賢前往鳳陽途中，攜帶大批護衛與珠寶，威風不減。思宗得知，諭兵部曰：「逆惡魏忠賢，本當肆市以雪眾冤，姑從輕降發鳳陽。豈巨惡不思自改，輒敢將素畜亡命，身帶凶刃，環擁隨護，勢若叛然。朕心甚惡，著錦衣衛即差的當官旗前去，扭解押赴彼處，交割明白。所有跟隨群奸，即擒拿具奏，勿得縱容貽患。」[29]魏忠賢行至阜城，知不可免，遂於夜半自縊而死。崔呈秀見大勢已

[27] 談遷，《國榷》卷八八。
[28] 談遷，《國榷》卷八八。
[29] 汪楫，《崇禎長編》卷三〈天啟七年十一月〉。

去，亦在薊州家中自縊。客氏則在浣衣局被笞死，焚屍揚灰。

閹黨雖然受到致命打擊，但東林黨仍未得到平反。閹黨餘孽繼續混淆視聽，如楊維垣就上疏力詆東林與崔呈秀、魏忠賢並為「邪黨」。崇禎元年（一六二八年）正月，翰林編修倪元璐首先上疏為東林黨鳴不平，極言「方隅未化，正氣未伸」，質問說：「以東林諸臣為邪黨，人將以何名加之崔、魏之輩？崔、魏而既邪黨矣，向之首劾忠賢、參提呈秀者，又邪黨乎哉？」疏中還要求恢復被魏忠賢禁毀之書院。思宗不肯接納倪元璐之建議，下令「各書院不許倡言創復，以滋紛擾」㉚。楊維垣疏攻倪元璐「詩論甚謬，生心害政」，倪元璐也反覆疏辯。隨著對閹黨罪惡揭露日多，思宗認識到倪元璐之忠直，擢為翰林侍講。四月，倪元璐再次上疏，請求焚毀《三朝要典》，下廷臣議，大多數人都表示同意。但也有少數人維護《要典》，翰林侍讀孫之獬到東閣力爭，謂皇帝如毀《要典》，「於祖考則失孝，於熹廟則失友」，說畢大聲痛哭，聲徹殿廷內外。接著又言患病不能供職，思宗准其回籍調養。五月九日，思宗正式下諭，令將《要典》成書及書板盡行焚毀。《要典》被毀，加在東林黨頭上的「邪黨」之名也就不復存在，一些東林人士重新回到官場。

崇禎元年（一六二八年）底，因明年又當京察，御史吳甡建議先對官員進行審查，清除依附魏忠賢人員。次年正月下旬，思宗詔諭閣臣：「朕欲定附逆人罪，必先正魏、崔、客氏首逆，次及附逆者。欲分附逆，又須有據。」於是將以前官員所上稱頌魏忠賢及為其建祠諸疏發出，令閣臣會同吏部尚書、左都御史甄別。閣臣不願廣搜樹怨，數日後上報名單，僅列四五十人。思宗令再議，閣臣又報上數十

㉚文秉，《烈皇小識》卷一。

人。思宗見他們一味搪塞，遂令以「贊導」、「擁戴」、「頌美」、「諂附」為目，徹底清查，並增補刑部尚書參與清查工作。三月十五日，附逆名單上呈，思宗親加裁定後公佈，稱「欽定逆案」。案中以魏忠賢、客氏為「首逆」，以兵部尚書崔呈秀等六人為「首逆同謀」，以右僉都御史劉志選等十九人為「結交近侍」，以大學士魏廣微等十一人為「結交近侍次等」，以東平侯魏志德等三十五人為「逆孽軍犯」，以內監李實等十五人為「諂附擁戴軍犯」，以大學士馮銓等一百二十九人為「結交近侍又次等」，以大學士黃立極等四十四人為「結交近侍減等」，此外另有魏忠賢親屬及內官黨附者又五十餘人。「欽定逆案」的頒佈，宣告了閹黨的徹底失敗，「盡逐忠賢黨，東林諸人復進用」㉛。

自萬曆以來，明朝政治昏濁，百弊叢積，已成大廈將傾之勢。思宗即位後，有條不紊地清除了閹黨勢力，臣民忻然望治。思宗自己也勵精圖治，試圖力挽狂瀾，實現中興大業。

思宗一改明中葉以來皇帝不見大臣之陋習，經常召見大臣商討政務。為了及時處理章奏，他時常「雞鳴而起，夜分不寐」，一次前去謁見神宗昭妃劉氏，因「兩夜省文書，未嘗交睫」，落座不久就進入夢鄉，劉太妃為之泣下㉜。思宗關心民瘼，崇禎四年（一六三一年）和六年，因京師大旱，他不辭辛苦，兩度「步禱南郊」，祈求降雨。為了解下情，他屢次下詔求言，令「官民陳事者，報名會極門，即日召對」㉝。明朝自中葉以來，宮廷生活日趨奢靡，思宗卻力行節儉，《崇禎遺錄》記載說：「上恭

㉛張廷玉等，《明史》卷三〇五〈魏忠賢傳〉。
㉜王世德，《崇禎遺錄》；《明史》卷一一四〈劉昭妃傳〉。
㉝張廷玉等，《明史》卷二五八〈熊開元傳〉。

明思宗手跡

勤節儉，勵精圖治。自神宗以來，膳羞日費萬餘金，上命盡減，但存百分之一。舊制，冠袍靴履日一易，上命月一易。」不僅自己節儉，他還試圖扭轉社會上之侈風，曾規定「諸臣服飾袖長不得過一尺」，宮中金銀器盡改陶器，「並諭誡諸臣不得擅用金銀」㉞。

在用人方面，思宗力圖打破資格限制。明代例以翰林出身者為閣臣，但他們的表現，卻很使思宗失望。號稱讀書過目不忘的鄭以偉，一次奏疏中有「何況」二字，他竟以為是人名，票旨：「何況著按、撫提問。」經思宗駁改，始悟。思宗遂產生「閣臣不專用翰林」的想法。第一位非翰林入閣的是張至發，他於崇禎五年（一六三二年）起復為順天府丞，陞光祿卿，「精覈積弊，多所釐正，遂受帝知」，崇禎八年（一六三五年）春遷刑部右侍郎，六月擢禮部左侍郎兼東閣大學士㉟。其後有很多非翰林出身的外僚進入內閣。為了改變「儒緩不習吏事」的狀況，思宗還決定從知縣、推官中挑選治行卓絕者進入翰林院。崇禎九年（一六三六年），武舉陳新甲詣闕上書，謂天下有科目、資格、考選三大病，正合思宗破格用人之想法，被立擢為吏科給事中。有史家統計，由舉人出身而仕至巡撫者，隆慶朝止海瑞一人，神宗朝止張守中、艾穆二人，而思宗「破格求才，得十人」㊱。

㉞文秉，《烈皇小識》卷八。

㉟張廷玉等，《明史》卷二五三〈張至發傳〉。

應該說，思宗即位後，清除閹黨，關心民生，破格用人，求治之心甚殷，起到一定的積極作用。但思宗為政，也存在著嚴重缺陷。

一是急於求成，剛愎自用。崇禎二年（一六二九年），順天府尹劉宗周曾批評說：「陛下勵精圖治，宵旰靡寧，然程效太急，不免見小利而速近功。……且陛下所擘劃，動出諸臣意表，不免有自用之心。臣下救過不給，讒陷者因而間之，猜忌之端遂從此起。」又說：「陛下求治之心，操之太急。醞釀而為功利；功利不已，轉為刑名；刑名不已，流為猜忌；猜忌不已，積為壅蔽。」[37]隨著時間推移，這種情況越來越嚴重，官員更換頻繁，不安於位，而且動輒以刑立威，連閣臣也不保其命，嚴重影響了官僚隊伍的穩定和治效。大學士魏藻德曾直言說：「邊臣任事少，畏事多，固是時勢艱難，人多掣肘，亦因功令太嚴，恩威莫測，恐一干聖怒，則無功有罪，是以畏首畏尾，俱不敢做。」[38]

二是厭聞正言，文過飾非。思宗雖然屢次下詔求言，其實極好虛榮，聽不得批評意見。大學士劉鴻訓「銳意任事」，但因說過「主上畢竟是沖主」，思宗懷恨在心，欲置之死地，經諸大臣力救，才改為謫戍。大學士錢士升撰〈四箴〉進呈，要求皇帝「寬以御眾，簡以臨下，虛以宅心，平以出政」，可謂切中時弊。思宗卻深感不快，不久錢士升再次上疏，思宗批道：「即欲沽名，前疏已足致之，毋庸汲汲。」見了這種冷嘲熱諷的批語，錢士升當然只能「引罪乞休」，思宗當即允准[39]。思宗既厭聞逆耳

---

[36] 談遷，《國榷》卷九七。
[37] 張廷玉等，《明史》卷二五五〈劉宗周傳〉。
[38] 李清，《三垣筆記．附識中》。

之言，溫體仁之類的奸佞之徒便乘機而進，更加毒化了朝廷的政治空氣。

三是猜疑外臣，倚信宦官。思宗即位後，下令將各處鎮守內官撤回，並「命內臣俱入直，非受命不許出禁門」㊵。但他對文武百官很不信任，批閱奏疏時，凡薦舉者就認為是「市恩」，凡論救者就認為是「任德」。在這種心理支配下，他覺得還是身邊的宦官比較可靠。崇禎二年（一六二九年），後金軍進入畿內，京師戒嚴，思宗遂令宦官監軍，以後信用日廣。他公開表白說：「文武各官，朕未嘗不信用。誰肯打起精神來實心做事？只是一味朦徇誘飾！……你們外臣果肯做事，朕何必要用內臣！」㊶宦官受命外出，往往肆意妄為，影響了外官的積極性，敗壞了軍政事務。

第五節　門戶之爭與復社興起

鑑於萬曆以來黨派紛爭不已，思宗即位後，再三要求群臣「化異為同」。但事與願違，其時士大夫門戶觀念已深，習氣已成，黨爭越演越烈，出現了「外患愈逼，黨局愈多，雖其持論互有短長，大抵所謂小人皆真小人，而所謂君子則未必真君子」的亂局㊷。

㊴張廷玉等，《明史》卷二五一〈錢士升傳〉。

㊵谷應泰，《明史紀事本末》卷七四〈宦寺誤國〉。

㊶孫承澤，《春明夢餘錄》卷四八。

㊷侯玄汸，《月蟬筆露》卷下。

崇禎元年（一六二八年）末，會推閣臣，名單上有東林黨人禮部侍郎錢謙益之名，而禮部尚書溫體仁、侍郎周延儒不在其內。溫、周二人遂利用思宗厭惡結黨之心理，攻擊錢謙益「結黨受賄」。經過一番疏辯勘問，錢謙益雖洗脫了受賄罪名，但溫、周屢言「滿朝俱是謙益之黨」，引起思宗猜忌，最終將錢謙益罷免，替錢謙益辯解的科道官周允儒、瞿式耜、房可壯等，或降職，或譴戍，而周、溫二人卻相繼入閣。溫體仁本屬閹黨分子，卻依靠攻擊東林得到思宗重用，大大降低了打擊閹黨的積極作用。可以說，思宗最怕朝臣結黨，卻因此中了周、溫二人圈套，成為結黨營私者的最有力支持。

崇禎二年（一六二九年）欽定「逆案」時，受門戶之見和權力格局影響，就有不當入「逆案」而入者，也有當入而未入、當重懲而輕處者。比如，右庶子楊世芳就是閹黨分子，但因與首輔韓爌是姻家而得到包庇。吏部尚書王永光「素附璫，仇東林」，也未受到應有的懲處。被列入「逆案」的閹黨分子，也不甘心失敗，時刻準備翻案。東林黨人錢龍錫以大學士身分參與審定「逆案」，閹黨目之為「東林黨魁」。是年冬，後金軍侵入內地，並施展離間計，使思宗冤殺了著名將領袁崇煥。閹黨分子遂彈劾錢龍錫是袁崇煥後臺，並誣衊他收受袁崇煥賄賂數萬，錢龍錫遂被下獄。當時「麗名逆案者，聚謀指崇煥為逆首，龍錫等為逆黨，更立一逆案」，以取代「欽定逆案」。謀雖未成，錢龍錫仍被謫戍。崇禎三年（一六三〇年）春，在吏部尚書王永光支持下，名列「逆案」的呂純如上疏「訟冤」，否認自己曾依附魏忠賢，試圖以此為突破口翻案。東林黨人文震孟起而彈劾呂純如、王永光，思宗雖斥責文震孟「任情牽詆」，但閹黨試圖翻案之陰謀亦未得逞。終崇禎一朝，閹黨從未停止翻案活動，明亡之後，在南明弘光小朝廷中終於翻案成功。

在崇禎年間的黨爭中，清流行列出現了一個著名組織，這就是復社，其倡議創立者為張溥。張溥

（一六〇二－一六四一年），字天如，號西銘，蘇州太倉（今屬江蘇）人。自少嗜學，善詩文，與同里張采齊名，時稱「婁東二張」。晚明知識分子往往結成社團，以文會友，切磋學問。天啟四年（一六二四年），張溥與張采創立應社，江、淮、浙等地士子紛紛加入。崇禎二年（一六二九年），張溥以應社為基礎，聯合多家文社成立了復社，「是時江北匡社、中洲端社、松江幾社、萊陽邑社、浙東超社、浙西莊社、黃州質社與江南應社，各分壇坫，天如乃合諸社為一」[43]。復社之名，係因張溥欲集合同好「興復古學」。復社成立後，陳子龍、吳應箕、吳偉業、黃宗羲等一大批名士彙集其中，影響很快就遍及各地。

復社多次召集全國性大會，崇禎二年（一六二九年）的尹山大會，三年的金陵大會，五年的虎丘大會，規模都很龐大，尤其是虎丘大會，「山左江右晉楚閩浙以舟車至者數千人」。復社還時常徵選同仁文章，編輯成冊，取名《國表》，力圖領文章風氣之潮流。復社充分利用其人際關係網絡干預科舉，「每歲科兩試，有公薦，有轉薦，有獨薦」，被薦者在考試中每每名列優等，於是「為弟子者爭欲入社，為父兄者亦莫不樂其子弟入社」[44]。除中心地江南外，復社在江西、福建、湖廣、貴州、山東、山西等省也頗有影響，社員總數達數千人。

復社成員的身分構成比較龐雜，但其社會基礎與東林黨基本相同。復社自擬的宗旨是切磋文章，但其成立後，實際上是越來越多地關注、涉足於朝廷政治。復社的政治主張，與東林黨一脈相通。復

[43] 陸世儀，《復社紀略》卷一。
[44] 陸世儀，《復社紀略》卷二。

社領袖張溥主張「以國事付公論」，反對以「私權」定朝政；他還指出，欲「公論明」必需使人有「諫政」的機會，否則「直道難聞於世」；他特別強調要重視「文人」在議政中的作用，認為「文人之稱，尊貴重大，不得輕也」[45]。在政治行動上，復社更是自覺地繼承東林黨之衣缽，張溥公開炫耀說：「吾以嗣東林也。」[46]因此，東林黨人的後裔，基本上都支持復社，而閹黨餘孽則皆與復社作對，復社一時間成為黨派鬥爭的中心。不過，與東林黨相比，復社的組織化程度要高得多，在政治運作方面也更加成熟和成功。

復社影響日益擴大，就連內閣首輔溫體仁也不得不加以重視。他本是閹黨餘孽，專與東林作對，這時見復社勢力日盛，便想拉攏一下關係。崇禎六年（一六三三年），復社在蘇州虎丘召開大會，溫體仁指使其弟溫育仁加入復社，不料遭到張溥堅決拒絕。溫育仁惱羞成怒，雇人撰寫《綠牡丹》傳奇譏誚復社，一時爭相搬演。復社門生深以為恥，飛書張溥、張采求為洗刷，二張遂親到浙江，言之學臣黎元寬，黎元寬也是復社同盟，於是「禁書肆，毀刊本，究作傳主名，執育仁家人下於獄」[47]。溫體仁因此與復社結下不解之怨，伺機打擊復社。崇禎十年（一六三七年），蘇州文人陸文聲因求入復社不得，赴京彈劾張溥、張采「倡復社，亂天下」，溫體仁想趁機製造大獄，「擬嚴旨究治」。提學御史倪元珙受命調查，奏言：「諸生誦法孔子，引其徒談經講學，互相切劘，文必先正，品必賢良，實非樹黨。

[45] 張溥，《七錄齋詩文合集．古文存稿》卷五〈程墨表經序〉。
[46] 張廷玉等，《明史》卷二八八〈張溥傳〉。
[47] 陸世儀，《復社紀略》卷二。

文聲以私憾妄訐，宜罪。」⑱溫體仁擬旨將倪元珙降職。接著，曾與復社結怨的原蘇州推官周之夔、刑部侍郎蔡奕琛也先後上疏，彈劾張溥遙控朝政，結黨恣橫。

這次事件使復社認識到，必須在朝廷中扶植自己的代言人。溫體仁去職後，張至發、薛國觀相繼為首輔，亦皆不喜東林。復社決定攻倒薛國觀，由自己人出任首輔。他們選中的代言人，是宜興人周延儒。周延儒崇禎二年（一六二九年）入閣，因遭溫體仁排擠，崇禎六年（一六三三年）辭職歸里。周延儒過去曾仇視東林，復社之所以選中他，大約有三條理由：其一，復社謀求的是首輔之位，推出的人選必須有相應資歷，周延儒曾經入閣，謀求復出希望較大；其二，張溥中進士時，周延儒是會試主考官，與張溥是師生關係；其三，周延儒里居後，政治態度有些改變，「頗從東林遊」。張溥遊說周延儒：「公若再相，易前轍，可重得賢聲。」周延儒表示同意。於是張溥聯合吳昌時等，在朝臣中開展活動，共費銀六萬兩，終於使周延儒起復。張溥以數事相託，周延儒慨然說：「吾當銳意行之，以謝諸公。」入朝後果然「悉反（溫）體仁輩弊政」⑲。可惜張溥暴病身亡，因有周延儒等為其美言，被劾之事遂不再追究，思宗還令進呈張溥著作以備御覽。

復社的活動方式，已帶有政黨的某些特徵。他們「品覈執政，裁量公卿，雖甚強梗，不能有所屈撓」⑳，充分展示了「士志於道」的社會責任感和「清議」的社會影響力。這種新型政治組織的出現，

⑱楊彝，《復社事實》。
⑲張廷玉等，《明史》卷三〇八〈周延儒傳〉。
⑳吳偉業，《梅村家藏稿》卷三六〈冒辟疆五十壽序〉。

是晚明民間力量壯大與活躍的重要表徵，具有一定積極意義。

《綠牡丹》傳奇

《綠牡丹》傳奇，吳炳作。吳炳（？—一六四七年），字可先，號石渠，晚號粲花主人，宜興（今屬江蘇）人。萬曆末進士，曾任江西提學副使。明亡後，隨桂王至桂林，擢為兵部侍郎兼東閣大學士，後被俘，絕食而死。著有傳奇《西園記》、《綠牡丹》、《療妒羹》、《情郵記》、《畫中人》，合稱《粲花齋五種曲》。《綠牡丹》共三十折，借當時盛行的風雅社集吟詠之事，描摹出一幅戲謔叢生的科舉士子眾生相。作者以誇張化、漫畫式的筆觸，嘲諷了假名士倩筆吟哦的矯柔造作之態，極盡嘻笑怒罵之能事。該傳奇雖為諷刺復社而作，但在藝術上仍有可取之處，是一部獨具特色的諷刺喜劇。

第二十章 內外威脅與明朝滅亡

第一節 奢安之亂

萬曆末遼東局勢吃緊，使西南個別少數民族首領感到有機可乘，四川永寧（敘永）宣撫司的奢崇明、貴州水西（今大方一帶）宣慰司的安邦彥，相繼發動叛亂，史稱「奢安之亂」。

奢氏世居川黔交界地區，明朝建立不久，即率領族眾歸附，明朝在其地設立永寧宣撫司，由奢氏世任宣撫使。數傳至奢崇周，死後無子，由族人奢崇明襲職。奢崇明表面恭順朝廷，實際上暗懷鬼胎，其子奢寅更是圖謀反叛，招納了一批亡命之徒。遼東戰爭爆發後，明朝需要從各地徵調軍隊增援。奢崇明主動上疏，願派三萬士兵到遼東效力，並派部將樊龍、樊虎領軍先到重慶。四川巡撫徐可求經過清點，裁減了部分老弱士兵，再加上兵餉發放困難，引起奢軍的不滿。

天啟元年（一六二一年）九月，樊龍、樊虎利用檢閱軍隊之機，將徐可求及大批文武官員殺死，舉兵反叛。奢崇明發兵相應，進占遵義，並分兵攻掠納溪、瀘州、江安、興文、永川、長寧、榮昌、隆昌、壁山等城。然後又率軍向成都進發，很快進圍成都。奢崇明建國號「大梁」，設立丞相以下文武官職。此時成都城內，只有鎮遠營官軍七百人，另有徵調前來的松潘、茂州、龍安兵一千五百餘人，防禦能力較弱。朝廷聞變，晉左布政使朱燮元為僉都御史，巡撫四川。朱燮元處變不驚，親自登城佈置防守，叛軍多次攻城，都未能成功，雙方處於相持狀態。

是年底，朝廷以川事可慮，命河南巡撫張我續以兵部侍郎提督川、貴軍務，陝西巡撫移駐漢中，鄖陽巡撫移駐彝陵，湖廣官軍由巫峽入川，以共同討伐叛軍。次年正月，叛軍再次大舉攻城，遭到失敗，遂連夜拔營而去。成都被圍困了一百零二天，到這時才徹底解圍。官軍趁機追擊，陸續恢復失地，只剩重慶尚在叛軍手中。天啟二年（一六二二年）五月，各路官軍進抵重慶附近。重慶三面臨江，時值春水泛漲，一望彌漫。只有從佛圖關至二郎關一路，才能進入重慶。叛軍自通遠門城濠至二郎關，紮營十七處，駐有精兵數萬人。經過周密策劃，官軍分兩路前後夾擊，直逼重慶城下，擒獲叛軍首領樊龍等三十餘人，攻下重慶。

就在官軍逐步平定奢崇明叛亂之時，天啟二年（一六二二年）二月，貴州水西土同知安邦彥又發動叛亂。明朝初年，元順元路宣撫使靄翠與宋蒙古歹歸附，明廷改順元路宣撫司為貴州宣撫司，不久又賜靄翠姓安，以鴨舌河為界，安氏領水西，宋氏領水東。後陞宣撫司為宣慰司，靄翠居各宣慰之首。其後水西安氏世受明廷冊封。萬曆年間，安疆臣承襲宣慰使，死後由其弟安堯臣繼任。安堯臣死，子安位襲，因年幼，由安堯臣之妻奢社輝代管，實權則掌握於叔父安邦彥之手。奢崇明叛亂後，安邦彥見有機可乘，便誘導奢社輝和安位舉兵回應，脫離朝廷。一時間，四十八馬頭與頭目安邦俊、魯連、安若山、陳其愚、陳萬典等各率部眾應和，貴州全省騷動，多處城池失陷。安邦彥親自統領數萬人，進抵貴陽城下，形成包圍。

三月，明廷令湖廣、雲南、廣西官軍增援貴州。貴州巡撫李橒、巡按史永安督率城內軍民極力抵禦。前來支援的各路援軍都遭攔擊，無法靠近貴陽。新任巡撫都御史王三善進軍平越，遭到挫敗，暫且屯駐下來，等待時機。史永安疏請朝廷催督官軍進援，王三善遂分兵三路：道臣何天麟督兵七千從清水江前進，為右部；道臣楊世賞督兵萬人從都勻前進，為左部；自己率兵二萬，與道臣向日昇從中路前進，衝擊叛軍鋒銳。安邦彥聽說大軍突至，急忙派人偵察，回報說有數十萬之眾。他驚懼異常，自行逃走。叛軍失去首腦，鬥志大挫，抵禦不住官軍的進攻，相率潰逃，王三善進駐貴陽，此時貴陽軍民已死守了十個月。湖廣、廣東、四川等地援軍，陸續抵達貴陽。

奢崇明、奢寅在川軍追擊下勢窮力竭，前來投奔安邦彥。六月間，官軍向叛軍巢穴發動總攻，攻下奢社輝老巢大方。奢社輝和安位逃奔火灼堡，安邦彥則逃入織金。王三善在大方屯駐下來。在這種有利局面下，總督楊述中和巡撫王三善卻產生尖銳分歧。楊述中主張招撫，王三善則主張以剿為撫，兩人不能同心合力，徹底平叛。而安邦彥卻不斷積蓄力量，圖謀再起。天啟四年（一六二四年）正月，王三善遇害，叛軍勢焰又盛。四川烏撒土目安效良趁機起兵，攻入雲南，匯合蘭水、烏沾、安南諸部三十九營，戰火不斷擴大。天啟六年春，奢寅部將苗老虎、阿引等將其殺死，投降官軍，但這並未能削弱叛軍勢力，安邦彥、奢崇明及其他頭目不時與官軍作戰，雙方互有勝負。直到崇禎二年（一六二九年），在總督貴州、湖廣、雲南、四川、廣東五省軍務朱燮元的指揮下，才給叛軍以致命打擊，奢崇明、安邦彥皆被殺，安位獻地投降，延續九年之久的奢安叛亂基本平定①。

①谷應泰，《明史紀事本末》卷六九〈平奢安〉。

第二節　荷蘭人占據臺灣

繼葡萄牙、西班牙之後，歐洲新興的資本主義國家荷蘭，也於十六世紀末來到東方。萬曆二十四年（一五九六年），荷蘭人到達爪哇，數年後在此建立商館。萬曆二十九年（一六〇一年），他們「駕大艦，攜巨炮」，來到澳門，要求與明朝通商。因見葡萄牙人有所準備，明朝地方官員又不敢將此事奏報朝廷，遂逗留一月而去。這是荷蘭艦隊第一次闖入中國領海。

直接與明朝通商的目的未能達到，荷蘭人便以海盜手段，在海上公開搶掠。萬曆三十年（一六〇二年），荷蘭組建了「荷蘭東印度聯合公司」。次年，公司派出一支十二艘帆船組成的艦隊前來東方，攜帶荷蘭國會和奧倫治親王的信函，要求與明朝通商。艦隊抵達大泥（即北大年，在今泰國南部）後，勾引數名福建海商，由他們攜帶大泥國書先期潛回福建漳州月港活動，艦隊司令韋麻郎（Waijbrant van Waerwijk）則率領兩艦，於萬曆三十二年（一六〇四年）抵達中國沿海，在再次到澳門活動受阻後，進入澎湖列島，「是時訊兵俱撤，如登無人之墟，夷遂伐木築屋」②，企圖在此久居。同時，令與其勾結的福建海商賄賂稅監高寀，以求通商。高寀本已應允，但遭到福建巡撫的上疏反對。福建軍政官員又嚴加防範，拘捕奸商，禁止向荷蘭人提供糧食。福建都司沈有容親到澎湖，嚴令荷蘭人退去。韋麻郎自忖兵力單薄，又難以得食，只得於年底撤離澎湖。萬曆三十五年（一六〇七年），荷蘭東印度公司又

②張燮，《東西洋考》卷六〈紅毛番〉。

派七艘艦船，到廣東南澳一帶要求通商，亦無果而回。

萬曆四十七年（一六一九年），荷蘭人在巴達維亞（今印尼雅加達）設立總督，建立據點，搶掠葡萄牙和西班牙的船隻貨物，掌控了東方海上霸權。天啟二年（一六二二年），荷印總督燕．彼得遜．昆 (Jan Pieterszoon Coen) 派遣科納里斯．雷約茲 (Cornelius Reyerez) 率軍艦十二艘，並聯合英船二艘，進攻澳門，企圖用武力打開中國大門。失敗後，又駛往澎湖，在紅木埕登陸，「復築城彭湖，掠漁舟六百餘艘，俾華人運土石助築」③。被擄掠的華人大多勞役致死，倖存者則被運往巴達維亞當作奴隸出賣。荷蘭人強占澎湖後，繼續要求通商，遭到拒絕後，便大肆騷擾福建沿海，「乘汛出沒，擄掠商艘，焚毀民廬，殺人如麻」④。

澎湖是海上交通要道，「遮罩八閩，通呂宋、琉球、日本諸國必泊之地，商魚舴艋日往來以千數」⑤。荷蘭人的海盜行為，對國計民生造成致命危害，「海運不通，米粟騰貴，人民艱窘死亡，無可輸錢糧」⑥。天啟四年（一六二四年），福建巡撫南居益派舟師進攻澎湖，一部分士兵登陸，「分佈要害，絕其汲道，禦其登岸，擊其銃城夷舟」，另一部分兵船「泊鎮海營前海洋，直逼夷船，候風水陸齊進」。荷蘭新任澎湖長官宋克 (Martinus Sonck) 見大勢已去，遂樹起白旗，派人與明軍交涉，「乞緩進

③張廷玉等，《明史》卷三二五〈和蘭傳〉。

④〈兵部題澎湖捷功殘稿〉，《明清史料》乙編第七本，第六二八頁。

⑤〈兵部題澎湖捷功殘稿〉，《明清史料》乙編第七本，第六二九頁。

⑥何喬遠，《鏡山全集．海上小議》。

師，容運糧米上船，即拆城」⑦。不久，荷蘭人拆毀城堡，全部撤出澎湖。

荷蘭人盤踞澎湖後，不斷派兵到臺灣沿海進行勘探，發現了一個可以停泊艦船的港口。天啟三年（一六二三年），他們遣人到臺灣要求通商，並派兵到臺灣大員修築城堡，遭當地人民襲擊，被迫退回。撤出澎湖後，荷蘭人遂遁入臺灣，在臺南臺江外無人居住的一鯤身島上建築熱蘭遮(Zeelandia)城。接著，宋克利用當地人民的善良，騙取一鯤身對岸新港社平埔族人大片土地，後來在此建立普羅文查(Provintia)要塞，即赤崁城。從天啟四年（一六二四年）開始，荷蘭人不斷擴張其勢力範圍，逐步侵占了臺灣南部地區。

荷蘭人以臺灣為據點，利用臺灣海峽的地利，掠奪過往商船，致使中國海商不敢到馬尼拉從事貿易。天啟七年（一六二七年），荷蘭人為了打通與明朝的直接貿易，協助明軍攻打鄭芝龍海盜集團，但被鄭芝龍擊敗。崇禎元年（一六二八年），明廷改變了對海盜一味進剿的政策，招撫鄭芝龍，任其為總兵官，讓他在東南海上抵禦牽制荷蘭人。崇禎六年（一六三三年）六月，荷蘭人派艦隊大舉進攻福建沿海，焚毀明軍水師船五隻，打死官軍十七人。明軍緊急備戰。八月十二日，福建巡撫鄒維璉趕到漳州，調兵遣將，以鄭芝龍為前鋒，高應嶽為左翼，張永產為右翼，九月十三日誓師於海澄，出海攻剿。二十日，與荷蘭艦隊激戰於料羅灣，「燒沉夷眾數千計，生擒夷眾一百一十八名，馘斬夷級二十顆，焚夷甲板巨艦五隻，奪夷甲板巨艦一隻，擊破夷賊小舟五十餘隻」，「閩粵自有紅夷以來，數十年間，此捷創聞」⑧。這是明朝抗擊荷蘭人入侵取得的一次重大勝利。

⑦溫體仁等，《明熹宗實錄》卷四七〈天啟四年十月〉。

荷蘭人侵入臺灣南部不久，西班牙殖民者也於天啟六年（一六二六年）侵入臺灣北部，先後在基隆和淡水建築了城堡和炮臺。崇禎五年（一六三二年），西班牙人為擴大侵占區，曾派兵進攻臺灣東北部的噶瑪蘭（今宜蘭），一路燒殺搶掠，無惡不作。崇禎十五年（一六四二年），荷蘭人發動進攻，派遣艦隊在淡水登陸，包圍了西班牙人的城堡。西班牙人投降，被逐出臺灣，於是臺灣部分被荷蘭人占領。他們在臺灣實行嚴苛的殖民統治，激起當地人民的多次強烈反抗。直到一六六二年，鄭成功才率軍將荷蘭人逐出臺灣。

第三節　明金戰爭與清兵南下

萬曆四十六年（一六一八年）薩爾滸戰敗後，明朝起用「有膽知兵」的熊廷弼為遼東經略。熊廷弼到任後，悉心整頓軍備，使後金不敢輕舉妄動。但當時朝廷正控制在邪黨手中，首輔方從哲唆使言官姚宗文、顧慥、馮三元等人彈劾熊廷弼，要求將其撤職。熹宗即位後不到一月，即罷免熊廷弼，改派浙黨信賴的袁應泰為遼東經略。

袁應泰，陝西鳳翔人，歷任知縣、工部主事、兵部右侍郎，為人精敏強毅，然而「用兵非所長」。他到任後，一反熊廷弼治遼之策：熊廷弼「持法嚴，部伍整肅」，他「以寬矯之，多所更易」；熊廷弼「為守禦計」，他卻盲目執行方從哲速勝的方略，「遂謀進取」⑨。天啟元年（一六二一年）三月，袁

⑧鄒維璉，《達觀樓集》卷一八〈奏剿紅夷報捷疏〉。

應泰正考慮分三路出兵以恢復清河、撫順，後金軍已到瀋陽城下，袁應泰招居城內的蒙古人叛降，瀋陽失陷，總兵賀世賢等戰死，城外兵七萬餘人皆潰敗。後金軍乘勝圍攻遼陽，城陷，袁應泰自縊死，巡按御史張銓遇害，文武官員死者甚眾，遼東之三河等五十寨及河東大小七十餘城望風而降。此時距熊廷弼被罷未及半年。

東林黨人陸續復職後，力主起用熊廷弼。熹宗下詔說：「熊廷弼守遼一載，未有大失。換袁應泰，一敗塗地。當時倡議何人，扶同何官？將祖宗百戰封疆，袖手送賊。若不嚴覈痛稽，何以懲前警後。」⑩遂將攻擊過熊廷弼的姚宗文等人，或革職為民，或降級外調。天啟元年（一六二一年）六月，熊廷弼以兵部尚書兼右都御史，再次經略遼東。熊廷弼提出一套完整的復遼規劃，稱「三方佈置策」：㈠廣寧用馬步軍列壘河上，阻止後金的正面進攻；㈡登州、萊州、天津並設撫鎮，督水軍襲擾遼東半島沿海地區，伺機收復遼陽；㈢山海關適中之地，設經略節制三方。主旨是積極防守，待機反攻，目的在於確保廣寧。這在當時是切實可行的方略。

但是，熊廷弼再次經略遼東，卻遇到更大阻力。當時東林黨雖在朝暫時取得優勢，但浙、齊等黨正與魏忠賢勾結，伺機反撲。此時遼東實際兵權，掌握在巡撫王化貞手中。王化貞，山東諸城人，本是庸才，卻喜說大話，剛愎自用。他反對「三方佈置策」，主張分兵把守，全力進攻，這在後金軍隊強大、明朝軍力不足的情況下，很容易被各個擊破。朝臣、皇帝不懂軍事，加上門戶之見，黨派之爭，

⑨張廷玉等，《明史》卷二五九〈袁應泰傳〉。
⑩溫體仁等，《明熹宗實錄》卷九〈天啟元年四月〉。

對經、撫之間的分歧，一直未作出合理的決斷。王化貞得到閹黨兵部尚書張鶴鳴的支持，熊廷弼「徒擁經略虛名」，只能以五千兵守右屯，而王化貞卻擁兵十四萬據守廣寧。

天啟二年（一六二二年）正月，王化貞上疏稱：「願以六萬進戰，一舉蕩平。即有不稱，亦必殺傷相當。」並提出如認為其言不可行，就罷去其職，專責經略。熊廷弼則覆疏稱：「撫臣欲以六萬人進戰，一舉蕩平，懇乞陛下亟如撫臣約，乘冰急渡，免使兵因戰而怨。並亟罷臣，以無摧戰士之氣，灰任事之心。」兩疏下廷臣議，眾說紛紜，張鶴鳴建議專用王化貞，賜以尚方劍⑪。熹宗尚未批復，是月二十日，努爾哈赤率五萬大軍進攻西平堡，明軍大敗，王化貞丟棄廣寧，逃到大淩河，遇見熊廷弼，問計將安出，熊廷弼挖苦說：「六萬眾一舉蕩平，竟何如？」王化貞無言以對。廣寧失守，附近四十多座城池盡皆淪陷於後金。這次大敗，責任全在王化貞，但熊廷弼也一同被逮。後魏忠賢以行賄熊廷弼為藉口，逮治屠戮東林黨人，熊廷弼含冤被殺，王化貞則直到崇禎年間才伏誅。

廣寧失陷後，朝廷陷於恐慌之中，均主張退守山海關，新任經略王在晉就是持此主張的代表人物，他甚至荒謬地建議在山海關外八里鋪修築重關。此時，大學士孫承宗挺身而出，自請督師山海關外。孫承宗（一五六三－一六三八年），字稚繩，號愷陽，保定高陽（今屬河北）人。天啟元年（一六二一年），以左庶子充日講官，次年拜兵部尚書兼東閣大學士。他不願在內閣安享清閒，而是以邊務為重，自請到遼東巡視。經實地考察後，他要求出任督師，熹宗欣然同意，命他經略山海關及薊、遼、天津、登州、萊州軍務。孫承宗到遼東後，定軍制，明職責，練士卒，造軍器，拓地四百里，開屯五千頃，

⑪溫體仁等，《明熹宗實錄》卷一八〈天啟二年正月〉。

軍威大振，後金軍不敢輕易西進。

正當恢復遼東計畫穩步行進之時，朝內形勢急遽逆轉，以魏忠賢為首的閹黨完全控制了朝局，東林黨人紛紛被逐。孫承宗與熹宗有師生之誼，欲在天啟五年（一六二五年）十一月萬壽節時入朝，面陳是非。閹黨得到消息，十分恐懼，魏廣微恫嚇魏忠賢說：「承宗擁兵數萬，將清君側，兵部侍郎李邦華為內主，公立齏粉矣！」魏忠賢大懼，到熹宗面前痛哭，熹宗遂令傳旨，連夜派三道飛騎阻止。孫承宗已抵達通州，聞命只得返回⑫。不久，孫承宗被迫去職，改由閹黨分子高第經略遼東，隨軍贊畫則是「五虎」之一田吉。高第視遼東為畏途，不肯上任，接二連三向魏忠賢求救，遭到拒絕，才悻悻赴任。天啟六年（一六二六年）正月，努爾哈赤知明廷更換經略，便率軍西渡遼河，再次向明朝發起攻勢。熹宗得知遼東戰火又起，命高第嚴飭將領，修備戰守，務保萬全。但高第被後金軍嚇破了膽，下令關外駐軍全部撤到關內。

對於高第棄遼的做法，袁崇煥堅決反對。袁崇煥（一五八四－一六三〇年），字元素，號自如，廣西藤縣人，祖籍廣東東莞。萬曆年間中進士，授福建邵武知縣。天啟二年（一六二二年）擢兵部職方主事，單騎出關巡察遼東，還京後自請守遼，超擢為寧前兵備僉事，協助孫承宗築寧遠城。高第強令撤兵，袁崇煥大義凜然地說：「我寧前道也，官此，當死此！」高第竟置袁崇煥於不顧，將錦州、右屯、大小淩河、松山、杏山、塔山等地明軍全部撤入關內，寧遠成了一座孤城。面對後金軍的圍攻，袁崇煥集中兵力，以二萬軍隊抗擊後金五、六萬人，戰鬥進行得十分激烈。最後袁崇煥用火炮擊傷努

⑫張廷玉等，《明史》卷二五〇〈孫承宗傳〉。

爾哈赤，擊退後金軍，取得寧遠戰役的勝利。天啟六年（一六二六年）秋，努爾哈赤去世，皇太極繼位。翌年五月，皇太極以報父仇為藉口，率軍十三萬圍錦州，攻寧遠，結果再次受挫。這兩次勝利，史稱「錦寧大捷」。袁崇煥憑恃孤城力退敵軍，是孫承宗四年經營遼東的成果，是袁崇煥與遼東人民浴血奮戰換來的果實。但當時魏忠賢一手遮天，功勞自然也被記在他頭上，其從孫魏鵬翼封安平伯，從子魏良棟封東安侯，一時文武冒濫增秩賜蔭者數百人。而袁崇煥卻在內外猜嫉之下，被迫引病告歸。

思宗即位後，再次起用袁崇煥督師薊遼，袁崇煥制定了長期的防禦計畫。崇禎二年（一六二九年）十月，皇太極知袁崇煥防守寧遠甚堅，便避開其防線，繞道蒙古，由長城喜峰口南下，進圍京師。袁崇煥聞訊，急忙率軍入援，抵達京師廣渠門外，與後金軍對峙。皇太極施展反間計，思宗剛愎多疑，果然中計，將袁崇煥下獄。部將祖大壽逃回山海關，被獄中的袁崇煥以手書召回。總兵滿桂出戰，兵敗身死。皇太極也並未強攻京城，在攻克遵化、永平（今盧龍）、灤州、遷安四城後，於年底沿原路返回遼東。翌年，思宗磔殺袁崇煥，籍沒其家，兄弟妻子皆流放三千里，一代名將，竟落得如此下場。「自崇煥死，邊事益無人，明亡徵決矣」⑬。思宗再次起用孫承宗督師，孫承宗收復關內四城，並修築關外大淩河城。崇禎四年（一六三一年），皇太極圍攻大淩河，平毀其城而回，孫承宗引咎辭職。

皇太極雖然取得一些勝利，但他認識到明朝未可輕圖，入主中原時機尚未成熟，便想先征服朝鮮和蒙古，鞏固基地，因而多次表示願同明朝議和，還以迫使明廷接受和議為名，多次派兵繞道蒙古入塞，掠奪人口和財產。崇禎七年（一六三四年），後金軍從宣府、大同進入山西，如入無人之境，大肆

⑬張廷玉等，《明史》卷二五九〈袁崇煥傳〉。

殺掠近兩月後，原路返回。思宗雖有議和之心，但又認為這是奇恥大辱，嚴加保密，遲疑不決，議和一直未有進展。崇禎九年（一六三六年），皇太極即皇帝位，建國號大清，改元崇德，表達了想取代明朝統治全中國的願望。即位不久，就派兵從北京西北方向的獨石口入關，攻克居庸關，大掠京畿而去。十年，清軍攻占皮島，這是明朝在遼東沿海防線的大本營，奪得皮島，清軍便解除了後顧之憂，可合力在遼西與明軍對抗。十一年九月，清軍再次突入京畿，並深入到山東境內，攻陷七十餘城，直到次年三月才出關，給中原地區造成極大摧殘。

經過多次南下攻掠，皇太極對明朝實力已是心中有底。他決定拔掉遼西從北到南的錦州、松山、杏山、塔山、寧遠、山海關一線據點，徹底掃清入關道路。崇禎十四年（一六四一年）三月，清軍遍挖深壕，包圍了錦州。明朝負責前線指揮的，是薊遼總督洪承疇。錦州告急，洪承疇親率十三萬大軍前往救援。洪承疇深諳軍事，主張「以兵護糧餉輜重，由杏山輸松山，再由松山輸錦州，步步為營，以守為戰」。這在當時形勢下確實是一種穩妥策略。但思宗和兵部尚書陳新甲既不懂軍事，也不了解實際情況，卻屢下急令，催促洪承疇進兵。洪承疇不敢違令，遂將糧草留在杏山和松山之間的筆架岡，率六萬人急進松山，在乳峰山擊敗清軍。皇太極見事態嚴重，遂動員全部兵力，並親率三千精騎星夜趕赴松山。清軍「自山至海，橫塹大路，斷其杏山之餉，並分軍敗其塔山護餉之兵，遂獲筆架岡積粟」[14]。洪承疇被圍困在松山，與後援軍的聯繫被切斷。他欲與清軍在松山決戰，但軍心動搖，總兵王朴、唐通、馬科、吳三桂、白廣恩等相繼奪路而逃，遭到清軍追擊和截殺，陣亡五萬餘人，僅吳三

⑭魏源，《聖武記》卷一。

桂、王樸殘部退入寧遠。洪承疇與總兵曹變蛟、王廷臣以及巡撫丘民仰，率萬餘人退守松山孤城，五次突圍不成。崇禎十五年（一六四二年）二月城陷，洪承疇投降，曹、王、丘不屈而死。堅守錦州的祖大壽戰守計窮，被迫出降，塔山、杏山等相繼陷落。

經此一戰，明軍主力喪失殆盡，再也無力抗擊清軍。崇禎十六年（一六四三年）八月，皇太極暴亡，幼子福臨即位，改元順治。而此時明朝正陷於農民起事的烈火之中。次年三月，明朝京師被農民軍攻占。清朝聞信，遂整軍以待，不久即入主中原。

第四節　農民起事與明朝滅亡

明朝中葉以來，小規模的農民起事一直未曾間斷，民間祕密宗教發展迅速。天啟二年（一六二二年），白蓮教首領徐鴻儒在山東鄆城起事，自稱「中興福烈帝」，先後攻下鄆城、鄒縣、滕縣、嶧縣等地，眾至數萬人，堅持半年之久，才被鎮壓下去。天啟七年（一六二七年）二月，陝西澄城知縣張斗耀追比稅糧，「催科甚酷，民不堪其毒」⑮，白水農民王二怒殺之，明末農民起事的序幕正式揭開。陝西地處邊防前線，屯駐士兵很多，糧餉常缺，軍官殘虐，經常激起兵變。這裡的土地極為貧瘠，無力承擔苛重的賦役，又連年荒旱，人民無以為生，流離失所。因而，王二點燃起事的火把後，立即在西北燃起熊熊大火。

⑮文秉，《烈皇小識》卷二。

第二十章
內外威脅與明朝滅亡

崇禎元年（一六二八年），府谷王嘉胤、宜川王左掛、安塞高迎祥、漢南王大樑等先後起事。次年，後金兵侵入關內，明廷調兵勤王，因缺餉乏食，甘肅、陝西、山西兵途中嘩變，返回陝西一帶參加起事。同年，明廷為節省開支，裁撤天下驛站十分之三，大批驛卒一時失業，也投身起事隊伍。陝西米脂縣人李自成、膚施縣人張獻忠，均於此時參加起事，後來成為農民軍的著名領袖。崇禎三年（一六三〇年）起，各路農民軍紛紛由陝西流入山西，山西饑民大量加入。這時活動於陝西、山西地區的農民軍，分散為若干部，由於缺乏集中的領導和嚴密的組織，基本上各自為戰，分合無定。當時勢力最大的是王嘉胤，所部有眾數萬。後王嘉胤為部下殺害，眾推其部將王自用為首，號紫金梁。王自用乃聯合高迎祥、張獻忠、馬守應、羅汝才、李自成等三十六營，占據山西，眾至二十餘萬。

陝西農民起事後，明廷起初不夠重視。崇禎二年（一六二九年），以左副都御史楊鶴為兵部右侍郎，總督三邊軍務，負責平定亂局。他採取撫剿兼用、以撫為主的政策，部分農民軍接受招撫，解散還鄉，但他們的生存仍無法解決，不得不「降而復叛」，重新起來反抗。崇禎四年（一六三一年），楊鶴因主撫受到彈劾，被謫戍，延綏巡撫洪承疇陞任三邊總督。洪承疇改招撫為急剿，與農民軍多次發生激戰。陝西農民軍屢戰不利，大都突圍進入山西地面，與山西農民軍合流。崇禎六年（一六三三年），王自用犧牲，高迎祥被推舉為首領，稱闖王。在明軍壓迫之下，農民軍向山西南部發展，會集於黃河北岸，趁黃河封凍，渡河南下，進占河南西部。但李自成部沒有離開關中，轉戰於秦嶺南北。因南下農民軍在澠池縣登陸，史稱「澠池渡」。這是農民軍發展中的一個重要事件，此前他們侷限於陝西、山西一隅，此後活動區域不斷擴大，轉戰於河南、湖廣、南直隸、四川、陝西諸省，形成全國性的大起事。

崇禎七年（一六三四年），明廷任命曾在陝西北部戰勝農民軍的延綏巡撫陳奇瑜總督陝西、山西、河南、湖廣、四川五省軍務，調集各路軍馬協同作戰。農民軍受到重創，張獻忠等奔向商、雒，李自成則被圍困在漢中興安的車箱峽。李自成假意投降，陳奇瑜中計決意招撫，「檄諸將按兵毋殺，所過州縣為具糗傳送」⑯。李自成從容脫出困境，進入陝西，重樹反明旗幟，其他農民軍復來相會，隊伍很快達到數十萬人。陳奇瑜因此被削籍逮問，洪承疇接替其職。洪承疇調兵入陝，農民軍則紛紛移師河南等地。洪承疇調集七萬大軍往河南會戰。

崇禎八年（一六三五年）正月，農民軍首領高迎祥、羅汝才、張獻忠、李自成等聚集於河南，共有十三家七十二營。他們在滎陽召開大會，商討作戰方略，決定採取「分兵定所向」的方針。會後，農民軍向東南發動攻勢，於正月十五日攻克鳳陽，焚毀明皇陵。明廷極為震驚，思宗穿上素服痛哭，將漕運都御史楊一鵬逮捕棄市。但在這時，農民軍內部發生意見分歧，張獻忠獨自率領所部東下廬州（今安徽合肥）、安慶，經湖廣返回陝西。高迎祥等則回軍西趨歸德（今河南商丘），也返回陝西。為了加強圍剿力量，明廷又任命湖廣巡撫盧象昇總理直隸、河南、山東、四川、湖廣等處軍務，令洪承疇督關中，盧象昇督關外，各專一方，分地剿防。

崇禎八年（一六三五年）冬，高迎祥、張獻忠等再次東出河南，於次年正月進入南直隸，攻廬州、和州、全椒、含山等地，然後以數十萬兵力圍攻滁州。明廷急派盧象昇率關外兵應援，農民軍失利，撤圍而去，轉戰於河南，下漢中，出陳倉，試圖進攻西安。在陝西盩厔（今周至），農民軍遭到陝西巡

⑯張廷玉等，《明史》卷三〇九〈李自成傳〉。

撫孫傳庭的伏擊，高迎祥被俘犧牲。不久，李自成繼為闖王，農民軍形成以李自成和張獻忠各自為首的兩大勢力。李自成轉戰於陝西、四川等地，在四川連下三十餘州縣，進逼成都。後失利，退據商雒山中。張獻忠則轉戰於河南、湖廣等地，圍攻襄陽，又順江東下，勢力達到淮、揚，後在桐城亦失利。此時熊文燦剛接替洪承疇出任五省軍務總督，張獻忠暫時接受其招撫，屯據穀城，積蓄力量，待機而動。

崇禎十年（一六三七年），原總督三邊軍務楊鶴之子、兵部尚書楊嗣昌，提出一個稱為「四正六隅十面網」的總體戰略，即由總理、總督全盤指揮，以陝西、河南、湖廣、江北為「四正」，由各巡撫分別負責本地防守和進剿事宜；以延綏、山西、山東、江南、江西、四川為「六隅」，各巡撫視情況變化或分別防守，或協同進剿；由「四正」和「六隅」配合，就形成了「十面網」。崇禎十二年（一六三九年）五月，張獻忠於穀城重新起兵，轉戰於湖廣、河南、四川、陝西交界地區。熊文燦因此被罷職逮捕，幾個月後處死。許多朝臣要求楊嗣昌親自到前線實現其戰略部署，楊嗣昌只好「自請督師」，思宗遂命其以禮部兼兵部尚書、東閣大學士職銜出外督師，賜尚方劍，「各省兵馬，自督、撫、鎮以下俱聽節制，部、參以下即以賜劍從事」[17]。

李自成聽到張獻忠復起的消息，也出山收集兵力，同明軍作戰。但先為陝西總督鄭崇儉所敗，後被督師楊嗣昌圍於巴西魚腹山中，部眾散亡殆盡，再度陷入困境。楊嗣昌集中兵力對付張獻忠，張獻忠遂於崇禎十三年（一六四〇年）夏突入四川，半年之內，幾乎走遍全川，行程五、六千里，明軍疲

[17] 楊嗣昌，《楊文弱先生集》卷三五。

於奔命，無法追擊，但尾隨而已。明軍傾全力對付張獻忠，河南防務空虛，使李自成獲得崛起的良機。他率領五十騎人馬，經湖廣鄖陽、均州，到了河南。是時河南大饑，饑民紛紛加入農民軍，李自成聲勢復振，於是占永寧（今洛寧），下宜陽，眾至數十萬。崇禎十四年（一六四一年）初，李自成攻破洛陽，殺福王朱常洵，發王府金銀及富室窖藏賑濟貧民，向民眾宣佈：「王侯貴人剝窮民視其凍餒，吾故殺之，以為若曹。」⑱在四川轉戰的張獻忠，偵知湖廣防務空虛，乃由四川開縣東下，進入湖廣，晝夜急馳，僅以八天時間便突至襄陽城下，一舉破城，殺死襄王朱翊銘及貴陽王朱常法，發銀十五萬兩賑濟饑民。楊嗣昌的戰略完全落空，又連失親藩，遂憂懼自殺。

崇禎十五年（一六四二年），李自成在項城、襄城、朱仙鎮、郟城、汝寧等地接連重創明軍，略定河南。然後揮軍南下湖廣，於十二月破襄陽、荊州（今湖北江陵）。崇禎十六年（一六四三年）正月，又破承天（今湖北鍾祥），移檄黃州（今湖北黃岡），不出數月之間，湖廣北部各州縣皆在控制之下。李自成遂改襄陽為襄京，稱新順王，委任文武官職，正式建立了政權。張獻忠自攻破襄陽後，卻屢被明軍擊敗，窮蹙之餘往投李自成，彼此不能合作，乃東走英霍山區，勢力復振，向西再度進入湖廣。崇禎十六年三月，張獻忠攻下黃州（今湖北黃岡），稱西王。五月，又連下漢陽、武昌，執楚王朱華奎投之江中，屠戮明朝宗室，散發楚王府積金賑濟饑民。張獻忠改武昌為天授府，稱大西王，建立了另一個政權。

崇禎十六年（一六四三年）夏，李自成召集文武官員商議作戰方略，眾人看法不一：左輔牛金星

⑱吳偉業，《綏寇紀略》卷八。

主張先取河北，直搗北京；禮政府侍郎楊永裕主張先取南京，截斷漕運，坐困京師，然後北伐；兵政府從事顧君恩主張先定關中，然後攻取山西，進搗北京。依當時形勢而論，第二種方案實為上策。但李自成採納的是第三種方案。方略定後，李自成便統率大軍北伐，在南陽、汝州擊敗剛由陝西總督陞任督師的孫傳庭。十月間攻破潼關，明督師孫傳庭戰死。至此，明軍主力已全被擊潰。十一月，李自成攻占西安，派兵略定西北。張獻忠部農民軍，也於七月末放棄武昌南下，攻克岳州（今岳陽），占領長沙。張獻忠覺得長沙未易進取，莫如四川易守難攻，年末遂棄長沙西走。

崇禎十七年（一六四四年）正月，李自成改西安為西京，建國號為大順，改元永昌。此時其軍隊總兵力，已達百萬以上。是月，張獻忠部復入四川。二月，李自成統兵從西安出發，由龍門渡過黃河，直指太原，明軍望風歸降。二月八日，農民軍攻破太原，分兵兩路：一路東出固關，趨大名、真定；李自成則自率主力，連克忻州、代州，三月一日突破寧武關，進抵宣府（今河北宣化）。明大同、宣府、陽和、居庸關守軍紛紛投降。三月十六日，李自成過居庸關到昌平，焚毀明十二陵享殿。三月十七日，農民軍進圍北京，明城外三大營軍皆潰降。三月十八日，農民軍攻占外城，思宗見大勢已去，於十九日凌晨在煤山（今景山）自縊。此時，張獻忠部農民軍仍在四川攻城掠地，七月克重慶，八月破成都。十一月，張獻忠改成都為西京，正式建國，國號大西，年號大順。

此前一年，清朝皇太極去世，其子福臨繼位，改元順治，是為清世祖。因福臨年幼，由其叔父睿親王多爾袞攝政。鑑於明朝已被農民起事搞得疲憊不堪，多爾袞調整了對明政策，決心趁機入主中原。李自成攻占北京後，多爾袞感到時機來臨，立即出動大軍。此時鎮守山海關的明朝寧遠總兵吳三桂，原擬投降李自成，但當他率軍抵達永平以西的沙河驛時，得知其父吳襄在京城被大順軍拘捕索餉，愛妾陳圓圓被李自成部將劉宗敏奪去，遂返回山海關，並向清朝乞援。清軍原擬繞過山海關，從長城隘口突入，途中遇到吳三桂所遣乞師人員，立即改變行軍路線，趕赴山海關。李自成得知吳三桂東還後，亦親自率師出征，比清軍早一步到達，突破吳三桂防線，開始攻城。正當吳三桂難以支撐之時，清軍趕到，吳三桂遂降清，合力與李自成作戰。李自成大敗，退回北京，二十九日倉猝即帝位，改元永昌，當晚就焚燒宮殿及各城門樓，出阜城門退往西安。五月二日，多爾袞進抵北京。九月，福臨自瀋陽來到北京。十月初一日舉行定鼎登基大典。一個新王朝的統治開始了。

第五節　明朝滅亡的原因

明朝的滅亡，是一個複雜的歷史現象。自清代以來，人們普遍認為，統治集團的昏亂、苛斂和紛爭，是導致王朝傾覆的主要原因。現代歷史學家也大多持有類似觀點。但也有一些學者主張，明朝的滅亡，主要不是人為因素所致，而是生態環境異常變化的結果。有人甚至發出這樣的疑問：「明清之際的社會鼎革，是人力，還是天意？」

我們認為，儘管白銀流入減少、自然災害頻發等外在因素，在加劇社會矛盾、加速明朝滅亡方面發揮了輔助性的重要推動作用，但它們並非把明朝推向覆滅深淵的關鍵因素。歸根結底，統治體制和社會經濟結構中存在的內部矛盾和痼疾，才是導致明朝滅亡的根本原因。這些矛盾和痼疾在許多方面都表現出來，以下四個方面的負面影響最為嚴重：

第一，貧富之間的極度分化。萬曆以降，縉紳地主利用投獻、強奪、購買等手段，占據了大量田地，積聚了巨額財富。顧炎武根據親身見聞指出：「自萬曆以後，天下水利、碾磑、場渡、市集，無不屬之豪紳，相沿以為常事矣。」⑲這些占據了豐厚利藪的勢豪大戶，總是千方百計減輕自己的賦稅數量；官府為了完成徵稅任務，只能主動或被動地將勢豪大戶逃避的稅額轉嫁到庶民百姓身上。由此形成一個惡性循環的過程，致使貧富分化的程度越來越高，國家的賦稅潛力越來越小，社會矛盾的鬱積越來越深。崇禎末年，給事中曾應遴曾尖銳地指出：「臣聞有國家者，不患寡而患不均，不患貧而患不安。今天下不安甚矣，察其故，原於不均耳。何以言之？今之紳富，率皆衣租食稅，安坐而吸百姓之髓，平日操奇贏以役愚民，而獨擁其利。有事欲其與紳富出氣力、同休戚，得乎？故富者極其富，而每至於剝民；貧者極其貧，而甚至於不能聊生。」⑳明代中葉以來的賦役改革，曾試圖在一定程度上解決縉紳避役和賦役不均問題，但成效並不太大。明朝末年，有人建議剝取紳富貲財以紓國難，如武生李璡建議「括江南富戶，報名輸官，行首實籍沒之法」㉑，巡按御史高名衡疏請懲治不法鄉宦，以為「籍其家，足以供九邊十年之餉」㉒。但明朝政府本身就是以地主階級為統治基礎的，因而這些建議必然會招致猛烈反對，更不可能付諸實施。

第二，區域之間的巨大差距。自唐代後期以來，江南的經濟發展水準就超越了北方，進入明代後，

---

⑲顧炎武著、黃汝成集釋，《日知錄集釋》卷一三〈貴廉〉。

⑳汪楫，《崇禎長編》卷二〈天啟七年九月〉。

㉑計六奇，《明季北略》卷一二〈錢士升論李璡搜括之議〉；張廷玉等，《明史》卷二五一〈錢士升傳〉。

㉒鄭廉，《豫變紀略》卷三。

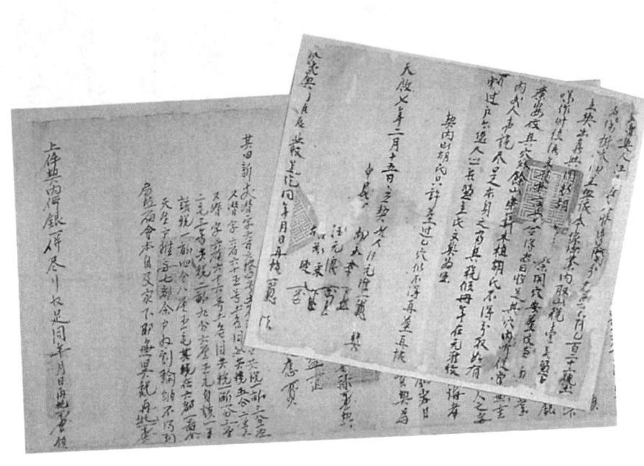

賣地契（天啟七年）

南、北經濟差距仍在繼續擴大。由於南方田地較肥、產量較高，北方田地較瘠、產量較低，所以在賦役制度方面，存在著「江之北以丁定差」、「江之南以田當差」的差別。明後期實行的按畝加派，不考慮北方田地貧瘠的自然條件，強行平均攤派，這當然是極不合理的。針對這種不合理做法，葛守禮曾批評說：「南方田無斥鹵不毛，畝率值幾金，甚一二十金，但有水利，歲可兩三收幾石；北地無論中下，其價其產，與南懸絕，即上地亦不能與之比埒，烏得從而加徵乎？」㉓加派之後，北方的賦稅負擔大幅上升，百姓不堪重負。崇禎四年（一六三一年），給事中劉懋在奏疏中談到：陝西臨潼的條編之稅，萬曆中年每畝不過五分，「嗣後歲歲加派」，到此時每畝已達八分三厘，再加上加耗科索，每畝實徵一錢餘，也就是每地一頃需出條鞭銀十餘兩。他質問說：「夫一頃所出，除人工食用外，豈能辦銀十餘兩乎？」㉔在「以丁定差」的原則下，北方百姓的傜役本就很重，現在田賦又大幅提高，這當然是他們無法承受的。此外，北方的農業生產技術、商品經濟發展程度以及人民群眾的生活水準，也都落後於南方，因而承受自然

㉓葛守禮，《葛端肅公家訓》卷下。
㉔汪楫，《崇禎長編》卷四三〈崇禎四年二月〉。

災害和經濟剝削的能力相對較低，更容易爆發全面性的社會危機，從而成為明末農民大起事的發源地和主要活動區域。

第三，統治集團的整體腐敗。張居正改革夭折後，明朝統治集團迅速腐敗。作為最高統治者的幾任皇帝，神宗貪財怠政，熹宗荒嬉昏憒，思宗雖有中興之志，但其性格剛愎自用，並無力挽狂瀾的本領。皇帝以下從中央到地方的各級官員，大多「衣冠而為囊槖之寄，朝列而有市井之容」㉕，貪污腐敗現象達到十分驚人的程度。地方官員就任，「每一下車，富單先出，名為簽役之先資，實則漁民之祕計」㉖，做官幾乎成了劫財的手段。思宗在一份〈罪己詔〉中，曾對官僚隊伍發出這樣的指責：「今出仕專為身謀，居官有同貿易。催錢糧先比火耗，完正額又欲羨餘。甚至已經蠲免，悖旨私徵；才議繕修，乘機自潤。或召買不給價值，或驛路詭名轎抬。或差派則賣富殊貧，或理讞則以直為枉。阿堵違心，則敲撲任意。囊槖既富，則奸慝可容。」㉗給事中韓一良也歎息說：「今之世局，何處非用錢之地？今之世人，又何官非愛錢之人？」他還分析說：「諸臣言蠹民者，俱歸咎守令之不廉。然州縣亦安得廉？俸薪幾何，上司票取，不曰無礙官銀，則曰未完抵贖；沖途過客，動有書儀，多則十金以上，少則十金以下；欲結心知，不在此例，歲送不知幾許。至巡按薦謝每百金，旁薦五十金，其例也；近且浮於例，遇考滿朝覲，或費至三四千金。夫此金非天降，非地出，而欲守令之廉，得乎？」㉘在

㉕顧炎武著、黃汝成集釋，《日知錄集釋》卷三〈承筐是將〉。
㉖辛陞，《寒香館遺稿》卷二〈對言〉。
㉗計六奇，《明季北略》卷一三〈罪己詔〉。

這種政治環境下，百姓無法生存下去，只能鋌而走險，揭竿而起。

第四，官僚群體的劇烈紛爭。萬曆以降，官僚群體的內部紛爭日趨激烈，嚴重干擾了朝廷處理政務和解決現實問題的能力。因而，自清初以來，不少人都把黨爭視為明朝滅亡的一個重要原因。明末舉人朱一是在國亡後，曾沉痛地評論說：「萬曆中，一二大君子研講道術，標立崖畔，爰別異同。其後同同相扶，異異交擊，有好惡而無是非，急友朋而忘君父，事多矯激，人用偏私……道術流而意氣，意氣流而情面，情面流而貨賂，狐城鼠社，蔓引茹連，罔上行私，萬端一例。遂致事體蠱壞，國勢凌夷，局改時移，垣壘石破。」㉙《四庫全書總目》在談到顧憲成等人講學時，也指出：「朝士慕其風者，多遙相應和，聲氣既廣，標榜日增，於是依草附木之徒，爭相趨赴，均自目為清流，門戶角爭，遞相勝敗，黨禍因之而大起，恩怨糾結，輾轉報復，明遂以亡。」㉚這些評論確實不無道理。但需要辨析的是，有些人在評論晚明黨爭時，往往對雙方各打五十大板，這是不公允的。儘管雙方陣營中都有「君子」和「小人」，但總體看來東林黨人中「君子」居多，其對立陣營則是「小人」麇聚。東林黨人「一堂師友，冷風熱血，洗滌乾坤」㉛，要求朝廷傾聽天下「公論」，支持賦役改革，代表了進步的力量。但他們大多數時間都處於被打壓的境地，其政治與社會主張無法付諸實施。

㉘談遷，《國榷》卷八九。

㉙朱一是，《為可堂集．謝友人招入社書》。

㉚紀昀等，《四庫全書總目》卷九六〈子部六．儒家類存目二〉「顧憲成《小心齋劄記》提要」。

㉛黃宗羲，《明儒學案》卷五八〈東林學案一〉。

在導致明王朝滅亡的因素中，還有一種因素雖然不如上面羅列的那些重要，但也值得一提，這就是明後期政府對於軍士、驛卒等特種職業者的利益過分漠視。這些人基本上已與土地相脫離，他們從事的職業就是他們賴以餬口的主要方式，一旦喪失了職業或收入變得不穩定，他們便淪落為「被遺棄的社會集團」，往往不得不依靠非法手段維持自己的生存。由於財政匱乏，明後期政府常常拖欠士兵的軍餉，致使他們的生活越來越缺乏保障，從而引發了大量兵變。陝西爆發農民起事後，大量貧困士兵投入其中，所以有官員斷言，「秦寇即延、慶之兵丁、土賊也」[32]。崇禎初，為減少財政支出，大力裁減驛站，驟然失業的大量驛卒無以為生，「遂群聚為盜」，投入起事隊伍之中。可以說，明末為緩解財政危機，過分漠視某些群體的生存窘況，在制度改革時未能顧及利益受損者的生存權，也是加速明朝滅亡的原因之一。

[32] 戴笠，《懷陵流寇始終錄》卷一。

第二十一章 社會與文化的多元發展

第一節 民間力量的壯大與活躍

晚明時代，中國社會和文化曾發生深刻的變化。民間力量的壯大和活躍，就是其重要表現之一。當時民間力量增強的跡象在許多地區都可以發現，但以江南地區表現得最為顯著和強勁。

所謂「民間」，也有人稱之為「民間社會」，是指不在政府直接控制之下的生活空間和社會秩序。但必須注意：其一，「民間」與「國家」之間並不存在明晰的組織邊界，二者也不是截然分立的封閉領域，民間並不排斥，有時還主動訴求國家權力的介入；其二，構成「民間」之主體的「民」並非僅指普通民眾，也包括活動於「民間場域」的各種具有政治身分的人物。

晚明民間力量的壯大和活躍表現在許多方面，地方精英在公共事務中的作用不斷擴大，就是重要方面之一。明代前期，地方社會權力結構的基本框架是里甲制度。為了既能發揮富民層作為民間權威的領導作用，又能實施對富民層的有效控制和制約，政府要求由擁有財富（主要是土地）相對較多的人擔任里甲首領，從而將富民層納入由官府主導的組織框架。在「職役性」的里甲首領之外，政府不希望有其他類型的地方權威存在，也嚴禁生員利用其身分地位干預地方事務。但從明代中葉開始，里甲首領的經濟狀況和社會地位日趨衰落，以紳士為主體的「非職役性」地方精英成為民間的主要支配階層。此外非身分性的富民（包括經濟實力不斷提升的商人）活動能量也逐漸增強。這些新型地方精英在各類地方公共事務中發揮著越來越大的作用。比如，學校、社倉、橋樑、津渡之類的公益設施的建設和維持，大多都由他們倡導、組織和管理；在發生天災人禍時，一般也是由他們出面組織賑濟工作。在這種情況下，政府很難像里甲體制下那樣對地方權力網絡進行有效控制，而地方精英對政府的影響能力卻日益增強，有些地方官甚至將「集儒紳耆彥議」視為決定地方興革大事的必要程序。

民間組織和團體的廣泛興起，也是晚明民間力量壯大和活躍的一個重要方面。明代前期，地方社會的治安維持以及社區成員之間相互監督、相互負責的職能被賦予里甲組織。明代中葉以後，里甲組織的社區管理功能日趨萎縮，為了維護社會的穩定和秩序，也為了爭取較多的利益與資源，地方社會出現了不少新的組織和會社。其中比較常見、影響較大的民間組織是宗族。許多紳士、地主和富商積極捐建祠堂、購置族田，在宗族中發揮領導作用。宗族可以調解族眾之間的糾紛，向貧窮族人提供一些幫助和賑濟，當然這也同時強化了宗族領導層對廣大族眾的控制。保甲、鄉約等組織雖然大多是在政府的提倡下組建的，但其實際控制權也往往掌握在地方精英手中，甚至與宗族組織融為一體。晚明時代，民間還出現了形形色色的社與會。如在紳士以及無功名的讀書人中，講學會、文社、詩社很盛行，有些講會和文社不但講學論文，還裁量人物、品評時政，對朝廷政治產生一定影響。下層民眾也多有結成互助性會社者，宗教性的善會也多有出現。就連城市中的光棍流氓，也成立了「打行」、「訪行」等專門組織。民間組織和團體廣泛興起，表明民間的自我組織能力有了很大提高。

晚明民間力量壯大和活躍的另一重要方面，是民間輿論和社會動員能力的明顯增強。明朝初期，國家對民眾的限制十分嚴格，要求民眾各守本業，無故不得出外遠遊；同時嚴厲控制社會輿論，甚至制定了專門的法令禁止學校生員議論時政。明代中葉以降，隨著市場經濟的發展，人們的活動範圍、交往頻率以及資訊傳播的管道日益增加，民間輿論也變得日益活躍起來。從有關記載可以看出，晚明時代，由中央發行的邸報流傳很廣，在流傳過程中還逐漸民間化，衍生出「小報」之類的讀物。關心時政的人們，藉此可以比較便捷地知曉朝廷發生的事情。這一方面可以加深他們對時政了解和關注的程度，另一方面也容易引發他們針對時弊發表自己的看法，從而導致社會輿論的活躍化。在晚明的江南等地區，人們還很喜歡用揭帖、傳箚甚至流言來表達和傳播某種資訊，這種方式往往可以在較短時間裡營造出一種立場鮮明的大眾輿論。資訊傳播的暢通和社會輿論的活躍，為凝聚和動員民眾提供了很大便利。晚明江南等地曾多次發生「民變」（如萬曆年間發生的湖州民眾反對劣紳董份的運動、松江民眾反對劣紳董其昌的運動，都是其顯例），這些激烈的民眾運動基本上都是由充分的輿論動員激發的。

晚明民間力量的壯大和活躍，還引發了知識階層的相應思考，從而產生了要求削弱君主集權、重視民間輿論的政治呼聲。這種傾向，在東林黨人那裡就表現得很明顯，他們強烈反對皇帝或內閣獨斷專行，一再要求朝廷傾聽反映「天下之公」的「眾論」。被譽為「啟蒙思想家」的黃宗羲，繼承並發展了東林派的政治思想，對君主專制政體提出嚴厲批判，並主張充分發揮學校的議政功能。晚明時代，「保富」思想在江南一些士大夫中間也頗為流行。他們認為富民是維護地方社會穩定的重要力量，「亦國家元氣所關」，強烈要求國家採取措施「安富」、「保富」、「愛富民」。上述要求重視民間輿論和保護富民的政治思想，帶有鮮明的時代印記，體現了富民層的壯大及其在地方事務中作用增強的社會現實。

關於晚明民間力量壯大和活躍的歷史含義和性質，還有待於進一步研究。最近一些年，哈貝馬斯(Jürgen Habermas)提出的「公共領域」(public sphere)概念被引入中國社會研究。積極倡導使用這一概念的羅威廉(William T. Rome)指出，「或多或少不受政府控制的公共機構（如社倉、普濟堂、育嬰堂、敬節堂）和多功能的地方自育組織（如善堂等）的構建浪潮，首先興起於晚明」，並將這一現象視為「公共領域」的產生和成長；而對將這一概念用於中國社會抱有懷疑的魏斐德(Frederic Wakeman, Jr.)，也指出「紳士管理者出現於明末」，但他認為「這是『有助於向公共利益提供服務和資源的地方層次上非國家活動的領域』意義上的公共領域，很難說是哈貝馬斯之所言的公共領域」，並且強調國家在這些演化進程中所具有的持續的重要作用①。筆者認為，晚明民間力量的壯大和活躍，確實不能等同於西方式的「公共領域」的擴張，或者如黃宗智所說只是一種「沒有公民權利發展的公共領域擴張」，很難期望從中發展出真正獨立自治的社會。但無論如何，晚明民間力量的壯大和活躍，增強了民間社會的組織和動員能力，提高了大眾輿論的活躍程度和社會作用，在一定程度上對專制統治產生了衝擊和挑戰，因而具有較大的歷史進步意義。

① 羅威廉，〈晚清帝國的「市民社會」問題〉；魏斐德，〈市民社會和公共領域問題的論爭〉。均載鄧正來、亞歷山大編《國家與市民社會》，中央編譯出版社，一九九九年版。

第二節　奢中求雅的生活風尚

張居正去世後，大部分改革措施都遭到夭折的命運，早已在社會上彌漫的奢靡風氣，也像決堤的江河，洶湧澎湃而不可遏止。在各種描寫晚明情景的地方文獻中，幾乎都能發現對本地風尚日趨奢靡的憂慮和慨歎。萬曆《順天府志》的編者談到，當時京城的人士，忙於社會交往而對自己的親戚卻很冷淡，崇尚輕浮而討厭老成，醉心於宴飲和遊玩，把飲酒、賭博當成了本業；有的人家中沒有什麼儲蓄，服飾、飲食、器用卻像富豪一樣，甚至為了籌集燒香拜佛的經費，不惜典妻賣子。南直隸的一些地方志，也大多都有關於本地風俗奢靡的負面描述。如在江浦縣，居民習慣於奢靡遊惰，男子不努力耕田，女子不努力紡織，宴飲、遊玩、服飾等方面的奢華，完全可以與京城相比。上海縣的豪門大族，也以侈靡互爭雄長，宴會必窮水陸之珍，住宅必極雕鏤之美，家中往往養著幾十個奴僕，他們穿著的服裝、乘坐的車轎，其豪華程度甚至超過士人。在巢縣，萬曆末及天啟、崇禎初，人們爭相以宮室高大、衣服華麗、酒食豐美為榮，宴會必擺陳海味數十種，器用務求精巧；擔夫家的婦女也要穿著彩帛，貧窮佃戶也要置辦豐美的酒席，就是借貸也要這樣做，不然就會感到恥辱。類似的記載，在晚明以後

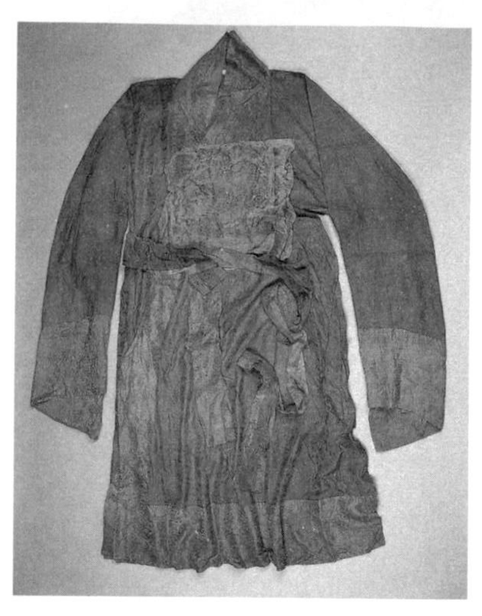

雲紋花緞便服（1966 年蘇州虎丘王錫爵墓出土）

編纂的地方志中，可謂比比皆是。

晚明時代，服飾仍是社會風尚變化的最明顯的標誌。江南士民在服裝用料上越來越講究，幾乎是「衣必綺紈」，有些人覺得「羅綺不足珍」，「求遠方吳綢、宋錦、雲縑、駝褐價高而美麗者以為衣」②。服裝的款式也越變越快，越變越怪。據顧起元《客座贅語》卷一記述，南京的服飾，隆慶、萬曆以前還比較樸謹，官員都戴忠靜冠，士人都戴方巾，但到萬曆年間，巾冠的式樣日新月異、奇形怪狀，有所謂漢巾、晉巾、唐巾、諸葛巾、純陽巾等十幾種；婦女的衣飾，萬曆前期還是大約十年一變，到萬曆後期則是兩、三年一變，髮髻的大小高低，衣袂的寬窄長短，花鈿的樣式，衣料的顏色，頭上的首飾，腳下的鞋子，無不花樣翻新。顧起元還特別談到，當某種衣飾流行之時，「眾以為妍」，一旦過時，則「向之所妍，未有見之不掩口者」。正因為衣飾屢變，婦女們為了追求時髦，不得不時常措辦新衣，以致家庭的物力大半消耗於此。著名文人張岱，曾以戲謔的口吻談到：浙江人極無主見，蘇州流行什麼，必極力模仿，以致巾幘忽高忽低，袍袖忽大忽小，可總是落後蘇州一步，所以蘇州人經常譏笑浙江人為「趕不著」。除不斷翻新外，晚明服裝的顏色也十分鮮豔，男子的穿著打扮與婦女很難區分。浙江士人李樂對「凡生員、讀書人、家有力者，盡為婦人紅紫之服」的情形，深為不滿，套用唐詩諷刺說：「昨日到城郭，歸來淚滿襟。遍身女衣者，盡是讀書人。」③

飲食方面，晚明時期也變得更加豪奢無度了。《金瓶梅詞話》第二十二回曾談到西門慶一次早餐的

②萬曆《通州志》卷二〈風俗〉。
③李樂，《見聞雜記》卷一〇。

食譜：「四個鹹食，十樣小菜兒，四碗頓爛下飯：一碗蹄子，一碗鴿子雛兒，一碗春不老蒸乳餅，一碗餛飩雞兒；銀鑲甌兒粳米投著各樣榛松栗子果仁、玫瑰白糖粥兒。」又曾描述一次午餐的食譜：「先放了四碟菜果，然後又放了四碟案酒：紅鄧鄧的泰州鴨蛋，曲彎彎王瓜拌遼東金蝦，香噴噴油煠的燒骨禿，肥腺腺乾蒸的劈鹹雞。第二道又是四碗嗄飯：一甌兒濾蒸的燒鴨，一甌兒水晶膀蹄，一甌兒白煠豬肉，一甌兒炮炒的腰子。落後才是裡外青花白地磁片，盛著一盤紅馥馥柳蒸的糟鰣魚，馨香美味，入口而化，骨刺皆香。」不僅像西門慶那樣的富豪家庭如此，一般人家的飲食也比較講究。《喻世明言》第一回記載小商人的妻子王三巧招待鄰家婆子，很輕易地就擺出「兩碗臘雞，兩碗臘肉，兩碗鮮魚，連果碟素菜，共一十六個碗」。這些小說家之言是有充足的現實根據的。很注意觀察世風變化的晚明學者謝肇淛，就曾深有感觸地談到：「今之富家巨室，窮山之珍，竭水之錯。南方之蠣房，北方之熊掌，東海之鰒炙，西域之馬奶，真昔人所謂富有四海者。」④

晚明時代，人們對於住宅的要求也越來越高，房屋追求高大、寬敞，一般都是五間七間、九架十架，朝廷規定的間架標準早就被完全拋開。尤其值得指出的是，從嘉靖末年開始，私人造園之風越刮越烈，尤以江南地區為甚。江南居民「凡家累千金，垣屋稍治，必欲治一園」，以致「三吳城中，園苑棋置，侵市肆、民居大半」⑤。明末著名文人祁彪佳著有《越中園亭記》，記載了紹興明中葉以後建造的園林，遍佈城內外，僅城內一隅之地就有淇園、賁園、快園、有清園、秋水園、蟲園、迭流園、來

④謝肇淛，《五雜俎》卷一一。
⑤何良俊，《何翰林集》卷一二。

園、樛木園、耆園、曲水園、趣園、浮樹園、採菽園、漪園、樂志園、竹素園、文漪園、亦園、礐園、豫園、馬園、今是園、陳園等。這些園林大部分小巧玲瓏，佈局造景都很精湛；也有的園林占地較廣，建築較多。正是因為造園成風，晚明湧現出一些優秀的園林專家。蘇州吳江人計成就是其中非常知名的一位。他曾應邀為許多士大夫規劃、營築園林，並在總結自己豐富的實踐經驗的基礎上，博採眾長，撰寫了我國第一部造園理論專著《園冶》。

家中擺設的傢俱，在晚明也處處講究。范濂談到：在他少年時代，還很少見到細木傢俱，但隆慶、萬曆以來，購置細木傢俱已成為一種比較普遍的社會風氣，「雖奴隸、快甲之家，皆用細器」；不僅如

《園冶》

《園冶》，計成撰。計成，字無否，蘇州吳江人，生於萬曆十年（一五八二年）。他能詩善畫，尤善治園，主持建造了三處著名園林，即常州吳玄的東帝園、儀征汪士衡的嘉園和揚州鄭元勳的影園。《園冶》崇禎四年（一六三一年）成稿，崇禎七年刊行。內容包括〈興造論〉和〈園說〉兩篇，〈園說〉又分為相地、立基、屋宇、裝折、門窗、牆垣、鋪地、掇山、選石、借景十部分，並附圖二百三十五幅。《園冶》全面論述了宅園、別墅營建的原理和具體手法，反映了中國古代造園的成就，總結了造園經驗，是研究中國古代園林的重要著作。

此，「紈絝豪奢，又以椐木不足貴，凡牀廚几桌，皆用花梨、癭木、烏木、相思木與黃楊木，極其貴巧，動費萬錢」⑥。在晚明的江南等地，檀梨漆器很受富家青睞。揚州一位姓周的匠人曾獨創一派，其法是用金、銀、寶石、珍珠、珊瑚、碧玉、翡翠、水晶、瑪瑙、玳瑁、硨磲、青金、綠松、螺鈿、象牙、蜜蠟、沉香等原料，雕成山水、人物、樹木、樓臺、花卉、翎毛，鑲嵌於檀梨漆器之上，「大而屏風、桌椅、窗槅、書架，小則筆牀、茶具、硯匣、書箱，五色陸離，難以形容，真古來未有之奇玩也」⑦。

中國人很重視節慶活動，但在明代前期，由於社會經濟比較蕭條，節日活動也比較簡單。明代中葉以後，社會經濟日益繁榮，節慶活動也搞得越來越熱鬧。到晚明時代，許多地方的節慶活動過分鋪張，耗費了大量金錢。范濂《雲間據目鈔》卷二曾記述松江舉行的迎神賽會，盛況十分驚人：「各鎮賃馬二三百匹，演劇者皆穿鮮明蟒衣靴革，而襆頭紗帽滿綴金珠翠花。如扮狀元遊街，用珠鞭三條，價值百金有餘。又增妓女三四十人，扮為寡婦征西、昭君出塞色名，華麗尤甚。其他彩亭旗鼓兵器，種種精奇，不能悉述。街道橋樑，皆用布幔，以防陰雨。郡中士庶，爭挈家往觀，遊船馬船，擁塞河道，正所謂舉國若狂也。」李日華《味水軒日記》卷二中談到，浙江秀水縣濮院鎮每年三月三日徵斂金錢舉辦神會，「結綴羅綺，攢簇珠翠，為擡閣數十座。閣上率用民間娟秀幼稚妝扮故事人物，備極巧麗。迎於市中，遠近士女走集，一國若狂」。甚至以祭拜先人為宗旨的掃墓，也成為人們郊遊狂歡的節

⑥范濂，《雲間據目鈔》卷二。

⑦桐西漫士，《聽雨閒談》。

日。如浙江人掃墓，「男女袨服靚妝，畫船簫鼓，如杭州人遊湖，厚人薄鬼，率以為常」。揚州人也借清明遊玩，「靚妝藻野，袨服縟川」，「四方流寓及徽商西賈、曲中名妓，一切好事之徒，無不咸集。長塘豐草，走馬放鷹；高阜平岡，鬥雞蹴踘；茂林清樾，劈阮彈箏」⑧。

明朝初年，對於賭博、嫖娼之類的不良生活方式，曾制定重刑加以懲治。但自明中葉以後，隨著法網的日趨鬆弛，這類活動普遍流行起來。從有關記載看，當時各地都存在形形色色的賭博活動，有些地方甚至出現了「無處不賭，無人不賭，無日不賭」的情景⑨。明末張應俞撰寫的《杜騙新書》，就專列「引賭騙」一類，記載了一些誘人賭博以賺取其錢財的故事。崇禎朝赫赫有名的外戚田弘遇，原來就是一個開賭場騙人的無賴，有數十家富人被他騙得傾家蕩產，南京一位太學生一日之內就輸掉了五千畝田地。晚明娼妓業的興盛，也達到空前未有的境地。謝肇淛《五雜俎》卷八曾概括說：「今時娼妓佈滿天下，其大都會之地動以千百計，其他窮州僻邑，在在有之。」他還談到，首都北京「娼妓多於良家」，可見娼妓從業人數之多。南方各城市、市鎮中的娼妓業更加興盛，張岱《陶庵夢憶》卷四對此有所記述：如南京秦淮河邊的房舍，因為便於交際和淫冶，「房租甚貴而寓之者無虛日」；揚州二十四橋邊，「巷口狹而腸曲，寸寸節節有精房密戶，名妓、歪妓雜處之」。晚明不少有錢人，終日沉湎妓院，「揮斥千黃金不顧」⑩。

---

⑧張岱，《陶庵夢憶》卷一、五。
⑨管一德輯，《皇明常熟文獻志》第六冊〈風俗志〉。
⑩余懷，《板橋雜記》卷上〈雅遊〉。

最後還應指出，明朝末年，在奢靡風尚席捲天下的時候，江南一些士大夫為了表示自己具有高雅的情趣，開始在奢靡的基礎上追求雅致，力求使日常生活變得藝術化。一部地方志談到：「二、三十年前，峻宇雕牆必朱丹金碧，遊俠子弟必紅紫靚衣。今若見此，則嗤笑欲嘔，此大雅將還之驗也。」⑪這種「大雅將還」的跡象，首先出現於文化名城蘇州，而後傳播到其他地方。

以服飾為例，如前所述，晚明江南士人多著「色衣」。鮮豔的「色衣」的流行，也引起講究情趣的士大夫們的不滿。蘇州文人文震亨指出，「徒染五彩，飾文績」的著裝，乃是「與銅山金穴之子侈靡鬥麗」的庸俗行為。在他看來，有知識有教養的人的穿著，既不能太寒酸，也不能太侈靡，而應當「夏葛冬裘，被服嫻雅，居城市有儒者之風，入山林有隱逸之象」⑫。經過士大夫們的大力提倡，晚明蘇州出現了一種閒適、優雅的著裝風格。這種風格的服裝被稱為「蘇樣」，其特點是高冠博袖，標準的蘇樣是經過改良的僧鞋和道袍。《初刻拍案驚奇》卷二中描寫財主吳大郎的穿著打扮是：「頭戴一頂前一片後一片的竹簡巾兒，旁縫一對左一塊右一塊的蜜臘金兒，身上穿一行細領大袖青絨道袍兒，腳下著一雙低跟淺面紅綾僧鞋兒。」吳大郎穿著的就是典型的蘇樣服裝。

晚明蘇州人鍾愛的器物，一方面講究要使用名貴的材料製作，另一方面也很講究要做得古樸、雅致，能體現高雅的藝術情趣。王士性盛讚「姑蘇人聰慧好古，善仿古法為之，書畫之臨摹，鼎彝之冶淬，能令真贗不辨」。確實，晚明時期，蘇州仿製青銅器之風很盛，從留存下來的器物看，無論其形

⑪天啟《平湖縣志》卷一〇〈風俗志〉。
⑫文震亨，《長物志》卷九〈衣飾〉。

制、銘文、紋飾，乃至厚薄、輕重、鏽色、氣味諸方面，蘇鑄器物都與原件基本無異。蘇州人的齋頭清玩、几案床榻，講究用紫檀花梨製作，但在款式上「尚古樸而不尚雕鏤，即物有雕鏤，亦皆商、周、秦、漢之式」⑬。

由蘇州士大夫階層掀起的以清雅為特色的生活方式，很快就被其他各社會階層所仿效，儘管他們的模仿行為常常受到士大夫們的嘲笑。范濂就曾談到，當時身分低下的皁快，也紛紛學起讀書人的模樣，「整一小憩，以木板裝鋪，庭畜盆魚、雜卉，內列細桌、拂塵，號稱書房」⑭。甚至光棍汪錫專門安置誘騙到的良家女子的囤子，也是「明窗淨几，錦帳文茵。庭前有數種盒花，座內有幾張素椅。壁間紙畫周之冕，桌上砂壺時大彬」。房室佈置得甚是幽靜清雅⑮。可以說，對清雅的生活方式的追求，如同對奢靡的生活方式的追求一樣，都是一種「炫耀性消費」。一旦某種生活風尚受到上層人士的肯定，中下層民眾必然要跟風模仿，從而出現大量「偽清雅」的現象。

在地域上，清雅的生活方式也很快從蘇州傳遍江南各地，甚至北方一些地區也曾受其浸染。正如王士性所說，蘇州「善操海內上下進退之權，蘇人以為雅者，則四方隨而雅之，俗者，則隨而俗之」。比如，蘇州創製的古色古香的器具，受到全國各地的追捧，「海內僻遠，皆效尤之」⑯。據于慎行記

⑬王士性，《廣志繹》卷二〈兩都〉。
⑭范濂，《雲間據目鈔》卷二。
⑮凌濛初，《初刻拍案驚奇》卷二〈姚滴珠避羞惹羞，鄭月娥將錯就錯〉。
⑯王士性，《廣志繹》卷二〈兩都〉。

述，本應當「以壯麗示威」的首都北京，晚明時期也刮起一股「雅素」之風，「衣服、器用不尚髹漆，多仿吳下之風，以雅素相高」⑰。京城一向崇尚雍容華貴的貴族婦女，也有不少轉而穿著蘇樣服裝。秦徵蘭〈天啟宮詞〉談到，「客氏教宮人效江南作廣袖低髻」。唐宇昭〈擬故宮詞〉有云：「鳳頭鞋子制偏穹，內裡相傳代代同。一瓣蓮名傳母后，盡翻新樣學吳中。」史玄《舊京遺事》也提到，熹宗八妹樂安公主「善吳裝，行步容與，不為鳳女之態」。總之，晚明的宮廷，深受以蘇州為中心的江南文化的影響。

第三節　思想界的新氣象

晚明是一個動盪的時代，統治集團日趨腐朽，內憂外患日趨深重。但晚明的思想文化，卻十分繁榮和活躍。當時值得注意的兩大思潮，一是將王學發展到極致的李贄的異端思想，二是因反思和批評王學而興起的實學思潮。

李贄（一五二七－一六〇二年），字宏甫，號卓吾，又號溫陵居士，福建泉州晉江人。泉州林李二姓同祖，原姓林，名載贄，後改姓李，避帝諱去掉載字。李贄先世曾從事經商，父親以教書為生。嘉靖三十一年（一五五二年）中舉，歷官河南共城教諭、南京國子監博士、禮部司務、南京刑部員外郎。萬曆五年（一五七七年），任雲南姚安知府。因性情耿介倔強，李贄在官場生涯中，屢屢觸忤上司。萬

⑰于慎行，《穀山筆麈》卷三〈國體〉。

曆九年（一五八一年），他終於不堪束縛，辭職解官，此後二十餘年專事講學和著述。先是客居湖廣黃安（今湖北紅安）耿定理家，後徙居麻城龍潭湖芝佛院。萬曆十六年（一五八八年），他剃去頭髮，以示斷絕鄙俗。晚年赴北京，居通州，遭人彈劾，以「敢倡亂道，惑世誣民」下獄，著述遭禁毀。李贄遂在獄中以刀自刎死。

李贄在南京任職期間，師事泰州學派創始人王艮之子王襞，對泰州後學羅汝芳、何心隱也很尊重。他稱讚「心齋（王艮）真英雄，故其徒亦英雄也」，「一代高似一代」，並說何心隱為「萬世之儒一人」⑱。對於浙中王門的王畿，李贄也很尊敬。總起來說，李贄繼承了泰州學派的思想觀念和叛逆精神，同時也受到王畿、羅汝芳思想的一些影響，並將這些思想元素加以融合和創新，成為一位特立獨行的著名思想家，為晚明思想史抹上一道重彩。

李贄敢於「顛倒萬世之是非」，他認為：第一，是非標準是多元的、相對的，「人之是非初無定質，人之是非人也無定論。無定質，則此是彼非並育而不相害；無定論，則是此非彼亦並行而不相悖矣」。第二，是非標準應當隨著時間推移而改變，不存在萬古不變的絕對標準，「夫是非之爭也，如歲時然，晝夜更迭，不相一也。昨日是而今日非矣，今日非而後日又是矣，雖使孔子復生於今，又不知作何是非也，而遽可以定本行賞罰哉！」基於這種認識，李贄對於漢代獨尊儒術以來的思想狀況深為不滿，尖銳批評說：「前三代，吾無論矣，後三代，漢、唐、宋是也。中間千百餘年，而獨無是非者，豈其人無是非哉？咸以孔子之是非為是非，故未嘗有是非耳。」⑲在他看來，儒家所謂的經典，「非其史官

⑱李贄，《焚書》卷三〈何心隱論〉。

過為褒崇之詞，則其臣子極為讚美之語，又不然則其迂闊門徒、懵懂弟子記憶師說，有頭無尾，得前遺後」，根本不是「萬世之至論」，而後世俗儒卻抱住不放，遂成為「道學之口實，假人之淵藪」⑳。

正是出於對假道學的極度厭惡，李贄大力宣揚「童心」說。他指出：「童心者，真心也。若以童心為不可，是以真心為不可也。夫童心者，絕假純真，最初一念之本也。若失卻童心，便失卻真心；失卻真心，便失卻真人。人而非真，全不復有初矣。」㉑可見，李贄所謂「童心」，就是一種未曾受到污染和侵蝕的天真、純樸、真誠的精神狀態。李贄的「童心」說，與王陽明的「良知」說，有一定繼承關係，但二者在精神實質上又有很大區別。王陽明認為「良知」即是義理，強調天理與人欲之區別，而李贄則將「童心」視為未受義理蒙蔽之心，強調「童心」是絕假純真的最初一念之本心。李贄對於理學家「存天理，滅人欲」之說教深惡痛絕，強調順應本真之性率性而為，「成佛證聖，惟在明心，本心若明，雖一日受千金不為貪，一夜御十女不為淫」㉒。

從「童心」說出發，李贄進一步認為，自私是人的天性，「夫私者，人之心也。人必有私，而後其心乃見；若無私，則無心矣」㉓。他繼承了泰州學派「百姓日用之學」的思想，並予以更加徹底的發揮，提出：「穿衣吃飯，即是人倫物理；除卻穿衣吃飯，無倫物矣。世間種種，皆衣與飯類耳。故舉

⑲李贄，《藏書．世紀列傳總目前論》。
⑳李贄，《焚書》卷三〈童心說〉。
㉑李贄，《焚書》卷三〈童心說〉。
㉒周應賓，《識小編》。
㉓李贄，《藏書》卷二四〈德業儒臣後論〉。

衣與飯，而世間種種自然在其中。非衣飯之外，更有所謂種種與百姓不相同者也。」他反對脫離基本的物質生活去空談倫理道德，認為「民情之所欲」即為「至善」。有人向他請教「舜之好察邇言」之義，他回答：「無一邇言而非真聖人之言……如好貨，如好色，如勤學，如進取，如多積金寶，如多買田宅為子孫謀，博求風水為兒孫福蔭，凡世間一切治生、產業等事，皆其所共好而共習、共知而共言者，是真邇言也。」㉔

李贄的種種言論，在當時不啻是石破天驚，道學家們難以忍受，抨擊他為「異端之尤」。對於這些攻擊，李贄表示輕蔑，他曾對與他志同道合的焦竑說：「今世俗子與一切假道學共以異端目我，我謂不如遂為異端，免彼等虛名加我。」㉕另一方面，李贄也有大批追隨者和支持者，在當時的思想界和文化界產生了巨大影響。《四庫全書總目》之〈藏書〉提要云：「（李）贄書皆狂悖乖謬，非聖無法。惟此書排擊孔子，別立褒貶，凡千古相傳之善惡，無不顛倒易位，尤為罪不容誅。其書可燬，其名亦不足以污簡牘，特以贄大言欺世，同時若焦竑諸人，幾推之以為聖人，至今鄉曲陋儒，震其虛名，猶有尊信不疑者。」從這些充滿偏見的評論中，也可窺見李贄思想之大膽與影響之深遠。

王學不斷衍化，或流於玄虛、或趨向異端，也引起王學內部和外部一些人的反思和批評。晚明實學思潮的興起，就是對王學流弊的逆動。

開創晚明實學思潮之端緒的，是以顧憲成、高攀龍為首的東林學派。他們認為當時王學已是「百

㉔李贄，《焚書》卷一〈答鄧石陽〉、〈答鄧明府〉。

㉕李贄，《焚書》卷一〈答焦漪園〉。

病交作」，於是「起而救之，痛言王氏之弊」。顧憲成對「良知」說提出嚴厲批評，指出：「此竅一鑿，混沌幾亡，往往憑虛見而弄精魂，任自然而藐兢業。陵夷至今，議論益玄，習尚益下。」㉖他痛斥「四無」之說是「以學術殺天下萬世」，是「率天下而歸於一無所事事」。高攀龍從認識論的角度，認為「除卻聖人全知，便分兩路去了，一者在人倫庶物、實知實踐去，一者在靈明靈覺、默識默成去」。因有此兩者之分，宋朝陸九淵與朱熹「遂成異同」，本朝薛瑄與王陽明「便是兩樣」。在高攀龍看來，「兩者遞傳之後，各有所弊，畢竟實病易消，虛疾難補。今日虛證見矣，吾輩當相與稽弊，而反之於實」㉗。他再三提倡「不貴空談，而貴實行」，力圖矯正王學末流避實蹈虛之弊。

繼東林而起的復社，也大力反對空談，倡導實用。復社領袖張溥認為，由於士人高談心性，不通經術，遂致「登明堂不通致君，長郡邑不知澤民，人才日下，吏治日偷」，因此他為復社規定的宗旨，就是「興復古學」、「務為有用」㉘。復社另一領袖張采，批評王門「奉天竺為大師，授禪宗以資辨，其說汪洋，其旨虛渺」，他質疑說：「止言良知，不言致。譬如衣在笥，食在案，終日說衣食，如不衣之食之，畢竟笥案間物，何與人事？」㉙復社成員陳子龍，既不信奉程朱理學，也不推崇陸王心學，而以「亟為世用」為目標，認為諸子百家之學，「或可以參聖道，或可以助政治，或可以顯應對，或可

㉖顧憲成，《小心齋箚記》卷三〈顧端文公遺書〉。
㉗高攀龍，《高子遺書》卷四〈講義〉。
㉘陸世儀，《復社紀略》。
㉙張采，《知畏堂集》卷一〈答章拙生書〉、卷二〈陽明要書序〉。

以資謀策」，都應當「去其蹐駁過當之說，而取其適於世用者」㉚。他耗費許多精力，主持編纂了五百零八卷的《明經世文編》，就是為了一洗「士大夫經濟闊疏之恥」。

除上述學者外，劉宗周提倡「離氣無理」、「道不離氣」，批評王學之虛無，黃道周提倡「實測」，重視躬行和實踐，孫奇逢提倡「兼收朱陸，隨時補救」，講求「躬行實踐，舌上莫空談」，都豐富和充實了實學思潮的內容。

第四節　公安派竟陵派與小品文的興盛

明代中葉以來的文壇，為復古主義所籠罩，唐宋派雖起而抗衡，但難遏其勢。到萬曆年間，「公安派」異軍突起，一掃復古之腐氣，給文壇帶來了生機。

公安派之得名，因其代表人物袁宗道、宏道、中道是湖廣公安（今屬湖北）人。袁宗道（一五六〇－一六〇〇年），字伯修，號玉蟠，萬曆十四年（一五八六年）進士，選庶起士，授翰林編修，官至右春坊右庶子。袁宏道（一五六八－一六一〇年），字中郎，號石公，萬曆二十年（一五九二年）進士，授吳縣知縣，官至吏部主事。袁中道（一五七〇－一六二六年），字小修，萬曆四十四年（一六一六年）進士，授徽州教授，官至南京吏部郎中。對於公安派文學理論的形成，三袁都發揮了各自的作用。長兄袁宗道最先起來反對復古，推崇唐代白居易和宋代蘇軾，所以錢謙益謂公安一派，「實自伯修

㉚陳子龍，《安雅堂稿》卷四〈彙輯諸子序〉。

發之」。袁宏道則大大豐富和深化了反復古理論，「中郎之論出，王（世貞）、李（攀龍）之雲霧一掃，天下之文人才士，始知疏瀹心靈，搜剔慧性，以蕩滌摹擬塗澤之病，其功偉矣」㉛。袁中道齒最幼，壽最長，進一步擴大了公安派的影響，並下啟竟陵派。

公安派的文學理論，深受李贄「童心」說的影響。袁宏道〈敘陳正甫會心集〉云：「世人所難得者唯趣，趣如山上之色，水中之味，花中之光，女中之態，雖善說者不能一語，唯會心者知之。……夫趣得之自然者深，得之學問者淺。當其為童子也，不知有趣，然無往而非趣也。面無端容，目無定睛；口喃喃而欲語，足跳躍而不定；人生之至樂，真無逾於此時者。……迨夫年漸長，官漸高，品漸大，有身如梏，有心如棘，毛孔骨節，俱為聞見知識所縛，入理愈深，然其去趣愈遠矣。」在創作實踐中，他們追求「以出自性靈者為真詩」，袁宏道〈敘小修詩〉稱揚其弟之作：「大都獨抒性靈，不拘格套，非從自己胸臆流出，不肯下筆。」所謂「獨抒性靈」，就是抒發自己的真個性、真感情，所謂「不拘格套」，就是不為一切套式、格律所束縛。

繼公安派而起的「竟陵派」，其代表人物鍾惺、譚元春都是湖廣竟陵（今湖北天門）人，故名。鍾惺（一五七二—一六二四年），字伯敬，號退谷，萬曆三十八年（一六一〇年）進士，授行人，官至福建提學僉事。譚元春（一五八六—一六三七年），字友夏，少聰慧而科場不利，天啟七年（一六二七年）始中舉人。二人曾合編《古詩歸》和《唐詩歸》，在序文和點評中宣揚自己的文學觀，風行一時。

在文學理論上，竟陵派接受了公安派「獨抒性靈」的主張，反對擬古摹仿，崇尚性靈。但他們對

㉛錢謙益，《列朝詩集小傳》丁集中。

公安派提倡詩文大眾化的主張，卻深不以為然，認為導致了詩文的鄙俚、輕率、淺露，於是「別出手眼，另立深幽孤峭之宗，以驅駕古人之上」㉜。鍾惺〈詩歸序〉曾談到何為「真詩」：「真詩者，精神所為也。察其幽情單緒，孤行靜寄於喧雜之中；而乃以其虛懷定力，獨往冥游於寥廓之外。」譚元春〈詩歸序〉也表示：「夫真有性靈之言，常浮出紙上，決不與眾言伍。」在他們眼中，只有表現了「幽情單緒」、「孤行靜寄」的作品，才能算得上「真有性靈之言」。

無論是公安三袁，還是竟陵鍾譚，都在詩歌創作方面下了很多工夫，並力圖通過詩歌創作展現自己的文學主張。但他們的詩作，總體看來水準不是太高。三袁為詩力避俗套，但往往淺率俚俗，詩味較淡。鍾譚為詩，則「以淒聲寒魄為致」，「以噍音促節為能」，語言不免過於冷澀拗折。除了個人因素外，中國古典詩歌經過長期發展，早已達到很高的成就，到明代，其盛期已過，很難再產生新的突破，也是一個關鍵因素。

但在散文方面，晚明以「小品」為標誌，卻出現了一個創作高潮。「小品」一詞早在晉代即有，本屬佛教用語，用以指佛經的節本。晚明文人嗜佛成風，遂將「小品」概念移植於文學。當時被歸入「小品」者，體裁十分龐雜，散、駢、韻各體均有。但晚明小品的精華，主要是包括遊記、傳記、日記、尺牘、序跋等在內的散文作品。

除篇幅短小外，晚明小品還有其獨特的品味。在內容上，追求生活化、個人化，率性而行，信口而言，雋永有味，詼諧有趣。陸雲龍在〈敘袁中郎先生小品〉中，指出袁宏道之文章「亦抒其性靈而

㉜錢謙益，《列朝詩集小傳》丁集中。

已」，並謂「率真則性靈現，性靈現則趣生」，「然趣近於諧，諧則韻欲其遠，致欲其逸，意欲其妍，語不欲其拖遝」。在形式上，講求「句法、字法、調法，一一從自己胸中流出」㉝，力圖打破一切章法格套，隨興漫筆，直抒胸臆。典型的晚明小品，多是率爾無意之作，靈動自然，新鮮活潑，趣味雋永。

儘管小品類文章早就存在，但其蔚成潮流，還是由公安三袁開其端緒的，他們都奉獻出一些十分出色的小品文。如袁宗道的〈極樂寺遊記〉，寫風景之幽美，古松之奇偉，寥寥數筆，便描摹出一幅清麗畫卷；其尺牘〈答江長洲綠蘿〉，信筆而成，狀物抒情，輕倩閒適，傳神盡意。袁宏道尤其善寫遊記小品，往往慧眼獨具，物我交融，清新秀逸，韻味天成。如一向受人稱道的名篇〈滿井遊記〉，描繪北京郊外之春色云：「於時冰皮始解，波色乍明，鱗浪層層，清澈見底，晶晶然如鏡之新開而冷光之乍出於匣也；山巒為晴雪所洗，娟然如拭，鮮妍明媚，如倩女之面而髻鬟之始掠也；柳條將舒未舒，柔梢披風，麥田淺鬣寸許。」始寫水，繼寫山，後寫田野，以充滿詩情的筆調，細膩地渲染出一派迷人風光。袁宏道不僅善寫景，也善寫人，〈徐文長傳〉通過徐渭與世異調、屢遭不幸的坎坷命運，抒發了個性難以舒張的苦悶。袁中郎的小品，或雄快，或尖新，或簡潔，或閒淡，亦卓然自成一家，足與其兄媲美。其〈壽大姊五十序〉，述兒時姐弟分離情形，令人落淚。其十三卷《游居柹錄》，皆是隨筆箚記日常所見所聞，散淡灑脫，疏朗自然。

竟陵派亦善寫小品。鍾惺擅長議論，常有新奇之說。如其敘議小品〈夏梅說〉，從時令變化巧妙地引出賞梅、詠梅人之冷熱，以揭示世態炎涼，可謂別具手眼。鍾惺的寫景小品也很出色，如其〈浣花

㉝袁宏道，《袁宏道集箋校》卷二二〈與李元善〉。

溪記〉，以生動細膩的筆觸，描繪了浣花溪一帶逶迤、清幽的景色，對杜甫「窮愁奔走，猶能擇勝」的胸懷表示讚賞，充分展現了竟陵派「孤行靜寄」的情懷。譚元春的小品，喜歡描摹蕭寒景象，且語句不夠平順，然幽冷孤傲、委婉深情。他寫過三篇〈遊烏龍潭記〉，語言簡練精準，因時令不同而景色各異。其〈遊南嶽記〉，寫登祝融峰頂所見雲海奇觀，氣勢雄偉，景色壯觀。屬於竟陵派的劉侗，與于奕正合著《帝京景物略》，文辭尖新，句式怪特，亦自成一格。

晚明小品作家眾多，除上述諸人之外，湯顯祖、陳繼儒、王思任、馮夢龍、祁彪佳、張岱等，皆稱名家。其中尤以浙江山陰（今紹興）人王思任、張岱成就為高。

王思任（一五七四－一六四六年），字季重，號遂東，又號謔庵，萬曆二十三年（一五九五年）進士，歷官興平知縣、袁州推官、九江僉事等職，南明魯王監國，授禮部右侍郎，進尚書。清兵破紹興，絕食殉國。王思任的小品，務為尖新拗峭，險秀出奇，與竟陵派有相似之處；但其意態跳躍，機智詼諧，常在瑰麗之辭中雜以俗語、口語，與竟陵派又有明顯區別。張岱〈王謔庵先生傳〉謂其「聰明絕世，出言靈巧，與人諧謔，矢品放言，略無忌憚」。傳世名篇有〈天姥〉、〈劍溪〉、〈孤嶼〉、〈遊北固山記〉、〈遊五台山記〉等。

張岱（一五九七－一六七九年），字宗子，又字石公，別號陶庵，出身於官宦世家，但本人未曾入仕，早年生活豪華，明亡後入山隱居。張岱是晚明小品最後一位大家，他受到公安派、竟陵派、徐渭、王思任等人影響，但又不為前人所囿，融各家之長，棄各家之短，成為一位集大成的散文作家。張岱的文章風格空靈雋永，清新活潑，時帶詼諧幽默之筆調。他留下大量山水遊記，文筆清麗，意境優美。其名篇〈湖心亭看雪〉，寥寥幾筆，就創造出一個人與景混融一體的境界，凝靜清絕，悠遠脫俗，流露出深深的落寞與孤寂。張岱還撰寫了大量回憶往事、追撫遺跡的小品，寄寓感慨，意味悠長，格調蒼涼而又不失人生情趣。

第五節　戲劇與小說的繁榮

明代後期，戲劇創作十分繁榮，其中影響最大的有兩派：一是以湯顯祖為代表的「臨川派」，屬於此派的還有來集之、馮延年、陳情表、鄒兌金、阮大鋮、吳炳、孟稱舜、凌濛初等；一是以沈璟為代表的「吳江派」，屬於此派的還有呂天成、王驥德、葉憲祖、馮夢龍、范文若、袁晉、卜世臣、沈自晉等。

湯顯祖（一五五〇－一六一六年），字義仍，號若士、海若、清遠道人，江西臨川人。萬曆十一年（一五八三年）進士，任南京太常寺博士、禮部主事。他性情耿直，關心時事，萬曆十九年（一五九一年）上疏抨擊閣臣信私人、塞言路，被貶為廣東徐聞典史。後任浙江遂昌知縣，為政寬簡，頗有官聲，然不為權貴所喜。萬曆二十六年（一五九八年）被劾，辭官歸家。家居二十年，專心著述。書齋有玉茗堂、清遠樓等名。湯顯祖精研詞曲，名重一時。所作傳奇，有《紫簫記》、《紫釵記》、《還魂記》（即《牡丹亭》）、《南柯記》、《邯鄲記》五種，後四種合稱「臨川四夢」或「玉茗堂四夢」。四部戲劇之中，尤以《牡丹亭》用力最深，藝術成就最高。湯顯祖自己曾說：「一生四夢，得意處惟在《牡丹》。」

《牡丹亭》描寫杜麗娘與柳夢梅之間的愛情故事。杜麗娘是南安太守杜寶的獨生女，從小受到父

《牡丹亭還魂記》插圖

母的嚴厲管教。環境的寂寞，精神的空虛，使她深感苦悶，她的青春逐漸覺醒。一日，使女春香發現了杜府後花園，偷帶小姐往遊。滿園春色，更激起杜麗娘青春的渴望。她做了一個大膽的夢，夢與一少年在牡丹亭畔幽會。從此日夜思念，抑鬱成疾。死前自畫像一幅，囑咐春香藏於花園太湖石下。死後，父母按其遺願葬於牡丹亭邊梅樹下，並蓋了一座梅花庵。三年後，柳夢梅赴京趕考，投宿梅花庵，拾得杜麗娘畫像，夜夜燒香拜祝。杜麗娘鬼魂大受感動，與柳夢梅歡會。後被石道姑發現，杜麗娘說出實情，柳夢梅掘開墳墓，使其還魂復生，不久柳夢梅亦高中狀元。杜寶得知，認為這是鬼妖之事，經在金鑾殿驗證，確認杜麗娘復活，一家團圓。《牡丹亭》通過夢而死、死而生的幻想情節，深刻表現了理想和現實的矛盾。劇中對人物心理的描寫細緻入微，文詞穠麗典雅，具有強大的藝術感染力，堪稱是一部浪漫主義的戲劇傑作。

沈璟（一五五三—一六一〇年），字伯英、聃和，號寧庵、詞隱，南直隸吳江（今屬江蘇）人。萬曆二年（一五七四年）進士，官至光祿寺丞。因仕途坎坷，三十七歲即棄官歸里，家居三十年，潛心研究詞曲，考訂音律，被譽為「詞壇之庖丁」。沈璟著有傳奇十七種，總稱「屬玉堂傳奇」，現存《紅蕖記》、《雙魚記》、《桃符記》、《一種情》（即《墜釵記》）、《埋劍記》、《義俠記》和《博笑記》七種。

《紅葉記》是沈璟的第一部劇作，描寫書生鄭德麟、崔希周與鹽商之女韋楚雲、曾麗玉的愛情故事。該劇嚴守格律，體現了沈璟「合律依腔」的主張，但其文詞字雕句鏤，受到駢麗風氣的較大影響。後來其風格發生明顯變化，力圖矯正駢麗靡縟之風，宣導「摹勒家常語」，《雙魚記》、《一種情》等都體現出本色語言風格。其中《義俠記》最為有名，根據《水滸傳》中武松故事改編，突出了武松的忠義和俠烈。沈璟晚期致力於喜劇創作，代表作為《墜釵記》和《博笑記》，前者係模仿《牡丹亭》而作，情節為興娘因思興哥而死，死後又附魂慶娘而生，全劇洋溢著一股喜劇情調。《博笑記》更是一組包含十個小戲的怪誕喜劇，或諷刺嘲弄，或詼諧幽默。總起來看，沈璟戲劇的藝術水準，要遠遜於湯顯祖。但沈璟在曲學上卻達到很高成就，所撰《南九宮十三調曲譜》，集南曲傳統曲調之大成，審定宮調曲牌，確定聲腔音律，較全面地構建了以崑腔為主體的新傳奇的格律體系，成為曲家填譜的法則。

圍繞戲曲創作的格律、文采等技巧方法問題，臨川派與吳江派之間曾發生長時期的論爭。大致說來，沈璟「強調音律」，甚至不惜「因律害意」；而湯顯祖「推崇意趣」，甚至不惜「因意害律」。通過爭論，兩派在某些問題上取得一致，到明清之際逐漸合流，對晚明至清代中葉戲劇的創作有很大的促進作用。

明代後期，小說創作也異彩紛呈，出現了《金瓶梅》這樣的長篇世情小說。《金瓶梅》的作者，署名為蘭陵笑笑生，真實姓名不詳。古稱「蘭陵」之地有二，一在今山東嶧縣，一在今江蘇武進，以何者為是，亦無定論。《金瓶梅》的產生時間，亦難確知，但據袁中郎萬曆二十四年（一五九六年）寫給董其昌之信，他曾從董處抄得此書一部分。現存《金瓶梅詞話》，有東吳弄珠客萬曆丁巳（一六一七年）之序，可能就是初刻本。崇禎年間刊行的《新刻繡像批評金瓶梅》，則是前者的評改本。《金瓶梅》

截取《水滸傳》中西門慶、潘金蓮一段故事，演繹成一百回的長篇巨製，是我國第一部由文人獨立創作的長篇小說。

《金瓶梅》的男主角西門慶，原是開生藥鋪的破落財主，但他善於夤緣鑽營，巴結上數目越來越多、級別越來越高的官員，以此為靠山，巧取豪奪，聚斂起大量財富，同時官運亨通，做到山東理刑副千戶，成為一個集富商、惡霸、官僚於一體的人物。他搶奪寡婦之財產，誘騙結義兄弟之妻子，謀殺姘婦之丈夫，霸占少女，私通僕婦，可謂貪淫好色，無惡不作。西門慶先後娶了一妻五妾，這些妻妾之間勾心鬥角，相互陷害，演出一場場家庭鬧劇和悲劇。最後，西門慶終因縱欲身亡，家庭敗落。《金瓶梅》以家庭生活為題材，藉以描摹現實社會的世態人情，雖以北宋末年為背景，但卻帶有明代後期鮮明的時代特徵，所以有「世情書」之稱。它以其對社會現實的冷靜深刻的揭露，對人性清醒深入的描繪，對人物細膩生動的塑造，把中國古典小說引入到一個新境界。

明代後期，由於說話業的普及和印刷業的發達，話本逐漸脫離說話技藝而獨立化、書本化，成為廣受社會歡迎的書面讀物。現存嘉靖年間洪楩刊行的《六十家小說》之殘餘部分，即《清平山堂話本》，有完篇二十七種、殘篇兩種，絕大多數都是明人作品。萬曆以後，為適應社會需求，文人們創作了大批專供閱讀的擬話本小說。在這方面成就最突出的是馮夢龍和凌濛初。

馮夢龍（一五七四－一六四六年），字猶龍，別署龍子猶，又號墨憨齋主人、顧曲散人等，南直隸長洲（今屬江蘇）人。自幼博學多識，早年考中秀才，但其後困頓場屋，直到崇禎三年（一六三〇年）才成為一名貢生，後選授福建壽寧知縣，秩滿離任歸里。清兵南下，憂憤而死。馮夢龍一生精力，主要用於通俗文學的研究、整理與創作，著述宏富。「三言」即《喻世明言》、《警世通言》和《醒世恆言》的編著，是其最重要的成就。「三言」都刊刻於崇禎年間，每書四十卷，每卷一篇，共一百二十篇。其中有宋元舊篇，有明代新作，也有馮夢龍自己的擬作，已難以分辨清楚。但所有作品，都程度不同地經過馮夢龍的增刪、潤飾或重新創作，使其藝術性大大提高，也更能切近晚明的社會生活。

「三言」的內容十分廣泛，大致可以分為三類：一是愛情婚姻，這類題材所占比重較大，成就也最高，代表作有〈杜十娘怒沉百寶箱〉、〈賣油郎獨佔花魁〉、〈玉堂春落難逢夫〉、〈蔣興歌重會珍珠衫〉等。這類作品常把「情」和「欲」放在「理」或「禮」之上，充分肯定人的感情和情欲的合理性，抨擊門當戶對的傳統婚姻觀念。二是俠義友誼，代表作有〈施潤澤灘闕遇友〉、〈呂大郎還金完骨肉〉、〈劉小官雌雄兄弟〉等，這類題材謳歌了真摯友誼和俠義行為，藉以對當時金錢至上的世風加以諷刺規誡。三是科舉與官場生活，代表作有〈老門生三世報恩〉、〈鈍秀才一朝交泰〉、〈沈小霞相會出師表〉、〈盧太學詩酒傲王侯〉等，這類作品大多或揭露科舉之腐朽，或刻畫人情之扭曲，或描繪官員之貪淫，但也塑造了一些直言敢諫、剛正不阿的仁人志士形象。「三言」中不少作品，達到了很高的藝術成就，〈今古奇觀序〉稱其「極摹人情世態之歧，備寫悲歡離合之致，可謂欽異撥新，洞心駭目」，並非虛譽。

凌濛初（一五八〇—一六四四年），字玄房，號初成、稚成，別號即空觀主人，浙江烏程（今湖州）人。十八歲補廩膳生，崇禎七年（一六三四年）以優貢授上海縣丞，擢徐州通判，卒於任。有著作多種，其中以「二拍」即《初刻拍案驚奇》和《二刻拍案驚奇》最有名。《初刻》完成於天啟七年（一六二七年），翌年刊行，因大受歡迎，應書商之請續撰《二刻》，崇禎五年（一六三二年）完成。「二拍」亦是每書四十卷，每卷一篇，但《二刻》第二十三卷與《初刻》重出，最後一卷則為〈宋公明鬧元宵〉雜劇，所以實有小說七十八篇。

「二拍」不再是收錄改編舊傳話本之作，而是從野史筆記、文言小說和民間傳說中選取材料，經過自己的構思創作而成。因此，與「三言」相比，「二拍」帶有更加明顯的晚明時代色彩，對傳統觀念的衝擊與反抗也更加強烈。「二拍」中有不少描寫商人的作品，如〈轉運漢巧遇洞庭紅〉、〈烏將軍一飯必報〉、〈疊居奇程客得助〉等，反映了當時商業的發達和商人地位的提高，對商人追求金錢的努力和欲望予以充分肯定。在描寫愛情婚姻的作品中，則宣揚戀愛自由、婚姻自主，描寫塑造了一些不管世俗禮教、不管父母之命、「且盡著快活」的女性形象，將男女之欲視為應該得到滿足的正當欲望。「二拍」不少作品，揭露了統治階級的貪淫兇殘、厚顏無恥。如〈硬勘案大儒爭閒氣〉，將朱熹描寫成一個十足小人，可謂十分大膽。

無論是《金瓶梅》還是「三言二拍」，都深刻反映了當時商品經濟繁榮、市民社會發達、思想意識多樣的時代特徵。這些作品的不足之處，是其中有些內容或宣揚因果報應，或渲染色情場面，但從中也可看出當時市民趣味之流行、思想意識之開放。

第六節　傳統科技的總結與發展

明代後期，是傳統科學技術大發展的時代。在總結前人成果的基礎上，出現了一批集大成式的優秀科技著作。除完成於萬曆初年的《本草綱目》外，萬曆中後期至崇禎年間，又出現了朱載堉的《樂律全書》、徐光啟的《農政全書》、宋應星的《天工開物》這樣幾部兼具總結與創新的科技巨著。

朱載堉（一五三六－一六一一年），字伯勤，號句曲山人，少時自號狂生、山陽酒狂仙客，生於河南懷慶府河內縣（今沁陽市）。他是明仁宗第六代孫，其父鄭王朱厚烷精通音律樂譜。嘉靖二十四年（一五四五年），被封為世子，即王位繼承人。嘉靖二十九年，朱厚烷遭誣陷削爵，禁錮鳳陽，經十八年始獲赦免。期間朱載堉築土室於宮外，席藁獨處，研究律呂曆算。其父去世，他堅決讓爵不襲，傾心著述。所著《樂律全書》，包括《律學新說》、《樂學新說》、《算學新說》、《律呂精義》、《操縵古樂譜》、《旋宮合樂譜》、《鄉飲詩樂譜》、《六代小舞譜》、《小舞鄉樂譜》、《二佾綴兆圖》、《靈星小舞譜》、《聖壽萬年曆》、《萬年曆備考》、《律曆融通》十四種，此外還有《嘉量算經》、《律呂正論》、《律呂質疑辯惑》等著作。朱載堉對曆學有深入研究，所著《聖壽萬年曆》正確地指出，時差只適用於日食，而計算月食不應有時差訂正，他還提出中國古代最精確的回歸年長度計算方法。朱載堉最突出的成就，是提出了「新法密律」，即十二平均律，並因此研究了進位制互換，在世界上首創求解等比數列的方法，比荷蘭數學家斯特芬（**Simon Stevin**，約一五四八－一六二〇年）的同樣貢獻早十幾年。他提出嚴格的管樂器的管口校正方法和校正公式，比西方約早三百年。

徐光啟（一五六二－一六三三年），字子先，號玄扈，南直隸上海（今上海市）人。萬曆三十二年（一六〇四年）進士，選庶起士，官至禮部尚書兼東閣大學士，參預機務。他長期致力於科學研究，在天文、曆算、數學、軍事等方面都頗有造詣。萬曆二十八年，徐光啟在南京遇到耶穌會士利瑪竇（**Matteo Ricci**），對西方先進的科學技術大感興趣，他不僅虛心向傳教士學習，還與他們合作，先後翻譯了《幾何原本》、《測量法義》、《簡平儀說》、《泰西水法》等書，向國人介紹西方科技知識。徐光啟一生，在農業科技方面用力最勤，先後撰寫了《甘薯疏》、《蕪菁疏》、《吉貝疏》、《種棉花法》、《代園種竹圖說》等十餘種農書，《農政全書》則為其集大成之作。全書共六十卷，分為農本、田制、農事、水利、農器、樹藝、蠶桑、蠶桑廣類、種植、牧養、製造、荒政十二目。在此之前的農書，重點都是講農業知識和生產技術，而《農政全書》的內容分為農政措施和農業技術兩大部分，前者是全書的綱，後者是實現綱領的技術措施。書中談論開墾、水利、荒政之類的內容，幾乎占了一半篇幅，這是前代農書所鮮見的。這種內容安排，充分體現了徐光啟「富國必以本業」的農本思想。《農政全書》廣泛搜集、摘錄了前代農學著作，徵引文獻多達二百二十五種，但能捨其糟粕，取其精華。尤為重要的是，徐光啟採用「玄扈先生曰」的形式，加上許多評論，或指出前人之錯誤，或糾正前人之缺失，或補充前人之不足。這些知識，基本上都是他通過調查研究和親身實踐得來，極大地豐富了傳統農業技術的內容。

宋應星（一五八七－約一六六一年），字長庚，江西奉新人。萬曆四十三年（一六一五年）舉人，崇禎年間歷任江西分宜教諭、汀州推官、亳州知州，明亡後棄官歸家。他博學多才，尤其究心工農業生產技術。一生著書多種，最著名的是《天工開物》。該書分為三篇，包括十八個類目，每類一卷，共十八卷，全面系統地記述了我國古代農業和手工業的生產技術和經驗。上篇主要記載了穀物豆麻的栽培和加工方法，蠶絲棉苧的紡織和染色技術，以及製鹽、製糖工藝；中篇包括磚瓦、陶瓷的製作，車船的建造，金屬的鑄鍛，石灰、煤炭、硫磺、白礬的開採和燒製，以及榨油、製燭、造紙等；下篇記述了五金開採及冶煉，兵器、火藥的製造，硃墨、顏料、酒麴的生產，以及珠玉的採琢等。該書對原料的品種、產地、用量、工具構造和生產加工的操作過程等，都有詳細說明。作者還自繪了一百二十三幅插圖，畫面生動，線條清晰、比例適當，形象準確地反映了各種器物的形狀、結構與原理，以及各種器物的生產工序或生產過程。《天工開物》於崇禎十年（一六三七年）首刊，明末曾再次刊印，可惜入清之後，在國內湮沒無聞。但刊行不久，即流傳到日本，十九世紀中葉又被譯成法文，後來又有日、英、德等多種譯本，成為世界聞名的科技傑作。

除上述集大成式的科技著作外，晚明還出現了兩位大地理學家，這就是王士性和徐宏祖。

王士性（一五四六－一五九八年），字恆叔，號太初，又號元白道人，浙江臨海人。萬曆五年（一五七七年）進士，官至南京鴻臚寺卿。性好遊歷，兩京十三布政司，足跡未到者福建一省而已。有《五嶽遊草》、《廣遊志》、《廣志繹》等著作，以《廣志繹》價值最高。《廣志繹》分省記述山川、物產、賦稅、漕運、防務、制度、風俗等，共三百餘條。其中對地形地貌有不少描述。如他描述了廣西靈川至平樂一帶的石灰岩地貌，並提出「鐘乳上懸下滴，終古累綴」，對石鐘乳成因作出科學推測。王士性最大的貢獻，是在人文地理學方面。他對人地關係問題有深刻論述，曾將浙江劃分為「澤國之民」、「山谷之民」、「海濱之民」三部分，簡要論述了三地風俗習慣和社會結構的差異，極富創見。德國哲學家黑格爾在《歷史哲學》中，曾將世界分為高地、平原、濱海三類地區，與王士性的說法類似，但已晚了二百多年。此外，王士性還記載了一些文化地理、經濟地理、人口地理、旅遊地理等資料，都很有價值。

徐宏祖（一五八七－一六四一年），字振之，號霞客，南直隸江陰（今屬江蘇）人。自少喜讀奇書，博覽古今史籍、圖經地志。二十一歲起，放棄舉子業，在其後三十餘年間，不畏險阻，歷盡磨難，遊歷了華東、華北、華南、西南等地，並堅持不懈地以日記記錄考察所得。今存《徐霞客遊記》，係死後由他人整理而成，共十卷，詳細記錄了徐霞客萬曆四十一年至崇禎十二年（一六一三－一六三九年）

間的考察成果，包括山川源流、地形地貌、生物形態、礦藏物產、民情風情等多方面內容。該書最大的貢獻，是對西南地區石灰岩地貌的類型分佈和各地區間的差異，尤其是岩溶洞穴的特徵、類型及成因，進行了詳細的考察和科學的記述，他親自探查過的洞穴便有二百七十多個，對很多洞穴的方向、高度、寬度和深度都有具體記載。這是世界上關於岩溶地貌的最早的科學文獻，比歐洲人要早一個多世紀。李約瑟主編《中國科學技術史》曾評價說：《徐霞客遊記》「不像十七世紀學者所寫的東西，倒像是一位二十世紀的野外勘探家所寫的記錄」。除巨大的科學價值外，《徐霞客遊記》文筆簡潔優美，也是一部文學名著。

第七節　傳教士來華與西方科技的傳入

隨著葡萄牙人來到東方，西方傳教士也接踵而至。這些傳教士多為耶穌會士。耶穌會成立於一五四〇年，由西班牙貴族伊納爵．羅耀拉 (Ignatius Loyola) 創建。他們因在西方無法與新教相抗衡，故而把目光投身遙遠的東方。第一位到達東方的耶穌會士是方濟各．沙勿略 (François Xavier)，他在耶穌會正式建立的次年即踏上前往東方的路途，第二年到達印度果阿，一五四九年又來到日本鹿兒島傳教。由於從日本人那裡了解到中國文化對日本的強大影響，他認識到要使日本皈依基督，必須先要讓中國皈依。嘉靖三十一年（一五五二年），沙勿略來到廣東臺山縣的上川島，他雖然未能進入中國內地，但這畢竟是西方傳教士直接進入中國之始。

葡萄牙人入居澳門後，開通了澳門－果阿－里斯本貿易航線，耶穌會士紛紛搭乘商船東來。他們以澳門為基地，招引中國人入教，並要求入教者學習葡萄牙語，取葡萄牙姓名。這種傳教方式，與中國的風土人情不相適應，因而進展緩慢。萬曆七年（一五七九年），耶穌會士羅明堅 (Michele Ruggieri) 到達澳門，他努力學習了漢語，並數次進入中國內地，於萬曆十年（一五八二年）在肇慶定居下來。是年，耶穌會士利瑪竇也來到澳門，次年即被羅明堅帶到肇慶。數年後羅明堅回國，利瑪竇則一直留在中國，先後到廣東韶州、南京、南昌、蘇州等地傳教。萬曆二十九年（一六〇一年），利瑪竇同另一傳教士龐迪我 (Diego de Pantoja)，由南京來到北京，向皇帝呈獻了天主像、聖母像、十字架、自鳴鐘、《萬國圖志》等物品，贏得神宗歡心，在宣武門內賜予住處，並允許開設教堂傳教。利瑪竇在北京居住十年，於萬曆三十八年（一六一〇年）患病去世，享年五十九歲。神宗賜葬地於阜城門外藤公柵欄，以後這裡成為傳教士公墓。晚明時期，與利瑪竇同時或稍後來華的傳教士，還有羅儒望、陽瑪諾、郭居靜、熊三拔、龍華民、鄧玉函、湯若望等多位，他們大都是博學多才之士。

由於認識到士大夫在中國社會中的強大影響力，利瑪竇等傳教士便把主要精力放到與士大夫階層的交往上。為了博得士大夫們的注意和尊重，他們非常喜歡展示攜帶而來的西方器物和講解一些自然科學知識，試圖使科學成為宗教傳播的媒介。而對於作為數千年文化傳統承載者的中國士大夫來說，真正能夠吸引他們的也不是基督教教理，而是中國前所未有的比較先進的科學技術。從明末一直到清朝初期，傳入中國的西方科學技術是多方面的。一六二〇年，金尼閣來澳門時，將七千餘部圖書運到中國內地，其中有水法之書、演算法之書、《萬國圖志》之書、醫理之書、樂器之書、格物窮理之書、《幾何原本》之書，包括了天文、曆法、水利、地理、物理、幾何、醫學、數學、音樂等各方面的書籍。

由於傳教士認為「得以在中國立足唯一所恃的是數學」，因而當時譯介過來的數學書籍最多。萬曆三十三年（一六〇五年），利瑪竇輯錄了《乾坤體義》二卷，下卷專論數學，以邊、線、面積、平圜、橢圓互相容較，詞簡意賅，是為近代西方數學傳入中國之始。次年，利瑪竇口授、徐光啟筆譯了歐幾里得所著《幾何原本》六卷。

利瑪竇與徐光啟

此書所用的底本，是利瑪竇的老師數學家克拉維斯（Christopher Clavius，一五三七－一六一二年）的註解本，共十五卷。中國傳統數學相對說來比較缺乏抽象的陳述形式和嚴密的邏輯推理，此書雖僅譯出前六卷，但已充分展現出西方公理化數學體系的思想、方法和特點，對此後中國數學的發展影響極大。利瑪竇還帶來了克拉維斯的《實用算術概論》，他與李之藻合作，參考明代數學家程大位的《算法統宗》，編譯了《同文算指前編》、《同文算指通編》和《同文算指別編》，論述比例、級數、開方等，是為近代西方算術傳入中國之始，也可以說是匯合中西算術知識的最初嘗試。這部書對中國算術的發展產生了較大影響，由於中國學者的重視並加以改進，筆算的應用才日漸普遍起來。利瑪竇之後，艾儒略所著《幾何要法》，鄧玉函所著《大測》、《割圜八線表》，羅雅穀所著《測量全義》、《籌算》，穆尼閣所著《比例對數》等書，均對中國近代數學的發展產生了深遠影響。

中國歷代王朝對天文曆法一向比較重視。明朝的曆法，使用的是大統曆和回回曆，因沿用時間太久，對節氣和日月食的測定已與實際情況不符，到明朝末年，改曆的呼聲甚高。以利瑪竇為代表的西方傳教士抓住這一機會，積極參與中國曆法的修訂工作，並希望以此為契機擴大教會在中國的影響。

羅馬教廷根據利瑪竇的建議，選派了一批懂天文學的耶穌會士來華。為了廣泛傳播西方天文曆法知識，他們單獨或與中國人合作撰寫了一批書籍。如利瑪竇與李之藻合寫了《渾蓋通憲圖說》，其內容雖還存有不少錯誤，但第一次將黃道坐標系、星等、日月五星的大小遠近等知識介紹到中國，影響很大。利瑪竇與李之藻還寫了一本《經天該》，以西方星圖為底本，用七言歌辭的形式介紹了周天星辰，既開了中西星名對照研究之先河，又有利於西方天文知識的普及。陽瑪諾編寫的《天問略》一書，雖有濃重的宗教氣味，但介紹了伽利略發明望遠鏡後西方天文學的新發現，如木星的四顆衛星、銀河由密集恆星組成、金星也有圓缺變化等，不少內容是中國人聞所未聞的。

崇禎二年（一六二九年），傳教士希望參與改曆的願望終於實現。這年五月乙酉朔（六月二十一日），欽天監預報日食又發生明顯錯誤，而時任禮部侍郎的徐光啟依據西方天文學作出的預報則完全符合天象，思宗遂批准設立曆局，命徐光啟督修曆法，開始了改曆工作。曆局把翻譯西方天文學著作作為基礎工程，歷時五年，編成《崇禎曆書》，共一百三十七卷，內容分節次六目和基本五目，前六目分別是日躔、恆星、月離、日月交會、五緯星和五星淩犯，後五目分別是法原（天文學理論）、法數（天文用表）、法算（天文學計算中必備的數學知識）、法器（測量儀器和計算工具）和會通（各種中西度量單位換算表）。該書以本輪、均輪體系解釋天體運動速度的變化，使傳統的中國天文學從代數學系統開始向幾何學系統轉變；引入了明確的地球概念和經、緯度以及有關的測定、計算方法，使得對日食、月食的計算和其他天文計算比中國傳統的方法有了進步；首次採用了三百六十度制和一天九十六刻制，經度以十二次為系統，緯度從赤道起算到九十度，比中國傳統的計算方法簡便多了。總之，該書系統、全面地介紹了歐洲天文學的內容，是對當時已經傳入的西方天文學知識的總結之作，標誌著中國天文學體系開始發生轉變。

傳教士也很注意向中國人介紹地理學方面的知識，利瑪竇就曾說過，「欲使中國人重視聖教事宜」，編繪世界地圖是「絕好、絕有用的東西」。所以，利瑪竇還在澳門及肇慶時，就以《萬國輿圖》為藍本重新摹繪成《山海輿地全圖》，並附上中文說明以便中國人閱讀，此為西方地理學和地圖學傳入中國之始。其後，在居留中國的二十餘年間，利瑪竇不斷編繪地圖，計有《世界圖志》、《世界圖記》、《山海輿地圖》、《輿地山海全圖》、《輿地全圖》、《萬國圖志》、《坤輿萬國全圖》等多種。《坤輿萬國全圖》是利瑪竇對南京、北京、杭州和西安等地的經緯度進行實地測量後繪製而成的，從中可以學習西歐經緯製圖法以及有關世界五大洲的科學知識，使一些對新事物抱著歡迎態度的中國人初步了解世界大勢。為了迎合中國人自視為「中央帝國」的心理，利瑪竇在繪製地圖時，往往特地把中國畫在世界地圖的中央。不過，他在編繪地圖時採用的是地圖投影方法，打破了中國人「天圓地方」的傳統觀念。除利瑪竇編製的世界地圖外，系統介紹世界各國的地理情況的專著《職方外紀》對明末知識界也產生了一定影響。此書由艾儒略和楊廷筠合作編譯，卷首為萬國全圖、五大洲總圖，卷一至卷四分別為亞細亞、歐羅巴、利未亞（即非洲）、墨利加（即南北美洲）總說及分說，卷五為四海總說。西方地理著作和地圖的傳入，大大開拓了中國人的眼界。

在軍事方面，西方的火炮技術傳入中國，對中國火器的改良起到了一定作用。西方火炮傳入中國始於葡萄牙人來到中國東南沿海。當時中國人稱葡萄牙為佛郎機，所以其時引進或仿製的火炮都稱為「佛郎機」。這種炮前有準星，後有照門，有炮架可以上下左右移動，比明朝原有的火炮裝填便利，發射速度快，瞄準也更為準確。到明朝末年，隨著中西方貿易往來的加強和傳教士來華人數的增多，歐洲新的火器技術又被帶入中國。當時明朝從荷蘭人手中得到一種新型大炮，稱之為「紅夷炮」，並加以仿製。紅夷炮威力很大，故皇帝賜封為「大將軍」。這種火炮在明與後金的戰爭中，發揮了很大作用。崇禎初年，徐光啟曾招攬畢方濟、龍華民、湯若望等傳教士，共同製造出大批性能較好的紅夷炮，分發給邊防部隊使用。明朝參照引進的佛郎機技術製造的裝有瞄準具的火槍，性能也很好。伴隨著西式火器在軍隊中的使用，西式火器的製作技術和軍事理論也傳入中國。如趙士楨的《神器譜》，孫元化的《西洋神機》，湯若望和焦勖合作編譯的《則克錄》，都是介紹西方軍事技術的專著。

紅夷鐵炮（崇禎十六年製造）

西方的一些機械工程學和物理學知識，也被傳播進來。熊三拔撰寫了《泰西水法》一書，介紹了龍尾車、玉衡車、恆升車等水利機械以及水庫的性能和作用，並附圖說明。這是在華出版的第一部介紹西方農田水利的專著，很受中國人的重視，徐光啟所著《農政全書》中的水利部分，就是採錄《泰西水法》的主要內容而成。鄧玉函與王徵合作編譯了《遠西奇器圖說錄最》一書，是我國第一部機械工程學著作。王徵不僅致力於介紹西方機械工程學，還根據西方的機械原理創製了一些新式機械。所著《新制諸器圖說》、《額辣濟亞牖造諸器圖說》、《忠統日錄》、《兩理略》等書，收錄了他發明製作的新器。

附錄

大事年表

西元	中國紀元	大事
一三六八	洪武元年	正月，朱元璋即帝位，國號大明，定都應天。八月，明軍克大都，元順帝棄城北逃，元朝滅亡
一三六九	二年	詔天下郡縣設立學校。定分封諸王之制
一三七〇	三年	定科舉取士之制，首開科舉。實行戶帖制度
一三七一	四年	推行糧長制度
一三七三	六年	頒行《大明律》。停罷科舉
一三七四	七年	建立衛所制度
一三七五	八年	空印案發。立鈔法，發行大明寶鈔，禁民間以金銀交易
一三七六	九年	改行中書省為承宣布政使司
一三八〇	十三年	胡惟庸案發。廢中書省及丞相制度。改大都督府為五軍都督府
一三八一	十四年	推行里甲制度，編訂賦役黃冊
一三八二	十五年	平定雲南。設都察院。置殿閣大學士。復行科舉。設錦衣衛，專司緝捕
一三八五	十八年	郭桓案發。頒《御制大誥》

一三八六	十九年	頒《御制大誥續編》、《御制大誥三編》
一三八七	二十年	平定遼東。編製魚鱗圖冊。頒《大誥武臣》
一三九二	二十五年	皇太子朱標死，立皇長孫朱允炆為皇太孫
一三九三	二十六年	藍玉案發
一三九四	二十七年	禁用銅錢交易
一三九五	二十八年	頒佈《皇明祖訓》條章
一三九七	三十年	《大明律》最終定型，頒示天下
一三九八	三十一年	太祖朱元璋卒，孫朱允炆繼位。定議削藩
一三九九	建文元年	燕王朱棣發動「靖難之役」
一四〇二	四年	朱棣兵入南京，即帝位，朱允炆不知所終
一四〇三	永樂元年	改北平為北京
一四〇五	三年	鄭和首次下西洋
一四〇六	四年	出兵伐安南
一四〇七	五年	安南平，設交阯布政司。《永樂大典》纂成
一四〇九	七年	設奴兒幹都司。宗喀巴在拉薩發起大祈願法會
一四一〇	八年	成祖首次征討漠北
一四一一	九年	開通會通河

西元	年號	大事
一四一三	十一年	開設貴州
一四一四	十二年	陳誠出使西域
一四二〇	十八年	設立東廠。鎮壓山東唐賽兒起事
一四二一	十九年	遷都北京
一四二四	二十二年	成祖第五次北征，還至榆木川卒，子朱高熾即位
一四二五	洪熙元年	仁宗朱高熾卒，子朱瞻基繼位。始設巡撫
一四二六	宣德元年	平定漢王朱高煦叛亂
一四二七	二年	從安南撤軍，罷交阯布政司
一四二八	三年	宣宗巡邊，於寬河擊敗兀良哈蒙古
一四三〇	五年	鄭和第七次出使西洋
一四三三	八年	鄭和卒於下西洋歸途
一四三五	十年	宣宗朱瞻基卒，子朱祁鎮繼位
一四三六	正統元年	始徵金花銀
一四四一	六年	大舉征麓川。正式定都北京
一四四四	九年	葉宗留起事
一四四八	十三年	鄧茂七起事
一四四九	十四年	土木之變，英宗被俘，弟郕王朱祁鈺即帝位。于謙領導北京保衛戰

一四五〇	景泰元年	英宗回還，被幽於南宮
一四五二	三年	組建團營
一四五七	天順元年	英宗復辟，景帝朱祁鈺廢為郕王，旋死。殺害于謙
一四六一	五年	曹吉祥、石亨叛亂
一四六四	八年	英宗朱祁鎮卒，子朱見深繼位
一四六五	成化元年	荊襄流民起事
一四七六	十二年	開設鄖陽府，撫治流民
一四七七	十三年	設西廠
一四八二	十八年	罷西廠
一四八五	二十一年	准輪班匠納銀代役
一四八七	二十三年	憲宗朱見深卒，子朱祐樘繼位
一五〇〇	弘治十三年	頒佈《問刑條例》
一五〇五	十八年	孝宗朱祐樘卒，子朱厚照繼位
一五〇六	正德元年	復設西廠
一五〇八	三年	劉瑾立內行廠
一五一〇	五年	安化王朱寘鐇反。誅殺劉瑾，罷西廠、內行廠
一五一一	六年	劉六、劉七起事

西元	年號	大事
一五一七	十二年	武宗以巡邊為名，出遊宣府、大同
一五一八	十三年	武宗再次出遊
一五一九	十四年	寧王朱宸濠反
一五二一	十六年	武宗朱厚照卒，從弟朱厚熜入繼帝位。「大禮議」開始
一五二三	嘉靖二年	發生日本使臣「爭貢之役」
一五二四	三年	大同五堡兵變，殺死巡撫張文錦等
一五二七	六年	李福達之獄
一五四二	二十一年	發生「宮婢之變」
一五四八	二十七年	首輔夏言被殺，嚴嵩出任首輔
一五五〇	二十九年	庚戌之變，蒙古軍攻掠京畿
一五五五	三十四年	重修《問刑條例》
一五六二	四十一年	嚴嵩敗
一五六六	四十五年	世宗朱厚熜卒，子朱載垕繼位
一五六七	隆慶元年	開放海禁，准販東西二洋
一五七一	五年	封俺答汗為順義王
一五七二	六年	穆宗朱載垕卒，子朱翊鈞繼位。張居正出任首輔
一五八二	萬曆十年	首輔張居正卒。耶穌會士利瑪竇來華

公元	年號	事件
一五八五	十三年	修訂《問刑條例》
一五八八	十六年	努爾哈赤統一建州女真
一五九二	二十年	平定哱拜叛亂。出兵援朝抗倭
一五九六	二十四年	始派礦監稅使
一五九七	二十五年	再次出兵援朝抗擊日。楊應龍叛亂
一五九九	二十七年	臨清、武昌、漢陽等地發生反稅使民變
一六〇〇	二十八年	平定播州
一六〇一	二十九年	利瑪竇進京
一六〇二	三十年	李贄在獄中自刎
一六〇四	三十二年	荷蘭殖民者入侵澎湖列島
一六一五	四十三年	發生梃擊案
一六一六	四十四年	努爾哈赤即汗位，建元天命，國號「大金」
一六一八	四十六年	後金攻陷撫順。始加派遼餉
一六一九	四十七年	薩爾滸之戰
一六二〇	四十八年	神宗朱翊鈞卒，子朱常洛繼位，在位二十九日卒，子朱由校繼位
一六二一	天啟元年	後金兵攻占瀋陽、遼陽。永寧宣撫使奢崇明反叛
一六二二	二年	與後金發生廣寧之戰。安邦彥反叛

一六二三	三年	荷蘭殖民者占據澎湖
一六二五	五年	後金遷都瀋陽，改名盛京。東林黨「六君子」被害
一六二六	六年	寧遠大捷。後金汗努爾哈赤卒，皇太極繼位。東林黨「七君子」被害
一六二七	七年	寧錦大捷。熹宗朱由校卒，弟朱由檢繼位
一六二八	崇禎元年	陝西王二起事，揭開明末農民大起事序幕
一六二九	二年	欽定逆案。平定奢崇明、安邦彥之叛
一六三〇	三年	李自成、張獻忠起事。袁崇煥被冤殺
一六三五	八年	起義軍大會滎陽，攻陷鳳陽
一六三六	九年	後金皇太極稱帝，改國號「大清」
一六三七	十年	加派「剿餉」
一六四一	十四年	李自成攻克洛陽，殺福王朱常洵
一六四二	十五年	與清發生松錦之戰，戰敗。荷蘭驅逐西班牙，獨占臺灣
一六四三	十六年	清皇太極卒，子福臨繼位。李自成攻克襄陽，稱新順王
一六四四	十七年	李自成攻克西安，建國號大順。三月，李自成攻破北京，崇禎皇帝自縊，明亡。清軍入關，定都北京。李自成敗退關中，張獻忠占領成都，建國號大西。福王朱由崧即帝位於南京

明史

帝系表

次序	廟號	年號	姓名	在位年代	與前帝關係
一	太祖	洪武	朱元璋	一三六八—一三九八	
二	惠帝	建文	朱允炆	一三九九—一四〇二	孫
三	成祖（太宗）	永樂	朱棣	一四〇三—一四二四	叔
四	仁宗	洪熙	朱高熾	一四二五	子
五	宣宗	宣德	朱瞻基	一四二六—一四三五	子
六	英宗	正統	朱祁鎮	一四三六—一四四九	子
七	代宗（景帝）	景泰	朱祁鈺	一四五〇—一四五六	弟
	英宗（復位）	天順	朱祁鎮	一四五七—一四六四	兄
八	憲宗	成化	朱見深	一四六五—一四八七	子
九	孝宗	弘治	朱祐樘	一四八八—一五〇五	子
十	武宗	正德	朱厚照	一五〇六—一五二一	子
十一	世宗	嘉靖	朱厚熜	一五二二—一五六六	堂弟
十二	穆宗	隆慶	朱載坖	一五六七—一五七二	子
十三	神宗	萬曆	朱翊鈞	一五七三—一六二〇	子

十四	光宗	泰昌	朱常洛	一六二〇	子
十五	熹宗	天啟	朱由校	一六二一—一六二七	子
十六	思宗（莊烈帝）	崇禎	朱由檢	一六二八—一六四四	弟

參考書目

一、原典文獻

明代諸臣纂修，《明實錄》，臺北：中央研究院歷史語言研究所影印本，一九六二年。
張廷玉等，《明史》，北京：中華書局點校本，一九七四年。
談遷，《國榷》，北京：中華書局標點本，一九五八年。
谷應泰，《明史紀事本末》，北京：中華書局點校本，一九七七年。
傅維鱗，《明書》，濟南：齊魯書社《四庫全書存目叢書》本，一九九六年。
查繼佐，《罪惟錄》，杭州：浙江古籍出版社點校本，一九八六年。
高岱，《鴻猷錄》，上海：上海古籍出版社點校本，一九九二年。
王世貞，《弇州山人四部稿》，濟南：齊魯書社《四庫全書存目叢書》本，一九九七年。
朱元璋，《諸司職掌》，臺北：國立中央圖書館《玄覽堂叢書》本，一九八一年。
李善長等，《大明令》，臺北：成文出版社《皇明制書》本，一九六九年。
傅鳳翔，《皇明詔令》，濟南：齊魯書社《四庫全書存目叢書》本，一九九六年。
李東陽等，《大明會典》，臺北：商務印書館《景印文淵閣四庫全書》本正德版，一九八三年。
申時行等，《大明會典》，北京：中華書局影印《萬有文庫》本萬曆版，一九八九年。
徐學聚，《國朝典彙》，北京：書目文獻出版社影印本，一九九六年。
余繼登，《典故紀聞》，北京：中華書局點校本，一九八一年。

章潢，《圖書編》，上海：上海古籍出版社影印本，一九九二年。
張萱，《西園聞見錄》，北京：全國圖書館文獻縮微複製中心影印本，一九九六年。
《明經世文編》，北京：中華書局影印本，一九六二年。
《皇明經濟文錄》，北京：全國圖書館文獻縮微複製中心複印本，一九九四年。
《御選明臣奏議》，臺北：商務印書館《景印文淵閣四庫全書》本，一九八三年。

二、近人著作

㈠通史

孟森，《明史講義》，北京：中華書局，二〇〇六年。
吳晗，《明史簡述》，北京：中華書局，一九八〇年。
湯綱、南炳文，《明史》上冊，上海：上海人民出版社，一九八五年。
湯綱、南炳文，《明史》下冊，上海：上海人民出版社，一九九一年。
傅衣凌主編，《明史新編》，北京：人民出版社，一九九三年。
（美）牟復禮、（英）崔瑞德編，《劍橋中國明代史》，張書生等譯，北京：中國社會科學出版社，一九九二年。
王天有主編，《明朝十六帝》，北京：紫禁城出版社，一九九九年。
高陽，《明朝的皇帝》，臺北：臺灣學生書局，二〇〇〇年。
白壽彝總主編、王毓銓主編，《中國通史》第九卷，上海：上海人民出版社，一九九九年。
陳致平，《中華通史》九、十，臺北：黎明文化事業公司，一九七八年。
蔡美彪等著，《中國通史》第八冊，北京：人民出版社，一九九四年。

樊樹志，《晚明史：一五七三—一六四四年》，上海：復旦大學出版社，二〇〇三年。
顧誠，《南明史》，北京：中國青年出版社，一九九七年。

㈡政治

張顯清、林金樹主編，《明代政治史》，桂林：廣西師範大學出版社，二〇〇三年。
李渡，《明代皇權政治研究》，北京：中國社會科學出版社，二〇〇四年。
謝國楨，《明清之際黨社運動考》，北京：中華書局，一九八三年。
王天有，《晚明東林黨議》，上海：上海古籍出版社，一九九一年。
胡秋原，《復社及其人物》，臺北：學術出版社，一九六八年。
張德信，《明朝典章制度》，長春：吉林文史出版社，二〇〇一年。
王天有，《明代國家機構研究》，北京：北京大學出版社，一九九二年。
張治安，《明代政治制度》，臺北：五南圖書出版有限公司，一九九九年。
關文發，《明代政治制度研究》，北京：中國社會科學出版社，一九九五年。
杜乃濟，《明代內閣制度》，臺北：商務印書館，一九六七年。
王其榘，《明代內閣制度史》，北京：中華書局，一九八九年。
譚天星，《明代內閣政治》，北京：中國社會科學出版社，一九九六年。
趙子富，《明代學校與科舉制度研究》，北京：北京燕山出版社，一九九五年。
黃明光，《明代科舉制度研究》，桂林：廣西師範大學出版社，二〇〇〇年。
潘星輝，《明代文官銓選制度研究》，北京：北京大學出版社，二〇〇五年。
劉雙舟，《明代監察法制研究》，北京：中國檢察出版社，二〇〇四年。

范中義等著，《中國軍事通史》第十五卷《明代軍事史》，北京：軍事科學出版社，一九九八年。
于志嘉，《明代軍戶世襲制度》，臺北：臺灣學生書局，一九八七年。
楊紹猷、莫俊卿，《明代民族史》，成都：四川民族出版社，一九九六年。
萬明，《中國融入世界的步履——明與清前期海外政策比較研究》，北京：社會科學文獻出版社，二〇〇〇年。

㈢經濟

王毓銓主編，《中國經濟通史·明代經濟卷》，北京：經濟日報出版社，二〇〇〇年。
唐文基，《明代賦役制度史》，北京：中國社會科學出版社，一九九一年。
韋慶遠，《明代黃冊制度》，北京：中華書局，一九六一年。
欒成顯，《明代黃冊研究》，北京：中國社會科學出版社，一九九八年。
何炳棣，《明初以降人口及相關問題：一三六八—一九五三》，葛劍雄譯，北京：三聯書店，二〇〇〇年。
曹樹基，《中國人口史·明時期》，上海：復旦大學出版社，二〇〇〇年。
曹樹基，《中國移民史·明時期》，福州：福建人民出版社，一九九七年。
牛建強，《明代人口流動與社會變遷》，開封：河南大學出版社，一九九七年。
王毓銓，《明代的軍屯》，北京：中華書局，一九六五年。
黃仁宇，《十六世紀明代中國之財政與稅收》，阿風等譯，臺北：聯經出版事業股份有限公司，二〇〇一年。
傅衣凌，《明清社會經濟變遷論》，北京：人民出版社，一九八九年。
傅衣凌，《明清農村社會經濟》，北京：三聯書店，一九八〇年。
李文治、魏金玉、經君健，《明清時代的農業資本主義萌芽問題》，北京：中國社會科學出版社，一九八〇年。
高壽仙，《明代農業經濟與農村社會》，合肥：黃山書社，二〇〇六年。

陳詩啟，《明代官手工業的研究》，漢口：湖北人民出版社，一九五八年。
韓大成，《明代城市研究》，北京：中國人民大學出版社，一九九一年。
樊樹志，《明清江南市鎮探微》，上海：復旦大學出版社，一九九〇年。
傅衣凌，《明清時代商人及其商業資本》，北京：人民出版社，一九五六年。
李金明，《明代海外貿易史》，北京：中國社會科學出版社，一九九〇年。

(四)社會

萬明主編，《晚明社會變遷：問題與研究》，北京：商務印書館，二〇〇五年。
牛建強，《明代中後期社會變遷研究》，臺北：文津出版社，一九九七年。
陳寶良，《明代社會生活史》，北京：中國社會科學出版社，二〇〇四年。
陳寶良，《飄搖的傳統：明代城市生活長卷》，長沙：湖南人民出版社，二〇〇六年。
常建華，《明代宗族研究》，上海：上海人民出版社，二〇〇五年。
陳寶良，《明代儒學生員與地方社會》，北京：中國社會科學出版社，二〇〇五年。
何淑宜，《明代士紳與通俗文化的關係：以喪葬禮俗為例的考察》，臺北：師大史研所，二〇〇〇年。
卜正民，《縱樂的困惑：明朝的商業與文化》，方駿等譯，臺北：聯經出版事業股份有限公司，二〇〇四年。
陳大康，《明代商賈與世風》，上海：上海文藝出版社，一九九六年。
方志遠，《明代城市與市民文學》，北京：中華書局，二〇〇四年。

(五)文化

地球出版社編輯部編輯，《中國文明史》第八卷《明代》，臺北：地球出版社，一九九七年。
南炳文、何孝榮，《明代文化研究》，北京：人民出版社，二〇〇六年。

南炳文主編，《佛道祕密宗教與明代社會》，天津：天津古籍出版社，二〇〇一年。
侯外廬等主編，《宋明理學史》，北京：人民出版社，一九九七年。
陳來，《宋明理學》，上海：華東師範大學出版社，二〇〇四年。
容肇祖，《明代思想史》，濟南：齊魯書社，一九九二年。
龔鵬程，《晚明思潮》，臺北：里仁書局，一九九四年。
張學智，《明代哲學史》，北京：北京大學出版社，二〇〇〇年。
廖可斌，《復古派與明代文學思潮》，臺北：文津出版社，一九九四年。
王安祈，《明代傳奇之劇場及其藝術》，臺北：臺灣學生書局，一九八六年。
戚世雋，《明代雜劇研究》，廣州：廣東高等教育出版社，二〇〇一年。
陳大康，《明代小說史》，上海：上海文藝出版社，二〇〇〇年。
曹淑娟，《晚明性靈小品研究》，臺北：文津出版社，一九八八年。

文明叢書——

把歷史還給大眾，讓大眾進入文明

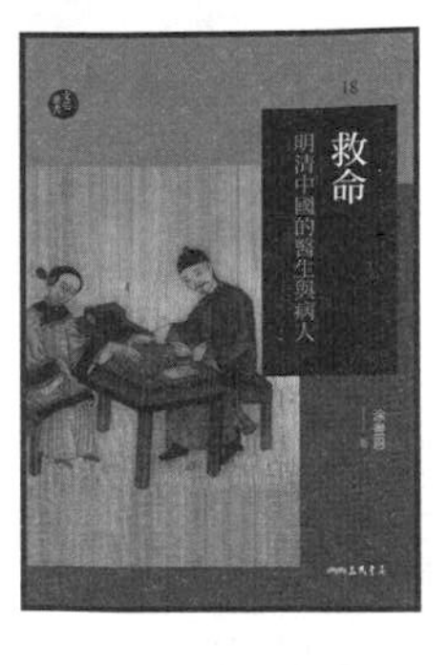

慈悲清淨——佛教與中古社會生活　劉淑芬／著

你知道嗎？早在西元六世紀的中國，就已經出現了有如今日「慈濟功德會」一樣的民間團體。他們本著「夫釋教者，以清淨為基，慈悲為主」的理念，施濟於貧困中的老百姓，一如當代的「慈濟人」。透過細膩的歷史索隱，本書將帶您走入中古社會的佛教世界，探訪這一道當時百姓心中的聖潔曙光。

奢侈的女人——明清時期江南婦女的消費文化　巫仁恕／著

「女人的錢最好賺。」這句話雖有貶損的意味，但也代表女人消費能力之強。明清時期的江南婦女，經濟能力大為提升，生活不再只是柴米油鹽，開始追求起時尚品味。要穿最流行華麗的服裝，要吃最精緻可口的美食，要遊山玩水。本書帶您瞧瞧她們究竟過著怎樣的生活？

救命——明清中國的醫生與病人　涂豐恩／著

三百年前的世界，兩位醫生，一個想著科舉及第；一個早在文人圈備受敬重。兩個看似悖反的生命故事，一同帶我們進入一個複雜而多樣的醫療情境。在這醫生缺乏權威，病人對自己的病症很有想法；醫生需要到處奔波看診；面對病人與家屬的挑戰及環境下，醫生們要如何接招？本書將帶您一探由一群醫生與病人共同交織的歷史。

天有二日——禪讓時期的大清朝政

卜　鍵／著

一七九六年二月，乾隆帝弘曆正式舉行禪讓，將皇位交與十五子顒琰。這是宋代之後唯一的一次內禪，本書作者以清宮檔案為基礎，致力於如實勾畫當時的歷史場景，真切再現那些重要人物，並運用說書般的筆法，帶領讀者神入這個短暫卻精彩的關鍵時代！

以史為鑑——漫談明清史事

陳捷先／著

國際知名學者陳捷先總結數十年明清史研究，緊扣「人物、事件、時代」三元素，以說故事的口吻，帶你穿越時空、重返歷史現場，細看明清歷史人物面對重大事件時的心境，從而學習面對緊要關頭時的智慧，領悟歷史何以為鑑。

青出於藍——一窺雍正帝王術

陳捷先／著

清代帝王硃批奏摺，是為了向臣子發布命令、傳達信息，所以康熙說「朕，知道了」，但雍正不僅只於此。雍正的硃批諭旨其實不只是行政奏章，裡面還有耐人尋味的帝王統御之術，可謂是「青出於藍」啊！想重新認識這位有血有肉的帝王嗎，讓雍正親口說給你聽！

國家圖書館出版品預行編目資料

明史：一個多重性格的時代／王天有,高壽仙著.——
二版一刷.——臺北市：三民，2019
面；　公分
參考書目：面
ISBN 978-957-14-6715-3（平裝）
1.明史

626.01　　108015097

中國斷代史

明史——一個多重性格的時代

作　者｜王天有　高壽仙
企畫編輯｜蕭遠芬

發 行 人｜劉振強
出 版 者｜三民書局股份有限公司
地　址｜臺北市復興北路 386 號（復北門市）
臺北市重慶南路一段 61 號（重南門市）
電　話｜(02)25006600
網　址｜三民網路書店 https://www.sanmin.com.tw

出版日期｜初版一刷 2008 年 5 月
二版一刷 2019 年 11 月
書籍編號｜S620620
I S B N｜978-957-14-6715-3

三民書局